FIGURES
DE LA PENSÉE PHILOSOPHIQUE
I

ÉPIMÉTHÉE

Essais philosophiques

COLLECTION FONDÉE PAR JEAN HYPPOLITE

FIGURES
DE LA PENSÉE
PHILOSOPHIQUE

ÉCRITS DE
JEAN HYPPOLITE
(1931 - 1968)

TOME PREMIER

PRESSES UNIVERSITAIRES DE FRANCE

108, BOULEVARD SAINT-GERMAIN, PARIS

1971

AVERTISSEMENT

Le présent recueil réunit les œuvres éparses de Jean Hyppolite à l'excep-tion, d'une part, de ses livres : Genèse et structure de la phénoménologie de l'esprit de Hegel *et* Logique et existence, *d'autre part, de l'ensemble des articles publiés sous le titre :* Etudes sur Marx et Hegel, *et de l'opus-cule :* Introduction à la philosophie de l'histoire de Hegel.

Ce recueil se compose de trois sortes d'écrits : en premier lieu, des articles parus du vivant de l'auteur ; en second lieu, des textes de conférences et de communications ; enfin, des textes inédits.

Mais ce recueil est incomplet à bien des égards.

En ce qui concerne les articles parus du vivant de l'auteur, il n'est pas certain que, malgré de longues et laborieuses recherches, tous aient été recensés. On peut espérer que cet ouvrage suscitera, à ce sujet, des informations dont pourra bénéficier une édition ultérieure.

En ce qui concerne les textes de conférences et de communications, nous savons qu'ils sont incomplets. Bien des exposés faits par Jean Hyppolite n'ont pas été enregistrés sur bandes et les manuscrits n'en ont pas été retrouvés. C'est le cas, par exemple, des trois communications faites à Genève en 1957 sur Le roman français contemporain. *C'est également le cas d'une conférence sur* La répétition, *de 1961, dont nous n'avons retrouvé qu'un schéma. De même, nous ne disposions, pour les quatre conférences sur* Péguy, *sans doute en 1946, que de notes abondantes, certes, mais non rédigées. Encore ces manques-là nous sont-ils connus. Mais bien d'autres conférences ont dû être faites par Jean Hyppolite, dont nous ignorons jusqu'à l'existence. Ajoutons que nous avons dû renoncer à retenir certaines interventions à des colloques (par exemple, au Colloque de Royaumont, sur* La dialectique de la nature) *parce qu'elles supposaient connu l'ensemble des communications des autres participants.*

Quant aux cours professés par Jean Hyppolite, tant à la Sorbonne qu'au Collège de France, on n'en trouvera malheureusement pas trace dans ce recueil : certains ont disparu : ainsi, l'admirable cours sur Hume, professé à la Sorbonne en 1946-47, ou celui sur Kant (1947-48). D'autres, tels les cours sur Bergson (1948-49), ou sur Heidegger (1953-54), bien qu'entièrement rédigés, ne présentaient pas, en raison même de leur destination, un degré suffisant d'élaboration pour trouver place dans ce recueil. Et nous avons dû renoncer à publier les derniers cours au Collège de France sur la théorie de l'information, dont les notes, non rédigées, remplissent trois gros cahiers. Cette impossibilité de les retenir nous a paru particulièrement douloureuse, car elle nous prive de l'une des dernières formes de la pensée de Jean Hyppolite à l'élaboration de laquelle il avait consacré beaucoup de temps et d'enthousiasme.

Enfin, en ce qui concerne les manuscrits inédits — ou que nous croyons tels, faute de références précises — les manques sont de deux ordres : d'une part, bien de ces écrits sont sans doute irrémédiablement perdus : Jean Hyppolite, qui prenait un soin extrême des manuscrits des autres, traitait les siens avec une totale indifférence. Il est certain que beaucoup d'entre eux ont disparu. D'autre part, nous avons dû, ici encore, renoncer à publier des textes d'un grand intérêt, mais dont la rédaction était trop tôt interrompue ou qui se réduisaient à des notes abondantes mais non rédigées.

Même parmi les manuscrits que nous avons retenus, beaucoup sont rédigés comme des conférences destinées à être parlées. Outre que certains sont inachevés, il est patent qu'ils ne représentent qu'une partie ou un aspect de ce que Jean Hyppolite, professeur et conférencier incomparable, capable d'improvisations fulgurantes, exposait devant son auditoire.

Nous avons trouvé, dans quelques cas, des manuscrits qui semblaient représenter deux versions différentes du même thème. Nous avons pris le parti de ne conserver que le texte qui nous a semblé le plus élaboré.

Certains manuscrits comportaient des citations très nombreuses. Nous les avons conservées toutes. Mais bien d'entre elles ne portaient pas de référence précise. Il ne nous a pas été toujours possible d'en vérifier l'exactitude. Il est donc vraisemblable que de nombreuses inexactitudes subsistent, d'autant plus que Jean Hyppolite citait souvent de mémoire quand ses manuscrits n'étaient que la base d'exposés oraux ultérieurs.

Tous les manuscrits portaient, en marge ou au verso, des annotations allant de la simple remarque à des paragraphes entiers. Nous avons pris le parti d'intégrer dans le texte certaines d'entre elles qui étaient, à l'évidence, destinées à cet usage, et de renvoyer les autres en note au bas de la page, en les référant, dans la mesure du possible, aux parties du texte qui les appelaient, aidés parfois par des indications (le plus souvent, un simple signe) de l'auteur. Nous avons adopté, pour indiquer les mots ou les fragments de phrases qui résistèrent à la lecture, le signe suivant : [?].

Nous avons hésité sur le mode de classement des textes à adopter. Au premier regard, il eût semblé pertinent de présenter ces textes dans leur ordre chronologique. Mais outre que cela s'est révélé impossible — beaucoup de manuscrits n'étant pas datés du tout ou leur date étant problématique — il est apparu que ce mode de classement eût abouti à éparpiller les centres d'intérêt de l'auteur. Nous avons donc procédé à un classement par matière, c'est-à-dire, ici, par auteur, tout en essayant de respecter, autant que possible, dans les écrits concernant un même auteur, l'ordre chronologique.

La dernière partie du recueil réunit, sous la rubrique : Divers, *des textes de différente nature, montrant l'ampleur du domaine d'application de la réflexion de Jean Hyppolite.*

Le titre, de style hégélien, que nous avons choisi pour ce recueil nous a semblé correspondre à la fois au caractère discontinu des textes qui le composent et aux intérêts philosophiques permanents de Jean Hyppolite.

Dina Dreyfus.

I

PLATON

LE MYTHE ET L'ORIGINE
A propos d'un texte de Platon *

C'est un texte de Platon qui nous aidera ici à penser notre situation humaine. Il s'agira moins de commenter un philosophe du passé que de prendre appui sur lui pour envisager dans toute son ampleur la question du mythe de nos origines et de la « démythification » avec toutes ses conséquences possibles. Ce n'est quand même pas un hasard si nous nous adressons à Platon et si nous découvrons déjà en lui, ou du moins dans le personnage de Socrate, la déréliction humaine, la tentative presque insensée, mais inévitable, de substituer la raison à la confiance naïve, le risque d'un nihilisme grandissant, celui même qu'a dévoilé Nietzsche à l'aube de l'époque contemporaine.

* Extrait de *Archivio di Filosofia*, diretto da Enrico CASTELLI, Roma, Istituto di Studi Filosofici, 1965.

A la fin du VIIe livre de la *République*, Socrate à l'aide d'une comparaison s'efforce de faire comprendre à son interlocuteur la situation nouvelle des hommes, dans ce temps qui était déjà un temps d'émancipation et d'*Aufklärung*. « Ils sont dans le cas d'un enfant supposé, nourri au sein des richesses, dans une famille nombreuse et considérable, au milieu d'une foule de flatteurs et qui, arrivant à l'âge d'homme, s'apercevrait qu'il n'est pas le fils de ceux qui se disent ses parents et ne pourrait retrouver ses parents véritables. » Et Socrate pose alors les questions auxquelles il va lui-même répondre. « Peux-tu deviner quels seraient ses sentiments à l'égard de ses flatteurs et de ses prétendus parents, et avant qu'il eût connaissance de sa supposition et après qu'il en serait instruit ? » Toutes les données de la problématique historique sont là rassemblées. Ces richesses, cette famille considérable en nombre et en qualité, c'est l'espèce humaine parvenue à la civiliastion et à la culture, au moment que nous pouvons nommer celui de la prise de conscience, ces flatteurs ce sont les sophistes ou les poètes (que Platon voulait exclure de la République); ils enchantent l'âme et la détournent subtilement de la voie droite, comme le Serpent du récit biblique éveillait Eve et avec elle l'humanité :

> « Dore, langue ! dore-lui les
> Plus doux des dits que tu connaisses,
> Allusions, fables, finesses
> Mille silences ciselés
> Use de tout ce qui lui nuise :
> Rien qui ne flatte et ne l'induise
> A se perdre dans mes desseins,
> Docile à ces pentes qui rendent
> Aux profondeurs des bleus bassins
> Les ruisseaux qui des cieux descendent ! »

Dans le récit platonicien, les flatteurs ont gagné la partie quand l'homme a pris conscience de l'absence de parents naturels, quand il a découvert l'incertitude irrémédiable de son origine. Ainsi le Serpent :

> « Rien, lui soufflais-je, n'est moins sûr
> Que la parole divine, Eve !
> Une science vive crève
> L'énormité de ce fruit mûr
>
> . . . .
>
> Prends de ce fruit... Dresse ton bras;
> Pour cueillir ce que tu voudras
> Ta belle main te fut donnée.
>
> . . . .
>
> Voir le long pur d'un dos si frais
> Frémir la désobéissance... »

Il est vrai que pour le poète qu'est Valéry cette désobéissance est le signe de l'apparition de l'arbre de la connaissance :

> « Déjà, délivrant son essence
> De sagesse et d'illusions
> Tout l'arbre de la connaissance
> Echevelé de visions
> Agitant son grand corps qui plonge
> Au soleil et suce le songe. »

Platon avait donc bien raison de chasser les poètes pour substituer aux flatteurs la vraie dialectique, la raison solide à laquelle seule l'humanité peut maintenant se fier. Mais que de précautions il faut prendre, que de risques on court quand on s'engage trop tôt et trop vite dans la dialectique, dans le jeu de la connaissance.

« Arrivé à un âge plus mûr on ne voudra pas donner dans cette manie, on imitera plutôt celui qui veut discuter pour rechercher la vérité, que celui qui par plaisir s'amuse à contredire, et se montrant soi-même plus mesuré, on fera respecter la profession du philosophe, au lieu de l'exposer au mépris. » Ces textes ont une résonance historique, on évoque Socrate, les sophistes, et la cité grecque à l'heure de son déclin, cette cité que la philosophie ne sauvera pas. Il concevait pourtant des philosophes qui, prenant la place du père absent, acceptaient de diriger la cité, affrontant dès que leur tour est venu les tracas de la politique et prenant successivement le commandement dans la seule vue du bien public, « et moins comme un honneur que comme un devoir indispensable ; et après avoir ainsi sans cesse formé d'autres citoyens sur leur propre modèle pour les remplacer dans la garde de l'Etat, ils s'en vont habiter les îles des bienheureux ».

N'ai-je pas raison de croire qu'il y a dans ces beaux textes platoniciens une image véritable de notre condition ? L'humanité en s'émancipant dissipe la confiance originaire ; elle est sans père naturel, sans origine divine ; elle est livrée à elle-même et à sa seule raison. C'est ici qu'intervient la démythification ; il y a certes dans le jeu subtil du savoir des mythes nouveaux qui surgissent — cet arbre de la connaissance échevelé de visions — mais ces mythes à leur tour se dissolvent :

> « Il en cherra des fruits de mort
> De désespoir et de désordre. »

Peut-on alors faire confiance à la seule raison, peut-elle déterminer la voie droite par la pure réflexion, et l'organisation de l'existence humaine dans ses rapports avec la nature et elle-même ? Mais Platon avait substitué l'idée-valeur à l'origine divine et mythique. Cette idée n'est qu'une projection, l'ombre portée de notre adaptation progressive au monde et du monde à nous-mêmes. En vérité, ce rationalisme de l'humanité émancipée est l'autre face d'un nihilisme toujours possible.

> « L'immense espoir de fruits amers
> Affole les fils de la fange...
> — Cette soif qui te fit géant
> Jusqu'à l'Etre exalte l'étrange
> Toute puissance du Néant. »

Ce nihilisme qui remonte à Socrate, à la tentation de la raison pour se suffire à elle-même, c'est Nietzsche qui l'a le plus profondément mis en lumière, comme un des traits marquants de notre époque. C'est le thème de la mort de Dieu, de la disparition de l'authentique père naturel, que nous trouvons dans le rêve étonnant de Jean-Paul, une œuvre qui est à la charnière du XVIIIᵉ et du XIXᵉ siècle. Les morts s'éveillent et interrogent le Christ : « Christ, n'est-il point de Dieu ? » Il répondit : « Il n'en est point... J'ai parcouru les mondes, je me suis élancé vers les soleils, avec les voies lactées j'ai traversé les espaces déserts du ciel, mais il n'est point de Dieu. Je suis descendu aussi loin que l'existence projette ses ombres et j'ai plongé mon regard dans les gouffres et j'ai crié : Père où es-tu ?, mais je n'ai entendu que la tempête éternelle que nul ne gouverne et l'arc-en-ciel luisant formé par les êtres se dressait au-dessus de l'abîme et s'y épanchait goutte à goutte. Et lorsque je levais les yeux vers le ciel infini cherchant un regard de Dieu, l'univers me contempla de son orbite vide et sans fond... » Alors, à l'effroi du cœur, s'avancèrent dans le temple les enfants morts qui s'étaient réveillés au cimetière et ils se jetèrent aux pieds de la haute silhouette en disant : « Jésus, n'avons-nous point de père ? » Et il regardait ruisselant de larmes. « Nous sommes tous des orphelins vous et moi, nous n'avons point de père. »

Le rationalisme — optimiste ou pessimiste — ne peut plus être considéré comme une authentique ontologie, il est dans la déréliction humaine comme l'affirmation stoïque d'une condition d'existence. Ce n'est pas sous cette forme réduite qu'il naquit en Grèce, mais c'est là pour nous le résultat des siècles de culture et de progrès de la connaissance. Il faut ajouter que la « démythification » n'atteint pas seulement le mythe des origines, elle atteint aussi le mythe de l'avenir humain dans toute son ampleur. Maintenant que le progrès existe, comme progrès de nos conditions de vie, comme accélération des techniques, nous ne pouvons pas davantage nous faire d'illusion sur la fin des temps que sur leur commencement. Nous sommes entrés peu à peu dans ce que Hegel nommait la *Prose du Monde*. Le mythe ici est condamné comme illusoire. Pourtant il peut subsister encore sous la forme même de l'art, comme un mythe à la seconde puissance, qui finit d'oublier sa propre feinte.

Il nous faudra, à la lumière de la pensée critique et des conditions de notre existence, reprendre l'analogie de Platon et nous demander ce que deviennent alors pour nous le sens du rationalisme et le sens d'une création mythique sous la forme de l'art.

II

DESCARTES

DU SENS DE LA GÉOMÉTRIE
DE DESCARTES DANS SON ŒUVRE*

J'ai le sentiment qu'en donnant comme titre à cette conférence : « Le sens de la Géométrie dans l'œuvre cartésienne », j'ai
peut-être effrayé quelques-uns ou quelques-unes d'entre vous. On
a parlé tout à l'heure d'un retour à des préoccupations anciennes ;
je me suis en effet occupé de la géométrie cartésienne à l'occasion
d'un diplôme d'études supérieures dirigé par mon maître Léon
Brunschvicg. J'espère que vous vous rendrez compte qu'il ne
s'agit pas seulement d'une étude spéciale et technique de la géométrie de Descartes, mais que ce qui est en cause aujourd'hui comme
hier dans le débat sur la philosophie de Descartes, c'est le problème
de la métaphysique cartésienne comme science rigoureuse, et de la
signification de cette métaphysique.

* Tiré des *Cahiers de Royaumont*, Philosophie, n° II, Ed. de Minuit, 1957.

Je commencerai par aborder une question historique sur laquelle il me semble pouvoir apporter une certaine lumière par l'analyse des textes. Les *Regulae* sont une œuvre posthume. Mais elles sont de 1629 au plus tard, et Descartes les a laissées inachevées. Le *Discours*, lui, est de 1637, et fut publié du vivant de Descartes.

Le *Discours de la Méthode* est une préface qui a eu une singulière fortune dans l'histoire; on a un peu négligé les trois œuvres dont il était la préface, la *Dioptrique*, les *Météores* et la *Géométrie*, et l'on a fini par isoler complètement cette préface de ce dont elle était la préface. Y a-t-il une différence entre la méthode de 1628 et celle de 1637 ? A-t-on le droit de commenter le *Discours* par les *Regulae* sans insister sur les différences ? Cette question a opposé, à l'époque où je rédigeais mon diplôme, M. E. Gilson (dans son *Commentaire du Discours de la Méthode*) et Léon Brunschvicg (dans un article de la *Revue de Métaphysique et de Morale* de 1927).

L'article de Brunschvicg reprenait d'ailleurs les conclusions d'un diplôme d'études supérieures de Boutroux sur l'*Imagination et les Mathématiques selon Descartes*; on peut dire que, dans l'ensemble, l'interprétation de M. Gilson, fidèle aux *Regulae*, montrait chez Descartes l'existence d'un certain réalisme spatial, tandis que Léon Brunschvicg découvrait à partir de la *Géométrie* et du *Discours* une réduction de l'étendue imaginée à l'étendue pensée, de la forme spatiale donnée à l'étendue intelligible, faite d'une structure de rapports. C'était conduire, non sans nuances d'ailleurs, Descartes vers un idéalisme plus radical encore que celui de l'auteur de l'*Esthétique transcendantale*.

Nous allons reprendre un peu cette opposition, en tenant compte de l'élaboration de la *Géométrie* qui fut commencée par Descartes en 1631 à l'occasion du problème de Pappus que lui avait proposé Golius.

Constatons d'abord la différence de forme entre les *Regulae* et le *Discours*. Les *Regulae* devaient comporter trente-six règles, elles constituent un exposé qui devait [?] problèmes accessibles à l'homme. Les problèmes — ou comme dit Descartes, les questions — sont le thème de ce traité qui instaure la mathématique universelle (et même parfois la mathématique pure) au service de cette mise en forme et de cette résolution des problèmes. Après les considérations générales sur l'intuition, la déduction, la connaissance, Descartes aborde les questions qu'il nomme parfaitement déterminées, et qui sont pour cette raison immédiatement susceptibles d'un traitement mathématique ; les questions imparfaitement déterminées devaient pouvoir se réduire aux premières par l'intermédiaire de certaines hypothèses. On sait que Descartes a interrompu son œuvre à l'énoncé des règles XIX, XX et XXI qui traitent de la mise en équation (avec la distinction des termes connus et des termes inconnus), et de la résolution des équations. On peut supposer que Descartes ne possédait pas encore à cette époque toute la technique qu'il exposera dans le livre III de la *Géométrie* qui porte justement sur l'analyse des équations. La possibilité de ce traitement mathématique de tous les problèmes parfaitement déterminés repose sur la représentation de la question dans l'étendue : « La même question doit être rapportée à l'étendue réelle des corps et représentée tout entière à l'imagination par des figures nues, car ainsi elle sera comprise bien plus distinctement par l'entendement. » Grâce aux notions d'unité, de dimension et de figure, cette référence des problèmes à l'étendue est toujours possible ; et ainsi les *Regulae* sont un véritable exposé de la mathématique universelle et de la méthode qui est le noyau de cette mathématique (celle-ci en est caractérisée comme l'enveloppe).

Le *Discours de la Méthode*, par contre, ne comporte que quatre préceptes extrêmement généraux, disons même vagues en apparence par rapport à la précision technique des *Regulae*. Et, chose curieuse, ce qui se présente en une seule règle dans les *Regulae* (la règle V) est dédoublé dans le *Discours* (préceptes II et III). Que s'est-il passé

entre les *Regulae* et le *Discours* ? Comment expliquer ce dédoublement d'une règle unique en deux préceptes ?

Je crois qu'il est possible par la seule analyse des textes, de dégager
au moins le résultat suivant. Dans les *Regulae,* la méthode et la mathématique universelle (voire la mathématique pure) sont sur le même
plan. La première est bien le noyau de l'autre qui en est l'enveloppe;
mais le noyau n'est pas encore dégagé pour lui-même. Dans le
Discours, préface à la *Géométrie,* la séparation est faite. Les préceptes
de la méthode sont envisagés dans toute leur pureté et dans toute
leur indépendance. La technique mathématique est développée pour
elle-même (mise en équation des problèmes et résolution des équations), elle occupe toute la *Géométrie.* Les *Regulae* sont passées dans
la *Géométrie.* « Ainsi voulant résoudre quelque problème, on doit
d'abord le considérer comme déjà fait et donner des noms à toutes
les lignes qui semblent nécessaires pour le construire, aussi bien à
celles qui sont inconnues qu'aux autres. Puis sans considérer aucune
différence entre ces lignes connues et inconnues, on doit parcourir
la difficulté selon l'ordre qui montre le plus naturellement de tous,
en quelles sortes elles dépendent mutuellement les unes des autres,
jusqu'à ce qu'on ait trouvé moyen d'exprimer une même quantité
en deux façons, ce qui se nomme une équation, et on doit trouver
autant de telles équations qu'on a supposé de lignes qui étaient
inconnues. »

Dans les *Regulae* la technique mathématique et la méthode se
prolongeant l'une l'autre sont sur le même plan (M. Gueroult
dirait le plan de la nature), dans le *Discours* les préceptes de la
méthode, souvenir d'une intention originelle chez Descartes, bénéficient de la découverte de la géométrie, mais sont libérés de leur
enveloppe, et ce changement de plan n'est pas sans conséquence
pour les relations de la métaphysique et de la mathématique, comme
la découverte parallèle de la géométrie analytique n'est pas sans
conséquence pour les relations de la mathématique pure et de la

mathématique universelle, de l'entendement et de l'imagination. Disons simplement que la méthode analytique cartésienne ne peut pas être tout à fait la même dans un domaine où est possible l'artifice de désigner l'inconnu par X et de traiter l'inconnu comme le connu (ce qui permet d'inverser l'ordre indirect du problème en ordre direct) et dans un domaine où l'ordre existe sans la mesure comme celui des *Méditations*. Les préceptes de la méthode sont une exigence pure de l'esprit, préformée mais non exploitée dans les *Regulae*; ils bénéficient du progrès de la géométrie, mais se constituent dans leur indépendance, en subsumant l'invention de la géométrie analytique et la technique mathématique elle-même.

Nous pouvons maintenant revenir à la *Géométrie*, et réfléchir sur le progrès effectué par Descartes entre 1628 et 1637 sur le plan technique. Quand on lit la *Géométrie* de Descartes aujourd'hui, on a l'impression de se trouver en présence d'une œuvre d'un style mathématique et philosophique moderne — qui contraste singulièrement avec le style des contemporains de Descartes — quand on lit au contraire les travaux de physique de Descartes, on est comme rejeté dans un autre âge et on regrette de devoir donner trop souvent raison à Leibniz contre Descartes. L'origine de la *Géométrie* de 1637, c'est le problème de Pappus résolu par Descartes en 1631. En quoi consiste ce problème ? Je vais prendre un exemple très simple pour le faire comprendre à ceux d'entre vous qui ne sont pas mathématiciens. Quand on fait de la géométrie élémentaire, on se demande quel est l'ensemble des points qui dans un plan sont à égale distance de deux droites de ce plan. Vous savez tous que la solution de ce problème est la bissectrice de l'angle de ces deux droites. Le problème de Pappus est la généralisation de ce problème élémentaire. Si au lieu d'avoir affaire à deux droites, vous avez affaire à trois droites, on vous demande quel est l'ensemble des points tels que le produit de leur distance à deux droites soit au carré de la distance à la troisième droite dans un rapport donné,

et d'une manière générale, voici l'énoncé moderne de ce problème :
« Etant donné 2 N droites, trouver le lieu d'un point tel que le
produit de ses distances à N de ces droites soit dans un rapport
donné au produit de ses distances aux N autres droites. »

Or, en un an, Descartes a trouvé non seulement la solution du
problème dans le cas de trois droites (ce qu'avait fait aussi Fermat),
mais la solution générale du problème général (dans le cas de 2 N
droites). Mais cela supposait la possibilité d'énoncer le problème
général (quel que soit le nombre des droites) et la solution générale
(indépendante des cas de figure, des fixations de l'imagination).
C'était inventer un langage unissant l'algèbre de Viète et l'analyse
géométrique des anciens, et concevoir la généralité de ce langage
d'entendement. C'était ainsi pouvoir dire — en se référant seulement
à l'ordre — une solution qui comprend une infinité de solutions
différentes. Le IIe livre de la *Géométrie* est la présentation par ordre
(du degré 2 au degré N) de toutes les courbes que Descartes admet
en sa géométrie et qui sont nécessaires pour résoudre le problème
de Pappus selon le nombre de droites. On sait que Descartes exclut
seulement de sa géométrie les courbes que nous nommons trans-
cendantes et dont la mesure précise dépasse pour Descartes la portée
de l'esprit humain. De même que dans les *Méditations* l'imagination
est déclarée impuissante à épuiser les formes possibles du morceau
de cire, dans la *Géométrie* l'imagination ne peut concevoir l'infinité
des courbes qui s'étagent par ordre à l'infini, en s'élevant comme
par degrés des plus simples aux plus complexes. Seul l'entendement
en concevant l'ordre et la complexité (le rapport de la courbe à la
droite qui la coupe) peut embrasser dans une même série des courbes
que les anciens pour des raisons contingentes, des raisons d'imagination, séparaient de la droite et du cercle, base unique de la
géométrie.

Cette généralité, ce langage nouveau, cette considération des
proportions — sans même tenir compte de leurs supports matériels,

« même aussi sans les y astreindre aucunement » — ont rendu la *Géométrie* presque inintelligible aux contemporains. Dans toute la *Géométrie* de Descartes, a écrit un géomètre italien, G. Loria, le lecteur moderne entrevoit bien des choses qu'il connaît parfaitement, mais combien de lecteurs du xviie siècle étaient en mesure de comprendre le sens caché des phrases de Descartes ? C'est pourquoi il faudrait étudier les commentateurs de la *Géométrie* au xviie siècle, des *Notes brèves* de Florimond de Beaune aux *Elementa curvarum linearum* de J. de Witt en passant par le commentaire de la *Géométrie* de Schooten, et les *Principia Matheseos universalis, seu introductio ad Geometrae methodum.*

Le temps nous manque pour un tel développement. Qu'il nous suffise d'insister sur ce que Léon Brunschvicg considérait comme une révolution de pensée aussi importante en son genre que la révolution einsteinienne : les *Regulae* commencent à abandonner une certaine représentation de la correspondance des opérations arithmétiques à l'étendue, mais c'est seulement dans la *Géométrie* (dans le Ier livre de cette *Géométrie*) que la rupture est définitive. La représentation ancienne faisait correspondre le nombre simple à la ligne, la multiplication à la construction d'un rectangle, ou d'un volume (pour trois nombres); les opérations inverses, division, extraction de racine correspondraient au passage du volume ou du rectangle aux lignes... Descartes a lui-même, comme il nous le dit, été longtemps trompé par les termes de carré, ou de cube qui désignent aussi bien une certaine figure, qu'une certaine puissance. L'algèbre de Viète était subordonnée à cette représentation imaginative de l'étendue et de ses dimensions, et gênée par une *loi d'homogénéité* qui rend dès lors impossible d'ajouter un nombre à une puissance (c'est-à-dire une ligne simple à un carré). Descartes ayant envisagé dès les *Regulae* les puissances comme un développement continu à partir de l'unité sous la forme de la série 1, a^2, a, a^3... a^n, il restait à soumettre la représentation de l'étendue à cette conception des proportions selon l'entendement. Certes Descartes dit bien dans les *Regulae* qu'il faut parfois représenter le résultat d'une multiplication par une simple ligne, mais il n'indique pas le calcul géométrique très général qui permet de représenter, de figurer ces proportions, et de réaliser les opérations arithmétiques uniquement par des rapports dans l'étendue. L'étendue alors, au lieu d'être imposée à la pensée d'une façon réaliste, est constituée par un tissu de relations. Elle devient vraiment une étendue intelligible. Selon la remarque de Hegel, le XVIIᵉ siècle a tenté de réunir la pensée et l'étendue, comme le XIXᵉ tente d'unir la pensée et le temps. C'est dans la géométrie seulement que cette correspondance nouvelle est exposée dans toute sa rigueur et sa précision.

« Soit AB l'unité et qu'il faille multiplier BD par BC, je n'ai qu'à joindre les points A et C, puis tirer DE parallèle à CA et BE est le produit de cette multiplication... ou bien s'il faut diviser BE par BD, ayant joint les points E et D, je tire AC parallèle à DE et BC est le produit de cette division. »

Les proportions s'écrivent en effet dans l'étendue comme en algèbre :

$$\frac{BE}{BD} = \frac{BC}{AB}$$

Si $x = BE$ désigne le produit cherché de $BC = a$, par $BD = b$, on a, puisque $AB = 1$:

$$\frac{x}{b} = \frac{a}{1}, \quad \text{d'où} \quad x = ab \quad (a \times b)$$

et si $BC = BD = a$, on a immédiatement la construction de la puissance 2, ou du carré :

$$x = a^2.$$

La division et l'extraction de racines s'expliquent de la même façon. Descartes a conçu d'après ces proportions un compas nouveau qui, selon sa plus ou moins grande ouverture, résout graphiquement les opérations d'élévation à une puissance, ou les extractions de racine. On ne saurait trop insister sur l'importance de cette imagination nouvelle de l'étendue selon l'entendement. Ce n'est plus l'imagination qui fournit un modèle à l'entendement, c'est bien l'entendement qui permet d'envisager et même d'imaginer l'étendue autrement qu'elle n'apparaît d'abord.

Dans sa jeunesse — avant les *Regulae* — Descartes avait tenté d'utiliser les dimensions physiques pour faire de la géométrie. Pour réaliser la multiplication des quatre nombres qui dépasse la construction d'un solide (en introduisant une dimension de plus), Descartes, d'après son ami Beeckman, imagine l'adjonction de réalités physiques (la densité ou la couleur par exemple) : « *Particulariter vero concipit cubum per tres dimensiones, ui etiam alii faciunt ; at biquadratum concipit ac si ex cubo simplici qui consideratur ut ligneus fieret cubus lapideus ; ita enim per totum additur una dimensio ; ac si altera dimensio sit addenda, considerat cubum ferreum, tum aureum, etc., quod non solum sit in gravitate, sed etiam in coloribus et omnibus aliis qualitatibus.* » Il y avait là une représentation des relations quantitatives par des qualités qui permettait d'ailleurs une généralisation extraordinaire de la notion de dimension. Dans la géométrie, c'est la quantité qui par sa structure s'avère à certains égards adéquate à de la qualité.

Le Ier livre de cette *Géométrie* de 1637 (qui en comporte trois) est donc consacré à cette *correspondance nouvelle de l'étendue et de la pensée* en même temps qu'à l'énoncé du problème de Pappus, et à sa solution générale. Le IIe livre traite des lignes courbes et de leur représentation possible par des équations. C'est là proprement la géométrie analytique, et Descartes nous surprend aujourd'hui en définissant toutes les courbes par leurs équations sans pour autant insister assez explicitement sur la notion de système de coordonnées. La *Géométrie* se présente parfois comme une œuvre énigmatique, car Descartes sait — sans le démontrer — que l'ordre de la courbe est indépendant du système choisi, encore qu'on puisse le choisir plus ou moins bien. Il a même transformé une courbe de Roberval en changeant les axes pour qu'il ne puisse plus la reconnaître.

L'exposé cartésien est d'une étonnante généralité; il nous parle très clairement, à nous qui connaissons les progrès de la géométrie après Descartes, mais quel sens pouvait-il avoir immédiatement pour les contemporains ? Descartes, qui commit quelques fautes curieuses, admettant par exemple que la projection d'un angle droit se fait toujours selon un angle droit, donne l'ébauche et l'indication générale de la représentation algébrique des courbes, du calcul de toutes leurs propriétés à partir de l'équation. « Or, de cela seul qu'on sait le rapport qu'ont tous les points d'une ligne courbe à tous ceux d'une ligne droite, en la façon que j'ai expliquée, il est aisé de trouver aussi le rapport qu'ils ont à tous les autres points et lignes donnés, et ensuite de connaître les diamètres, les essieux, etc., et aussi d'imaginer divers moyens pour les décrire..., et même on peut aussi par cela seul trouver quasi tout ce qui peut être déterminé touchant la grandeur de l'espace qu'elles comprennent sans qu'il soit besoin que j'en donne plus d'ouverture... » Il faut bien avouer qu'on reste confondu devant des expressions comme « il est aisé... sans qu'il soit besoin que j'en donne plus d'ouverture », ce programme comportant la réalisation du calcul différentiel et du calcul intégral. La *Géométrie* de Descartes est en avance sur son temps, mais Descartes est lui-même en avance sur sa propre technique, comme quand il parle, en passant, des racines imaginaires des équations : « Au reste, tant les vraies racines que les fausses (c'est-à-dire ce que nous nommons aujourd'hui les racines négatives) ne sont pas toujours réelles, mais quelquefois seulement imaginaires, c'est-à-dire qu'on peut bien toujours en imaginer autant que j'ai dit en chaque équation, mais qu'il n'y a quelquefois aucune quantité qui corresponde à celles qu'on imagine. » Descartes, enfin, en un seul paragraphe, étend sa méthode à la géométrie dans l'espace, en concevant la projection d'une courbe sur deux plans rectangulaires comme le fera plus tard la géométrie descriptive.

Le livre III de la *Géométrie* est proprement l'algèbre et l'analyse de Descartes : les courbes se représentent par des équations, mais que sont les équations ? Si les équations résultent de la mise en forme des problèmes géométriques, comment peut-on envisager et traiter les équations elles-mêmes ? C'est ici qu'il faut supposer l'ordre, quand il n'est pas donné (selon le troisième précepte de la *Méthode*). Mais cette supposition ne sert pas seulement comme dans les *Regulae* à résoudre des jeux d'esprit artificiels, mais elle permet aussi d'engendrer par la pensée ce qui nous était proposé d'abord du dehors. Descartes, reprenant Viète et Harriot, va étudier les équations elles-mêmes, mais poussant plus loin que ses devanciers, il va les engendrer à partir de leurs racines.

Soit $x = 2$

ou $x - 2 = 0$, ce qui est la définition de la racine $x = 2$,

$x = 3$

ou $x - 3 = 0$, définition de la racine $x = 3$.

En multipliant ces deux relations $x - 2 = 0$ et $x - 3 = 0$, ce qui pouvait paraître assez étrange aux contemporains, on engendre l'équation du deuxième degré :

$$x^2 - 5x + 6 = 0$$

et en la multipliant à son tour par $x - 4 = 0$, on engendre l'équation du troisième degré, qui a trois racines :

$$x = 2, \qquad x = 3, \qquad x = 4.$$

Nous savons donc constituer les équations, nous savons les faire, si nous ne savons pas les défaire, ou comme on dit, les résoudre. C'est l'opacité de l'œuvre par rapport à son créateur, et il faudra toujours considérer les équations, comme si elles étaient une œuvre, une production de la pensée, selon l'ordre, mais cette opacité est bien plus irréductible que ne le croyait Descartes; elle oblige à considérer les racines négatives et imaginaires, la possibilité même d'une résolution algébrique. Il faudra attendre Galois et la théorie des groupes pour élucider cette question des équations.

J'espère vous avoir au moins montré l'espèce d'énigme que constitue cette *Géométrie* de Descartes, par toutes les perspectives qu'elle ouvre, par la généralité de son exposition, et par le caractère de programme plus que de réalisation qu'elle présente. « Et j'espère que nos neveux me sauront gré non seulement des choses que j'ai ici expliquées, mais aussi de celles que j'ai omises volontairement, afin de leur laisser le plaisir de les inventer. » Descartes, remarque Péguy, nous donne quelquefois l'impression de faire un programme électoral.

Est-il possible, en terminant, de répondre à la question soulevée au début de ce trop long exposé ? Pourquoi Descartes distingue-t-il dans le *Discours* deux règles, qui n'en font qu'une dans les *Regulae* ? Pourquoi parle-t-il dans les *Regulae* d'une régression et d'une progression qui passent par les mêmes degrés *(per eosdem gradus)* alors que cette notion des mêmes degrés disparaît dans le *Discours* ? Je crois que l'analyse même de la *Géométrie* avec sa *problématique* (mise en équations des problèmes dans les livres I et II) et sa *constitution* d'un ordre de progression (classification des courbes et genèse des équations dans le IIe et le IIIe livres) peut nous mettre sur la voie d'une réponse.

Dans les *Regulae* la régression et la progression ne sont pas caractérisées l'une par rapport à l'autre, la supposition de l'ordre et la genèse ne sont pas aperçues aussi nettement que dans le *Discours*. Mais grâce à la *Géométrie*, la problématique qui réduit le problème à ses équations (qui sont autant de parcelles qu'il y a d'inconnues) et la genèse apparaissent comme distinctes. La difficulté ne consiste plus à passer par les mêmes degrés, mais réside dans la *rencontre* d'un ordre progressif de constitution (presque divin) et d'un ordre humain de régression. Pourquoi les équations qui sont la mise en forme des problèmes que le Monde nous pose, et celles que nous constituons dans une progression intelligible, sont-elles les mêmes ? La quatrième partie du *Discours de la Méthode* vient justifier et garantir cette rencontre.

La *Géométrie* — l'œuvre, nous dit Descartes, dans laquelle il a le mieux montré l'excellence de sa méthode — nous permet donc tout à la fois de commenter la *Méthode* et d'en faire valoir l'indépendance au-dessus de la technique mathématique qui l'illustre. Le noyau a été libéré de son enveloppe, dont il se dégageait encore malaisément dans les *Regulae*, et ce noyau a pu apparaître dans son essence proprement métaphysique.

III

FICHTE

I

L'IDÉE FICHTÉENNE DE LA DOCTRINE DE LA SCIENCE ET LE PROJET HUSSERLIEN *

Les comparaisons entre les systèmes philosophiques sont toujours artificielles quand elles procèdent du dehors; elles dégagent des différences et des ressemblances qui font perdre de vue les intentions originales des systèmes eux-mêmes. Notre but ne sera donc pas de comparer *l'idéalisme fichtéen* et la *phénoménologie husserlienne*. Les différences sont trop immédiatement visibles; c'est pourquoi, en suivant l'indication même de Husserl lorsqu'il écrivit les *Méditations cartésiennes*, nous tenterons une méditation fichtéenne,

* Extrait de *Husserl et la pensée moderne*, La Haye, M. Nijhoff, 1959.

nous essayerons d'approfondir le dessein philosophique de Fichte d'après la première *Doctrine de la science* de 1794. C'est en cherchant librement à comprendre l'intention et le projet philosophique de Fichte que nous espérons rejoindre par l'intérieur le thème de la science rigoureuse chez Husserl et celui des rapports entre cette science et l'expérience vécue.

Nous partirons de l'idée que Fichte se fait d'une science de la science, d'une *W.-L.*, dans le remarquable opuscule de 1794 : *Sur le concept de la doctrine de la science ou ce que l'on nomme la philosophie* — qui est son « Discours de la Méthode » — et de ce projet d'une science de la science nous irons jusqu'au problème fondamental du rapport de cette science à l'expérience vécue et à l'originaire dans l'esprit humain.

I. — Le concept de la doctrine de la science

Fichte part de l'opinion commune — admise par tous les philosophes jusqu'à lui — que la philosophie est une science, mais que sur le contenu et l'objet de cette science des divergences se manifestent. Or, remarque-t-il, « cette divergence ne vient-elle pas de ce que l'idée de la science qu'on s'accorde à attribuer à la philosophie n'est pas intégralement développée ? » (*WW* 1/38). Dans ce cas la détermination de cette seule caractéristique — ce qui fait d'une science rigoureuse proprement une science rigoureuse — suffirait pleinement à déterminer la philosophie. La philosophie serait l'idée pleinement développée de la science en tant que telle, du projet même de la science. C'est ce que Fichte nomme la science de la science ou la doctrine de la science. Il s'agit donc d'abord de vivre ou d'expérimenter jusqu'au bout l'idée de la science, d'en expliciter le projet et le thème fondamental avant même de le réaliser. Sa réalisation serait ensuite la preuve de la solidité du projet.

L'opuscule de Fichte *Sur le concept de la doctrine de la science* est précisément l'exposé du projet d'une telle science avant sa réalisation effective. Nous allons d'abord suivre ce projet jusqu'au moment où il nous conduira au problème des relations entre ce thème de la science et l'expérience originaire de l'esprit humain, par quoi nous verrons que cette science des conditions de la science n'est pas seulement formelle.

Que doit être une science pour être effectivement science ? Elle doit être *rigoureusement fondée*, la systématisation n'étant qu'une condition seconde. C'est pourquoi le problème du fondement apodictique est le problème central de la pensée fichtéenne. Une science particulière représente un certain domaine du savoir, une certaine région de la connaissance, et elle repose alors sur une base dont la solidité est admise pour en justifier les conséquences. Mais c'est cette base même qu'il s'agit de fonder à son tour, et le projet de la science devient alors le projet d'un fondement absolu, un fondement de tous les fondements qui donneraient leur légitimité et s'articuleraient par rapport à ce fondement absolu et unique; celui-ci à son tour ne saurait se fonder sur autre chose que sur lui-même. On pourrait donc parler d'une situation des sciences particulières, d'une articulation de ces sciences, qui trouveraient leur site dans ce fondement suprême, lequel ne pourrait plus se situer nulle part, puisqu'il serait en lui-même la condition de toute situation.

Remonter jusqu'à cette référence, tel est le thème d'une doctrine de la science, d'une épistémologie au sens littéral du terme.

Une remarque s'impose ici; Fichte n'entend pas par épistémologie ou doctrine de la science une étude des sciences particulières — ce qui deviendra après lui l'épistémologie, sorte d'histoire des sciences ou de réflexion *a posteriori* sur elles —, mais une étude de la visée de la science, de l'exigence d'un fondement apodictique de la science comme telle.

Une science est à la fois un contenu et une forme — ce sur quoi on sait, et ce qu'on en sait —, l'objet du savoir et le savoir de cet objet. Dans une science particulière contenu et forme sont distincts, dans la science comme telle, qui est fondement absolu, le contenu et la forme doivent s'identifier, le savoir et son objet doivent ne plus pouvoir se distinguer. Un fondement absolu ne peut être tel que s'il est à lui-même son propre objet et sa propre garantie. N'avais-je pas raison de parler, non d'un principe logique premier, mais d'un milieu fondamental du savoir ? Le savoir se sait ainsi lui-même, il est savoir absolu en étant savoir du savoir ou savoir de soi-même. C'est en ce sens que Fichte met la conscience de soi au sommet de sa doctrine de la science ; il ne s'agit pas là bien entendu d'un subjectivisme psychologique. Fichte cherche donc les sources de ce qui se montre incontestablement comme l'être, comme le non-Moi, dans une conscience de soi transcendantale. Le projet fichtéen d'une doctrine de la science est donc le projet d'une réflexion totale dans l'immanence de toutes les sciences de l'expérience et de l'expérience elle-même. C'est la question kantienne, radicalement posée : « Comment la science est-elle possible, comment l'expérience est-elle possible ? » Mais tandis que la méthode de Kant est *apagogique*, remontant aux conditions du savoir comme à sa possibilité, la méthode de Fichte veut être aussi *ostensive*, c'est-à-dire joindre à la connaissance de la vérité celle de ses sources.

La recherche du fondement absolu doit donc s'accompagner d'une découverte de ce fondement, d'une relation entre la réflexion philosophique et l'originaire mis ainsi en lumière. Par là, en dépit de l'idéalisme constructif de Fichte, des déductions dialectiques de son système, il y a perpétuellement chez lui un problème de la relation entre l'exposition de ce système (qui est œuvre de la réflexion philosophique) et l'expérience originaire de l'esprit humain. La phrase la plus caractéristique de Fichte à cet égard me paraît bien être la suivante : « Nous ne sommes pas les législateurs de l'esprit humain, mais ses historiographes » (*WW* 1/77). Ce qu'il s'agit de découvrir pour l'exposer dans un ordre systématique, c'est le milieu même du savoir fondamental qui fonde tout savoir. Qu'une pareille réflexion, qu'un pareil retour du savoir sur lui-même, soit en germe dans tout savoir particulier, dans toute expérience, cela n'est pas douteux, mais l'effectuation de cette réflexion totale qui laisse par ailleurs subsister les diverses sciences en les garantissant, c'est ce qui exige une décision immotivée, un acte libre à partir duquel commence la philosophie.

II. — Les divers problèmes d'une doctrine de la science

Dans l'opuscule de Fichte auquel nous nous référons et qui contient seulement l'explicitation d'un projet de la philosophie comme science rigoureuse, Fichte envisage quatre problèmes essentiels à ce projet.

1) « Comment la doctrine de la science peut-elle être sûre d'épuiser tout le savoir humain, y compris le savoir à venir ? » (*WW* 1/57).

2) Toute base d'une science particulière faisant aussi partie de la doctrine de la science, « comment cette dernière peut-elle donc se distinguer des sciences particulières ? » (*WW* 1/56).

3) « La doctrine de la science prétend donner à toutes les sciences particulières leur forme » (*WW* /166), comment se distingue-t-elle de la logique qui a la même prétention ?

4) Enfin la doctrine de la science est elle-même une science — la science de la science —, elle a donc un objet, cet objet est le système originaire du savoir, comment se comporte-t-elle à l'égard de son objet ?

Nous ne pouvons songer ici à examiner ces divers problèmes tels que les expose Fichte; nous voudrions seulement dégager l'essentiel de son projet, et comme l'esprit qui nous paraît l'animer.

La philosophie étant la science de la science comme telle doit être savoir absolu, elle doit contenir le fondement de toutes les sciences particulières et épuiser ce fondement, mais une pareille prétention ne va-t-elle pas contre le sens de l'expérience qui est toujours inachevée, qui implique toujours de nouvelles rencontres ? On sait comment, après Fichte, la notion hégélienne d'une *fin du savoir* ou celle marxiste d'une *fin de l'histoire* ont soulevé de discussions et d'objections. Fichte veut, tout à la fois, préserver le savoir absolu, apodictique, qui est l'exigence même de la science, et le caractère *ouvert* d'une expérience inachevée; il veut fonder cette ouverture de l'expérience qui est *rencontre* dans le savoir absolu lui-même. La critique hégélienne du faux infini chez Fichte nous paraît méconnaître la portée féconde de l'intention fichtéenne. Le savoir absolu ne serait pas ainsi la fin historique du savoir, mais la justification de son ouverture. Si on se demande « comment l'expérience est-elle possible ? », cela revient à se demander « comment la rencontre est-elle possible sans pour autant impliquer une transcendance absolue ? ». « Nous ne rencontrons que ce que nous comprenons, mais nous ne comprenons que ce que nous rencontrons. » La rencontre et la compréhension se conditionnent mutuellement, thème profond que Fichte présente abstraitement, mais dont la signification ne peut nous échapper; la rencontre de l'Autre est la condition du comprendre, et le comprendre la condition de la rencontre de l'Autre. « On n'a donc », écrit Fichte, « aucune crainte à avoir en ce qui concerne la perfectibilité de l'esprit humain, elle n'est pas supprimée par la doctrine de la science, elle est plutôt pleinement assurée par elle et mise hors de doute » (*WW* 1/66). Le savoir absolu, le savoir dans l'immanence, ne s'oppose pas à la richesse indéfinie de l'expérience, il montre comment cette richesse est possible; la fermeture du savoir absolu n'exclut pas l'ouverture de l'expérience. Cette conception fichtéenne nous paraît particulièrement remarquable. Elle justifie ce qu'on attend précisément de l'expérience, la *rencontre*, sans tomber dans un empirisme ou un scepticisme, elle fonde dans l'immanence la possibilité même de cette rencontre; en étant une science transcendantale, une science des conditions de l'expérience, elle justifie l'expérience elle-même. On pourrait presque dire que la transcendance de la rencontre dans l'expérience trouve sa garantie dans une immanence intégrale posée au fondement; c'est ce que signifierait le transcendantal.

Mais cette immanence, cette conscience de soi originaire, peut-elle être vécue comme vie philosophique absolue, ou est-elle seulement construite, posée par un acte de réflexion et une abstraction propre du philosophe? C'est sur ce point que la pensée de Fichte nous paraît le plus difficile à saisir. La doctrine de la science est pour lui une exposition systématique, une déduction rigoureuse, et elle se réfère pourtant à une expérience originaire qu'elle découvre et recouvre. C'est même cette coïncidence entre l'exposition systématique et l'originaire qui constitue la preuve et l'épreuve suprême de sa pensée. Il ne s'agit donc pas dans cette idée de la science d'une construction analogue à une construction mathématique, d'un système logique préalable, mais d'une exposition qui se réfère toujours à une expérience fondamentale qu'elle explicite; nous avons déjà cité cette phrase caractéristique : « Nous ne sommes pas les législateurs de l'esprit humain, mais ses historiographes. » Le projet fichtéen s'éclaire un peu plus pour nous dans la distinction qu'il fait entre la logique, science de la seule forme, et la doctrine de la science qui ne peut isoler la forme du contenu, la forme de son sens. La logique étudie la forme comme telle, ce qui fait la validité des enchaînements rigoureux dans les diverses sciences ou dans les diverses régions de la connaissance, mais la doctrine de la science fonde cette forme. La logique est une science particulière, voire artificielle, qui décide d'isoler la forme de son sens authentique, et qui a le droit de le faire : mais alors elle cesse d'être une science philosophique, car elle cesse d'envisager le sens même de la forme. « Loin donc que la logique fonde la doctrine de la science, c'est l'inverse qui est vrai » (*WW* 1/68). Les propositions logiques peuvent être abstraites, mais elles sont garanties seulement par leur signification transcendantale. La logique formelle ne constitue pas un ensemble de lois nécessaires qui, comme telles, détermineraient préalablement l'être, mais leur nécessité repose préalablement dans une expérience transcendantale du nécessaire. L'idée kantienne d'une logique transcendantale enveloppe l'idée d'une logique formelle. Il reste alors à se demander ce que signifie encore le mot logique dans la logique transcendantale. Quelle est cette logique suprême qui fonde transcendantalement toute logique ?

La doctrine de la science si elle n'est pas une logique est-elle donc une psychologie du savoir ? Certainement pas : *l'idée de la science suprême qu'envisage Fichte dépasse à la fois l'idée d'une pure logique et celle d'une psychologie.* C'est à partir d'elle au contraire qu'on doit pouvoir comprendre les formes logiques aussi bien que les concepts clés dont se sert toute psychologie empirique. Il nous semble donc qu'on peut déjà découvrir chez Fichte, particulièrement dans sa conception de l'imagination transcendantale, l'idée d'une science qui serait science du *sens* (plus encore que de l'essence), et de l'origine de tout sens. Le passage du logique au transcendantal serait le passage de la *forme* au *sens*; mais la science suprême ne se donnerait pas le sens tout fait comme les autres sciences, elle chercherait le *sens même du sens* pour nous. Fichte interprète la découverte du transcendantal par Kant comme la découverte d'un nouveau milieu, d'une nouvelle référence dépassant à la fois le logique et le psychologique. Ce milieu ne serait-il pas le milieu du sens, et l'ontologie nouvelle ne serait-elle pas la réduction de l'être au sens, et l'étude des problèmes impliqués par cette réduction, plus particulièrement celui du sens même de l'être ?

III. — La doctrine de la science et l'originaire

La doctrine de la science est pour Fichte l'exposé systématique, et donc déductif, de cette science universelle de la science, mais ne tant que science elle a bien elle aussi un objet. La question se pose alors des relations qui peuvent exister entre cet exposé systématique et cet objet qui ne peut pas être un objet comme les autres puisqu'il ne saurait être radicalement distingué de son exposition.

Si nous ne sommes que les historiographes de l'esprit humain c'est que le savoir originaire préexiste à sa propre exposition, il est déjà connu avant d'être reconnu. Le système explicite naît d'une décision formelle, celle d'élever à une conscience claire de soi ce que la conscience est en elle-même. Cette décision libre ne peut se donner à elle-même les règles pour retrouver le savoir originaire, objet et forme implicite de la doctrine de la science, il y faut des tâtonnements et même une sorte de génie, il faut qu'une expérience originaire se dévoile à nous, et que notre exposition puisse la rejoindre et la recouvrir, d'où une historicité chez Fichte avec une théorie de l'originaire et de la répétition. Toutes les philosophies, dit Fichte, ont eu ce sentiment de l'originaire, mais elles ne sont pas parvenues à l'exposer; il y a donc une sorte d'errance dans l'esprit humain autour de ce savoir originaire préexistant, dont l'explication est devenue maintenant le projet conscient d'une doctrine de la science. La méthode de la *Phénoménologie* de Hegel se trouve déjà esquissée par Fichte : la conscience philosophique et la conscience commune doivent se rejoindre. La conscience philosophique réfléchit sur la conscience commune, mais sa réflexion ne vaut que dans la mesure où la conscience commune peut se comprendre elle-même dans la conscience philosophique. La conscience philosophique seule ne peut qu'édifier une construction abstraite; son objet propre c'est l'expérience vécue par la conscience commune, c'est elle dont il s'agit de rendre compte et qu'il s'agit de comprendre, mais cette compréhension n'est possible que parce que la conscience commune est déjà en soi la conscience philosophique. Elle est déjà en soi réflexion sur soi et savoir du savoir. Ainsi le savoir philosophique et l'expérience vécue de la conscience commune doivent former le cercle qui garantit la validité d'une doctrine de la science, mais il faut aller plus loin. « La représentation », écrit Fichte, « est l'action suprême et absolument première du philosophe comme tel; l'action absolument première de l'esprit humain pourrait bien être une autre action » (*WW* 1/80). Le philosophe ne peut qu'expliquer la représentation, la forme, mais celle-ci ne peut trouver son fondement qu'au-delà d'elle-même; on sait que pour Fichte l'action originaire de l'esprit humain n'est pas la représentation mais l'action pratique. La genèse absolue du sens présuppose pour lui un dépassement de toute perspective seulement théorique.

C'est précisément dans l'exposé de la « Doctrine de la science pratique» que nous voyons Fichte se livrer à une déduction génétique, et non plus à une construction du savoir humain; il tente de montrer pourquoi la conscience, au lieu de se réfléchir sur soi, s'ouvre perpétuellement sur le dehors. La direction du moi, comme conscience de soi absolue, devrait être centripète, devrait être seulement savoir de soi; pourquoi sa direction est-elle aussi centrifuge? Pourquoi l'activité du moi se dirige-t-elle sur un objet au lieu de se diriger seulement sur soi? Cette direction vers l'Autre, cette ouverture pour une rencontre, qu'on pourrait encore nommer *intentionnalité*, voilà pour Fichte ce qu'il faut expliquer. Il n'a donc pas ignoré cette *intentionnalité* qu'il a nommée la direction objective de la conscience, il a voulu l'expliquer génétiquement. Si le moi doit aussi se réfléchir, il ne le peut qu'en s'ouvrant pour une rencontre; la rencontre et la réflexion sont des conditions mutuelles. L'expérience tout entière est cette rencontre de l'Autre qui est en même temps une découverte de soi; on ne comprend qu'en rencontrant; on ne rencontre que ce qu'on comprend. La réflexion dans l'immanence n'est possible que par l'ouverture indéfinie d'un champ transcendental. Mais ce champ n'est pas seulement ouvert pour que le moi parvienne à se représenter sa propre richesse infinie, il est ouvert pour que l'action soit possible, car la rencontre finie est aussi l'obstacle à surmonter; et le fondamental dans l'esprit humain que la philosophie représente n'est pas lui-même représentation.

Nous nous sommes laissés entraîner dans la dernière partie de notre exposé à dépasser notre projet initial — les conditions d'une doctrine de la science chez Fichte — pour aborder le contenu même de la pensée fichtéenne. Nous avons voulu sur un exemple — une sorte de genèse absolue de l'intentionnalité chez Fichte — montrer la richesse de cette pensée. On a souvent tendance à reprocher aujourd'hui à Fichte le caractère abstrait et constructif de sa dialectique, mais il faut aller au-delà de cet aspect extérieur et apercevoir dans la dialectique fichtéenne aussi bien une sorte de sens des formes logiques qu'une logique de toute psychologie. Les notions du *transfert*, de *l'oubli*, de la *rencontre*, de *l'aliénation*, de *l'originaire* et de la *répétition*, sont exposées au cours de la déduction fichtéenne, et ces concepts qui se trouvent à la base de tant de philosophies contemporaines sont présentés par Fichte comme des moments d'une logique suprême de la philosophie qui est sa doctrine de la science.

Chercher un milieu au sein duquel situer toute pensée et toute science, et tenter d'établir une relation entre cette science rigoureuse et l'expérience vécue, voire l'expérience originaire, cette double intention de Fichte ne rejoint-elle pas en profondeur le dessein même de Husserl dans la *Philosophie comme science rigoureuse*, dans la *Logique formelle et la logique transcendantale*, dans le thème enfin de la « réduction phénoménologique » ? La comparaison extérieure serait sûrement décevante et artificielle, l'approfondissement des projets ne nous paraît pas l'être; mais nous voulions seulement par là ouvrir une discussion.

2

L'IDÉE
DE LA DOCTRINE DE LA SCIENCE
ET LE SENS DE SON ÉVOLUTION
CHEZ FICHTE *

Nous nous proposons de repenser librement — c'est-à-dire sans nous astreindre à un commentaire spécifiquement historique — l'*Idée de la Doctrine de la Science* telle qu'elle apparaît chez Fichte en 1794 et le sens de son évolution dans la pensée de son auteur. Notre étude ne prétend pas à l'originalité, elle s'inspire du travail vraiment définitif de Martial Gueroult sur *L'évolution et la structure de la Doctrine de la Science chez Fichte*. Nous pensons comme lui qu'il y a une sorte de nécessité intrinsèque dans le développement de l'*Idée de la Doctrine de la Science*. Les trois moments de la *W.-L.* se présentent moins comme des confirmations successives d'un seul et même point de vue, que comme la réfutation successive, les uns par les autres, de points de vue différents. C'est seulement après la réfutation du point de vue précédent que le suivant paraît compléter le premier,

---

* Extrait de *Etudes sur l'histoire de la philosophie*, en hommage à Martial Gueroult, Librairie Fischbacher, 1964.

pour l'embrasser avec d'autres éléments dans une synthèse plus vaste. C'est seulement *après coup* qu'il est possible de parler d'achèvement car, au fur et à mesure qu'ils apparaissaient, chacun de ces points de vue se posait comme définitif, immuable, absolument suffisant, « portant en soi le sceau de son achèvement ». C'est cette absoluité qu'il faut commencer par détruire, lorsqu'on prétend « achever » ce qui s'affirmait déjà comme parfait. Et cette destruction revient, somme toute, à ruiner l'absoluité et la primauté solennellement proclamées de certains principes, à détruire un ordre de leur hiérarchie, qui était considéré comme l'essentiel. Si donc on considère l'évolution *en train de se faire*, on sera amené à proclamer contre Fichte lui-même la solution de continuité la plus complète entre les différents « moments » de la doctrine. On expliquera les déclarations de Fichte par la nécessité polémique de voiler les transformations les plus légitimes, aux yeux d'adversaires prêts à dénoncer la rétractation, la palinodie, ou le plagiat. Mais si l'on considère l'évolution une fois faite on éprouve le sentiment qu'elle était nécessaire, qu'elle se présente comme un déroulement logique, une sorte de phénoménologie interne n'ayant rien de comparable avec une succession de changements accidentels. Le résultat de l'évolution est de fournir la loi et la justification de cette évolution (1). La nécessité qui conduit d'un moment à l'autre est une nécessité rétrospective, c'est dire qu'elle consacre une vie spéculative, un devenir au sein duquel chaque moment s'isole, s'affirme lui-même dans son absoluité, et pourtant se dépasse dans la mesure où la dialectique découvre son insuffisance, faisant ainsi surgir le point de vue supérieur. L'évolution de la *W.-L.* est à elle seule une phénoménologie, mais une phénoménologie qui rencontre à chacune de ses étapes le savoir absolu et qui ne parvient pas à surmonter complètement le dualisme

---

(1) M. GUEROULT, *L'évolution et la structure de la Doctrine de la Science chez Fichte*, 1930, t. II, p. 163.

de la *Phénoménologie* et du *Savoir absolu*. C'est à une nuance près que nous répétons ici l'étude de M. Gueroult. Nous ne croyons pas, comme il le croyait alors, que la pensée de Fichte aboutissait au système hégélien, qu'elle en était comme la propédeutique. La limite rencontrée par Fichte dans la *W.-L.* de 1804, sous la forme d'un *fait absolu*, rebelle à toute genèse, n'est pas seulement « un vestige du criticisme, de la chose en soi, de l'irréductibilité du non-Moi au Moi » qui préparerait une philosophie spéculative abolissant ce vestige, réconciliant définitivement la genèse idéale et la genèse réelle, au lieu de subordonner la première à la seconde et rendrait ainsi possible « une nouvelle marche en avant de la dialectique » (1). Si nous insistons sur cette nuance, c'est parce que nous savons que M. Gueroult reconnaît aujourd'hui cette originalité irréductible de la pensée de Fichte qu'il pressentait déjà en 1930. « Bien que l'évolution de la *W.-L.* paraisse conduire à l'hégélianisme, comme à la seule doctrine capable de se suffire par elle-même, bien que cette évolution semble posséder un caractère inéluctable, ce serait s'exposer à des déboires que de l'interpréter et de juger la *W.-L.* au point de vue de l'hégélianisme, que de voir dans la nécessité de son développement interne la manifestation de l'Esprit tel que Hegel le conçoit » (2). Mais l'importance de la question dépasse celle d'une interprétation historique. Il y a chez Fichte une exigence de rigueur, une reconnaissance des difficultés de la réflexion à se dépasser elle-même qui contrastent avec la fusion dialectique accomplie par Hegel. Certes le génie de Hegel apparaît aussi bien dans sa logique spéculative, cette dialectique interne de l'Absolu, que dans sa philosophie de l'histoire ou sa phénoménologie, ce devenir de l'esprit phénoménal, mais l'unité du système, le savoir absolu réalisé et englobant en lui-même la phénoménologie, nous paraît reposer sur une fusion

---

(1) *Op. cit.*, t. II, p. 238-239.
(2) *Op. cit.*, t. II, p. 241.

qui est une confusion. La liberté absolue et la pensée pure, la vie et la mort, l'être et le néant passent l'un dans l'autre à la faveur d'un concept qui a absorbé en lui l'opposition de l'essence à soi-même dans le phénomène (cette opposition si remarquablement caractérisée pourtant dans la *Science de la Logique*, sous l'influence peut-être des leçons orales de Fichte). Le dépassement de la mort, qui est un des grands moments de la *Phénoménologie* et qui engendre l'*histoire*, et le passage à la pensée pure au niveau du savoir absolu, ont sans doute un ton à la fois abstrait et concret, une sublimité auxquels on ne peut être insensible, mais « la philosophie doit se garder de vouloir être édifiante », et nous nous sentons aujourd'hui plus proches de la dialectique de Fichte qui reste prisonnière de la finitude, et qui ne parvient pas à autre chose qu'à une expression de l'Etre dans la finitude de la conscience de soi. Le projet d'une philosophie comme épistémologie ou science de la science, savoir de soi du savoir, projet librement entrepris (c'est la liberté qui a l'initiative, et la nécessité qui est son objet), l'évolution du sens de ce projet en fonction des obstacles rencontrés et de sa propre inter-prétation de soi, les limites avouées d'un *savoir absolu* (théorie de la vérité) dont l'expression est toujours solidaire d'une *phénoménologie* indépassable, tout ce débat de la conscience de soi avec son être dans le monde et son essence nous paraît plus proche de nous que l'épopée hégélienne.

Sans doute une des difficultés de la philosophie de Fichte tient-elle à son caractère abstrait — beaucoup plus marqué que chez Hegel où la dialectique est sans cesse illuminée par une figure concrète — et ce caractère abstrait découle de l'idée même du savoir épistémo-logique. Le philosophe s'arrache à la vie pour la réfléchir et la penser, et le rapport de cette pensée à l'être est aussi bien le rapport à l'être-en-soi que le rapport à la vie, à l'existence. Ces deux rapports sont donc liés malgré tout, « l'un étant la condition de l'autre » c'est parce que nous apercevons par la négation du savoir dans le savoir

(W.-L.) l'Etre absolu (Non-Savoir) auquel le savoir se subordonne que nous concevons le rapport entre la spéculation et son objet (la vie ou non-spéculation) (1). Ainsi la dialectique du savoir et de l'être en engage une autre, celle de la philosophie et de la vie, de la spéculation et de l'existence. Dans sa forme finale la *W.-L.* aura un caractère un peu différent, car la philosophie ne sera plus seulement une pensée de la vie, elle sera elle-même une vie, une vie spéculative capable d'éclairer tous les moments de l'existence et de pénétrer toutes les figures singulières d'une anthropologie, de l'art à la religion. Pour Hegel le rapport entre l'existence et la spéculation n'est pas le problème, il est déjà résolu au départ, mais l'absence d'un domaine où ce problème se poserait rend difficile la compréhension aussi bien d'une logique spéculative que d'une fin de l'histoire. Ce domaine, cette problématique sont au contraire le terrain où se déploie la pensée de Fichte.

Avant de réaliser sa *Doctrine de la Science*, Fichte a publié une *Idée de la Doctrine de la Science* (1794), il a donné ensuite une première et une deuxième *Introduction à la Doctrine de la Science* (1797) et enfin un *Exposé clair comme le jour au grand public sur l'essence propre de la nouvelle philosophie*. Ce sont ces textes qui vont nous aider à caractériser le projet même de Fichte, le sens de sa conception d'une *Doctrine de la Science*.

La traduction de *Wissenschaftslehre* par *Doctrine de la Science* est usuelle. Nous nous y conformerons donc; le terme d'*épistémologie* conviendrait mieux. Il permettrait aussi de comparer le projet d'épistémologie de Fichte avec l'épistémologie contemporaine, ce qui ne manquerait pas d'intérêt. Fichte a conscience de découvrir une science nouvelle, qui doit se substituer à la philosophie. Dans son esprit, cette science doit avoir un caractère rigoureux, elle n'est ni

(1) M. GUEROULT, *op. cit.*, t. II, p. 58.

une sagesse, ni une découverte de nouveaux objets de pensée. Son projet seul relève d'une décision libre qui n'a pas en soi-même sa justification. Mais la décision prise, le projet formulé entraînent les conditions de sa réalisation; dans le projet nous explorons le possible, nous ouvrons un domaine de recherches parfaitement définissable. La réalisation seule nous dira la valeur effective de ce projet. La décision est libre, rien ne nous oblige à philosopher, à nous arracher à la vie et à l'expérience, pour la réfléchir et en quelque sorte la doubler. Dès le départ, la question se posera du rapport entre cette pensée et la vie. L'idée qui nous guide est celle des conditions d'un savoir solide, d'une science. Il faut *répéter* la question kantienne, mais en la généralisant, en la purifiant. S'il y a des sciences, une expérience, un savoir, à quelles conditions sont-ils possibles ? Notons que l'épistémologie de Fichte — différente sur ce point de la nôtre — confond les sciences de la nature et l'expérience commune dans laquelle elles s'enracinent; son épistémologie ne se limite pas à une étude des sciences *stricto sensu*, ou plutôt à un fondement de ces sciences. C'est toute l'expérience humaine qu'il s'agit de fonder et toutes les sciences qui sont liées à cette expérience. Le projet d'une *W.-L.* est bien le projet d'une science de ce que doit être la science pour être certaine, pour être effectivement une science, entraînant avec elle la cohérence de l'expérience commune. Il faut que toutes les propositions particulières qui fondent les diverses sciences soient à leur tour fondées dans cette doctrine de la science. C'est le système du savoir humain qui est supposé, et le projet consiste à déterminer les conditions générales nécessaires de cette supposition. « Ce qui répondrait à cette question serait soi-même une science et à vrai dire la science de la science en général » (1). Il est possible qu'il n'y ait aucun fondement et qu'on se perde à l'infini, il est possible qu'il y ait plusieurs fondements, plusieurs

---

(1) *Fichtes Werke*, éd. MEDICUS, I, p. 172.

systèmes différents; nous sommes alors dans un labyrinthe, mais les couloirs ne communiquent pas tous entre eux, et on n'est jamais sûr de pouvoir aller de l'un à l'autre. L'hypothèse de la cohérence et de la solidité du savoir est seulement une hypothèse, une libre projection; elle suppose que le savoir dans sa diversité soit susceptible d'être embrassé d'un seul regard, ou d'être pénétré par un regard unique qui se diversifie. C'est ce savoir de soi, excluant toute qualité occulte, qui est le principe fondamental. Le formalisme de Fichte est bien différent de ce que nous nommons aujourd'hui formalisme. L'unicité nécessaire du principe est l'unicité d'un regard qui enveloppe la totalité et non celle d'une proposition qui pourrait être juxtaposée à d'autres. La logique est pour Fichte une science particulière (procédant par abstraction et par réflexion), qui est fondée elle-même par la *W.-L.* Mais la *W.-L.*, si elle existe, doit être à la fois forme (*savoir de* quelque chose) et contenu (*objet du* savoir), elle doit donc être dans son principe fondamental savoir de soi du savoir. Elle doit expliciter aussi la diversité du savoir, le passage d'une proposition à une autre, *la médiation*. La *W.-L.* doit montrer à la fois la certitude et la cohérence du savoir, aussi bien que la médiation nécessaire au sein de ce savoir. Ainsi le système du savoir humain sera reconstitué par le philosophe : le savoir réel alors fondé sera élevé à la conscience de soi.

La science de la science ainsi projetée devra déterminer les conditions de sa validité. Elle devra être à la fois close et ouverte, close, c'est-à-dire sûre d'épuiser le fondement de tout savoir, garantir qu'aucune expérience future ne pourra la contredire, ouverte, c'est-à-dire rendre possible un développement indéfini des sciences et un progrès de l'esprit humain. Elle le pourra dans la mesure où la liberté appartient elle-même à ce système du savoir, où le déterminable nécessaire est distinct de la détermination qui appartient à la liberté. Le système du savoir donne le point et l'espace, mais laisse la mathématique libre de construire indéfiniment à partir de ces éléments; il donne la structure d'une nature, mais laisse l'expérimentation libre de subsumer des lois concrètes sous cette structure; enfin il ouvre à la liberté de l'esprit le champ d'une détermination inachevable dans l'éthique. Ce système est cependant clos, car il renferme toutes les conditions nécessaires de l'expérience, et il est assuré de cette clôture parce qu'il revient sur lui-même. Si l'hypothèse de départ est aussi le résultat, si le savoir de soi supposé est aussi le savoir de soi réalisé, alors nous ne pouvons aller plus loin « sans refaire encore une fois le chemin que nous avons déjà fait une première fois » (1), la science abandonne le chercheur au point dont elle est précisément partie avec lui. Le philosophe qui se sépare de la vie pour la penser la rejoint et retrouve à l'arrivée ce qui fut son point de départ. Cette doctrine de la science devra enfin se distinguer de la logique qui n'est qu'une science particulière comme les autres, celle qui fait abstraction du contenu, et, par un acte libre de réflexion, fait de la forme seule un objet. La doctrine de la science s'oppose à la logique comme une pensée transcendantale à une pensée formelle. En dernier lieu cette épistémologie, cette doctrine de la science, a comme toute science un objet, elle veut reconstituer le savoir et l'expérience humaine, mais ce savoir et cette expérience préexistent à son dessein. La philosophie suppose ce savoir et cette expérience humaine; elle se sépare d'eux pour mieux les reconstituer, pour en présenter l'unité organique, mais ce n'est là qu'une reproduction, qu'une *Image* : « Nous ne sommes pas les législateurs de l'esprit humain, mais seulement ses historiographes » (2). Comme Hegel le fera dans la *Phénoménologie de l'esprit*, il faut distinguer l'expérience réelle, le savoir réel, et la pensée du philosophe qui les reproduit, les repense. Le savoir est d'abord pour autrui, il est mon objet, il est pour soi immédiatement comme conscience réelle, mais à travers

(1) *Fichtes Werke*, I, p. 188.
(2) *Fichtes Werke*, I, p. 208.

le philosophe il doit devenir pour soi pour soi (comme le dit Hegel) ou conscience de la conscience comme le dit Fichte. Ainsi le projet d'une doctrine de la science part d'un acte de liberté qui s'éloigne de l'expérience vécue, mais pour mieux la penser, pour l'élever à la conscience d'elle-même, et la rejoindre dans une histoire pragmatique de la conscience.

Que signifie cette réflexion transcendantale ? Pourquoi la vie et l'expérience se redoublent-elles dans une pensée philosophique ? Quel rapport peut-il y avoir entre une genèse réelle, celle de l'existence, et une genèse idéale, celle d'une pensée qui reproduit à sa façon l'expérience réelle. Quel rapport existe entre cette image et la vie, l'expérience vécue ? Tous ces problèmes sont les problèmes mêmes du *sens* de la philosophie. Ils se condensent en deux actes, le premier par lequel le philosophe se retire de la vie, effectue une *réduction phénoménologique*, s'abstrait de l'expérience dans laquelle il s'oubliait lui-même, hypnotisé qu'il était par le devenir de son existence, le second par lequel il s'efforce de reconstituer cette expérience, de la reproduire, pour soi. Il faut bien qu'il y ait au départ et à l'arrivée un élément commun à l'expérience vécue et à la philosophie. Le philosophe postule une transparence du savoir à soi-même, il s'abstrait de la vie, mais pour poser une compréhension intégrale de soi qui serait aussi bien production de soi-même que réflexion sur soi; il détermine les conditions immanentes de cette réflexion, la limitation à partir de laquelle le savoir de soi devient possible dans sa relation au savoir de l'autre. C'est la déduction de l'imagination qui manifeste l'unité de la *rencontre* et de la *compréhension*. Nous ne pouvons comprendre qu'en rencontrant (c'est l'expérience même), nous ne pouvons rencontrer qu'en comprenant. A partir de là commence l'histoire pragmatique de la conscience; la réflexion du philosophe rejoint la réflexion originaire, elle retrouve la vie, parce qu'elle retrouve dans la vie ce qui ressemble le plus à l'acte de liberté du philosophe, la morale, la liberté du Moi déterminant le non-Moi. Cette liberté, dans la communauté des Moi particuliers, est un mouvement de l'existence qui dépasse la nature et la soumet à l'Idée. L'Idée est, dans l'expérience humaine, ce qu'était pour le philosophe la pensée encore abstraite de la conscience de soi.

La doctrine de la science, sous sa première forme, éliminait donc toute opacité, tout obstacle au savoir transparent de soi-même, mais la synthèse suprême restait ambiguë. Le Moi absolu supposé par le philosophe ne se réalisait effectivement que dans le Moi fini de la vie morale. Comme le remarquait Hegel, le point de départ n'était pas identique au point d'arrivée. La supposition du savoir absolu de soi-même, du Moi = Moi, conduisait seulement à l'exigence d'une égalité rejetée à l'infini; Moi *doit* être égal à Moi. La vision morale du monde était ainsi le terme et la justification de la doctrine de la science.

Cependant la conception même de la doctrine de la science recelait en soi tous les germes de son évolution future. Ce qui restait obscur, c'était le rapport de la pensée spéculative, de la philosophie, et de la vie, autant que le principe suprême de cette réflexion, la conscience de soi. La conscience de soi philosophique, la doctrine de la science, est une tentative de reproduire librement le savoir, et ainsi de l'élever au savoir de soi-même, sans rien supposer d'autre qu'une limite contingente et toujours déplaçable. Mais cette reproduction doit se référer à l'originaire dont elle est l'image. Quel est son sens par rapport à cette vie qu'elle reflète ? Que veut dire Fichte quand il prétend que notre philosophie dépend de ce que nous sommes ? Enfin, et c'est peut-être la même question posée autrement, comment le savoir peut-il se limiter pour se réfléchir, ou se présupposer lui-même comme Etre avant de se constituer comme savoir ? Il y a entre le savoir réel et le savoir philosophique, comme entre le savoir et l'Etre, une avance ou un retard qui ne s'équilibrent jamais.

Fichte n'a cessé d'affirmer que sa philosophie partait de la vie et revenait à la vie. « L'homme ne possède rien d'autre que l'expérience, et tout ce qu'il acquiert jamais, c'est par l'expérience, par la vie même qu'il l'acquiert... La vie seule a une valeur, une signification absolue. Penser, imaginer, savoir n'ont de valeur que dans la mesure où ils se rapportent à ce qui vit, où ils en viennent, où ils doivent y retourner » (1). Si la conscience est capable de se réfléchir elle-même, elle part toujours d'une détermination première et fondamentale qui est son expérience, la première puissance, base et racine de toute expérience. C'est cette première puissance que la doctrine de la science s'efforce de reconstituer. Elle n'est pas cette expérience elle-même, elle en est seulement l'image. « Celui qui philosophe n'est pas absorbé dans les déterminations fondamentales de la conscience, mais dans l'acte de les représenter et désigner. Ainsi, la doctrine de la science déduit *a priori*, c'est-à-dire sans recourir à la perception, ce qui selon elle doit précisément être atteint *a posteriori* par la perception. Les expressions *a priori*, *a posteriori* ne désignent donc pas ici des objets différents mais seulement deux façons de considérer un même objet, à peu près comme la même montre est objet *a priori* quand on la déduit, *a posteriori* quand on la perçoit. » Mais cette déduction *a priori*, cette reconstruction de l'organisation et de l'unité de l'expérience, qui est l'œuvre du philosophe, ressemble davantage à l'œuvre d'un artiste qui reproduit le réel pour en révéler l'Idée, qu'à une juxtaposition mécanique. « Mais la grande différence entre le travail du philosophe et celui d'un mécanicien est en ceci : le second a affaire à une machine morte, qu'il meut lui-même, le premier travaille sur une matière vivante, et qui se meut de soi. Il ne produit pas la conscience, mais la regarde se produire elle-même sous ses yeux » (2). Tel est le mouvement

---

(1) *L'essence de la Théorie de la Science*, trad. VALENSIN, p. 11.
(2) *Op. cit.*, p. 38.

de la dialectique qui conduit la doctrine de la science dans la production de cette image de la vie. « La doctrine de la science se donne pour une image de la vie, non pour la vie elle-même... notre philosophie se contente d'être science... Ce qu'elle dit de la sagesse, de la vertu, de la religion doit être d'abord réellement éprouvé et vécu pour se changer ensuite en sagesse, vertu, religiosité réelles. » Il y a donc bien deux manières de considérer et de concevoir les déterminations d'une conscience, « l'une directe et qui consiste à s'y livrer, et à voir ainsi comment elles sont, l'autre indirecte et qui consiste à déduire systématiquement, de leur enchaînement systématique lui-même comment elles doivent être. Cette dernière méthode d'ailleurs n'a de sens qu'une fois posée l'existence d'une conscience réelle, bien qu'on s'oblige à ne pas regarder son contenu, et elle n'est réalisée qu'ensuite d'une libre initiative de qui l'emploie. D'après cela le théoricien de la science et lui seul serait artisan de la conscience, si l'on veut à tout prix parler d'un artisan; proprement il ne la crée pas, il la découvre, la retrouve, sans qu'il y ait lieu d'imaginer pour de bon un premier artisan qui ait travaillé à la produire d'après un premier concept » (1). C'est bien le philosophe qui a l'initiative, il pose la condition, il fournit l'occasion que requiert ce système pour se produire. « De cette façon, on peut dire que, à certains égards c'est le philosophe lui-même qui produit le système de la conscience, mais à d'autres égards c'est le système de la conscience qui se produit lui-même » (2). Le terrain commun du philosophe et de la conscience réelle c'est la conscience de soi, c'est elle qui constitue le principe suprême de la doctrine de la science, c'est elle qu'on doit retrouver au terme de la déduction, encore qu'au départ il s'agisse d'une abstraction, et à la fin d'une Idée. L'hypothèse dont part le philosophe, c'est celle d'une claire et complète

(1) *Op. cit.*, p. 36.
(2) *Op. cit.*, p. 46.

conscience de soi, l'unité de la genèse dans laquelle l'être et la représentation philosophique de cet être, le réel et la science sont comme « un œil qui est et se voit lui-même ». Mais il subsiste toujours un décalage entre cette genèse idéale postulée au départ, et la genèse réelle dont le philosophe part et à laquelle il revient. Il y a une différence entre ce que le philosophe dit et ce qu'il fait. C'est ce décalage sensible dès le premier exposé de la doctrine de la science, et dans l'énoncé de son principe suprême, qui entraînera une évolution de la *Doctrine de la Science*. Dans quelle mesure l'opacité existentielle de la conscience réelle pourra-t-elle s'introduire dans la conscience philosophique, dans quelle mesure la conscience philosophique pourra-t-elle devenir existentielle — ou du moins réellement ontologique ?

Ce qui fait l'originalité de Fichte, c'est d'avoir toujours voulu satisfaire à deux exigences : la première, de reconnaître la spécificité de l'expérience, cette rencontre et cet affrontement de l'Autre, qui présuppose le lien originaire des deux termes, qui n'est pas seulement la représentation, mais encore la production d'un monde humain et l'action ; la seconde c'est d'éclairer cette vie et cette expérience, de la rendre transparente à elle-même, de la comprendre jusqu'au bout. La puissance qui se manifeste dans l'action et dans la production d'un monde humain doit se concilier avec la rationalité la plus complète. Il faut éviter l'écart d'une production inconsciente et aveugle et d'une pensée claire et consciente, mais stérile. Cette double exigence — peut-être contradictoire — se trouve dans tous les moments de la doctrine de la science, en 1794, en 1801, en 1804, c'est la dialectique vivante de leur rencontre, la volonté délibérée de ne pas sacrifier l'une à l'autre qui permet de comprendre le sens de l'évolution de cette pensée qui est pour nous plutôt une philosophie de la philosophie qu'une science des sciences.

Au départ, l'exigence pratique et l'exigence spéculative sont manifestement en conflit. La liberté du philosophe qui se détache de la vie et abstrait de la conscience réelle le principe de la conscience de soi doit expliciter sa relation à cette conscience réelle. Elle représente cette conscience réelle mais elle sait que cette représentation n'équivaut pas à la production de soi, à l'action. La spéculation n'est pas la vie, mais la philosophie une fois obtenue ne risque-t-elle pas de promouvoir la transparence spéculative à la place de l'action effective ? Quelle différence y a-t-il entre la liberté du philosophe qui décide de penser, et la liberté effective de l'homme, des hommes qui organisent la cité juridiquement et moralement, qui à partir de la nature sentie font de la liberté elle-même leur projet conscient ? C'est par un coup de force que la liberté philosophique, la conscience de soi spéculative rejoint dans la première doctrine de la science l'effort de la conscience humaine pour se libérer, pour déterminer pratiquement le non-Moi comme un effet du Moi. Par ailleurs l'individualité des Moi, la diversité des points de vue complémentaires sur le monde, les influences mutuelles des uns sur les autres, sans lesquelles le moi concret ne saurait se développer (cette relation d'influence joue chez Fichte le rôle que joue chez Hegel la dialectique du maître et de l'esclave), sont exclues d'une doctrine de la science qui saisit l'*essence* des phénomènes. La première doctrine de la Science n'est pas un égotisme, le moi qu'elle décrit est un moi *en général*, la limitation conçue est une limitation *en général*, en langage moderne la *réduction phénoménologique* est en même temps une *réduction eidétique* et la matière qu'elle néglige est peut-être essentielle. Cependant l'exigence spéculative ne se suffit pas à elle-même. Fichte veut montrer dès l'origine que la conscience de soi abstraite reproduit vraiment la conscience de soi originaire, la production absolue qui est la source de toute vie. Il tente de plus en plus de justifier cette intuition intellectuelle (la conscience de soi de la raison pure) en refusant pourtant explicitement tout psychologisme, il veut contraindre les autres à en faire l'expérience, elle est, dit-il, la base commune de la conscience réelle et de la conscience philosophique, mais comme elle n'est pas un fait, il s'y réfère comme à une croyance. Cette croyance vécue justifie l'intuition qui, à son tour, explique et légitime la croyance. La contradiction devient manifeste et la doctrine de la science doit en prendre conscience, introduire explicitement en elle le conflit que le premier exposé refusait ou qu'il résolvait par un progrès à l'infini. Le thème en 1801 est toujours le même, « la *W.-L.* reste dans toute son extension un seul et même regard indivisible qui du zéro de clarté où il est seulement sans se connaître, successivement et par degré, s'élève à la clarté absolue où il se pénètre lui-même de la façon la plus intime et habile et est en soi-même ». « Par là se confirme encore que l'œuvre de la *W.-L.* n'est pas une acquisition et une production de nouveaux objets de connaissance, mais seulement une explication de ce qui était éternellement et de ce que nous sommes éternellement » (1).

Mais la difficulté des rapports du savoir et de l'Etre, de la philosophie et de la vie, est intériorisée, elle est conçue comme telle et la *négativité* véritable est reconnue. La spéculation découvre ses limites, sa négation, la genèse phénoménologique s'arrête devant le fait de la non-genèse. La première doctrine de la science était une philosophie du Moi, la seconde est une philosophie de l'Etre, où le second principe prend la place du premier. C'est le savoir qui réfléchit et s'identifie à la pensée originaire (non-savoir, Etre absolu). « Mais cette identité ne sera plus l'identité où rien ne se distingue, une identité d'éléments identiques, le cercle fermé d'une activité où tout est sans différence, mais l'identité d'éléments absolument différents, créée par le pour-soi, identité d'éléments séparés *(Separate)* de l'Etre et de sa négation, identité féconde, négativité » (2).

(1) *W.-L.*, 1801, éd. Medicus, t. IV, p. 12.
(2) *Ibid.*

Dans ce deuxième moment, on peut dire que la pensée du philosophe a conquis sa problématique. La philosophie qui intègre en elle sa propre relation à l'Etre et à la Vie, ne pourra plus être seulement une science sans conséquence. Elle sera à son tour une vie spéculative, une expérience propre dominant aussi bien le moralisme que la religion, la théorie du monde sensible que celle du monde juridique. Le philosophe n'*a* plus la doctrine de la science, il *est* lui-même cette compréhension de la compréhension, ce verbe de l'Etre. « La *W*.-*L*. n'ajoute aucun nouveau savoir, mais elle est seulement le savoir universel parvenu au savoir de soi-même, à la lucidité, à la clarté et à la domination de soi-même... Elle n'est d'aucune façon notre objet, mais notre outil, notre main, notre regard, pas seulement notre regard, mais la clarté du regard... Elle est seulement objet pour celui qui ne l'a pas encore. En toute rigueur on ne l'a pas, mais on l'est et personne ne l'a sans l'être devenue » (1). On pourrait dire qu'au fur et à mesure que le savoir absolu, celui du philosophe, intériorise la facticité du savoir réel, inversement le savoir philosophique devient une expérience originale et vivante.

Le deuxième moment, la *W*.-*L*. de 1801, comme on peut déjà le pressentir, ne pouvait être qu'un équilibre instable du non-savoir et du savoir, de l'Etre et du Phénomène. Il enfermait en lui une nouvelle contradiction, celle de la genèse et de la non-genèse... Le savoir, la réflexion doivent reconnaître que c'est leur propre énergie qui conditionne la position de l'Etre. Il y a là une projection du savoir de soi, qui est à son tour une supposition. La *W*.-*L*. de 1804 réunira ces deux termes, la genèse et la non-genèse, elle conciliera sans les abolir la liberté de l'existence qui présuppose l'Etre et l'Etre qui à son tour conditionne l'existence. Savoir absolu et phénoménologie (les deux termes sont de Fichte avant d'être de Hegel) se pénétreront. L'ontologie sera une phénoménologie de la com-

(1) *W*.-*L*., 1801, *op. cit.*, p. 10.

préhension de l'Etre, une expression de soi de l'Etre dans son phénomène (comme phénomène).

Comment l'Etre peut-il apparaître, comment peut-il en même temps rester caché, comment thématiser cette rencontre du savoir et de l'Etre, par le moyen même de la liberté qui est le phénomène du phénomène? La dernière *W.-L.* (celle de 1804) poussera à son terme cette réflexion sur la réflexion, elle n'aboutira pas à une identité des séparés, comme la *W.-L.* de 1801 qui consacre la dualité de la substance morte et de l'accident absolu, mais à une identité relative qui approfondit la relation ontologique en l'éclairant. C'est l'énergie de la réflexion qui pose l'Etre, c'est la liberté qui paraît donc conditionner la nécessité à laquelle elle se réfère. Mais cette genèse qui s'arrête à la non-genèse comme devant une limite infranchissable, doit reconnaître dans cette négation d'elle-même, ce qui en même temps la fonde. La *W.-L.* de 1804 s'élève à cette synthèse suprême qui substitue le fondement à la limite; dans la négation du concept la pensée comprend encore ce qui la dépasse. Elle ne saurait épuiser sa source, elle s'ouvre librement à ce qui la dépasse. Il y a une expérience du comprendre comme tel, de la lumière de l'intellection qui explique en les dépassant l'idéalisme et le réalisme des moments antérieurs. La manifestation ou le phénomène n'est pour la conscience que l'image de l'Etre, cette image doit être rapportée à son originaire, le phénomène compris comme phénomène, l'image comme image. « L'extériorité à la vie était visible en effet dans cette image en ce que nous séparions l'Etre de sa Vie (manifestation) pour les rapporter ensuite médiatement l'un à l'autre. Il faut poursuivre l'anéantissement de l'image jusqu'à ce que se manifeste l'immédialité qui restaure la vie de l'Etre. Ainsi l'on parviendra à ce que réclame Jacobi, c'est-à-dire à dévoiler l'existence » (1).

Il ne faut pas entendre par là une immédiateté qui serait « la

---

(1) Gueroult, *op. cit.*, t. II, p. 167.

nuit où toutes les vaches sont noires », mais une immédiateté conquise; la conscience et la liberté sont le moyen d'exprimer l'Etre. Hors de l'Etre, il n'y a que le phénomène ou existence. « L'existence doit donc se saisir, se connaître et se représenter en face d'elle-même un Etre absolu devant lequel elle s'anéantit. C'est là une représentation, une conscience. Le phénomène est donc nécessairement conscience (1). Cette dialectique du phénomène, dont tout l'être est dans sa phénoménalité, dans la lumière de son apparaître, correspond exactement à la dialectique de l'essence et de la réflexion chez Hegel, qu'on trouve aussi bien dans la *Science de la Logique* que dans la *Phénoménologie de l'esprit*. Mais la grandeur de Fichte est de n'avoir pas dépassé cette dialectique, d'avoir décrit la relation ontologique, telle qu'elle peut se manifester chez le philosophe qui veut porter à la lumière du savoir l'essence de tout comportement humain. Nous sommes cette relation en tant que nous vivons, elle devient chez le philosophe l'expérience irréductible de la compréhension. Cette expérience est à la fois celle du secret de l'Etre et de sa manifestation. « On ne pourrait résoudre l'énigme de l'existence sans faire évanouir toute existence. La totalité matérielle du comprendre est déterminée dans l'idéalité, mais irréalisable, car sa réalisation abolirait précisément l'intelligibilité. Ainsi la forme du comprendre qui est Tout achevé, est conditionnée par une matière qui est comprendre infini et inachevé, et l'achèvement de cette infinité serait l'abolition même de la forme en tant que forme. L'opposition de l'intelligibilité fonde celle de la « réalité » et de la « sur-réalité » qui est une des conditions de la preuve ontologique réalisée par la *W.-L.* de 1804 (2).

Dans la *W.L.* de 1801 l'autoconstruction du savoir, la liberté du pour-soi était bien subordonnée à l'Etre, elle subissait une

---

(1) GUEROULT, *op. cit.*, t. II, p. 167.
(2) GUEROULT, *op. cit.*, t. II, p. 166.

contrainte dont elle ne pouvait rendre compte, elle créait librement une image mais rapportée à un originaire. Seul le savoir absolu, le savoir du savoir peut rendre compte de la genèse du savoir réel. Il peut construire l'image de cette genèse réelle qui présuppose l'Etre qui la limite, le non-savoir; en 1801 cette autoconstruction, ce savoir absolu pouvait s'élever jusqu'à l'identité et à la différence des disparates, Etre, Liberté, Savoir, Non-Savoir. Mais en 1804 la lumière du Verbe jaillit dans le champ de la relation ontologique. Une certaine réponse devient possible à la question posée (qui dans ses termes mêmes écarte l'Absolu de Schelling). « Comment composer le savoir avec le non-savoir sans se contredire, c'est-à-dire sans sortir du savoir ? » La liberté du savoir n'est plus comme en 1801 réduite à la reconnaissance de la contingence de sa limite trouvée, elle peut devenir *liberté-pour... ouverture* à. L'existence dans le savoir absolu apercevra en elle-même la nécessité de sa libre manifestation. Les deux thèmes : « L'apparition (le phénomène) ne peut pas s'apparaître si l'Etre absolu n'apparaît pas en elle » et « l'Absolu ne peut apparaître qu'en tant qu'elle s'apparaît à elle-même » sont conjoints sans se confondre absolument, comme ce sera le cas chez Hegel. La relation ontologique conserve sa finitude et l'obscurité de sa propre lumière. On peut bien dire que cette finitude a toujours été caractéristique de chaque moment de la *W.-L.*; choc du non-Moi requis seulement pour rendre compte de la conscience réelle en 1794, limite indépassable du non-savoir, d'un Etre sur lequel tout savoir repose sans jamais le saisir, en 1801, relation ontologique absolue et pourtant finie par une distance, un décalage qui font peut-être l'essence même de l'Etre et de son phénomène. « Le phénomène est un se comprendre soi-même, par conséquent il est un se comprendre du se comprendre. Le monde et toutes ses déterminations ne sont que les étapes de cette compréhension interne réelle de l'intuition intellectuelle, étapes qui lui permettent de poser en elle ce qui constitue et soutient son être, comme l'Etre absolu (l'Invisible), c'est-à-dire de poser la visibilité de l'Absolu ou de l'Invisible » (1).

En 1804, la doctrine de la science a achevé de poser en elle-même tous les problèmes qu'elle soulevait, celui de la liberté du philosophe qui s'arrache à l'existence, celui d'une nécessité requise dont on voit mal le lien avec cette liberté, celui enfin de son rapport à l'existence et à l'expérience effectives, problème ultime qu'elle trouvait déjà en elle-même sous la forme du rapport du premier et du deuxième principes, du Moi et du Non-Moi, du pour-soi et de l'Etre. Dans cette réflexion sur sa propre réflexion, elle a donné à la philosophie un sens qu'elle lui refusait au départ. La philosophie, comme savoir du savoir, comme doctrine de la science, est devenue l'expérience de la compréhension de l'Etre, le lieu de la rencontre du *Logos* et de l'Etre. Le savoir absolu, limité dans sa profondeur, est la base de toute phénoménologie. La relation de l'existence à l'Etre n'est-elle pas donnée, son élucidation n'est-elle pas requise par l'existence elle-même ? « L'existence absolument, quel que soit son nom, sous sa plus basse comme sous sa plus haute expression n'a pas sa fin en elle-même mais dans une fin absolue, celle-ci : le savoir absolu doit être » (2). On voit que le point de vue spéculatif l'a emporté sur la vision morale du monde qui était caractéristique de la première *W.-L.* L'univers n'a-t-il qu'un but, celui de produire des philosophes ? Le dévoilement de l'Etre, son verbe, est-il le sens ultime de l'Etre, le sens de tout sens ? Il faut bien remarquer cependant que les points de vue antérieurs ne sont pas abandonnés. La philosophie — comme expérience ontologique — est le soutien de toutes les expériences particulières des hommes qui valent comme telles, comme des figures phénoménologiques qui sont comme des arrêts de la genèse, des fixations unifiant en elles, dans la mesure

(1) *Die Tatsachen des Bewusstseins* (1813), cité par M. GUEROULT, *op. cit.*, t. II, p. 87-88.
(2) *W.-L.*, 1804, Leçon 25, p. 290.

où elles sont réfléchies, l'universel et le particulier. Hegel dans sa *Phénoménologie* reprendra ce thème des figures particulières où l'esprit doit séjourner. Pour Fichte la vie sensible (avec l'esthétique), le règne de la loi, la moralité authentique, la religion sont des phénomènes particuliers. L'anthropologie a là son domaine. Mais c'est à la doctrine de la science, au savoir qu'il appartient de fonder, de réfléchir la lumière comme sa propre substance. Les sciences particulières ont la lumière, la philosophie est la lumière de la lumière. Ce primat du spéculatif ne nous rapproche-t-il pas de Hegel ? Nous ne le croyons pas. Le savoir absolu de Fichte est une expérience ontologique qui reste dans la finitude, qui fonde l'existence sans dépasser l'étroitesse de son ouverture, et accède à une expression qui est compréhension de l'être et de soi-même, de la présence à l'être et de la présence à soi. C'est aussi un modèle de rigueur. Fichte n'a jamais renoncé à son exigence première de clarté; s'il dépasse le formalisme, c'est parce que l'acte de comprendre est plus qu'un savoir formel, que le savoir formel a besoin lui aussi d'être compris. Enfin sa dialectique n'est jamais un mécanisme, ou un dépassement arbitraire. En elle aussi on trouve l'unité de la vie et de la pensée (1).

---

(1) Ce qui nous paraît pourtant manquer à Fichte, c'est l'étude de la relation de cette finitude à la temporalité. Le temps est toujours dépassé, l'intemporel de l'instant est privilégié. C'est le Spinozisme de Fichte.

3

PRÉFACE
A LA « DESTINATION DE L'HOMME »
DE FICHTE *

I. — La querelle de l'athéisme

La *Destination de l'homme* a été écrite en quelques mois. Fichte vient d'arriver à Berlin où il a été accueilli dans le milieu romantique. Il a dû fuir Iéna « diminué, discuté, humilié » (1). En cette année 1799, il peut méditer sur cette querelle de l'athéisme qui l'a entraîné dans une polémique et un conflit avec les puissances politiques. Un moment cette polémique faillit tourner en sa faveur. Tout ce qu'il y avait d'esprits libres en Allemagne était avec lui. Mais il a agi avec une certaine maladresse. Il n'a su être ni souple, ni complètement rigide. Mal conseillé peut-être il a perdu une bataille et se retrouve presque seul en face de nouveaux adversaires, ces romantiques qui ont subi son influence et qui maintenant se détournent de lui, refusant son idéalisme moral, pour exalter notre communion avec la nature, ou l'infini divin. On ne peut comprendre la *Destination de l'homme* qu'en se référant à cette situation.

C'est dans le *Journal philosophique*, dont Fichte était avec Niethammer le directeur depuis 1797, que parut l'article de Forberg sur le *Développement du concept de religion. Le sens de cet article*, qui se

---

* U.G.E., coll. « 10/18 », 1965.

(1) XAVIER-LÉON, *Fichte et son temps*, Ed. Colin, t. I, p. 628.

réclame de la *W.-L.* (1), est celui-ci : la religion n'a aucun fondement théorique. Les concepts spéculatifs de Dieu sont étrangers à la religion. Celle-ci n'est que « la croyance pratique en un gouvernement moral du monde », le vœu d'un règne de Dieu sur la terre, d'une communauté des saints. Ce règne est injustifiable pour la raison théorique, mais il est le thème de la raison pratique. L'article de Forberg, son scepticisme en matière théologique, pouvait paraître maladroit, il n'en était pas moins très proche des positions de Fichte, de la *Doctrine de la Science*, et de la *Doctrine de la Morale* qui venait de paraître. Pour ne rien laisser dans l'ombre, et pour expliciter lui-même sa propre conception, Fichte écrivit à son tour l'article sur le *Fondement de notre croyance en une divine Providence*. Le doute sur l'existence de Dieu n'est pas possible, si Dieu est identifié à l'ordre moral lui-même. Il n'est donc pas un simple postulat du devoir ou une hypothèse possible. Il est le règne des fins — ce que le langage populaire désigne sous le nom de Providence. Ce règne ne résulte pas de la seule bonne volonté de l'individu, « il est une croyance dans le triomphe définitif de l'esprit en ce monde, l'espérance que le devoir portera ses fruits, mais cette croyance équivaut à une certitude pratique et cette espérance à une promesse » (2). L'ordre de l'esprit n'est pas lié à une transcendance, à une chose en soi qui s'imposerait du dehors à la conscience humaine. Le Dieu qui est cet ordre spirituel n'a donc rien de commun avec le Dieu anthropomorphique, le Dieu personne et créateur du monde, le Dieu tout bon et tout-puissant des théologiens. Il n'est pas chargé de nous donner le bonheur et la jouissance, il n'est pas un père auquel on s'adresse — surtout à l'heure des catastrophes individuelles ou nationales — pour lui demander secours, ou pour infléchir le cours des choses en notre faveur. Comme Spinoza, dans l'appendice

(1) Abréviation pour la *Wissenschaftlehre*, la *Doctrine de la Science*.
(2) Xavier-Léon, *op. cit.*, t. I, p. 525; le texte de Fichte se trouve dans le t. III de l'édition Médicus des œuvres.

du Ier livre de l'*Ethique*, avait écarté cette représentation trop humaine
de Dieu, ainsi fait Fichte qui identifie Dieu à la perspective de notre
visée spirituelle. La différence avec Spinoza est visible puisque cet
ordre est l'ordre de la liberté, créatrice de sa propre fin, qu'il exprime
notre foi dans les transformations de notre vie terrestre, que l'action
est première par rapport à la spéculation ; mais ce qu'il y a de commun
avec Spinoza, c'est la condamnation de toute idolâtrie. Spinoza
avait été accusé d'athéisme, Fichte le fut aussi. « Qu'un pareil article,
si élevé qu'en fût le spiritualisme, si hautement morales qu'en fussent
les intentions, ait pu paraître athée aux chrétiens orthodoxes, dont,
au nom de la morale, il traitait d'idolâtrie le Dieu et le paradis,
faut-il s'en étonner, et faut-il s'étonner que le public, peu versé dans
les controverses philosophiques, n'ait pas, en dépit des affirmations
de Fichte, distingué entre l'athéisme sceptique de Forberg et le
théisme sans Dieu de Fichte ? » (1). Il y a bien un problème que nous
verrons se préciser avec la *Destination de l'homme*, celui de l'actualité
de cet ordre moral du monde ; n'est-il que la catégorie de l'Idéal,
le projet fondamental de la conscience humaine pour laquelle l'action
est première, ou est-il un ordre suprasensible qui se phénoménalise,
se rend conscient en nous ? L'Absolu est-il l'Idée, le projet sans
lequel le monde ne saurait avoir même de réalité pour nous, ou
sommes-nous la conscience de cet Absolu, de cet ordre suprasensible ;
le règne de Dieu est-il l'avenir de notre vie terrestre, ou en sommes-
nous le reflet dans la mesure où notre intention se purifie et s'identifie
à l'autonomie de l'esprit ?... Il y a là deux interprétations possibles
de l'ordre moral et du monde intelligible. C'est vers la première que
s'oriente en 1797 la *Doctrine de la Moralité*, c'est vers la seconde que
s'orientera la *Destination de l'homme*. Ce qui les sépare, c'est l'idéalisme
de l'infini en puissance, ou le réalisme de l'infini en acte. Déjà la
parabole du semeur, dans le *Journal philosophique*, soulève cette

---

(1) Xavier-Léon, *op. cit.*, t. I, p. 526-527.

question de l'ordre intelligible différent de l'ordre de la nature. Cet ordre a une efficacité qui dépasse le pouvoir d'une conscience individuelle; il est à l'homme qui accomplit ses obligations ce que la nature est au semeur qui accomplit le rite des semailles, la garantie que son geste ne sera pas vain, qu'il aura des conséquences. La *Destination de l'homme* accentuera ce réalisme de l'Absolu, cette actualité de l'ordre intelligible, qui ne permet plus de confondre le Moi pratique avec le Moi absolu.

Nous disions que la polémique faillit tourner un moment en faveur de Fichte. L'attaque menée contre le philosophe dans le libelle anonyme *Lettre d'un père à son fils étudiant au sujet de l'athéisme de Fichte et de Forberg*, cet appel au bras séculier — qui se reproduit si souvent dans l'histoire — ne pouvait que révolter les esprits libres. Le succès de Fichte, disait cette lettre anonyme, « est vraiment un triste symptôme, une preuve que certains étudiants sans jugement aiment et admirent par-dessus tout ce qui ne peut être compris, ce qui fait entendre un son nouveau, même si cela n'a pas le sens commun. On pourrait encore laisser M. Fichte à sa joie, s'il gardait pour lui les trésors de son obscure sagesse. Mais qu'il communique des principes athées à des jeunes gens qui veulent se préparer aux fonctions les plus importantes de l'Etat et de l'Eglise, c'est impardonnable et aucun ami de la religion et de la morale ne peut y demeurer indifférent » (1). La dénonciation était perfide; derrière l'athéisme de Fichte on laissait entendre que Fichte était un révolutionnaire, un Jacobin (c'était là la plus grave injure, celle qui devait effrayer le plus). On accusait donc le gouvernement de Saxe d'apathie, voire de complicité avec les menées révolutionnaires en Allemagne. Le gouvernement, poussé par les défenseurs du trône et de l'autel, dut se décider à agir. Peut-être souhaitait-il, comme bien des gouvernements, l'apaisement et la fin du conflit. Mais c'était là mé-

(1) Xavier-Léon, *op. cit.*, p. 528.

connaître le caractère de Fichte, son opposition à tout compromis. Après la défense de Fichte — un *Appel au public contre l'accusation d'athéisme* —, où il ne fait que reprendre son identification de Dieu à l'ordre moral du monde, la querelle s'envenima. « Moralité et religion, disait Fichte, sont une seule et même chose ; toutes deux appréhendent le suprasensible, la première par l'action, la seconde par la croyance. La religion sans moralité est une superstition qui trompe le malheureux d'une fausse espérance et le rend incapable de toute amélioration. La prétendue moralité sans religion peut bien avoir du dehors une conduite extérieure respectable puisqu'on fait ce qui est bien et qu'on évite ce qui est mal, par peur des conséquences dans le monde sensible, mais jamais elle n'a l'amour du bien et n'accomplit le bien pour lui-même » (1). C'était là dire que « croire à Dieu et accomplir le bien pour lui-même se confondaient ». Peut-être Fichte pense-t-il — et non sans raison — prolonger l'esprit de la réforme quand il accuse à son tour ses adversaires d'athéisme. « Leur but, au fond, c'est toujours la jouissance, qu'elle soit le désir grossier, ou qu'elle soit plus ou moins subtilisée par eux — ils ne peuvent pas se dissimuler que le succès de leur poursuite de cette jouissance dépend de quelque chose d'inconnu, qu'ils appellent le hasard : ce hasard, ils le personnifient et ils en font leur Dieu. Leur Dieu, c'est le dispensateur de tout le bonheur et de tout le malheur chez les créatures, voilà son caractère essentiel... Un Dieu qui doit être le serviteur des désirs est un être méprisable, il remplit une fonction qui répugnerait à tout homme digne de ce nom. Un pareil Dieu est un méchant être, il encourage et il éternise la perdition des hommes et la dégradation de la raison. Un pareil Dieu, c'est à proprement parler et tout justement le prince de la terre, jugé et condamné depuis longtemps par la bouche de la vérité dont ils faussent les paroles ».

(1) *Fichtes Werke, op. cit.*, t. III, p. 178-179.

La cause de Fichte devint la cause de tous les penseurs libres. Comment expliquer qu'après un tel soutien Fichte doive pourtant quitter Iéna et chercher un asile, qu'il trouvera à Berlin, sans qu'aucun de ses collègues se soit solidarisé avec lui, sans que les manifestations d'étudiants en sa faveur aient le moindre effet ? Cette seconde partie de l'histoire est moins claire. Le philosophe fait un peu comme Alceste qui se raidit, et recule lui-même devant sa propre rigidité. Ses ennemis le prennent au piège des déclarations qu'il professe, et des atténuations qu'ils arrivent à obtenir de lui. Schiller et Lavater lui reprocheront son orgueil. Fichte avait commencé par refuser tout compromis, ce compromis que le pouvoir souhaitait, mais il ajoutait à ce refus du compromis une sorte de chantage. Il fit savoir au conseiller Voigt (qui avec Gœthe l'avait protégé) que non seulement il n'accepterait pas un blâme, et donnerait sa démission, mais encore qu'il serait suivi par certains de ses collègues. Il menaçait à mots couverts de se rendre à Mayence. « Il est question d'un nouvel Institut, notre plan est fait et nous pouvons espérer de retrouver là où nous irons le même cercle d'action qui seul a pu nous attirer ici, et les égards que, dans le cas présent, on nous aurait refusés. » Ce chantage était selon la parole de Gœthe inacceptable pour tout pouvoir. « Et en ce qui me concerne personnellement, j'avoue volontiers que je voterais contre mon propre fils, s'il se permettait un pareil langage à l'égard du gouvernement » (1); malheureusement Fichte, mal conseillé, tentait de revenir sur ce chantage, mais il perdait alors le bénéfice même de son attitude inflexible. C'est ainsi que finit assez mal cette querelle de l'athéisme et du jacobinisme. « Le mobile de l'accusation est clair, disait Fichte, il est notoire, seulement personne ne veut appeler la chose par son nom. Mais je ne suis pas en général d'humeur à me cacher, ici particulièrement je ne le veux pas, car je suis à la fin las de ces attaques et je tiens cette

---

(1) Xavier-Léon, *op. cit.*, t. I, p. 612.

fois à obtenir la paix pour le reste de mes jours ou à braver la mort; c'est donc moi qui vais le dire. Je suis à leurs yeux un démocrate, un jacobin, et voilà le mot. D'un pareil homme, on croit toutes les horreurs sans plus de preuves. » Cet échec de Fichte dans ses rapports avec le *Cours du Monde* est en même temps le commencement du déclin de son influence. La nouvelle école romantique va dominer les esprits. Déjà Hegel prépare son étude sur la *Différence des systèmes de Fichte et de Schelling*, qui manifestera la rupture. Comme on faisait valoir à Gœthe la perte que représenterait le départ de Fichte, il répondit : « Au firmament quand une étoile disparaît, une autre se lève. » L'autre étoile, c'était Schelling qui, appelé à Iéna sur les instances mêmes de Fichte, avait déjà commencé à tirer tout à lui.

C'est dans cette atmosphère qu'il faut situer l'œuvre nouvelle de Fichte, la *Destination de l'homme*. Si elle indique un tournant, une nouvelle position philosophique de Fichte, on ne saurait pourtant oublier avec ce penseur que le choc extérieur ne fait chez lui que déclencher un développement interne qui apparaît toujours comme autonome, et ayant sa logique immanente (1).

II. — LA DIALECTIQUE : DOUTE, SAVOIR, CROYANCE

La *Destination de l'homme* est une authentique méditation dans laquelle Fichte reconstitue l'itinéraire de sa propre pensée. Mais cet itinéraire a pour lui une portée universelle. Le Moi qui médite est le Moi de tous et de chacun. Il s'agit que chaque Moi retrouve en lui-même les étapes d'un voyage que Fichte a entrepris pour sa part. « Le lecteur ne doit pas entendre comme un pur objet d'histoire ce qui est dit ici, mais il doit effectivement, au cours de la lecture, parler avec lui-même, méditer, tirer des conclusions, prendre des

---

(1) Sur l'évolution de Fichte, et sur la *Destination de l'homme*, on se référera à l'œuvre fondamentale de M. GUEROULT, *L'évolution et la structure de la Doctrine de la Science*, 2 vol., Ed. « Les Belles-Lettres », 1930, et à la préface de M. GUEROULT à la *Destination de l'homme*, Ed. Aubier, 1942.

résolutions, comme le fait son représentant dans le livre, et par son propre travail et sa réflexion tirer de son propre fonds, développer et construire en lui-même la façon de penser dont ce livre ne lui présente que l'image » (1). Cependant la valeur universelle de la méditation ne s'oppose en rien, bien au contraire, à l'expérience vécue du philosophe qui ne s'est pas mis « sans enthousiasme à son travail » (2). On retrouvera donc dans ce texte la réminiscence des crises que Fichte a traversées. Comme Reinhold il est pris, dès le départ de sa pensée philosophique, entre les exigences du cœur et celles de la raison. L'action et la vie postulent la liberté, l'indépendance d'un projet dont je suis l'auteur et l'acteur, l'imprévisibilité d'une décision qui n'est jamais fatale. « Agir, agir, voilà pourquoi nous sommes ici-bas... je ne veux pas seulement penser, je veux agir. » Le philosophe qui apprécie la révolution française, qui trace le plan d'un Etat dominant l'économie, le futur auteur des *Discours à la Nation allemande* qui enregistre comme Beethoven la fin du héros et le commencement du règne de l'usurpateur, n'est pas un philosophe de cabinet, même s'il croit au privilège des savants. Dès l'origine il mesure, comme peut-être on ne l'avait jamais fait avant lui, la différence entre la pensée et la vie, l'abîme qui les sépare. Il sait que la spéculation n'est pas la vie, qu'elle est pourtant la seule façon de la comprendre parce que cette compréhension exige un détachement, un recul qui est un acte de liberté, mais il sait aussi ce que ce recul fait perdre. Il faut donc — comme dans la philosophie contemporaine de Husserl — réfléchir sur cette réflexion pour rejoindre la vie, ne pas effacer ce qui dans l'attitude naturelle est une adhésion spontanée à l'existence. « Toutes les deux, vie et spéculation, sont seulement déterminables l'une par l'autre. La vie est au sens propre la non-philosophie, la philosophie est la non-vie; et je ne connais

---

(1) *Fichtes Werke*, éd. Médicus, III, p. 264.
(2) *Fichtes Werke*, éd. Médicus, III, p. 264.

aucune détermination plus pertinente des deux concepts que celle-ci » (1). Par ailleurs Fichte ne veut en rien sacrifier la raison, l'entendement aux exigences du cœur, il est l'ennemi du mysticisme sentimental, de la *Schwarmerei*. Il veut faire de la philosophie une science rigoureuse, lui donner une évidence égale en son genre à celle de la géométrie. Dans la *Destination de l'homme*, le savoir spéculatif sera un moment nécessaire, mais il servira seulement à lever l'hypothèque d'un dogmatisme dont nous serions prisonniers, il nous libérera pour nous reconduire à la vie, à la certitude existentielle que la philosophie ne saurait remplacer. Dans la forme dernière de sa pensée, la spéculation deviendra à son tour pourtant une vie. « L'élément, l'éther, la forme substantielle de la vie véritable, c'est la pensée. » Plus il vieillit, « plus il semble même que dans sa philosophie le spéculatif tende à l'emporter sur le pratique, notre destinée n'est plus du tout selon lui dans l'action, mais dans l'intellection » (2). Avec la *Destination de l'homme* le savoir spéculatif reste opposé à la vie, il n'est pas une fin en soi, il n'a qu'un but, il écarte une fausse science, il nous permet de nous libérer d'une nature qui serait une chose en soi et qui ferait de nous « un maillon dans la chaîne de la nécessité ». Et c'est là, à vrai dire, « le seul mérite que je reconnaisse au système que nous venons de trouver ensemble, il anéantit l'erreur » (3). Fichte avait élaboré sa *Doctrine de la Science* pour concilier les exigences de l'intelligence et celles de l'action. En montrant que la raison était pratique par essence, en commentant la *Critique de la raison pure* à partir de la *Critique de la raison pratique*, il avait fait vraiment de la liberté la clé de voûte des systèmes tant spéculatif que pratique de la raison. L'intuition intellectuelle manifestait l'immanence du Moi absolu au Moi pratique. La nécessité des phénomènes était la condition d'une liberté qu'elle préparait.

(1) *Op. cit.*, p. 207.
(2) M. GUEROULT, *op. cit.*, t. I, p. 38.
(3) *Fichtes Werke, op. cit.*, t. III, p. 342-343.

Mais la *Destination de l'homme* — en dépit des affirmations de Fichte lui-même — ne fait plus appel à cette seule intuition intellectuelle. La croyance, comme chez Jacobi avec lequel Fichte se voudrait d'accord, est indispensable pour résoudre la nouvelle crise qu'engendre le savoir spéculatif. Le savoir, le savoir seul, ne peut me suffire, car il me libère de la nature pour me perdre dans un rêve où je ne trouve plus rien de solide et d'assuré en moi et hors de moi. Le savoir doit donc être savoir de ses limites, la croyance nous donne la réalité d'un monde qui est le théâtre de notre destinée morale. « Nous n'agissons pas parce que nous connaissons, nous connaissons au contraire parce que nous sommes destinés à agir, la raison pratique est la racine de toute raison » (1), « mon monde c'est l'objet et la sphère de mes devoirs et absolument rien d'autre, il n'existe pas pour moi d'autre monde ni d'autres propriétés de mon monde. Tout mon vouloir et tout mon pouvoir fini sont insuffisants pour concevoir un autre monde. C'est uniquement par ce rapport que tout ce qui est pour moi m'impose son existence et sa réalité, et c'est uniquement par ce rapport que je le conçois, et pour toute autre existence, l'organe me fait entièrement défaut » (2).

On comprend alors le mouvement de toute la méditation. Les trois moments : *doute, savoir, croyance*, se commandent les uns les autres dans une succession irréversible. Nous retrouvons dans le doute la crise première de Fichte, l'opposition tragique des besoins du cœur et du déterminisme universel. Le savoir sera le moment de la médiation; grâce à lui, ou plutôt grâce au savoir du savoir, je pourrai me libérer de cette conception de la nature qui fait de moi un produit nécessaire, ou du moins qui réduit ma liberté au développement d'une nature, à l'expression d'une essence singulière. Il y a déjà chez Fichte, comme chez nos existentialistes, le thème d'une existence libre qui produit son essence, au lieu d'en être

(1) *Fichtes Werke, op. cit.*, p. 359.
(2) *Ibid.*, p. 357.

l'expression. Toutefois cette liberté n'est pas aveugle, elle est en même temps créatrice de sa rationalité, projet qui domine l'être au lieu de lui être subordonné. La nature qu'envisage ici Fichte pour nous en libérer n'est pas pourtant un mécanisme brutal. Toute la pensée de l'époque est condensée dans cette conception de la nature, ou d'un Dieu-Nature qui se révélerait progressivement. Les tentatives de Lessing et de Herder pour concilier Leibniz et Spinoza sont intégrées par Fichte, aussi bien que la nouvelle philosophie de la nature qui pourrait se recommander d'une interprétation de la *Doctrine de la Science*. Le mécanisme métaphysique des essences singulières, le jeu de leurs relations mutuelles ne me donneraient que l'illusion d'une liberté authentique, et aussi bien la conjonction des forces primitives qu'on aperçoit dans cette nature, organisation, automotricité, pensée. Cette nature serait une force indépendante que j'exprimerais à ma façon, selon mon point de vue singulier, dans le contexte de la connexion de toutes ces forces. On saisit ici l'effort de Fichte pour caractériser ce nouveau Spinozisme dont Jacobi avait dit qu'il était le destin de tout savoir rationnel. C'est aussi le romantisme qui est sans aucun doute visé, les thèmes de Novalis, de Schleiermacher, et probablement de Schelling.

C'est au savoir transcendantal qu'il appartient de replier ce savoir de la nature, ce savoir naturel, sur son origine absolue, le Moi qui le pose, qui est le créateur inconscient de ce monde, dont les lois sont les lois mêmes de mon intelligence. Il n'y a que l'affection qui soit indéductible, et la matérialité de cette affection pour la diversité des Moi. Mais à travers cette affection qui m'aliène c'est mon être même que je trouve, dans le savoir, dans l'ordre du monde. C'est ma vision même que je vois extériorisée dans l'intuition spatio-temporelle. « Je suis une vue vivante, je vois, c'est la conscience, je vois ma vue, c'est l'objet de ma conscience » (1); c'est ma pensée

---

(1) *Fichtes Werke*, *op. cit.*, p. 325.

elle-même que je projette dans ces forces qui constituent le non-Moi.
« L'objet de l'intuition et l'objet de la pensée sont des objets fort
différents. L'une de ces choses est réellement et immédiatement
présente devant ton esprit et étendue dans l'espace, c'est l'objet de
l'intuition, l'autre la force intérieure enfermée dans l'objet et qui
n'est pas du tout présente devant ton esprit, mais dont tu n'affirmes
l'existence qu'au moyen du raisonnement, c'est l'objet de la pensée » (1). Le rapport de ces deux objets, comme des choses entre
elles, la nécessité qui les rassemble et le système du monde tout entier
ne sauraient différer du rapport ainsi découvert entre nous-mêmes
et notre être. La déduction des catégories dans la *Doctrine de la
Science* avait une valeur universelle. Le savoir spéculatif a pu libérer,
grâce à l'intervention de l'esprit, le Moi méditant d'un enchaînement à la nature, si subtil soit-il, mais il n'a pu le faire qu'en révélant
que cette nature ne saurait être une chose en soi, qu'elle est dans
sa nécessité l'être même de mon intelligence; c'est moi-même que je
rencontre sans le savoir dans cette altérité. « Si la conscience dont
il est question ici n'est pas une conscience de ta passivité, et ne doit
pas être une conscience de ton activité, ne pourrait-elle être une
conscience de ton propre être que jusqu'ici nous n'aurions pas
reconnue comme telle ? » (2). Comme l'écrira Hegel, dont une partie
de la *Phénoménologie* — sur la perception, l'entendement — est un
commentaire de Fichte : « En fait l'entendement fait seulement
l'expérience de soi-même... Il est clair alors que derrière le rideau,
comme on dit, qui doit recouvrir l'intérieur (des choses), il n'y a
rien à voir à moins que nous ne pénétrions nous-mêmes derrière lui,
tant pour qu'il y ait quelqu'un pour voir que pour qu'il y ait quelque
chose à voir » (3). Fichte avait dit : « Tu es toi-même cette chose,
c'est toi-même qui par le tréfonds de ton essence, et à cause de ta

---

(1) *Fichtes Werke, op. cit.*, p. 333.
(2) *Ibid.*, p. 320.
(3) *Phénoménologie de l'esprit*, Ed. Aubier, t. I, p. 140-141.

finitude est ainsi posé devant toi-même, et jeté hors de toi-même ; et tout ce que tu aperçois hors de toi, c'est toujours toi » (1).

Mais tandis que la *Doctrine de la Science*, la *Déduction de la représentation* et le *Résumé de ce qui appartient en propre à la Doctrine de la Science*, s'achevaient par le retour au Moi de la thèse, comme idéal pratique, il semble bien que la *Destination de l'homme* mette l'accent sur la déficience du savoir, et l'exigence d'une croyance. L'esprit qui a conduit le Moi méditant au savoir spéculatif l'abandonne maintenant à lui-même, en lui laissant le sentiment d'une instabilité du savoir, et même d'une perversité de ce savoir quand il reste dupe de sa contemplation ou de son narcissisme intellectuel. Si la première crise opposait *la liberté et la nature*, la seconde oppose la *réalité au rêve*. On peut s'en étonner si l'on réfléchit à la réfutation de l'idéalisme empirique de Kant, que Fichte reprenait à son compte, alors qu'il s'inspire ici des dialogues de Berkeley, et du scepticisme de Hume, étendu au Moi lui-même comme chez le philosophe écossais. Le Savoir pourrait n'être qu'un rêve bien lié. « L'intuition c'est le rêve ; la pensée source de tout être et de toute réalité que je m'imagine, source de mon propre être, de ma force, de mes buts, est le rêve de ce rêve » (2). Même le Moi qui accompagne chaque représentation n'est encore qu'une pensée, incertaine de la stabilité de son identité. « Et ce n'est que de la sorte que j'ai l'idée de l'identité et de la personnalité de mon Moi, ainsi que d'une force réelle et agissante de cette personne. Ce ne peut être qu'une fiction puisque cette faculté et cet être ne sont eux-mêmes que des fictions » (3). L'imagination qui est la source de toute vision du monde, de toute expérience, de toute rencontre, pourrait être aussi la source de l'illusion. Comment sortir de moi-même, comment retrouver les autres humains ? Le savoir m'a libéré par l'esprit d'une nature à

(1) *Fichtes Werke*, *op. cit.*, p. 324.
(2) *Fichtes Werke*, *op. cit.*, p. 341.
(3) *Ibid.*, p. 340.

laquelle j'étais rivé, en apparence il m'a délivré et révélé l'être du monde comme l'être même de la pensée. Mais avant cette intervention de l'esprit je croyais naïvement au monde, j'étais une existence, je doutais seulement de ma liberté, maintenant je ne trouve plus rien hors de moi de solide, de réel. L'esprit m'a conduit dans un nouvel abîme d'où je ne puis sortir que seul, en revenant de la spéculation à la vie, mais ce retour ne sera pas un retour pur et simple à l'immédiat. La croyance naturelle qui a traversé le savoir, sera la certitude de la conscience morale sans laquelle nous serions plongés « dans le néant absolu; c'est uniquement par notre moralité que nous sortons de ce néant et que nous nous maintenons au-dessus de ce néant » (1).

III. — L'histoire et le règne des esprits

L'esprit du savoir m'a abandonné. Il a pu seulement m'inciter à trouver par moi-même la réalité différente du songe. C'est la croyance qui, chez Fichte comme chez Jacobi, doit me révéler cette réalité hors de moi et en moi-même. Mais tandis que chez Jacobi, qui ne se laissera pas tromper par la similitude des expressions, la croyance reconduit à la foi de l'enfance, chez Fichte elle est l'exigence de la raison pratique. C'est la conscience morale et la conscience morale seule qui me garantit le réel hors de moi, et le sens ultime de mon existence. Le monde est là pour me permettre d'agir, et j'existe pour obéir à la voix de ma conscience. Ici, dans cette certitude, le Verbe s'est fait chair. C'est seulement par elle que tout ce qui m'entoure prend un sens, que je puis rencontrer d'autres hommes, un règne des esprits dont le concert est l'expression de l'infini divin. Le thème des relations humaines, de l'éveil des consciences les unes par les autres, du monde intersubjectif est central dans la pensée de Fichte.

(1) *Fichtes Werke, op. cit.*, p. 359.

Il me faut agir, mais cette action n'est pas seulement l'entretien, la conservation de ma vie charnelle, un perpétuel recommencement de la vie. « A quoi bon ce cercle se renouvelant sans cesse, ce jeu reprenant toujours de la même manière, où tout naît pour mourir, et meurt pour redevenir simplement la même chose ? » (1) Ce que je trouve en moi ce n'est pas seulement la tendance de la nature à persévérer dans son être, c'est la tendance absolue à exister pour soi et par soi, et cette tendance absolue se pense elle-même comme l'exigence de l'autonomie, d'une pensée qui ne reflète pas l'être, mais aspire à le produire. « Ma pensée, l'acte par lequel j'esquisse un concept de but, est par sa nature absolument libre et tire quelque chose du néant. C'est à une telle pensée que je dois rattacher mon action si je veux que mon action puisse être considérée comme libre et comme produite par moi-même » (2). Ainsi ma destinée empirique doit s'égaler à ma destinée morale qu'elle annonce; le sens de ma pensée est moins de réfléchir l'être, de le représenter, que de le produire en concevant l'Idée qui n'est pas *Nachbild*, mais *Vorbild*, non plus copie, mais modèle. C'est cette liberté, cette autonomie de l'esprit que prescrit l'ordre de la conscience. La spéculation peut bien réduire ce monde à un rêve, la conscience, qui vit et existe, s'intéresse spontanément au monde, et cet intérêt la détourne des sophismes. Elle a raison, car le savoir n'a pas son fondement en lui-même. « C'est la croyance qui apporte l'assentiment au savoir... La croyance n'est pas le savoir, mais une décision de la volonté de donner à ce savoir sa pleine valeur » (3). C'est ma pensée qui produit l'Idée, et c'est moi qui suis la force efficace qui agit. Le mal est un arrêt dans ce développement, inertie, paresse, lâcheté et par là même mensonge. La tendance que je trouve en moi est virtuellement libre, il dépend de moi de la suivre, mais cette liberté peut ne pas

(1) *Fichtes Werke, op. cit.*, p. 362.
(2) *Ibid.*, p. 346.
(3) *Ibid.*, p. 349-350.

être encore consciente d'elle-même, ou je peux, sur le chemin de l'autonomie authentique, m'arrêter au stade d'une volonté de puissance sans limite et sans frein qui est comme une caricature de l'autonomie. La voie de la conscience seule est pleinement ontologique, elle m'ouvre au sens de l'être, à l'authenticité de l'existence, elle est l'appel permanent de l'existence à soi-même. Alors ce monde s'offre à moi comme ce qu'il faut transformer. Il y a un but terrestre, un horizon de l'histoire humaine. Ce but s'impose comme devant être la conséquence, le résultat de mon action, bien que ce but ne soit lui-même valable que parce que la conscience morale me commande de le vouloir. « Je veux que quelque chose devienne réel, parce que je dois agir pour qu'il devienne réel » (1). L'état actuel du monde m'apparaît comme un état transitoire qui ne peut subsister sous cette forme. Il y a une nature, qui n'est pas encore soumise à la pensée, dominée par les hommes. « La force humaine, illuminée, armée de ses découvertes, dominera sans peine cette nature et maintiendra sans heurt la conquête qu'elle aura faite » (2). Il y a toute une partie de l'humanité qui est en retard sur la route du progrès. Ces peuples, encore sauvages, devront accéder à la civilisation. « Jusqu'à ce que ce but soit atteint, jusqu'à ce que la culture de chaque époque se soit répandue sur tout le globe habité, et que notre espèce soit à même d'entretenir entre ses membres des communications illimitées il arrivera forcément qu'une nation ou un continent soit obligé d'attendre l'autre sur la route commune et de sacrifier à l'union universelle qui est leur seule raison d'être ses propres siècles d'arrêt apparent ou de régression » (3). Dans les peuples avancés règnent encore la volonté de puissance des oppresseurs et la lâcheté des opprimés. Cette situation entraîne à son tour un régime de violence dans les relations mutuelles des peuples. Il faudra qu'un Etat

---

(1) *Fichtes Werke*, *op. cit.*, p. 360.
(2) *Fichtes Werke*, *op. cit.*, p. 364.
(3) *Fichtes Werke*, *op. cit.*, p. 368.

serve de modèle aux autres et réalise la constitution de la liberté. Le mouvement de l'histoire y pousse invinciblement, en dehors même des intentions purement morales des sujets. « Cet établissement d'une constitution intérieure fondée sur la justice, et l'affranchissement du premier peuple qui devient vraiment libre est la conséquence nécessaire de l'oppression sans cesse croissante exercée par les classes dirigeantes sur les classes dominées, jusqu'au jour où la situation devient intolérable, et c'est là un progrès pour lequel on peut s'en remettre tranquillement aux passions et à l'aveuglement de ces classes, même quand elles ont été mises en garde » (1). Ces textes suffisent pour montrer que Fichte n'a pas renié son jacobinisme.

Cependant le but terrestre ne saurait être le but suprême. Fichte croit maintenant qu'il n'est pas un idéal inaccessible. « Ce but peut être atteint dans la vie et par la vie, car la raison me commande de vivre; ce but peut être atteint, car — Je suis » (2). Mais quand ce but aura été atteint, que fera l'humanité ? Enfin la marche de l'histoire n'est pas le produit unique des intentions morales. Le jeu des passions réalise mieux quelquefois le but; le règne auquel ma conscience morale me fait croire n'est donc pas seulement ce règne objectif, cette histoire objective où disparaîtrait la subjectivité.

Il doit y avoir une dimension transhistorique et qui reste pourtant immanente à tout le déroulement de l'histoire : un concert des esprits qui sont contemporains les uns des autres dans la succession des générations. C'est ce règne spirituel qui est le but suprême ou plutôt qui est déjà là, invisible dans le visible. Ce qui doit compter en effet, ce n'est pas le résultat de l'action qui m'échappe pour une part, c'est l'intention subjective qui en est l'origine. Il est nécessaire que je fasse mon devoir *hic et nunc*, quoi qu'il advienne, mais j'ai la certitude que les intentions se répondent les unes aux autres,

---

(1) *Fichtes Werke, op. cit.*, p. 372.
(2) *Fichtes Werke, op. cit.*, p. 374.

et que les conséquences apparentes qui peuvent être décevantes ne sont pas les seules. Ces conséquences véritables je puis y croire, je dois même y croire, mais je ne puis les voir, car ma vie deviendrait une vie seulement contemplative. Il nous faut ici interpréter des textes assez obscurs de Fichte. Tout se passe comme si, à travers des décalages de l'histoire, et peut-être à la faveur de buts terrestres successifs, des vies de l'esprit humain se succédaient, chacune étant le résultat d'intentions antérieures et donnant à son tour l'occasion de produire d'autres résultats encore invisibles. Dans chacune de ces vies on peut contempler les conséquences de la vie antérieure, et croire à celles qui apparaîtront seulement dans une autre. « Dans ce cas l'activité nécessaire de la volonté nous renverrait donc à une troisième vie, où les conséquences de la bonne volonté se montreraient telles qu'elles découlent de la seconde vie, et cette troisième vie ne serait dans la seconde que l'objet d'un acte de foi... » (1). Il y aura toujours un monde sensible et une loi du devoir. « En définitive le monde présent n'existe pour nous que par la loi du devoir; le monde futur ne naîtra lui aussi que par une autre loi du devoir : car il n'est pas d'autre modalité suivant laquelle un monde existerait pour un être raisonnable » (2). Alors, à travers l'histoire et peut-être la succession des histoires, c'est le règne des esprits qui transparaît. Ce règne dans son enveloppe, dans son englobant, est Dieu même, une volonté infinie que nous n'avons pas le droit de personnifier sans idolâtrie, mais qui est l'unité et l'harmonie du concert spirituel. De cette unité et de ce concert nous devenons la conscience.

En apparence Fichte, dans un langage nouveau qui ressemble à celui des romantiques, et qui tient compte des besoins du temps, reprend sa propre pensée sur le primat de la raison pratique. Pour-

---

(1) *Fichtes Werke, op. cit.*, p. 383.
(2) *Fichtes Werke, op. cit.*, p. 384.

tant, et malgré les dénégations du philosophe, il y a quelque chose de changé. Dans le *Système de morale* qui achevait la première *Doctrine de la Science* il n'y avait de concevable qu'une fin terrestre unique, d'ailleurs inaccessible et dont nous pouvions seulement nous approcher indéfiniment. Cette fin devait être visée par la conscience morale et selon la loi du devoir, bien que certains résultats ne dépendent pas seulement de nous. Le Moi absolu était tout entier passé dans le Moi pratique. L'identité fondamentale du sujet-objet était l'Idée, le projet de la conscience réelle. L'autonomie perdue devait être reconquise à la lumière de la conscience. Avec la *Destination de l'homme*, il y a une actualité de l'Absolu, une réalité de l'Infini en acte, celle que réclamait Schleiermacher dans les *Discours sur la religion*. Le Moi fini est un phénomène, une expression inadéquate de cette Infinité. Il n'y a plus d'identification entre l'Absolu et le Moi pratique. Ce dernier toujours condamné à la finitude s'ouvre par la croyance au monde transhistorique des esprits dont l'Absolu est le soutien. Dans la première forme de la pensée de Fichte, le Moi fini était la proie d'une contradiction, il était conscience effective et agissante, mais le terme de son action, la restauration de l'Absolu, ne pouvait être que sa disparition comme conscience. La conscience de l'Absolu ne devait naître que pour s'évanouir, car la réalisation objective de l'Absoluité serait le néant de la conscience. Il ne serait pas difficile de comparer cette dialectique à celle de J.-P. Sartre dans *L'Etre et le Néant*. Le pour-soi veut tout à la fois se maintenir et s'achever dans l'en-soi qui le ferait disparaître. Dans la nouvelle forme de la doctrine que présente la *Destination de l'homme*, l'Absolu étant actuel, c'est sur la conscience, la subjectivité que l'accent se porte; et par là cette philosophie, qui se veut encore philosophie de l'action, s'oriente paradoxalement vers une pensée spéculative. « La fin de la réalisation, c'est la conscience; l'être tout entier doit entrer dans la forme subjective de la conscience. La conscience subjective de l'Absolu est le souverain idéal... Ce qui importe à travers la réalisation objective, c'est que se réalise dans les êtres finis la conscience absolue de l'Absolu » (1).

La *Destination de l'homme* est ainsi une œuvre de transition dans la pensée de Fichte. Si elle paraît sacrifier le savoir à la croyance et si cette croyance nous fait accéder à la conscience du monde spirituel, au phénomène de l'Absolu, c'est qu'elle rencontre dans le savoir le non-savoir. Mais cette rencontre du savoir et du non-savoir, de la spéculation et de la vie ne peut être abandonnée au sentiment. L'intuition intellectuelle, l'exigence de lumière de la pensée sur elle-même, qui étaient au centre de la réflexion de Fichte et qui paraissent ici s'estomper, doivent retrouver leur rôle pour explorer le domaine nouveau, l'extension de la méditation. Le rapport du savoir au non-savoir doit être éprouvé, mesuré par le savoir lui-même; c'est le savoir qui reconnaîtra sa limite dans la *W.-L.* de 1801, la genèse qui s'arrêtera devant le fait de la non-genèse. Mais cette position est encore insatisfaisante et la *W.-L.* de 1804 parviendra à transformer la limitation même en fondement, elle sera une *ontologie de la finitude* (finitude qui est toujours caractéristique de toutes les phases de la philosophie de Fichte).

L'intérêt de la *Destination de l'homme* est dans son caractère d'œuvre de transition, elle succède à la *Querelle de l'athéisme*, elle répond par avance à la philosophie de la nature de Schelling et au romantisme. On retrouve en elle des traces de cette philosophie première de Fichte qui voyait dans l'action seule la réalisation de l'Absolu. On y aperçoit déjà cette réflexion du savoir qui appréhende lui-même sa limite, et reconnaît le non-savoir, non plus comme une condition que se donne la conscience, mais comme sa source réelle. Mais le grand intérêt de cette pensée philosophique, toujours insatisfaite, toujours remaniée, c'est aussi de nous donner comme une logique vivante des grandes catégories de la pensée métaphysique.

(1) M. Gueroult, *op. cit.*, t. I, p. 370-371.

IV

HEGEL

I

PRÉFACE
AUX « PRINCIPES
DE LA PHILOSOPHIE DU DROIT »*

Nul ne conteste la difficulté que présente l'interprétation de la philosophie hégélienne. Cette difficulté tient pour une grande part au caractère divers des ouvrages que nous possédons de Hegel. Il y a en premier lieu la série des *Vorlesungen*, c'est-à-dire des leçons recueillies par ses disciples et où les érudits distinguent laborieusement ce qui est la pensée authentique du maître et ce qui n'en est que l'écho fidèle, mais indirect; il y a en second lieu des œuvres denses et complexes où Hegel nous découvre non seulement le résultat de ses recherches philosophiques, mais aussi les bases anthropologiques et logiques de sa pensée. « Le résultat n'est rien sans son devenir » (1). C'est ainsi que nous avons la *Phénoménologie*

---

* Gallimard, 1940.

(1) *Phénoménologie*, préface, traduction française, Aubier, I, p. 7.

de l'esprit (1807) où, reprenant son propre itinéraire de jeunesse, Hegel nous représente l'histoire de sa prise de conscience de la philosophie et de l'esprit de son temps, et la *Science de la Logique* (1812-1816), où il nous montre la vie immanente du *Logos*. Les catégories ne sont plus des concepts inertes, mais des moments d'un devenir. La vérité est en elle-même aussi une vie. Cette vie du *Logos* dans la *Science de la Logique* et cette vie de la conscience s'efforçant de s'atteindre elle-même à travers la richesse de son contenu dans la *Phénoménologie* sont les fondements de toute la philosophie hégélienne. Nous avons la bonne fortune de posséder ces deux ouvrages rédigés par Hegel lui-même. Mais nous pouvons suivre aussi la genèse de ces deux œuvres. En effet, contrairement à son ami Schelling, Hegel a longtemps médité sa pensée avant de la livrer au public. La publication en 1907 de ses travaux de jeunesse, antérieurs à la *Phénoménologie* et aux cours d'Iéna, a été une révélation; elle a contribué à une compréhension plus exacte de la *Phénoménologie*, elle nous a permis de retrouver les origines concrètes de la philosophie hégélienne. Le problème des rapports de l'esprit et de l'histoire, l'importance de l'hellénisme et du christianisme dans les premières méditations de Hegel, sont passés au premier plan dans les études hégéliennes. La réflexion sur l'histoire humaine et le sens spirituel de cette histoire a été le point de départ de Hegel. Beaucoup plus tard les leçons du professeur de Berlin sur la philosophie de l'histoire, et sur la philosophie du droit, reprendront parfois sous une forme systématique ce qui était déjà en germe dans ces travaux de jeunesse, et un peu plus tard dans les cours ou les manuscrits d'Iéna.

Cependant Hegel, chez qui le philosophe ne se sépare guère du professeur, et cela de moins en moins au fur et à mesure qu'il vieillit, a tenu aussi à présenter l'ensemble de sa pensée philosophique dans une somme intermédiaire entre le traité philosophique et le manuel d'enseignement; c'est là l'objet des trois éditions de l'*Ency-*

clopédie des sciences philosophiques (1817-1827-1830). Il y condense
sa pensée en paragraphes souvent déconcertants par leur sécheresse,
et s'efforce de remédier à cette abstraction en y joignant des remarques
concrètes, susceptibles d'étonner le lecteur qui ignore les travaux
antérieurs du philosophe. Le résultat se présente un peu trop dans
cette encyclopédie sans son devenir. En s'en tenant à cette somme,
à ce « palais d'idées », on est trop tenté de voir en Hegel un philosophe essentiellement dogmatique. Pour qui au contraire étudie
la genèse de cette pensée se remaniant sans cesse, les paragraphes
de l'*Encyclopédie* ne sont que le terme d'une méditation philosophique
toujours vivante. Hegel, on l'a dit souvent, a fait disparaître dans cette
image imprimée de son système tous les échafaudages qui ont été
nécessaires à son édification. Rien n'est plus frappant à cet égard
que l'étude des *Grundlinien der Philosophie des Rechts* dont nous
présentons ici pour la première fois une traduction française. Ces
Principes de la philosophie du Droit ont été publiés par Hegel en 1821
à Berlin. Ils ne sont qu'une section plus développée de l'*Encyclopédie*
et ce n'est pas sans doute un hasard si la seule partie de l'*Encyclopédie*
à laquelle Hegel ait consacré un développement spécial dans un
volume soit la philosophie du Droit. Pendant les années d'Iéna,
durant lesquelles Hegel élabore son système, il pensait consacrer une
partie de ce système à un *Naturrecht*. Nous connaissons assez bien
cette première philosophie du Droit par des fragments d'un système
de la moralité objective *(System der Sittlichkeit)*, que Hegel ne s'est
pas décidé à publier et par un article particulièrement important
sur les différentes façons de traiter scientifiquement du droit naturel (1). Il nous semble que l'interprétation de la *Philosophie du Droit*
de Berlin ne peut négliger cette genèse de la pensée politique et
sociale du philosophe. En considérant seulement cette pensée sous

(1) L'article et le système se trouvent dans le t. VII de l'édition Lasson
de Hegel, *Schriften zur Politik und Rechtsphilosophie.*

la forme cristallisée qu'elle prend dans cette œuvre, on risquerait de n'en pas assez voir la signification concrète; on pourrait être aussi conduit à juger arbitraires telles ou telles divisions de l'ouvrage, par exemple celles du droit abstrait et de la moralité subjective, qui ne prennent toutes leurs significations que par la lente et sinueuse élaboration antérieure. On pressent, à la lecture de bien des paragraphes, tous les sous-entendus du système hégélien. Ces sous-entendus nous renvoient à une dialectique plus vivante, celle des œuvres de jeunesse, des cours d'Iéna, ou même de la *Phénoménologie de l'esprit*.

Nous ne saurions dans cette courte notice revenir ainsi de la *Philosophie du Droit* à sa genèse concrète dans l'histoire de la philosophie hégélienne. C'est l'objet d'un travail indispensable, mais de longue haleine; nous voudrions seulement, en examinant l'organisation de l'œuvre et sa place dans l'*Encyclopédie*, montrer la nécessité de ce retour en arrière.

Le Droit est défini par Hegel d'une façon très générale « l'existence de la volonté libre » (1). La philosophie du Droit coïncide donc avec ce qui dans l'*Encyclopédie* est nommé l'esprit objectif. Une première confusion est ici à éviter. Il ne faut pas confondre ce que Hegel nomme le Droit avec le droit abstrait et surtout avec ce qu'on entend ordinairement par le droit naturel. Le droit de la personne — le droit de propriété — n'est qu'un moment dans la réalisation effective de la liberté. Le droit de la famille, le droit de l'Etat s'élèvent bien au-dessus de ce droit abstrait qui s'est formulé pour la première fois dans l'histoire — et sous une forme imparfaite par suite de l'existence historique de l'esclavage — dans le monde romain. Sur les conditions historiques de l'apparition de ce droit

---

(1) « Le Droit est donc la liberté en général comme Idée », p. 83. N'oublions pas que l'Idée est pour HEGEL le concept réalisé. Cf. sur ce point le début de l'introduction à cette *Philosophie du Droit*.

abstrait, ses relations avec le stoïcisme et le scepticisme, la *Phéno-ménologie* nous donne des indications précieuses (1). Il faut y revenir quand on veut comprendre la signification de la première partie de cette *Philosophie du Droit* intitulée le droit abstrait. Mais un texte de l'introduction de Hegel à son ouvrage nous éclaire parfaitement ; « un droit, nous dit-il, est limité et par suite il est subordonné à un autre élément ; seul le droit de l'Esprit du monde est absolu et sans bornes » (2). Le Droit au sens hégélien, coïncidant avec l'esprit objectif, il ne sera donc pas inutile de préciser la place et l'importance de ce moment dans le tout du système.

Le système est un cercle de cercles. Les trois principaux cercles sont le *Logos*, la Nature, et l'Esprit. L'esprit est d'abord perdu et comme égaré dans la nature ; il est encore l'esprit dormant ; son réveil véritable est la conscience, conscience du monde et conscience de soi-même. Mais cet esprit subjectif est l'esprit individuel dont le plus haut moment n'est pas la connaissance, mais la volonté (3). Par la volonté l'esprit s'oppose à la nature, il ne peut que se vouloir lui-même absolument. Dès lors la volonté nous fait passer de l'esprit subjectif à l'esprit objectif. La volonté en effet qui s'élève au-dessus de toute nature — le grand moment de la philosophie kantienne et de la philosophie de Fichte — est encore une volonté abstraite. Elle est exactement ce que Hegel appelle l'universel abstrait. Dans son introduction à la *Philosophie du Droit*, Hegel reprend lui-même ces présuppositions de l'esprit libre (4). En tant qu'elle refuse ainsi toute particularité, tout contenu, cette volonté devient la « liberté du vide ». Si elle se tourne vers l'action, c'est en politique comme en religion « le fanatisme de la destruction de tout ordre social existant et l'excommunication de tout individu suspect de vouloir un ordre,

---

(1) *Phénoménologie*, *op. cit.*, II, p. 44.
(2) P. 78.
(3) Cf. *Encyclopédie*, éd. LASSON, Band V, p. 338 sqq.
(4) Introduction à la *Philosophie du Droit*, p. 47 sqq.

et l'anéantissement de toute organisation voulant se faire jour » (1). Cette volonté du vide, comme passion, on la trouve dans les travaux de jeunesse sous la forme de la belle âme, ou de l'amour qui, se refusant à tout destin, éprouve par là même le plus tragique des destins; on la trouve encore dans la *Phénoménologie* comme l'opposition de l'individu à l'ordre du monde, la révolte du cœur contre les institutions existantes (2). Il faut donc que cette volonté se particularise, qu'elle veuille « quelque chose ». Mais vouloir quelque chose en ayant conscience de pouvoir vouloir autre chose, c'est là le libre arbitre, le moment de la contingence dans la volonté. Il faut donc aussi que la volonté reste universelle en se particularisant, que son contenu soit encore elle-même. Telle est la volonté qui veut la volonté dans l'ordre général du Droit. L'esprit objectif, c'est l'esprit qui n'est plus seulement négation de la nature, mais qui crée une « seconde nature » dans laquelle il peut se retrouver lui-même, et, prenant conscience à la fin de sa propre identité à soi-même dans sa différence, se penser comme Esprit absolu dans l'art, la religion et la philosophie. Esprit subjectif, esprit objectif, esprit absolu, tels sont les trois moments de la dialectique de l'esprit, et la philosophie du Droit ici considérée correspond au développement particulier du second de ces moments. Avec l'esprit absolu, il semble que nous ayons atteint le terme de toutes nos démarches et que l'esprit soit enfin réconcilié avec l'univers, le but final de la philosophie hégélienne, la définition de son idéalisme absolu. Mais ce serait se tromper grandement qu'interpréter ce terme comme un repos, une identité sans mouvement. La négativité est essentielle à l'esprit, et l'esprit ne peut se trouver lui-même que dans un univers qui soit aussi inquiet que lui. C'est pourquoi l'esprit est toujours

(1) P. 58-59.
(2) *Phénoménologie, op. cit.*, I, p. 302, cf. aussi l'opposition de la vertu et du cours du monde, I, p. 231.

histoire, histoire de la religion ou histoire de la philosophie, tandis que la nature, qui est comme un passé à tout jamais dépassé, est précisément, selon une expression profonde de la *Phénoménologie*, ce qui n'a pas d'histoire (1). « La vie de Dieu, disait encore Hegel dans la *Phénoménologie*, peut être exprimée comme un jeu de l'amour avec soi-même, mais cette idée s'abaisse jusqu'à l'édification et même jusqu'à la fadeur quand y manquent le sérieux, la douleur, la patience et le travail du négatif » (2).

On voit toute l'importance de l'esprit objectif dans le système hégélien; il est l'esprit libre, l'esprit réconcilié avec son destin, comme disait le jeune Hegel, et ce destin est l'histoire, car la liberté consiste à ne pas être limité par autre chose que par soi (3). Dans l'histoire, c'est-à-dire bien entendu l'histoire humaine, l'esprit parvient à se réaliser adéquatement, à s'exprimer extérieurement comme il est intérieurement. C'est pourquoi la *Philosophie du Droit* qui commence par une introduction capitale sur la signification de la liberté — introduction générale mais qui condense toute la philosophie hégélienne sur l'*universel concret*, sur le rapport qu'on pourrait dire aujourd'hui existentiel entre la liberté qui transcende toute situation, et la situation particulière qui est toujours celle de l'homme et de l'histoire — s'achève par quelques paragraphes sur l'histoire universelle dont le droit, souverainement concret, est aussi le plus haut. « L'histoire de l'esprit, c'est son action, car il n'est que ce qu'il fait... Les Etats, les peuples et les individus dans cette marche de l'esprit universel se lèvent chacun dans son principe particulier bien défini qui s'exprime dans sa constitution et se réalise dans le développement de sa situation historique; ils ont conscience de ce principe et s'absorbent dans son intérêt, mais en même temps ils

---

(1) *Phénoménologie, op. cit.*, I, p. 247.
(2) *Phénoménologie, op. cit.*, I, p. 18.
(3) P. 72. « La volonté subjective n'est pas la volonté libre, il lui manque l'objectivité. Mais dans la volonté libre le véritable infini est réel et présent. »

sont des instruments inconscients et des moments de cette activité interne dans laquelle les formes particulières disparaissent tandis que l'esprit en soi et pour soi se prépare un passage à son degré immédiatement supérieur » (1).

Dans les dernières pages de la *Phénoménologie* Hegel remarque que le problème nouveau qui se pose à la philosophie n'est plus comme au xviie siècle la réconciliation de l'esprit et de l'étendue, mais celle de l'esprit et du temps. Cette réconciliation s'effectue par l'histoire. Penser la liberté de l'homme dans l'histoire, en dépassant l'individu séparé, l'esprit seulement subjectif, c'est donner au mot liberté un sens bien différent de celui que la philosophie française lui confère en essayant au contraire de refuser l'histoire (2), de penser l'esprit en dehors d'elle par le moyen d'un certain dualisme.

La philosophie du Droit de Hegel est le produit d'une longue méditation du philosophe sur l'histoire et sur la réalité politique et sociale de son temps (3). Hegel en effet n'est pas resté indifférent aux événements dont l'Europe était le théâtre à cette époque. Il s'est enthousiasmé pendant sa période de jeunesse pour la révolution française. Il a cru voir en elle un retour à l'idéal de la cité antique ; de là sa première conception de « l'esprit d'un peuple ». Il a cependant enregistré l'échec de cette révolution avec la Terreur et s'est efforcé d'en comprendre les raisons dans la structure de la société moderne. Dès lors le système du Droit qu'il prépare à Iéna ne correspond plus exactement à l'idéal de jeunesse sur « l'esprit d'un peuple ». Hegel y distingue avec précision des classes sociales dont le rôle dans la vie du Tout est bien distinct. Les paysans et surtout les

---

(1) P. 366, 367.
(2) Cf. par exemple Paul VALÉRY, *Regards sur le monde actuel*.
(3) Sur l'évolution des idées politiques de Hegel, cf., outre l'ouvrage allemand de ROSENZWEIG, *Hegel und der Staat*, l'article de B. GROETHUYSEN, La conception de l'Etat chez Hegel, *Revue philosophique*, 1924, et notre propre travail sur Hegel et la révolution française, *Revue philosophique*, 1939.

bourgeois ne participent qu'indirectement à l'esprit de la totalité ; seule une noblesse capable de sacrifier sa vie et ses biens pour l'unité de l'Etat s'élève à la moralité absolue. Quelques années plus tard et sous l'influence de Napoléon, dont Hegel a tant admiré le sens de l'Etat, la noblesse était remplacée dans son esprit par un corps de fonctionnaires capables de se dévouer absolument à l'Etat. Enfin dans la *Philosophie du Droit* de Berlin, Hegel a conçu ces fonctionnaires, « ayant le sens du devoir », comme chargés d'incarner l'unité et la totalité de l'Etat, par opposition à une bourgeoisie trop enfoncée dans les intérêts privés pour dépasser l'agrégat de la société civile, ou bourgeoise *(die bürgerliche Gesellschaft)*.

Quand on veut comprendre cette synthèse que représente la *Philosophie du Droit* de Berlin, il faut donc remonter à ces premières conceptions. Hegel en effet n'a jamais abandonné complètement son idéal de la cité antique, il a voulu seulement le concilier avec la réalité contemporaine et avec l'existence d'une bourgeoisie dont le rôle est de plus en plus important dans la société. Dans la *Philosophie du Droit* d'Iéna, première forme systématique de sa pensée sur le Droit, Hegel oppose au droit naturel, conçu comme le droit de la personne individuelle considérant les institutions sociales seulement comme des moyens au service de son propre développement matériel et spirituel, un droit naturel organique. A l'atomisme individualiste il oppose l'idée de la Totalité. Sur ce point sa pensée ne se modifiera pas. Sa *Philosophie du Droit* d'Iéna part de ce principe fondamental : « Le positif de l'ordre moral réside en ce que la totalité morale absolue n'est pas autre chose qu'un peuple » (1). Le peuple qui, comme organisation est un Etat, est donc la seule incarnation concrète de l'esprit absolu. Dès ses travaux de jeunesse Hegel sait que c'est le destin tragique de l'amour de ne pouvoir s'étendre

---

(1) Ed. LASSON, Band VII, p. 371. A cette date, pour Hegel, l'esprit d'un peuple est l'esprit absolu.

indéfiniment sans se perdre. L'humanitarisme abstrait qui se confond avec l'individualisme ne peut faire coïncider l'homme avec son histoire. Cette histoire est celle des peuples ou des Etats, dont chacun représente un universel concret. La philosophie du droit naturel, c'est-à-dire rationnel, sera donc la pensée de l'Etat, de la belle totalité *(die schöne Totalität)* au sein de laquelle l'individu se dépassant lui-même en tant que partie, actualise son destin. « Dans un libre peuple donc, la raison est en vérité effectivement réalisée, elle est présence de l'esprit vivant... c'est pour cette raison que les hommes les plus sages de l'Antiquité ont trouvé cette maxime : sagesse et vertu consistent donc à vivre conformément aux mœurs de son peuple » (1).

Une telle conception aboutit à une philosophie de la guerre qui est le moment de la négativité dans la vie des peuples — moment nécessaire parce qu'un peuple est encore un individu : il est l'individu qui est un monde. — Cette philosophie de la guerre, si différente des projets de paix perpétuelle de Kant, est sans doute inspirée à Hegel par la considération de son temps, par la transformation — dialectique s'il en est — de l'idéalisme révolutionnaire français en une guerre générale. La guerre a d'ailleurs une signification interne aussi bien qu'externe comme le révèle ce texte — si spécifiquement hégélien — de la *Phénoménologie* : « Pour ne pas laisser les systèmes particuliers s'enraciner et se durcir dans cet isolement, donc pour ne pas laisser se désagréger le Tout et s'évaporer l'esprit, le gouvernement doit de temps en temps les ébranler dans leur intimité par la guerre; par la guerre il doit déranger leur ordre qui se fait habituel, violer leur droit à l'indépendance, de même qu'aux individus qui s'enfonçant dans cet ordre se détachent du Tout et aspirent à l'être-pour-soi inviolable et à la sécurité de la personne, le gouvernement doit dans ce travail imposé donner à sentir leur maître, la mort. Grâce à cette dissolution de la forme de la subsistance, l'esprit

(1) *Phénoménologie, op. cit.*, I, p. 292.

réprime l'engloutissement dans l'être-là naturel loin de l'être-là éthique, il préserve le soi de la conscience, et l'élève dans la liberté et dans sa force » (1). La guerre n'est pas l'expression d'une haine d'individu à individu ; mais mettant en jeu la vie du Tout, elle est une condition de la santé éthique des peuples, « de même que les vents préservent les eaux des lacs de croupir ». C'est dans la guerre que l'individu singulier comprend que sa liberté est une liberté pour la mort, parce qu'ainsi elle est au-delà de toute détermination. Cette négation absolue de la nature, que Kant présente comme la moralité subjective, qu'est-elle d'autre que la mort ? (2) Mais la signification spirituelle — et non plus naturelle — de cette mort est la préservation du Tout. Le courage, vertu formelle du guerrier ou du philosophe dans la πολιτέια antique, prend ainsi tout son sens. On peut dire que la signification négative de la mort n'est que pour l'individu encore enfermé en lui-même et méconnaissant sa vocation sociale ; sa signification positive est au contraire pour l'esprit libre qui s'est atteint dans l'être en soi et pour soi de la volonté, l'Etat.

La philosophie hégélienne est, comme on l'a dit, un pantragisme qui devient un panlogisme. Quand on veut la comprendre on doit sans cesse traduire l'une de ces formes de pensée dans l'autre. L'histoire humaine est une dialectique logique parce que c'est une histoire tragique dans laquelle les peuples s'affrontent. Il y a sans cesse « mort et devenir ». Ainsi l'esprit du monde accomplit son évolution, en étant le destin de l'esprit des peuples individuels. Cette philosophie de la guerre qui joue un si grand rôle dans la *Philosophie du Droit* d'Iéna n'a pas disparu dans la *Philosophie du Droit* de Berlin — ce serait contraire à la « vision du monde » hégélienne, à son sens

---

(1) *Phénoménologie*, *op. cit.*, II, p. 23.
(2) Telle est du moins l'interprétation que HEGEL en donne à Iéna ; cf. éd. LASSON, VII, p. 372.

historique; toutefois elle n'est plus aussi accentuée, car en 1821 l'Europe que considère Hegel connaît une période de paix relative, bien différente à cet égard de l'époque antérieure, celle de la Révolution et de l'Empire. « Cependant les guerres ont lieu quand elles sont nécessaires, puis les récoltes poussent encore une fois et les bavardages se taisent devant le sérieux de l'histoire » (1).

La *Philosophie du Droit* de Berlin se présente sous une forme plus systématique que la *Philosophie du Droit* d'Iéna. Considérons-en donc la construction générale. L'esprit objectif, ou le Droit en général, se réalise en trois moments : le droit abstrait où la volonté libre n'existe encore qu'immédiatement, la moralité subjective où la volonté libre s'enfonce dans la particularité intérieure, dans le sujet moral, la moralité objective enfin, la seule concrète, à propos de laquelle, retrouvant son idéal de la totalité, Hegel peut dire que la positivité morale n'est pas autre chose que la vie d'un peuple. Il importe de bien voir que les deux premiers moments ne sont que des abstractions dont la considération a sans doute été inspirée à Hegel par la division classique chez Kant et chez Fichte du monde moral en légalité et moralité. Dès Iéna Hegel s'était efforcé de dépasser cette séparation. La légalité — l'ordre juridique *stricto sensu* — s'impose au sujet parce que selon une remarque de Fichte « la confiance et la fidélité sont perdues ici-bas ». La personne chez Hegel se distingue du sujet intérieur dans la dialectique du crime et du châtiment. Alors l'ordre légal apparaît comme une contrainte, et même à cet étage comme une contrainte externe. Le châtiment est cependant le destin nécessaire de l'individu qui s'est séparé de l'ordre légal avec lequel il coïncidait immédiatement comme personne abstraite; mais la personne est un masque; son existence n'est encore que l'existence immédiate de la volonté libre. Le crime, qui a sa nécessité

---

(1) *Philosophie du Droit*, Zusatz, au § 324.

comme la guerre, puisque « la pierre seule est innocente » (1), fait apparaître la faille dans ce légalisme abstrait.

A partir de là commence le développement du deuxième moment, celui de la moralité subjective. Chez Kant et chez Fichte il s'oppose d'une façon irréductible à l'ordre légal. L'opposition est tellement forte que la réconciliation est impossible; ou bien elle est seulement postulée dans un devoir-être sans fin. La contrainte étant une fois posée, la moralité du sujet ne peut que nier cette contrainte qui est nécessaire pour que la moralité elle-même soit, c'est-à-dire pour qu'elle puisse la nier. Le grand côté des philosophies de Kant et de Fichte résidait pourtant en ceci « qu'elles ont pris comme point de départ le principe selon lequel l'essence du droit et du devoir et l'essence du sujet pensant et voulant sont absolument identiques » (2). Mais en se limitant à la considération de l'individu séparé, ces philosophies en sont restées au moment de l'immoralité; de là le caractère seulement négatif de leur liberté qui exprime l'exigence de dépasser ce moment, mais une exigence condamnée à demeurer sans accomplissement ni présence. Quand on s'élève au contraire de l'individu à la totalité organique, c'est-à-dire à la famille, à la société civile et à l'Etat, on dépasse cette opposition qui caractérise seulement l'insuffisance radicale de la subjectivité individuelle et on aperçoit le monde moral objectif, celui même que décrivait le *System der Sittlichkeit* à la fois dans son infinité et dans sa réalité positive, comme une nature incarnant l'esprit, un esprit devenu objectif et cependant conscient de soi-même. Dans ces groupes sociaux dont le plus haut est l'Etat, le droit devient une réalité et les sujets individuels façonnés par les mœurs et les lois unissent en eux la particularité subjective et l'universalité juridique. « Le monde moral objectif est une disposition subjective de la sensibilité, mais pour le Droit existant en

(1) *Phénoménologie, op. cit.*, II, p. 35.
(2) HEGEL, éd. LASSON, VII, p. 361.

soi » (1). Légalité et Moralité sont réconciliées. L'opposition cependant ne disparaîtra pas complètement de ce troisième moment, de sorte que l'unité devienne une unité statique et sans vie, elle sera ce qui fait le devenir des peuples, l'histoire et le droit de l'esprit du monde.

Le second moment, celui de la moralité subjective, est le devenir du sujet particulier s'élevant à la moralité objective en prenant conscience des ambiguïtés de sa bonne conscience qui est tout aussi bien une mauvaise conscience *(Gewissen)*. Hegel avait déjà critiqué les antinomies d'une « vision morale du monde » dans la *Phénoménologie* et dénoncé les sophismes inévitables de la bonne conscience (2). On retrouvera toute cette analyse dans la deuxième partie de cette *Philosophie du Droit*. Elle est au reste facile à suivre. Elle exprime la subjectivité chrétienne dans cet esprit objectif. La première partie au contraire sur le droit abstrait, le droit de la personne, est beaucoup plus difficile à comprendre. On se demandera ce qui a pu suggérer à Hegel « l'idée paradoxale de construire une théorie du droit (privé) qui ne supposât en rien l'existence de l'Etat » (3). En fait Hegel s'est inspiré du droit romain, des réponses des prudents, mais il a tenu surtout à montrer le caractère d'insuffisance du droit privé ou du droit civil. Il a voulu en partir pour le dépasser comme une abstraction. La volonté libre se pose immédiatement dans l'existence comme volonté de la personne. Vouloir la personne, c'est vouloir la propriété privée qui en est la manifestation extérieure. Droit abstrait ou droit de propriété, cela signifie la même chose; mais la possession d'une chose n'est rien sans la reconnaissance de ma possession par les autres personnes. Cette reconnaissance est l'essentiel de la propriété, ce qui fait qu'en étant privée elle est pour-

(1) P. 187, 188.
(2) *Phénoménologie, op. cit.*, II, p. 142 sqq.
(3) E. Bréhier, *Histoire de la philosophie moderne*, III, p. 765.

tant le signe de la vocation sociale de la personne humaine. Le contrat qui est la rencontre des personnes dans l'échange n'est donc pas seulement un moyen au service des volontés individuelles; il est déjà le pressentiment d'une forme plus haute et plus concrète de la volonté (1). Le contrat n'est pas encore la volonté universelle, il est seulement l'apparition d'une volonté commune, et le moment où, à travers l'apparence du droit, l'imposture et enfin le crime, la personne jette le masque et se révèle comme subjectivité distincte du droit universel en soi et pour soi. Nous n'en sommes pas encore à l'Etat, même pas à la famille. Ni la famille, ni l'Etat ne sont un contrat; l'erreur des théories individualistes du xviiie siècle, celles de Kant sur la famille ou celles de Rousseau sur le contrat social, a précisément été de définir le supérieur, la volonté substantielle de la famille ou de l'Etat, par ce qui n'en est qu'une faible image, ou si l'on veut un pressentiment phénoménal, le contrat. Encore une fois les hommes ne font pas entre eux des contrats parce qu'ils en ont besoin, mais le contrat est un moment nécessaire du développement de la liberté, il traduit comme institution, une exigence inéluctable. L'esprit, dit la *Phénoménologie*, doit découvrir qu'il n'est pas seulement Moi, mais Nous. « Un Moi qui est un Nous, et un Nous qui est un Moi » (2).

Le troisième moment de la *Philosophie du Droit*, celui de la moralité objective ou de l'Etat dans le sens large du terme est de beaucoup le plus important (3). En lui le concept est réalisé, c'est-à-dire qu'au sens hégélien, nous avons en lui l'Idée, accord de la réalité empirique

(1) P. 115. « Cette médiation qui établit la propriété... par l'intermédiaire d'une autre volonté et par suite fait posséder dans une volonté commune, constitue la sphère du contrat. »

(2) *Phénoménologie, op. cit.*, I, p. 154.

(3) Parce qu'il est le seul concret. Dans les deux autres moments le concept manque encore de réalité, il reste une exigence : au Droit en soi manque la particularité du sujet, à la disposition subjective manque la réalité en soi du Droit.

et du concept. D'une part, le droit abstrait est devenu la substance sociale, les mœurs, les institutions, la constitution et l'organisation de l'Etat; d'autre part, cette substance n'est pas seulement en soi; elle est encore l'œuvre des sujets qui la font et la réalisent. Selon les termes de la *Phénoménologie*, « la substance est en même temps sujet » (1). Ainsi le sujet n'est plus seulement ce qu'il était dans le deuxième moment quand, séparé de sa substance, il ne pouvait découvrir en lui que le vide de sa subjectivité, ou l'idéal d'un Bien objectif, mais à jamais irréalisé. Il est devenu le sujet de la substance sociale. Sa destination est de penser sa substance en la réalisant. Le sujet est vraiment libre quand il est citoyen de l'Etat rationnel.

Mais au sein même de l'Idée, de la moralité objective, nous retrouvons sous une forme plus concrète les oppositions précédentes. Nous n'insisterons pas sur l'esprit substantiel de la famille qui doit toujours se dissoudre dans la société civile, mais seulement sur l'opposition fondamentale pour Hegel, et sans doute aussi pour nous, de la société civile *(die bürgerliche Gesellschaft)* et de l'Etat (au sens restreint du terme). La société civile, nous dit Hegel, est l'Etat de la nécessité et de l'entendement; elle correspond au moment de la subjectivité dans l'ensemble de la philosophie du Droit. En elle les individus croient réaliser leur liberté individuelle et subjective; ils travaillent, ils échangent, ils concluent des contrats, mais de telle façon qu'ils croient toujours travailler, produire, et échanger pour eux-mêmes, comme si la volonté individuelle était la volonté rationnelle en soi et pour soi. Tel est par exemple le monde de l'économie politique qui avait tellement frappé Hegel que dans les cours inédits d'Iéna en 1806-1807 il décrivait le déchirement interne de ce monde du « laissez-faire, laissez-passer », comme le grand drame de la société moderne. « La société est pour l'homme privé sa nature, du mouvement élémentaire et aveugle de laquelle il dépend,

(1) *Phénoménologie, op. cit.*, I, p. 17.

qui le soutient ou le supprime spirituellement et matériellement » (1). Les variations aveugles du marché vont condamner progressivement « toute une classe à la pauvreté », tandis que par une concentration nécessaire des richesses, d'autres hommes privés accumulent des fortunes considérables. « A celui qui a déjà, c'est à celui-là qu'on donne » (2). « Cette inégalité, remarque enfin Hegel — toujours en 1806 —, de la richesse et de la pauvreté devient le plus grand déchirement de la volonté sociale, la révolte intérieure et la haine » (3).

La société civile est la réalisation de l'universel par une sorte de ruse. Chaque homme privé, en tant qu'homme privé, fait autre chose que ce qu'il croit faire; le Tout est bien ainsi actualisé, mais sans la conscience directe de lui-même. L'homme privé n'est pas le citoyen. C'est pourquoi la société civile exprime le moment de l'opposition et de la scission dans l'Etat. Dès 1807 dans la *Phénoménologie*, Hegel voyait dans l'Etat le destin de la richesse et dans la richesse le destin de l'Etat (4). Si l'on en restait à la société civile on aurait exactement l'Etat que conçoit le libéralisme économique ou même le libéralisme tout court. « Si on confond l'Etat avec la société civile et si on le destine à la sécurité et à la protection de la propriété et de la liberté personnelle, l'intérêt des individus, en tant que tels, est le but suprême en vue duquel ils sont rassemblés, et il en résulte qu'il est facultatif d'être membre d'un Etat. Mais sa relation à l'individu est tout autre; s'il est l'esprit objectif, alors l'individu lui-même n'a d'objectivité, de vérité et de moralité que s'il en est un membre. L'association en tant que telle est elle-même le vrai

---

(1) HEGEL, *Realphilosophie*, éd. HOFFMEISTER, Nand XX, p. 231.
(2) *Ibid.*, p. 233.
(3) *Ibid.*, p. 233. Dans les principes de la *Philosophie du Droit*, HEGEL considère le système des corporations comme pouvant conduire de l'individualisme de la société civile à l'unité de l'Etat.
(4) Pouvoir de l'Etat et Richesse y sont considérés tour à tour comme le Bien et le Mal.

contenu et le vrai but, et la destination des individus est de mener une vie collective, et leur autre satisfaction, leur activité et les modalités de leur conduite ont cet acte substantiel et universel comme point de départ et comme résultat » (1). C'est pourquoi, de même que le contrat est seulement le pressentiment d'une unité plus profonde, de même la société bourgeoise, la société des hommes privés, est le pressentiment d'une société plus haute. L'Etat véritable, dont les membres sont des citoyens conscients de vouloir l'unité du Tout, s'élève au-dessus de la société civile. Il en est l'âme, mais il en est aussi le but. C'est seulement en voulant consciemment l'Etat que l'individu dépasse la contingence du libre arbitre pour entrer dans la terre native de la liberté. « L'Etat, comme réalité en acte de la volonté substantielle, réalité qu'elle reçoit dans la conscience de soi universalisée, est le rationnel en soi et pour soi; cette unité substantielle est un but propre, absolu, immobile, dans lequel la liberté obtient sa valeur suprême, et ainsi ce but final a un droit souverain vis-à-vis des individus dont le plus haut devoir est d'être membres de l'Etat » (2).

Nous n'insisterons pas sur la description de cet Etat rationnel que Hegel présente d'après l'Etat de son temps. La monarchie administrative prussienne y joue comme on sait un rôle prédominant. Mais il serait injuste de le reprocher à Hegel. Il n'a pas voulu penser une utopie, mais seulement « ce qui est ». De même que Platon, pour lui, n'a pas construit arbitrairement sa *République*, mais a exprimé en elle l'idéal de la cité antique, de même il a voulu penser l'essence de l'Etat de son temps. Du reste, comme il l'écrit lui-même dans sa préface à la *Philosophie du Droit* : « En ce qui concerne l'indi-

---

(1) P. 271.
(2) P. 270. Pour passer de la société civile à l'Etat, Hegel envisage un système de corporations (p. 265). — « A côté de la famille, la corporation constitue la deuxième racine morale de l'Etat, celle qui est implantée dans la société civile. »

vidu, chacun est le fils de son temps, de même aussi la philosophie, elle résume son temps dans la pensée. Il est aussi fou de s'imaginer qu'une philosophie quelconque dépassera le monde contemporain que de croire qu'un individu sautera au-dessus de son temps, franchira le *Rhodus* » (1). Mais cet Etat, qui est en fait un produit de l'histoire, Hegel s'est efforcé de nous le présenter dans sa rationalité, comme s'il était en dehors de l'histoire. Il suffit pourtant de remonter de cette *Philosophie du Droit* de Berlin aux travaux antérieurs de Hegel pour comprendre l'effort de synthèse qu'il a tenté dans cette présentation. Il a voulu réconcilier la subjectivité chrétienne infinie avec l'idéal de la cité antique, selon lequel l'Etat est pour le citoyen le « but final de son monde ». Il a voulu maintenir au sein de l'Etat le libéralisme bourgeois tout en affirmant que l'Etat était au-dessus de la société civile et en constituait l'unité consciente de soi. Cette synthèse, qui serait la synthèse de la cité antique et du monde moderne, était-elle possible, et l'Etat prussien de 1820 la réalisait-il vraiment pour Hegel lui-même ? Ce sont là des questions qu'on se pose nécessairement en lisant cette *Philosophie du Droit*. Mais si nous doutons de la réalité de la synthèse qu'a voulu penser Hegel, nous ne pouvons pas ne pas être sensibles par contre aux oppositions qu'il s'est efforcé de concilier. Ces oppositions, celle du christianisme et de l'Etat terrestre, celle de l'homme privé et du citoyen, du monde économique et de l'Etat politique, sont encore nos oppositions. C'est pourquoi la philosophie hégélienne du Droit est encore vivante, moins peut-être dans ce qu'elle a prétendu établir de définitif que dans les problèmes qu'elle a posés.

(1) P. 43.

2

L'EXISTENCE
DANS LA « PHÉNOMÉNOLOGIE » DE HEGEL *

Le terme d'existence a été introduit dans la philosophie par Kierkegaard. Kierkegaard reprochait à Hegel de n'avoir donné aucune place à l'existence dans son vaste système de philosophie. Un pareil système survole les « visions du monde », mais ne s'arrête à aucune. En apparence Hegel introduit bien le conflit en philosophie mais c'est toujours pour le résoudre dans une synthèse supérieure. Hegel approfondit les diverses oppositions qui se présentent dans la vie et dans la philosophie, celles de l'art et de la religion, de l'extérieur et de l'intérieur, de l'homme et de Dieu, mais il dépasse l'opposition et réconcilie les contraires. On peut se demander alors si Hegel ne s'oublie pas lui-même comme existant. Il disparaît dans son système, mais ce système fait aussi bien disparaître l'*existence* elle-même, et c'est au contraire sur cette existence et les paradoxes qui la manifestent que réfléchit toute sa vie Kierkegaard. Ainsi Kierkegaard n'édifie pas un système que l'existence exclut, mais sa médiation s'enfonce dans l'existence et vise seulement à en révéler l'originalité et l'irréductibilité. L'existence de l'homme ne saurait d'ail-

* Communication faite à la Société des Etudes germaniques le 16 février 1946, publiée dans la *Revue des Etudes germaniques*, n° 2, avril-juin 1946.

leurs exprimer une essence antérieure à elle. Elle n'est point pensable comme telle, mais vient au jour dans la pensée par les contradictions insurmontables de cette pensée même.

Cette opposition de Kierkegaard à Hegel est trop connue pour que nous y insistions une fois de plus. Il n'est d'ailleurs pas douteux que, dans l'ensemble, Kierkegaard n'ait raison contre Hegel, et notre but n'est pas ici une apologie du système hégélien contre la critique de Kierkegaard. Ce qui nous intéresse c'est de montrer dans le Hegel des *Travaux de jeunesse* et de la *Phénoménologie* un philosophe qui est moins éloigné qu'on ne pourrait le croire de Kierkegaard. J. Wahl a admirablement montré dans son ouvrage sur *Le malheur de la conscience dans la philosophie hégélienne* le caractère concret et existentiel des œuvres de jeunesse de Hegel. Toutes préparent le chapitre de la *Phénoménologie* sur « la conscience malheureuse ». Avant de découvrir cette réconciliation et cette synthèse qui aboutiront au palais d'idées de l'*Encyclopédie*, Hegel a pris conscience lui-même de l'opposition tragique du fini et de l'infini, de l'homme et de l'absolu; il a étudié dans le judaïsme et dans le romantisme les formes existentielles de cette opposition. Toutes ces études se retrouvent dans sa première grande œuvre philosophique, la *Phénoménologie*, terminée comme on le sait le soir de la bataille d'Iéna. Laissant de côté le fait que la *Phénoménologie*, comme itinéraire de la conscience, roman de culture de la conscience humaine en quête d'une réconciliation et d'un accord final, aboutit au savoir absolu, c'est-à-dire au système qui transcende les diverses visions du monde, nous nous demanderons s'il n'y a pas dans cette œuvre une conception de l'existence qui s'apparente à certains thèmes des existentialistes contemporains.

La *Phénoménologie* est l'histoire de la conscience humaine s'élevant au savoir absolu. Cette histoire décrit bien plus qu'elle ne construit les expériences de la conscience. Par ce terme d'expérience, il faut d'ailleurs entendre non seulement le savoir théorique, mais encore les attitudes humaines à l'égard de la religion, de la morale ou de l'art. C'est l'expérience humaine dans toute son ampleur que considère ici le philosophe, et si celui-ci n'oublie pas le terme de son œuvre, qui est l'élaboration du système, il ne craint pas cependant de s'arrêter à chacun des moments de cette expérience et de le décrire pour lui-même. C'est donc l'*essence* d'une certaine vision du monde qu'il veut appréhender à chaque étape de ce voyage de découverte; et ce dévoilement d'une essence suggère parfois les descriptions d'essences de l'école phénoménologiste moderne. Quand Hegel parle de la Renaissance ou de la Terreur, quand il évoque Antigone ou Créon, on sent qu'il pense sur les choses mêmes et pénètre avec profondeur au cœur d'une expérience humaine vécue. Il est impossible de reprendre ici ces expériences une à une. La *Phénoménologie* est d'une telle richesse, et souvent aussi d'une telle obscurité, qu'il faut tenter de nous limiter, et choisir certains aspects qui manifestent plus particulièrement ce qu'on pourrait déjà nommer l'*existence*.

Nous partirons donc du chapitre sur *la conscience de soi*, et de l'opposition découverte par Hegel entre la conscience de soi — nous dirons l'existence humaine — et la vie en général. C'est à partir de cette opposition qu'apparaît la conscience malheureuse. C'est elle qui révèle le mieux l'idée que Hegel se fait de l'être même de l'homme.

« La conscience de la vie est la conscience du malheur de la vie » (1). C'est ainsi que s'exprime Hegel dans le paragraphe final de son étude sur la conscience de soi. La conscience que l'homme prend de lui-même et qui, comme nous allons le montrer, est la conscience même de la vie, aboutit à la conscience malheureuse. Prendre conscience de la vie universelle, c'est nécessairement s'opposer à elle en même temps que la retrouver en soi. Dans l'homme, la

_____

(1) *Phénoménologie*, trad. franç., Ed. Montaigne, t. I, p. 178.

vie parvient au savoir de soi, mais c'est précisément alors que l'existence de l'homme émerge de cette vie, et saisit en soi l'opposition la plus tragique. La conscience de la vie n'est plus en effet la vie naïve, elle est le savoir du *Tout de la Vie*, comme négation de toutes ses formes particulières, le savoir de la « vraie vie », mais elle est en même temps le savoir que cette vraie vie est absente. L'homme en prenant conscience de la vie existe donc en marge de la vie naïve et déterminée. Son désir vise une liberté qui ne peut être donnée dans une modalité particulière; et tout son effort pour se saisir lui-même comme libre n'aboutit qu'à un échec.

La prise de conscience de la vie est donc autre chose que la vie pure et simple, et l'existence humaine, comme savoir de la vie, est une manière nouvelle d'être que nous pouvons bien nommer existence. Ce qui caractérise en effet cette conscience de soi de l'homme, c'est la séparation qu'elle entraîne avec la vie naïve et immédiate, son élévation au-dessus des déterminations statiques de l'être. C'est donc comme perpétuelle négation de toutes ses manières d'être que cette existence surgit au sein du monde. Prendre conscience de la vie dans sa totalité c'est penser la mort, exister face à la mort, et c'est ainsi que se présente à nous la conscience de soi authentique.

Nous comprendrons mieux cette opposition entre la vie immédiate et la conscience de la vie, si nous revenons à certains travaux de jeunesse de Hegel, par exemple à son étude du peuple juif et à celle de l'ancêtre de ce peuple, Abraham. Pour Hegel le peuple juif est le peuple malheureux de l'histoire, et il s'oppose à cet égard au peuple grec. Tandis que la conscience hellénique sait concilier immédiatement la vie finie et la pensée, Abraham s'élève à une réflexion si radicale — on pourrait dire une réflexion totale — qu'il se détache de toutes les formes particulières de la vie; il quitte la terre de ses pères, il traverse le désert et veut exister pour soi, mais cette réflexion l'élève au-dessus de la vie immédiate; « Abraham ne savait plus aimer ». Il ne pouvait plus s'attacher à une chose finie et limitée. La vie se réfléchit en lui, mais comme totalité, comme négation de toutes ses formes déterminées ; c'est pourquoi Abraham conçoit Dieu au-delà des vivants déterminés, un Dieu infini, qui ne saurait s'exprimer dans aucune figure concrète. C'est sous cette forme de transcendance absolue que le peuple juif se représente Dieu et cherche à s'élever jusqu'à lui, élévation impossible, puisque toute expression déterminée de ce Dieu, de cet Universel, est une forme d'idolâtrie. Hegel saisit ici une opposition entre ce que nous nommerions aujourd'hui des valeurs vitales et des valeurs intellectuelles et même spirituelles. En réfléchissant sur la vie, le peuple juif ne parvient qu'à s'opposer à la vie naïve et limitée ; il ne participe plus à cet élan limité, mais spontané, qui conduit les peuples de l'histoire à s'attacher à une terre particulière, à se perdre dans une détermination. Le Juif conçoit l'Universel, le Tout de la vie, mais en même temps cette conception l'éloigne de la vie. Il y a là une rupture que Hegel étudie dans ses travaux de jeunesse, qu'il repense dans ses premières œuvres d'Iéna, et qu'il expose philosophiquement dans le chapitre de la *Phénoménologie* sur *la conscience de soi*.

On pourrait dire encore que cette conscience de soi de la vie se caractérise par une certaine pensée de la mort. Si étrange que paraisse ce rapprochement il est facile de le justifier si on analyse un peu la conception que Hegel se fait de la vie et celle qu'il se fait de la conscience de soi. Noublions pas que l'une et l'autre sont à la fois identiques et absolument opposées : « La conscience de soi est l'unité pour laquelle l'unité infinie des différences est, mais la vie est seulement cette unité même, de telle sorte que cette unité n'est pas en même temps pour soi-même » (1). Ce texte abstrait met bien en lumière cette identité et cette opposition de la vie et de la conscience de soi.

L'hégélianisme s'est développé dans une atmosphère romantique.

_____

(1) *Phénoménologie, op. cit.*, I, p. 148.

Hegel a voulu penser comme Schelling ou comme Hölderlin cette vie infinie qui s'exprime dans la multitude des vivants déterminés. Sans doute cette vie est une en tous, mais ses expressions sont diverses. Chaque vivant particulier exprime bien en lui la totalité de la vie, l'Universel, comme le mode spinoziste est modification de la substance infinie, mais il est seulement une expression particulière de cette vie; c'est pourquoi d'ailleurs il meurt en donnant naissance à d'autres vivants. Le mouvement de la vie universelle apparaît dans cet incessant et monotone : « Meurs et deviens »; mais chaque vivant, s'il meurt, ne sent pas cette puissance infinie qui le fait se dépasser sans cesse et donner naissance à de nouveaux êtres, il n'est pas encore conscience de la vie infinie, du *Soi*, il n'en est que la réalisation partielle. L'animal ignore qu'il meurt, et pourtant la mort n'est que cette négation du déterminé et du limité par laquelle se manifeste dans le flux des vivants la puissance absolue de la vie infinie et une. L'infinité de la vie se manifeste donc par la mort aussi bien que par la reproduction, mais cette négation de la négation (la négativité infinie, le non au non qui énonce vraiment le oui) est ignorée par le vivant. La vie animale n'est pas l'*existence* parce qu'elle n'est pas conscience de la mort.

Il n'en est plus de même quand nous nous élevons à la conscience de soi, c'est-à-dire à l'homme. Si la maladie est dans l'animal la trace visible de cette négativité, le moment où il se nie lui-même en tant que particulier, l'homme comme le dit Hegel dans un texte d'Iéna, est l'animal malade; il sait cette mort et c'est en prenant conscience de cette mort qu'il devient capable d'être *pour soi* ce que cette vie n'est jamais qu'*en soi*. On voit donc en quel sens l'existence humaine s'élève au-dessus de la vie animale. L'animal ne connaît pas la totalité infinie de la vie comme totalité, l'homme devient le pour-soi de cette totalité, il intériorise en lui la mort. C'est pourquoi les premières expériences de la conscience de soi humaine se relient à cette expérience fondamentale de la mort.

La conscience de soi humaine est d'abord *Désir*, mais ce désir est toujours inapaisé. Ce qu'il vise à travers la destruction de toute altérité, c'est la position absolue de soi-même. L'homme commence par désirer vivre, et cette vie qui est en lui lui apparaît comme ce qui est à la fois le même et l'autre. Je vis, mais ma propre vie m'est étrangère, et en tant que j'en prends conscience, je m'éloigne sans cesse d'elle, je la nie en quelque sorte. Cette négation de toute altérité recommence toujours dans le désir négateur, elle est ce qui meut le désir et cependant ce désir a comme horizon lointain la position absolue de soi-même. Se retrouver soi-même au sein de la vie, c'est-à-dire se retrouver comme l'unité de la vie universelle, comme *l'être-pour-soi* de cette vie qui s'éparpille toujours dans les formes vivantes, tel est le but suprême du désir.

Ce but ne peut être atteint que si *la vie en face de moi* se présente comme *un autre moi*. Le Moi ne se trouve au sein de la vie que si la vie se manifeste à lui au-dehors comme étant un Moi. Ainsi il n'y a de conscience de soi, d'existence de l'homme, que si deux consciences de soi se rencontrent. Le Moi se sait alors objectivement dans l'autre moi, et cet autre c'est encore lui-même. Ainsi dans l'amour le sens de toute ma vie m'apparaît dans l'autre que j'aime, cet autre est moi et moi en dehors de moi. Mais cette dialectique de l'amour n'est pas celle que choisit Hegel. Déjà il écrivait dans la préface de la *Phénoménologie* : « La vie de Dieu peut bien être exprimée comme un jeu de l'amour avec soi-même, mais cette idée s'abaisse jusqu'à l'édification et même jusqu'à la fadeur quand y manquent le sérieux, la douleur, la patience et le travail du négatif. »

C'est pourquoi la conscience de soi, ce désir de soi, n'émerge de la vie universelle qu'en affrontant une autre conscience de soi. La vie lui apparaît dans cette autre conscience, mais en même temps elle doit nier cette altérité, cette manifestation extérieure de soi-même, en tant qu'extérieure. On parle beaucoup de nos jours de *l'être-pour-soi* et de *l'être-pour-autrui*. C'est dans cette opposition que surgit la conscience de soi humaine, elle se voit bien dans l'autre, mais en même temps elle s'y voit comme un être extérieur et déterminé, un être-pour-autrui; inversement c'est ainsi qu'elle apparaît aussi à l'autre et c'est pourquoi cette conscience tend à la mort de l'autre, ce qui signifie exactement qu'elle tend à supprimer, à nier cette forme d'existence étrangère dans laquelle elle s'apparaît à elle-même comme autre. Etre soi-même, c'est-à-dire pur être-pour-soi, mais être en même temps un autre, une forme déterminée, un objet vital, c'est cela qui est inadmissible, et pourtant c'est dans cette situation que surgit la conscience de soi en tant qu'elle est en même temps une pure conscience de soi engagée dans une forme vivante. Je ne peux pas, puisque je suis un vivant, ne pas être en même temps une chose déterminée, pour un autre, et ne pas me refléter dans un autre comme une chose. Mon être-pour-autrui m'affecte d'une façon insupportable et il est pourtant ma condition d'être-au-monde. Cette opposition qui, pour l'animal, passe au-dessus de lui en tant qu'il meurt, est en l'homme même, dans son existence, en tant qu'en lui cette mort, cette négativité, est devenue son être-pour-soi. Cette opération fondamentale de la vie, la mort, qui anéantit les vivants, est devenue l'opération même de la conscience de soi qui transcende toute altérité et son propre être-au-monde quand cet être-au-monde est le sien.

C'est pourquoi l'existence humaine apparaît dans la lutte des consciences de soi. Chacune veut la mort de l'autre, car chacune veut supprimer son apparence limitée pour l'autre et veut être *reconnue* par l'autre comme pur être-pour-soi. Cette lutte à mort est une condition de l'histoire; elle paraît avoir des causes accidentelles, mais la cause profonde en est la nécessité pour la conscience de soi de prouver à l'autre, et de se prouver à soi-même qu'elle n'est pas seulement une chose vivante, une simple vie animale. Ainsi l'être-pour-soi, disons encore au sens moderne l'existence, s'actualise dans cette lutte comme pur être-pour-soi, comme *absolue négativité.* On pourra comparer avec fruit ce texte de Hegel à celui d'existentialistes contemporains : « C'est seulement par le risque de sa vie qu'on conserve la liberté, qu'on prouve que l'essence de la conscience de soi n'est pas l'*être*, n'est pas le mode immédiat dans lequel la conscience de soi surgit d'abord, n'est pas son enfoncement dans l'expansion de la vie; on prouve plutôt par ce risque que dans la conscience de soi il n'y a rien de présent qui ne soit pour elle un moment disparaissant, on prouve qu'elle est seulement un pur *être-pour-soi* » (1).

L'homme n'existe que par cette négativité, il prend sur lui l'opération de la mort et en fait l'acte de dépasser ou de transcender toute situation limitée. Son *exister* est cet acte même. Et pourtant il ne peut renoncer complètement à son être-au-monde, à cette altérité sans laquelle il n'aurait même pas cette puissance de nier ou de se nier. C'est bien pourquoi la lutte à mort qui commence l'histoire et la sous-tend toujours ne peut être qu'une impasse. En renonçant à la vie pour prouver qu'on est un pur être-pour-soi on disparaît simplement de la scène comme l'animal. Il faut donc à la fois conserver la vie et son altérité et cependant nier cette altérité. Il faut trouver une autre mort que la mort biologique, intérioriser la mort. On sait comment la dialectique de la lutte se transforme en la dialectique célèbre du *maître et de l'esclave,* qui inspira la philosophie marxiste. L'esclave a préféré la vie à la liberté et il a été conservé, mais il trouve une autre façon de se manifester comme conscience de soi, il devient le maître du maître en connaissant la peur de la mort, en accomplissant le service effectif et en se formant par le travail. Dans le travail en particulier il imprime à l'être-autre, au monde objectif, la forme de la conscience de soi, il en fait un monde humain, *son* monde, et inversement il donne à son être-pour-soi toujours négatif la consistance et la stabilité de l'être-en-soi. L'opposition qu'on

---

(1) *Phénoménologie, op. cit.,* I, p. 159.

fait parfois entre l'être-en-soi et l'être-pour-soi est résolue par cette individualité qui assume son être-autre et le refait selon la forme de l'être-pour-soi.

Nous n'insisterons pas sur les perspectives qu'ouvre pour une théorie de l'individualité spirituelle cette unité concrète du pour-soi et de l'en-soi dans *l'œuvre humaine*. Mais nous reviendrons sur le sentiment de la mort, qui envahit l'esclave et lui permet de prendre conscience de la substance infinie de la vie en le détachant de toute liaison à un être particulier. C'est bien par cette conscience de la mort, par cette angoisse devant la mort, que l'existence humaine se produit. Citons seulement quelques textes : « Cette conscience (celle de l'esclave) a précisément éprouvé l'angoisse, non au sujet de telle ou telle chose, non durant tel ou tel instant, mais elle a éprouvé l'angoisse au sujet de l'intégralité de son essence; car elle a ressenti la peur de la mort, le maître absolu. » Cette mort est bien la négativité — non présente comme telle dans la vie animale — qui hante l'être-pour-soi humain et transvalue son être déterminé en être libre. L'opération de cette négativité dissout en effet intimement les solidifications de la vie animale, les inscrutations dans l'altérité. « Dans cette angoisse elle a été dissoute intimement, a tremblé dans les profondeurs de soi-même et tout ce qui était fixe a vacillé en elle. » Mais ce qu'est *la mort* dans la vie biologique, c'est vraiment ce qu'est *l'être-pour-soi* dans la vie humaine. « Un tel mouvement, pur et universel, une telle fluidification absolue de toute subsistance, c'est là l'essence simple de la conscience de soi, l'absolue négativité » (1). Il y a là l'idée d'une *liberté pour la mort*, qui réapparaît sans cesse dans la *Phénoménologie*. C'est par la Terreur qu'un peuple en révolution se refait et pour ainsi dire se rajeunit. C'est par la guerre, où toute leur vie déterminée est en cause, que les cités et les nations s'élèvent à la vie spirituelle, à la vraie liberté selon Hegel, et évitent

(1) *Phénoménologie, op. cit.*, I, p. 164.

de s'enfoncer dans l'inconscience et la béatitude de la seule vie économique ou familiale. Citons donc encore ce texte — sans doute bien allemand — et que Hegel écrivait en 1807 : « Pour ne pas laisser les systèmes particuliers s'enraciner et se durcir dans cet isolement, donc pour ne pas se laisser se désagréger le Tout et s'évaporer l'esprit, le gouvernement doit, de temps en temps, les ébranler dans leur intimité par la guerre ; par la guerre il doit déranger leur ordre qui se fait habituel, violer leur droit à l'indépendance » (1). C'est ainsi seulement qu'une nation, contre les forces centrifuges qui la travaillent et risquent de la dissoudre, s'élève sans cesse à la liberté.

Nous venons de donner quelques exemples qui montrent assez bien, croyons-nous, comment la vie universelle en devenant conscience de soi chez l'homme devient négativité consciente. L'existence de l'homme n'est donc plus l'être-là animal, en tant que l'homme prend sur lui l'opération négative — qui dans la vie se manifeste par la mort — et nie en lui ou hors de lui tout être déterminé. Mais nous avons vu aussi que Hegel ne s'arrête pas à cette liberté pour la mort. L'homme s'efforce de reprendre en soi, ou *d'assumer* les déterminations ; il les nie comme la mort nie le vivant particulier, mais il les conserve aussi bien en leur conférant un sens nouveau. Ainsi l'existence humaine engendre une histoire, son histoire, dans laquelle les moments partiels sont toujours niés, mais aussi toujours repris pour être dépassés. La vraie vie de l'esprit n'est pas seulement celle qui recule devant la mort, ou en prend conscience pour vivre authentiquement en face de la mort, elle est celle qui intériorise en elle la mort et « possède le pouvoir magique de convertir le négatif en être ». Ce pouvoir est identique à ce que Hegel nomme *Sujet*; un sujet qui porte l'histoire humaine dans son devenir, et ne se limite pas à la seule historicité d'un existant. Ainsi les existences

(1) *Phénoménologie, op. cit.,* II, p. 23.

s'enchaînent dans l'histoire qu'elles font et qui comme universalité concrète est ce qui les juge et les transcende. A travers le tragique de l'opposition toujours nécessaire apparaît donc la révélation d'un Universel concret, qui se manifeste par l'histoire. Cette unité de la transcendance et de l'immanence, ce Dieu qui meurt en l'homme, tandis que l'homme s'élève au divin par l'histoire qui le juge, ce dépassement des existences qui apparaît au terme de la *Phénoménologie* est-il le contraire d'une philosophie existentialiste, comme l'a cru Kierkegaard ? Tel n'est pas ici notre problème. Nous avons seulement voulu montrer par certaines descriptions hégéliennes, par l'opposition de la vie et de la conscience de soi comme conscience de la vie, c'est-à-dire savoir de la mort, par l'étude de l'être-pour-soi comme pure négativité, et par son opposition à l'être-pour-autrui dont il ne peut pas ne pas être affecté, la parenté de certains thèmes hégéliens et de certains thèmes modernes. Mais ce n'est qu'un aspect de la *Phénoménologie*. Bien d'autres aspects de cette œuvre étonnante, qui ouvre le xixe siècle, sont encore susceptibles d'intéresser le philosophe contemporain.

3

SITUATION DE L'HOMME DANS LA « PHÉNOMÉNOLOGIE » HÉGÉLIENNE *

I. — LE FAIT ET LE FONDEMENT DU FAIT

Un des premiers commentateurs de la *Phénoménologie* de Hegel, Haym, disait : « C'est une histoire déformée par la psychologie transcendantale et une psychologie transcendantale déformée par l'histoire. » Le lecteur non averti s'interroge en effet sur la marche du développement. Il se demande pourquoi la conscience de soi apparaît sur le fond de la vie universelle, et quelle relation particulière soutiennent la vie et la conscience de soi. Que vient faire à ce moment précis du développement la lutte à mort des consciences, chacune voulant la mort de l'autre et risquant sa vie pour contraindre l'autre à en faire autant ? S'agit-il là d'un événement de l'histoire humaine qu'il faudrait situer quelque part dans le temps, ou d'un mythe susceptible de traduire dans la forme du « comme si » une relation quasi intemporelle des consciences de soi humaines ? S'intéressant au récit souvent dramatique présenté par Hegel, des lecteurs, affectant

* Extrait des *Temps modernes*, t. I, nᵒ 19, mars 1947.

la naïveté, nous ont parfois demandé ce que devenait le maître lorsque l'esclave était devenu le maître du maître, ou l'esclave quand il était devenu maître à son tour. Le récit hégélien s'interrompt en effet à ce moment précis, et l'on passe sans transition nettement visible au stoïcien qui conserve sa liberté, « sur le trône comme dans les chaînes ». Épictète et Marc Aurèle sont assez brusquement évoqués, et notre lecteur, un peu trop amateur de romans, en reste sur sa soif de savoir la fin de l'aventure réelle du maître et de l'esclave.

La question de la nécessité des transitions, de la succession des thèmes dans la symphonie phénoménologique, se pose en premier lieu à celui qui veut pénétrer la signification de cette œuvre, unique en son genre dans toute la littérature philosophique. Est-ce un roman philosophique, et, dans ce cas, est-ce encore de la philosophie, ou une œuvre philosophique sérieuse dans laquelle chaque moment se relie aux autres d'une façon nécessaire ? Lucien Herr disait déjà : « Chez Hegel le passage est toujours de sentiment. » Mais on ne saurait souscrire à cette opinion, du moins en donnant au mot sentiment le sens qu'on lui prête ordinairement. Lucien Herr avait raison d'insister à une certaine époque sur la puissance créatrice de la dialectique hégélienne. Trop d'hégéliens étaient portés en ce temps à interpréter la philosophie hégélienne comme un panlogisme, mais il n'en est plus de même aujourd'hui. Il nous faut donc essayer de comprendre ce qu'a voulu faire exactement Hegel. En limitant notre tâche à l'étude du chapitre sur la *conscience de soi* — le plus profond et le plus significatif de toute la *Phénoménologie de l'esprit* — nous espérons pouvoir montrer qu'il ne s'agit dans ce chapitre ni d'une histoire, ni d'une psychologie transcendantale, ni même d'une analyse d'essence. Disons brièvement que Hegel a voulu *fonder* le fait historique lui-même. Il a cherché les conditions générales de l'*existence humaine*, ce à partir de quoi un fait humain est possible comme tel. L'homme, comme on dit aujourd'hui, est toujours dans une certaine situation, mais cette situation variable suppose des conditions générales qu'il importe de dégager, car elles seront toujours plus ou moins impliquées dans toute situation humaine comme telle. Mais quelle méthode permet de dégager ces conditions ? Nous avons dit plus haut que l'expression « analyse d'essence » ne convenait pas ici. Elle laisserait entendre en effet qu'il existe une *nature humaine* ou une essence de l'homme, comme le croyait Spinoza, et même encore Hume. Or Hegel ne veut pas découvrir une telle nature à laquelle il ne semble pas croire, dont il critique même la conception dans ses *Travaux de jeunesse*. Pour lui l'homme est *esprit*, c'est-à-dire histoire et devenir collectif; la vérité à laquelle il peut prétendre apparaît dans et par cette histoire. Comment *fonder* cette histoire et une vérité possible, une *raison*, dans le devenir de cette histoire ? C'est là, à notre avis, le problème qu'il s'est posé. Pour en saisir toute l'originalité, il suffira de comparer sur ce point Hegel à un de ses prédécesseurs ou à un de ses successeurs. Kant, par exemple, s'était proposé un problème qui paraît semblable à celui de Hegel. Il s'était demandé quelles étaient les conditions du savoir humain en tant que savoir expérimental, mais il s'était limité à la question du savoir, il avait laissé de côté, du moins dans son œuvre principale, la question de l'existence historique de l'homme qui sait; par là même il avait peut-être manqué la solution de son problème, car la raison elle-même a des conditions historiques, le *fait humain* précède peut-être en droit comme en fait la *notion de raison*. Ce n'est pas par hasard que dans le développement phénoménologique la *raison* apparaît comme un chapitre nouveau, après celui qui traite de la *reconnaissance* nécessaire d'une conscience de soi par une autre conscience de soi.

Passons maintenant à un des grands successeurs de Hegel, à Marx. Marx, qui a si bien remarqué que Hegel donnait parfois dans la *Phénoménologie* « les véritables caractéristiques de la condition humaine », n'a pas compris cette nécessité de remonter jusqu'au fondement du fait historique et du fait humain lui-même. Il était tellement nourri de Hegel — au point d'interpréter les rapports d'atomes chez Démocrite et Epicure dans une dissertation de jeunesse d'après la dialectique hégélienne des consciences de soi — qu'il a négligé de reprendre le problème à sa source. Il a l'air ainsi de partir de certains *faits* qui, pour si généraux qu'ils soient, n'en paraissent pas moins des faits auxquels on en pourrait opposer d'autres. Il part de la lutte des classes dans l'histoire comme du phénomène essentiel; sans doute relie-t-il cette lutte à la notion de travail, et le travail lui-même à un rapport premier de l'homme et de la nature, mais il n'explicite pas cette base de sa dialectique. Il présente, à l'inverse de Kant, des faits aux lieu et place de la raison. De là l'ambiguïté de sa pensée qui ne peut devenir tout à fait claire que si l'on remonte aux textes de la *Phénoménologie* hégélienne dont il s'est manifestement inspiré. Quand l'histoire envahit tout le champ de la pensée et de l'action humaine, il faut aller jusqu'à la racine de cette histoire, jusqu'à l'existence humaine qui rend possible cette histoire même, et se demander, comme l'a fait Hegel dans sa *Phénoménologie*, quelles sont les conditions de la conscience de soi, c'est-à-dire de l'existence même de l'homme. Bien entendu, et le terme de conscience de soi, seul employé par Hegel, le dit assez nettement, il ne saurait s'agir d'une recherche anthropologique au sens limité du terme. Ce n'est pas l'homme comme espèce biologique qui est en cause, mais c'est au cœur même de la vie l'émergence d'un être qui prend conscience de cette vie qui est la condition de son émergence, et, dans cette prise de conscience, crée comme une nouvelle dimension de l'être, engendre une histoire, et dans cette histoire fait et découvre une vérité rationnelle.

II. — Situation de l'homme par rapport a la nature

« Le désert, disait Balzac, c'est Dieu sans l'homme »; ainsi la pure nature pour Hegel, quand elle est encore *en soi*, et n'a pas trouvé dans l'homme ce qui est capable de lui conférer *un sens*. « La nature est un esprit caché. » La vie universelle qui est l'objet propre, la condition de la conscience de soi, n'existe pas comme telle dans la multiplicité indéfinie des vivants; « le tout se développant, dissolvant et résolvant son développement et se conservant pourtant indivisible dans tout ce mouvement », n'existe comme tel, comme totalité possible, que pour la conscience de soi (humaine) qui réfléchit la vie. La vie renvoie donc à quelque chose d'autre que ce qu'elle est, « elle renvoie à la conscience précisément pour laquelle elle est comme cette unité ou comme genre » (1).

Ces textes de Hegel condensent les relations de la conscience de soi et de la vie. Ils montrent comment la conscience de soi apparaît comme une prise de conscience nécessaire de la vie universelle, de « l'âme du monde, le sang universel qui omniprésent n'est ni troublé ni interrompu dans son cours par aucune différence ». Cet absolu des romantiques, dont l'inhumanité fait penser au Dieu de Spinoza, est aussi bien « la substance universelle indestructible, l'essence fluide égale à soi-même » (2) sur laquelle vont s'exercer pour la dominer le désir et le travail de l'homme, « le travail et la patience du négatif ». Certes cette négativité est déjà là dans les formes vivantes qui se succèdent dans le temps cosmique ou se juxtaposent dans l'espace, mais elle est là seulement comme détermination particulière, modalité finie, qui, dans le processus de la vie, se supprime elle-même, meurt en donnant naissance à une autre forme vivante. Cette mort n'est pas encore intériorisée, dépassée, elle est toujours au-delà de la figure particulière dont elle est pourtant l'animatrice. Le « meurs et deviens » est sans écho dans cette nature muette qui attend pour l'exprimer le « verbe de l'homme ». Mais la conscience de soi doit émerger sur la toile de fond de cette vie universelle, car cette vie est déjà en soi ce que cette conscience

(1) *Phénoménologie*, t. I, p. 152.
(2) *Phénoménologie*, t. I, p. 154.

de soi va être pour soi; et le dédoublement du « même » est ici une nécessité dialectique que tous les chapitres antérieurs de la *Phénoménologie de l'esprit* préparent. L'objet qui s'est d'abord présenté à la conscience s'est maintenant déterminé comme étant la vie universelle; ce que la conscience de soi trouve en face de soi comme une totalité c'est la vie qui est *sa* vie, et elle la trouve à la fois comme identique à elle-même et autre que soi. Elle se voit elle-même en dehors de soi dans cet univers vivant auquel elle participe parce qu'elle est aussi « une figure vivante particulière », un corps organique déterminé. En tant que conscience de soi de la vie elle est la contradiction d'être le genre universel « qui *n'existe* pas comme tel dans la vie animale », et un être-là déterminé; cette contradiction sera proprement la douleur de la *conscience malheureuse*, mais sa résolution sera la raison, la vérité de l'histoire humaine.

Dans ses *Travaux de jeunesse*, Hegel avait envisagé cette dualité nécessaire de la conscience de soi sous la forme de l'amour; mais l'amour n'est qu'un « retour dans le germe et la sombre innocence ». Il avait laissé complètement de côté toute philosophie de la nature. A partir de la période d'Iéna il suit au contraire son ancien condisciple Schelling, réfléchit sur la vie organique et la dialectique générale des vivants. Il devient alors capable de comprendre comment la conscience de soi de la vie organique s'élève au-dessus de la vie même, et tout en la reflétant peut s'opposer à elle. Cette réflexion qui est en même temps négativité, cette prise de conscience créatrice qui « jusqu'à l'Etre exalte la toute-puissance du Néant », engendre une dimension nouvelle de l'être. La conscience de soi de la vie devient autre que la vie en en manifestant la vérité, en se rendant capable d'en être *la vérité*. La difficulté consiste à comprendre comment la conscience de soi de la vie peut précisément dans cette réflexion nier la vie dont elle n'est que le reflet, ou comment elle peut engendrer une nouvelle forme d'être, en ne se bornant pas à être la contemplation de ce qui existe déjà. Répéter en soi le processus cosmique de la vie qui la rend possible, et dans cette répétition créer une histoire différente de cette vie même — car l'esprit est plus haut que la nature puisqu'il en est la réflexion — telle est l'énigme d'une prise de conscience qui est authentiquement une création. Mais cette énigme, c'est l'existence de l'homme, ou plutôt des hommes, car en répétant le mouvement cosmique de la vie Hegel va mettre en lumière les conditions de la conscience de soi, et parmi elles la relation mutuelle des consciences de soi entre elles comme processus de la *reconnaissance*. Il nous faut suivre ce développement essentiel depuis le moment où la conscience de soi se définit comme *désir* (de la vie) jusqu'à celui où elle se pose comme exigence d'une *reconnaissance* qui, en créant l'élément de l'universalité, donc d'une *raison*, rend possible l'*histoire*, « un Moi qui est un Nous, et un Nous qui est un Moi ».

III. — Spinozisme et hégélianisme. Le Désir

Pour exposer la philosophie de la vie dont part Hegel, il est commode d'utiliser les termes spinozistes et de comparer, comme il le fait, sa philosophie de la vie à celle de Spinoza. La vie universelle est la substance considérée comme la source infinie de tous les vivants particuliers. Chacun d'entre eux est un mode fini, une individualité singulière, qui émerge de cette vie universelle. Chacun d'entre eux exprime la substance dans le processus vital; il meurt et devient. Mais cette mort et ce devenir sont posés pour ainsi dire en dehors de lui-même, il ne sait pas qu'il doit mourir; l'opération de la vie s'accomplit en quelque sorte en lui sans lui; elle a l'air de venir du dehors, d'un accident extérieur et comme étranger à sa propre « essence particulière affirmative ». C'est pourquoi Spinoza ne met la négation nulle part bien qu'il ait découvert que « toute détermination était effectivement négation ». L'individualité ne peut chez lui que persévérer dans son être; elle ne porte pas à l'intérieur d'elle-même le conflit essentiel à la vie. Toute essence est positive. La proposition V du livre III de l'*Ethique* exclut le conflit possible à l'intérieur d'une même individualité. « Des choses d'une nature contraire ne peuvent être dans le même sujet dans la mesure où l'une peut détruire l'autre. » Spinoza n'a donc pas compris selon Hegel la nature *en soi* de l'individualité qui lui permet d'exprimer authentiquement l'infinité de la substance; il n'a pas conçu la négation déterminée comme l'opération de la négativité. Sa philosophie (inhumaine) peut bien s'appliquer à la vie de la nature *(Deus sive natura)* qui ne parvient jamais à s'atteindre elle-même, mais elle ne saurait valoir pour l'existence humaine qui, en tant que conscience de la vie, révèle le *pour-soi* de cet *en-soi*.

Considérons en effet ce que l'homme seul aperçoit dans l'en-soi de cette nature. Chaque vivant ne vit que parce qu'il devient; il s'oppose un instant à la vie universelle, quand il surgit sur la scène du monde, et dans ce mouvement d'opposition à ce qui est autre (Spinoza passait déjà indûment de la position de l'essence à l'opposition à l'extériorité), il se détermine complètement, s'achève en se niant lui-même comme être-là particulier. Cette négation de la négation est le mouvement du *genre*, elle apparaît donc comme la reproduction et la mort, de sorte que nous voyons les vivants se succéder les uns aux autres comme des vagues « dans un tumulte au silence pareil ». Chacun n'actualise la vie universelle qu'en tant qu'il meurt, et sa mort est corrélative de la naissance d'un autre être particulier; cet autre être à son tour est distinct de celui qui l'a engendré. Mais cette distinction ou cette séparation caractéristique de l'être-là, de l'être de la nature dispersée dans l'espace et dans le temps, sont telles que ce processus de la vie universelle ne parvient jamais à soi-même, il s'échappe toujours au moment de se trouver. Il n'est même pas pour soi « cette pure inquiétude du concept » que sera la temporalité pour la conscience de soi. Il n'est donc que pour nous qui devons aller jusqu'à prendre conscience de la mort pour la surmonter. Ainsi l'esclave qui a connu la peur de la mort, le maître absolu, s'élèvera au-dessus du maître qui n'a su, lui, que risquer sa vie animale. Mais le risque immédiat est moins que l'effort de l'esclave qui, ayant éprouvé la peur de la mort, saura aussi s'en libérer dans la vie même.

Déjà dans la nature seulement vivante, l'individualité est toujours incomplète, hantée par un conflit latent; elle a besoin de se compléter dans une autre individualité. « L'idée de l'individualité organique est en elle-même genre, universalité. » « L'individualité est à soi-même infinie, elle est alors un autre que soi (1), elle s'apparaît en dehors de soi dans « son autre », elle existe dans la séparation des sexes dont chacun est bien le tout de l'idée, mais qui, se rapportant à soi-même comme à un autre, connaît son être-autre comme soi-même et supprime alors cette opposition. » Mais dans la vie seulement animale cette suppression de l'altérité ne fait pas émerger explicitement *l'idée* comme telle, mais seulement une autre individualité qui à son tour reprend le même mouvement à son point de départ. Pourtant en soi « l'individu est l'idée, et il existe seulement comme idée. Dans l'individu est donc la contradiction d'être cette idée et d'être en même temps un autre que cette idée ». C'est pourquoi l'individu est « l'impulsion absolue », non pas seulement la tendance de l'être à persévérer dans l'être, et il est impulsion absolue en tant que contradiction interne. A une philosophie spinoziste de la nature et de l'essence se substitue une philosophie dialectique, mais dont la dialectique sera seulement pour soi chez l'homme « car la nature n'a pas d'histoire » (2).

Nous avons vu que le cercle de l'idée n'aboutissait dans la nature qu'à la répétition d'un même processus. L'enfant est bien l'unité cherchée, mais il est à son tour un autre existant particulier « qui

(1) *Realphilosophie*, p. 130, éd. HOFFMEISTER, cours de 1803-1804.
(2) *Phénoménologie*, t. I, p. 247.

a ravi à ceux qui s'opposent leur essence d'être idée ». La croissance des enfants est la mort des parents. « Les sauvages du Nord de l'Amérique tuent leurs parents, nous en faisons autant. » Il y a pourtant dans l'animal un moment qui annonce déjà la conscience, c'est celui de la *maladie*. Dans la maladie en effet l'organisme se divise à l'intérieur de lui-même. La vie qui s'est fixée dans une particularité s'oppose à la vie en général. La positivité, le destin sont dans une histoire, comme dans un organisme malade, le moment de la particularité en regard de la vie universelle. Hegel, dans ses *Travaux de jeunesse*, avait étudié cette scission dans l'homme et dans l'histoire humaine. En voyant dans la maladie organique une préfiguration de la conscience qui est toujours division à l'intérieur d'elle-même, qui est conscience malheureuse en tant qu'elle est la conscience de « l'être-là de la vie comme malheur de la vie », il change le sens de sa comparaison. La conscience de soi humaine pourra triompher là où l'animal succombe. Il est bien vrai que « la maladie de l'animal est le devenir de l'esprit » et le thème de Nietzsche, *l'homme animal malade*, contiendra bien une part de vérité, mais une part seulement, car l'homme sera essentiellement l'être qui pourra transgresser la limite en se l'appropriant et donner dans toute son histoire une signification spirituelle à la mort, convertir le négatif en être. « C'est la vie qui porte la mort et se maintient dans la mort même qui est la vie de l'esprit. » Encore une fois le maître qui risque sa vie et ne réfléchit pas encore à la mort, puisqu'il ne recule pas un instant devant elle, s'élève moins haut que l'esclave qui « a tremblé dans toutes les profondeurs de son être ». S'il s'arrêtait à cette angoisse devant la mort, l'esclave ne serait sans doute qu'un animal malade, intériorisant vraiment la maladie, mais en la dépassant après l'avoir connue il ouvre des perspectives nouvelles, il fait de la vie de l'esprit une vie *créatrice* qui surmonte toujours son destin.

Nous avons longuement insisté sur cette description que Hegel donne de la vie en général. Elle nous paraissait bien nécessaire pour comprendre la situation de l'homme au sein de cette vie. Cette description est le sens que la vie a pour nous, mais ce sens est caché profondément dans les vivants eux-mêmes. La conscience de soi (humaine) est ici le révélateur auquel la vie organique renvoie.

Dans la *Phénoménologie de l'esprit*, Hegel présente la conscience de soi comme *Désir* en général. Elle n'est pas en effet seulement la tautologie du « Moi = Moi », elle est le mouvement qui conduit à cette unité, et ce mouvement doit reproduire pour soi celui que nous avons découvert dans la vie universelle. Dans le langage de Hegel, la conscience de soi est *médiation*, et c'est cette médiation qu'exprime le rapport du désir à son objet. Cet objet est d'abord le monde ambiant comme le monde du vivant particulier est son « *Umwelt* ». Il est ensuite la vie elle-même envisagée comme un tout, et le désir porte essentiellement « sur la vie elle-même ». Désirer et désirer vivre c'est là *d'abord* une seule et même chose ; seulement la vie m'apparaît alors comme *en dehors* de moi et étrangère à moi. Ma vie me devient objet et c'est dans l'univers extérieur qu'elle s'étale devant moi. Le *Désir*, cette impulsion absolue que nous avons reconnue dans l'individualité vivante, n'est pour soi qu'en se trouvant dans un univers extérieur. L'analyse que fait ici Hegel est trop brève pour que nous puissions en presser le sens au point d'y entrevoir toute une description phénoménologique comparable à celle que nous offrent si souvent des philosophes modernes. Il n'y a pas, à proprement parler, un objet qui ne serait qu'objet, et un sujet qui ne serait que sujet, un dehors et un dedans. Ma vie intérieure n'existe pas comme telle ; elle est plutôt dans mon débat avec le monde, ou dans mes projets qui seuls confèrent un sens à ce dehors. Hegel reviendra longuement sur ce point à propos de la nature de l'individualité humaine, de son corps propre, du monde qui est son monde et qui est tel qu'on ne peut comprendre l'un sans l'autre, l'un que par l'autre.

« La plus importante acquisition de la phénoménologie (1) est sans doute d'avoir joint l'extrême subjectivisme et l'extrême objectivisme dans sa notion du monde ou de la rationalité. » Ainsi le désir en portant sur ce monde doit s'y retrouver lui-même, mais il ne saurait se savoir lui-même sans passer par la médiation de ce monde. Je m'apparais donc à moi-même comme donné immédiatement en dehors de moi, même s'il ne s'agit que de vivre. Ma vie organique est, elle aussi, l'objet de mon désir, et j'apprends par la résistance qu'elle oppose, ou propose à ma négation, le sens de son indépendance. Cependant la conscience de soi doit trouver sa satisfaction ; elle doit donc s'atteindre elle-même dans cette altérité. Mais elle ne le peut que si elle s'apparaît sous la forme d'un *autre* Moi, d'une autre conscience de soi vivante. « Il n'y a de conscience de soi que pour une autre conscience de soi. » C'est une condition ontologique de mon existence que celle d'un autrui. De même que l'individualité vivante ne s'accomplissait qu'en se trouvant dans une autre individualité, de même le désir que je suis ne peut exister que s'il est pour lui-même *objet* dans un autre désir. Ainsi le désir de la vie devient le désir d'un autre désir, ou plutôt, étant donné la réciprocité nécessaire du phénomène, le désir humain est toujours *désir du désir d'un autre*. Dans l'amour humain le désir m'apparaît comme le désir du désir de l'autre. J'ai besoin de me contempler dans l'autre. Or je suis essentiellement désir. Ce que je dois donc trouver dans cet autre c'est le désir de mon désir. C'est l'animal seulement qui s'assouvit dans la négation abstraite ou la jouissance qui est comme une mort. Mais mon désir doit se perpétuer, il doit se réfléchir comme désir, et il ne le peut que si son objet est aussi désir, désir à la fois identique au mien et pourtant étranger. Ainsi je m'apparais dans l'autre, et l'autre m'apparaît comme moi-même. Nous n'existons que dans cette

---

(1) Celle de Husserl et de Heidegger; nous citons ici une phrase de la préface de MERLEAU-PONTY à son livre *Phénoménologie de la perception*, p. xv.

reconnaissance réciproque « telle que nous nous reconnaissions comme nous reconnaissant réciproquement » (1).

Mais cette reconnaissance qui semble s'effectuer immédiatement dans l'amour risque de sombrer à nouveau dans la fadeur de l'en-soi. C'est pourquoi Hegel décrit ici autrement l'opération de la reconnaissance mutuelle des consciences de soi. Chaque conscience de soi a besoin pour être d'être reconnue par l'autre, chacune exige donc de l'autre cette reconnaissance sans laquelle elle ne saurait exister, sinon seulement comme une chose vivante et non comme une conscience de la vie universelle, un désir absolu. Cette exigence de la reconnaissance devient donc la condition suprême de l'existence humaine. On connaît assez la lutte à mort qui en résulte, une lutte de prestige où l'homme affronte l'homme pour se faire reconnaître comme homme, car sans cette reconnaissance dans la lutte effective chacun ne saurait « prouver à l'autre et se prouver à lui-même » son être-pour-soi. Mais on sait aussi que les conséquences de cette lutte sont décevantes et conduisent à une impasse. La vérité qui devait en résulter disparaît dans la pure nature par la mort des combattants. Le moment de la nature est toujours là, intimement lié désormais à la réciprocité des consciences de soi. C'est ce moment qui fait leur altérité et reste essentiel. Aussi ce moment va-t-il jouer un rôle plus évident dans la reconnaissance unilatérale du maître par l'esclave. L'esclave, en effet, n'est vraiment esclave que de la vie universelle ; il a reculé par peur de la mort, mais c'est dans le phénomène fondamental du travail qu'il devient capable de s'assujettir cette « substance indestructible » mieux que n'a su le faire le maître. Nous verrons bientôt comment le travail en général, lié à la reconnaissance effective de l'œuvre par autrui, peut conduire l'existence humaine à sa vérité. Il est important dans tous les cas de remarquer que cette lutte à mort aussi bien que ce phénomène du travail et de cette reconnais-

---

sance unilatérale sont posés par Hegel non pas comme des faits premiers de l'histoire, mais comme des conditions mêmes de la conscience de soi ; elles *fondent* l'histoire en la rendant possible. De même la reconnaissance abstraite du stoïcien qui permet de dépasser tout esclavage, et qui est déjà contenue dans la pure réciprocité des consciences de soi, est encore une des conditions du développement de cette histoire, mais elle est insuffisante car elle n'aboutit qu'à une liberté abstraite, à une égalité formelle, celle même que dénoncera Marx dans la fiction de l'égalité des droits qui supprime l'esclavage et laisse subsister le prolétaire. Toutes ces conditions de l'existence humaine, ou, comme dit Hegel, de la conscience de soi de la vie, sont contenues dans l'exigence même du désir d'être reconnu par un autre désir, dans *l'intersubjectivité* qui seule permet à cette conscience de la vie d'être autre chose qu'un reflet de cette vie. C'est par cette intersubjectivité nécessaire et ce lien avec la nature ou la vie universelle que sont fondées quelque chose comme une humanité et une histoire, ce que Hegel nomme dans sa terminologie l'esprit; « ce qui viendra plus tard pour la conscience c'est l'expérience de ce qu'est l'esprit, cette substance absolue qui, dans la parfaite liberté et indépendance de son opposition, c'est-à-dire des consciences de soi diverses étant pour soi, constitue leur unité, un Moi qui est un Nous et un Nous qui est un Moi ».

IV. — Vérité et existence

La nécessité, ce que Hegel nomme ainsi, est une nécessité de *sens* qui s'explicite progressivement ; « elle est cachée dans ce qui arrive et n'apparaît qu'à la fin ». Ainsi la vie universelle renvoie à la conscience de la vie qui seule explicite la nécessité aveugle de ce qui la fonde. De même la conscience de soi de la vie répète le mouvement des vivants, mais le *sens* existe alors comme tel ; il est dans cet entrelacement des désirs qui s'exprime par le mouvement médiateur de la *reconnaissance*, fondant l'*universalité* de la conscience de soi. Cette universalité est essentielle à l'*impulsion absolue* et doit s'actualiser dans le devenir médiateur de l'esprit. On entrevoit peut-être en quel sens on peut tenter de dépasser la remarque de Lucien Herr : « Le passage est toujours de sentiment », sans retomber dans les errements d'une interprétation panlogique, en évitant même le terme de déduction qui convient si mal, car la dialectique a un caractère créateur et descriptif, en même temps qu'elle est conceptuelle (au sens que Hegel donne au mot concept). C'est le *concept* lui-même qui s'explicite dans ces trois moments qui sont à la racine de l'histoire humaine et sont tous les trois aussi essentiels : la conscience de soi et l'*autre* conscience de soi, la vie universelle ou la nature comme subsistance indépendante. Au reste, Hegel lui-même a eu une parfaite conscience du caractère concret de cette nécessité; il ne l'oppose pas à la description ou à l'*a posteriori* : « Ce concept est ce qui s'aliène soi-même ou le devenir de la *nécessité donnée à l'intuition* aussi bien qu'il est, dans cette nécessité intuitive, près de soi et la sait et la conçoit. » C'est du côté de ce que les modernes nomment une analyse intentionnelle qu'il faut chercher ce qui ressemble le plus à la nécessité hégélienne.

Peut-être n'avons-nous pas assez fait voir dans le mouvement de la reconnaissance le rôle que joue « la subsistance de la nature ». Sans elle la lutte des consciences de soi aboutit à une pure et simple disparition. La mort comme la jouissance sont uniquement « des états disparaissants », il leur manque le côté *objectif* ou la *subsistance*. « Le travail, au contraire, est désir *refréné*, disparition *retardée* : le travail forme. Le rapport négatif à l'objet devient *forme* de cet objet même, il devient quelque chose de permanent puisque justement, à l'égard du travailleur, l'objet a une indépendance » (1). Cette citation contient l'essentiel de ce que nous voulons montrer. Si nous

(1) *Phénoménologie*, t. I, p. 165.

ajoutons que la *pensée* est ensuite définie par Hegel comme un travail qui dégage la forme de la nature, et que cette pensée est la vérité du travail qui a révélé « que la choséité qui recevait la forme dans le travail n'est en rien une substance différente de la conscience », nous comprendrons comment une rationalité ou une vérité peuvent naître à ce niveau de la dialectique. Ce sont les conditions mêmes de la *raison* qu'il s'agit de voir jaillir devant nous, s'il est vrai que la nécessité est cette *naissance* même, quand l'objet de l'expérience est seulement « le *contenu* de ce qui naît » (1). Ainsi la *raison* est elle-même fondée comme fait humain, et l'*esprit* qui en sera l'histoire.

La fonction du travail est double : 1º Le travail humanise la nature, lui donne la forme de la conscience de soi. Ce qu'elle est en soi se manifeste au-dehors, elle apparaît désormais comme une *œuvre*, une chose humaine *(die Sache selbst)* et non plus une pure chose *(Ding)*, comme c'était le cas au niveau de la perception. La nature cesse d'être cette puissance qui échappe à l'homme et devant laquelle l'homme tremble (Dieu sans l'homme). *En soi*, dans sa signification cosmique, elle était déjà conscience de soi, elle le devient maintenant *pour soi*. L'homme se trouve lui-même dans cette œuvre et se réconcilie avec la nature. L'esclave ne sait pas encore que dans ce travail il se libère tout autant que le guerrier qui s'élevait au-dessus de la vie en la risquant. Il ne le sait pas, mais le stoïcien le saura pour lui, il saura la liberté de l'homme, et cette première vérité immédiate se fera jour que tous les hommes sont libres et reconnus en soi et pour soi, vérité immédiate, donc seulement formelle. 2º Le travail donne aussi une consistance et une universalité réelles à l'existence humaine. Ce deuxième aspect est non moins important que le premier parce que seul il authentifie, bien que l'esclave l'ignore encore, cette reconnaissance nécessaire, ou cette universalité à laquelle l'esclave paraissait avoir renoncé quand il reconnaissait le maître

(1) *Phénoménologie*, t. I, p. 77.

sans s'être fait reconnaître lui-même. Mais être reconnu par quelqu'un qu'on ne reconnaît pas, ou reconnaître sans être reconnu, ce sont là de fausses médiations qui se renversent elles-mêmes. Il faut donc maintenant que l'œuvre soit reconnue pour soi. C'est dans l'œuvre — indépendante, et cependant reflet de l'être-pour-soi — que la conscience de soi est maintenant reconnaissable par les autres. Encore faut-il qu'elle soit effectivement reconnue, et sur ce point une nouvelle lutte doit s'engager entre les hommes. Ce n'est plus cette lutte à mort qui inaugurait le premier mouvement de la reconnaissance, mais c'est encore un conflit, car l'œuvre n'a de sens que comme *œuvre collective*. A la limite c'est l'*espèce humaine* tout entière dans le jeu de son opposition interne et de son unité qui doit s'exprimer et se *faire* elle-même dans cette œuvre qui cesse alors d'être une œuvre particulière, ébauche attendant la plénitude de sa signification. Hegel revient dans la *Phénoménologie* sur cette œuvre humaine, opération de tous et de chacun, qui constitue l'histoire même en tant que l'histoire devient susceptible d'une interprétation rationnelle. Il faut lire à cet égard tout le chapitre si important sur la chose même *(die Sache selbst)* qui fonde les conditions générales d'une histoire des hommes et d'une *vérité vivante* se révélant ou se créant (?) au cours de cette histoire (1). L'œuvre particulière disparaît sans doute, en tant qu'elle est seulement particulière, mais ce qui ne disparaît pas, ce qui finit par être reconnu et manifeste la *disparition de la disparition*, c'est précisément « la chose même ». Elle est à la fois l'œuvre de chaque individualité et de toutes. Elle est pour-les-autres, déposée dans l'être, aussi bien qu'elle est pour moi, sens *aliéné* de moi, et pourtant *mon* sens. A ce niveau un *sens* de l'histoire humaine est possible, une sorte de *valeur vraie*, et ce sens apparaît tout à la fois comme posé par l'opération de la conscience de soi humaine, et comme capable de rationalité, de justification dans la reconnaissance mutuelle

---

(1) *Phénoménologie*, t. I, p. 342.

et dans l'être créé. Si nous ajoutons que cette chose humaine, à partir de laquelle la *Phénoménologie de l'esprit* commence à devenir une histoire *stricto sensu*, est nommée par Hegel la vérité, la « *Chose absolue* », « dont l'être-là est la réalité effective et l'opération de la conscience de soi — la vérité qui est et a validité dans le sens d'être et de valoir en soi et pour soi-même » (1), puisque cette vérité de *prédicat universel* devient le *sujet*, la vérité vivante qui se fait et se garantit elle-même, nous comprendrons quel est le problème hégélien qui est aussi le nôtre, celui des *rapports de la vérité et de l'existence*. Comment une vérité peut-elle être l'œuvre des hommes, posée au cœur même de l'existence, par la médiation de l'existence, et dépasser aussi bien cette existence : *l'humanité-Dieu* qui se justifie en même temps par le *Dieu-homme* ? Ce problème n'est pas résolu d'une façon claire par Hegel, mais pouvait-il l'être ? C'est celui qui se pose aujourd'hui aussi bien dans l'existentialisme que dans le marxisme ou dans le christianisme. La *Phénoménologie* a eu dans tous les cas le mérite d'exposer les *fondements* du *fait humain* et de sa *rationalité* possible, de proposer une voie d'accès à ces fondements, quand le dogmatisme classique de la vérité éternelle aussi bien que la notion d'une conscience transcendantale étaient ébranlés par le devenir historique.

(1) *Phénoménologie*, t. I, p. 343.

4

ALIÉNATION ET OBJECTIVATION* :
A PROPOS DU LIVRE DE LUKÁCS
SUR « LA JEUNESSE DE HEGEL »[1]

L'ouvrage de G. Lukács sur les *Travaux de jeunesse de Hegel* depuis la « période républicaine de Tübingen et de Berne », jusqu'à la publication de la *Phénoménologie de l'esprit* en 1807, est un essai d'histoire de la philosophie selon la méthode et l'esprit marxistes. Disons d'abord qu'à notre avis une pareille histoire marxiste de la philosophie est vouées à l'échec si elle prétend réduire à tout prix les philosophies à des idéologies toujours explicables par le social et l'économique. Le défaut de l'histoire de la philosophie hégélienne — qui prétend ordonner les philosophies à la fois logiquement et chronologiquement, faisant de toute philosophie postérieure à une autre une philosophie supérieure puisque englobant et dépassant en elle le principe de la philosophie qui l'a précédée — se trouve encore aggravé dans un schéma marxiste trop étroit. Mais, ces réserves faites, nous n'en sommes que plus à notre aise pour constater l'intérêt considérable du livre de G. Lukács. C'est que dans le cas

---

* Extrait des *Etudes germaniques*, 6ᵉ année, nᵒ 2, avril-juin 1951.

(1) LUKÁCS, *Der Junge Hegel*, Zurich-Vienne, 1948, un volume in-8ᵒ de 718 p.

de Hegel, et même dans celui des interprétations diverses de ce philosophe, la confrontation avec le marxisme s'impose en fait. Il faut bien reconnaître que Marx est un des meilleurs commentateurs de Hegel; il a su repenser la *Phénoménologie de l'esprit* dans son œuvre de jeunesse *Economie politique et philosophie*; il s'est inspiré de la méthode hégélienne pour écrire le *Capital* dont le plan et l'organisation (même de détail) ne sont pas concevables sans cette référence constante à l'hégélianisme, et même à tels et tels chapitres particuliers de la *Phénoménologie*. Mais ce ne sont pas ces raisons, déjà suffisantes, qui imposeraient une confrontation de l'hégélianisme et du marxisme, confrontation d'ailleurs souvent faite; il faut aller plus loin et se demander dans quelle mesure l'ensemble de la philosophie hégélienne dépend des événements politiques et sociaux de son temps, plus encore que bien d'autres systèmes de philosophie. Or le philosophe qui écrivait que « la lecture des gazettes est la prière du matin de l'homme moderne » (elle permet en effet de se situer dans le monde et de prendre conscience de la situation historique), n'est pas aussi théologien qu'on pourrait le croire. G. Lukács n'a pas tout à fait tort (même s'il exagère en sens contraire) de traiter de légende réactionnaire le thème d'une période théologique de Hegel. Si Hegel parle le langage de la religion, il ne faut pas oublier qu'il considère, dès ses premières méditations, la religion comme une représentation de la vie humaine, vie individuelle et surtout vie collective, comme une sorte de projection dans le champ de la représentation des problèmes humains concrets. Le langage parfois mystique ne doit pas nous faire oublier les préoccupations positives du jeune Hegel, son souci des problèmes politiques, sociaux et même *économiques*.

C'est précisément sur ce dernier point, « Hegel et le problème économique », que G. Lukács nous apporte une contribution très originale à la compréhension de ce philosophe auquel rien d'humain, aucune donnée empirique accessible, n'a été étranger.

Si donc nous tenons compte de l'importance que Hegel a attribuée à l'économie politique, au travail, à la richesse dans la vie d'un peuple et cela dès les premières années de sa réflexion, pendant les périodes de Berne, de Francfort et de Iéna, et d'autre part si nous apercevons dans le marxisme une transposition de la dialectique hégélienne, mais une transposition qui trouve sa base dans l'œuvre hégélienne même et dans certaines tendances de cette œuvre, la tentative d'une explication marxiste de l'hégélianisme présentera une valeur particulière. Il faut ajouter qu'en dépit de certaines références presque obligatoires à Lénine, et même à Staline (ce qui paraît inutile), le livre de G. Lukács est écrit avec une sympathie directe à l'égard de Hegel, que l'évolution de la bourgeoisie qu'il décrit aussi bien chez Hegel que chez Gœthe est présentée avec beaucoup de nuances et de largeur d'esprit. Dans ces conditions, le livre de G. Lukács sur *La jeunesse de Hegel* nous apporte tout autre chose qu'un livre de partisan destiné à faire entrer de force dans un cadre rigide une philosophie mal préparée à y entrer.

Nous ne pouvons songer à résumer ici ce gros ouvrage qui suit dans le détail toute l'évolution de la pensée de Hegel depuis les années de séminaire de Tübingen, et l'enthousiasme républicain du jeune Hegel, jusqu'à la *Phénoménologie de l'esprit* et la justification de Napoléon comme âme du monde. Ce qui nous retiendra particulièrement, ce sont les rapports aperçus par G. Lukács entre la pensée économique de Hegel et sa pensée philosophique, et son apologie si intéressante de la critique que Marx fait de Hegel et qui met en cause tout le problème hégélien à propos de « l'aliénation et de l'objectivation ».

I. — ECONOMIE POLITIQUE ET PHILOSOPHIE

Le titre d'une des premières études de Marx, *Economie politique et philosophie*, est déjà tout un programme. Il renferme le germe de la future thèse du *matérialisme historique*. K. Marx montre le progrès accompli dans la science économique des physiocrates à Adam Smith. La science de la richesse des nations, de la production, de l'échange et de la consommation des biens a dégagé peu à peu l'idée de la *valeur du travail humain*. Les physiocrates accordaient encore à la nature ce qu'Adam Smith n'accorde qu'au travail humain, seule source de la valeur. Ce travail est un travail social, c'est par lui qu'on peut comprendre les transformations que l'homme introduit dans la nature, et par ricochet, celles qui se produisent dans l'homme même et dans l'organisation de la vie collective. L'œuvre d'Adam Smith, *Inquiry into the nature and causes of the wealth of nations*, parue à Londres en 1776, avait été traduite en allemand par Garve en 1794-1796, et avait exercé une très profonde influence sur Hegel qui la cite à plusieurs reprises, en particulier dans les *cours d'Iéna* qui précèdent la *Phénoménologie de l'esprit*.

K. Marx montre d'une façon très remarquable les relations possibles entre cette science de l'économie et la philosophie idéaliste de Kant à Hegel. La *Phénoménologie* de Hegel, avec sa conception de la négativité, du travail humain transformant la nature, l'humanisant, et élevant par contre l'homme individuel à l'universel, lui donnant le sens des rapports collectifs et de la résistance de l'être, doit rejoindre la science humaine de l'économie politique. C'est l'unité de cette économie et de cette philosophie que se propose Marx; cette unité doit conduire à une nouvelle conception de l'homme et de l'avenir humain, à une *praxis* qui concilie la science spéculative et la vie humaine dans son devenir historique. La philosophie aboutit selon Marx, avec l'idéalisme spéculatif, à une impasse. Se bornant à la compréhension de ce qui est, elle s'achève avec Hegel par une contradiction insurmontable. Mais la relation de ces deux disciplines permet d'élargir l'économie politique jusqu'à embrasser tout le problème humain et le problème des relations de l'homme et de la nature, tandis qu'elle permet également à la philosophie de se dépasser comme science seulement contemplative et de se réaliser

dans une action qui soit effectivement libération de l'homme au lieu
d'être seulement sagesse spéculative.

Il était nécessaire de rappeler brièvement la signification de ce
premier travail de Marx pour comprendre la portée de l'ouvrage de
G. Lukács. C'est en effet les relations de l' « économie politique et
de la philosophie » qu'il étudie chez Hegel, en s'inspirant sans cesse
de l'œuvre de jeunesse de K. Marx. Plus exactement il compare trois
termes : l'état politique, social et économique de l'époque, la science
économique, et la philosophie hégélienne. Il veut montrer que la
philosophie hégélienne, en tant qu'interprétation générale de la
vie et de la situation humaine, se réfère toujours à une certaine
conception économique, le mot étant entendu dans un sens très large,
mais en même temps il prétend montrer aussi bien comment les
insuffisances du développement des forces productives à l'époque
même de Hegel rendent impossible à ce philosophe une solution
des problèmes qu'il pose. Hegel écrit au moment où le capitalisme
est en train de naître en Angleterre et en France, au moment où le
système féodal, encore si tenace en Allemagne, s'écroule partout et
où la bourgeoisie est dans sa phase ascendante. C'est ce monde d'une
bourgeoisie victorieuse et sûre d'elle-même, c'est la vision du monde
propre à cette bourgeoisie montante qu'il décrit et exprime, comme
le fait à la même époque Gœthe. Cependant, avec une singulière
pénétration due à son génie dialectique, Hegel aperçoit toutes les
contradictions de ce monde en pleine formation, toutes les crises
qu'il porte en lui comme les nuages portent l'orage. Par là, Hegel,
dès 1807, s'élève au-dessus de son temps. Incapable de résoudre les
crises et de dépasser son temps dans la solution des problèmes,
comme pourra le faire Marx, Hegel n'en entrevoit pas moins le *déclin*
de la bourgeoisie, au moment même de son *ascension*. Hegel ne peut,
faute d'un développement correspondant des forces productives,
être déjà socialiste, mais dépassant Adam Smith qu'il sait lire avec
une extraordinaire pénétration philosophique, il annonce Ricardo.

Dépassant la stricte conception de l'économie libérale, il élabore une philosophie de la vie humaine qui, si elle se termine par une vision tragique, n'en prépare pas moins une solution positive, non tragique, des problèmes seulement posés, solution qui s'exprimera dans l'œuvre de K. Marx quand le fruit sera mûr pour une révolution véritable. « *Hegel genuit Feuerbach, qui genuit Marx.* » On voit bien par là le sens de l'étude de G. Lukács et l'application qu'il tente de la méthode marxiste à une question d'histoire de la philosophie. Ce qu'il convient d'ajouter, c'est qu'il pose en termes très généraux le problème des *relations de l'économie politique et de la philosophie*, prolongeant ainsi l'étude de Marx que nous citions plus haut et donnant des indications précieuses pour une voie d'accès à des études à peine entreprises encore.

On a beaucoup étudié jusque-là les relations de la philosophie et des sciences de la nature. Il ne manque pas d'ouvrages sur les relations des *Méditations métaphysiques* et du mécanisme de la science cartésienne, sur les rapports de la philosophie de la nature de Newton et des philosophies de Kant et de Hume. Il y a moins d'ouvrages sur les relations de la biologie et de la philosophie d'Aristote à Bergson, mais il n'existe presque rien sur les relations de l'économie d'une époque et de la philosophie. Cependant, si on voulait comprendre la morale de Hume par exemple, et même sa conception générale de la nature humaine, il ne serait certainement pas inutile de se souvenir des relations entre Hume et Adam Smith, et des essais si importants de Hume sur l'intérêt, le commerce, etc. La philosophie de Hume est déjà étroitement liée à une certaine forme d'économie. De même que les historiens ont cherché à analyser les conceptions philosophiques en les rattachant aux sciences de la nature d'une époque, de même il faudrait chercher les relations entre les conceptions philosophiques et la science de l'économie politique, la science de l'homme social travaillant la nature et consommant les produits de son travail. On note le travail d'Aristote comme économiste, mais pour juxtaposer sa pensée d'économiste à sa pensée de philosophe; ainsi fait-on pour Hobbes, pour Berkeley, pour Hume, pour Hegel même. Mais ce qu'il faudrait — et cette tâche devrait être celle des marxistes — ce serait saisir la relation entre la pensée de l'économie d'une époque et la pensée philosophique. C'est ce qu'a essayé de faire G. Lukács pour les travaux de jeunesse de Hegel et le résultat n'est pas sans intérêt.

Hegel, en effet, a toujours cherché à comprendre la vie humaine comme vie d'un peuple, la vie d'un peuple comme moment de l'histoire générale des peuples. Dès ses premiers travaux, partant comme il le dit des exigences les plus humbles de la conscience humaine, il a cherché une vision totalitaire intégrant dans la vie d'un peuple ce que nous nommons aujourd'hui la psychologie, la science des besoins individuels et collectifs, la science du travail et des techniques. Son premier système de philosophie de l'esprit, le *System der Sittlichkeit*, a été rédigé en 1803 à Iéna. Il est proche de ce que nous nommons depuis Auguste Comte sociologie, et il intègre à cette vision sociale aussi bien les formes les plus élémentaires du comportement individuel que les formes les plus hautes de la pensée spéculative, l'art, la religion, la philosophie.

Ces formes supérieures sont les représentations qu'un peuple se donne de lui-même, de sa vie concrète. Or ces représentations sont solidaires des *masses sociales*, de la noblesse, de la bourgeoisie, de la paysannerie, et chacune de ces masses exprime à son tour une certaine relation de l'homme à la nature. Les formes élémentaires du comportement humain, le besoin, le travail, l'usage de l'instrument, puis de la machine, sont des moments qui s'intègrent dans une totalité, et la psychologie de l'homme individuel n'est à son tour qu'une grandeur évanouissante dans la grandeur sociale totale. Le système social, envisagé comme un Tout, un Tout dominant ses parties, s'inspire du grand traité d'Adam Smith, aussi bien que des études, nombreuses à l'époque, sur la nature humaine, et par exemple de l'œuvre de Montesquieu, ou de celle de Rousseau. Mais cette idée de totalité, préexistant si l'on peut dire à ses parties, en étant l'âme et comme le sens, dépasse déjà le libéralisme d'Adam Smith et annonce chez Hegel le point de vue de K. Marx.

Dépassant un peu ce que dit G. Lukács, il nous semble aussi que la *dialectique hégélienne* s'inspire en un autre sens de l'œuvre d'Adam Smith. Cette dialectique, si difficile à définir, est aussi bien une dialectique au sens que les philosophes ont donné à ce terme de Platon à Kant, qu'une méthode pour appréhender la vie humaine sous ses aspects concrets. Dialectique philosophique et dialectique du concret, la dialectique hégélienne veut être à la fois l'une et l'autre et, en tant que dialectique du concret, elle s'inspire très souvent des études d'Adam Smith. Le libéralisme d'Adam Smith suppose en effet que le libre jeu des intérêts individuels aboutit à la réalisation optimum de l'intérêt collectif. Par là même il montre sans cesse que les projets individuels se transforment dans la vie collective, qu'ils deviennent autres au cours même de leur réalisation. « Chaque individu, dit Adam Smith, met sans cesse tous ses efforts à chercher pour tout le capital dont il peut disposer l'emploi le plus avantageux; il est bien vrai que c'est son propre bénéfice qu'il a en vue et non celui de la société, mais les soins qu'il se donne pour trouver son avantage personnel le conduisent naturellement, ou plutôt nécessairement, à ce genre d'emploi qui se trouve être le plus avantageux. » Ces textes abondent dans Adam Smith. La division du travail, le jeu des échanges sont d'abord des projets individuels qui s'actualisent dans un ensemble et deviennent un projet nouveau, plein de sens, et pourtant non voulu comme tel par les individus; ce genre de finalité conduit déjà Hegel à l'idée d'une ruse de la raison, à une dialectique qui oppose les projets visés et les fins atteintes. C'est en essayant de suivre cette dialectique concrète dans l'ensemble de la vie humaine, puis en la transposant sur le plan d'une certaine logique que Hegel s'efforce de renouveler la notion même de dialectique, rapprochant *la vie de la pensée et la pensée de la vie.*

L'emploi de cette dialectique concrète nous paraît avoir conduit Hegel à un triple résultat, mis fortement en lumière par G. Lukács :

1) Le remarquable tableau que Hegel donne de la société capitaliste naissante. C'est d'ailleurs en s'inspirant surtout d'Adam Smith qu'il décrit la division du travail social, le développement de la technique, la solidarité des individus produisant, échangeant et consommant les richesses.

2) La vision prophétique qu'il présente des contradictions de cette société et de l'aliénation fatale de l'homme dans cette société où la production pour la production — on pourrait dire la puissance pour la puissance — n'a pas de raison de se limiter.

3) L'impossibilité où il se trouve de résoudre ces contradictions de la société capitaliste qu'il aperçoit d'une façon si profonde. Il ne peut les résoudre parce que, comme le remarque G. Lukács, la société capitaliste n'est pas encore assez mûre, les forces productives — et en Allemagne moins qu'ailleurs à cette date — ne sont pas encore assez développées.

C'est en examinant de plus près ces trois points qu'on peut rendre le plus de justice au sens politique et social de Hegel et à l'importance du livre de G. Lukács qui insiste particulièrement sur eux. En ce qui concerne le premier point (description de la société et de l'économie de l'époque) les textes de Hegel sont nombreux et significatifs, aussi bien dans la *Realphilosophie* que dans la *Phénoménologie*. Citons-en seulement quelques-uns. Dans la *Phénoménologie*, Hegel décrit la vie sociale, la réalité éthique d'un peuple, et il distingue déjà ces deux moments, le *pouvoir* et la *richesse*. La description de la richesse, de la dialectique de la richesse, reproduit le libéralisme d'Adam Smith : « Dans la jouissance l'individualité devient bien pour-soi, mais cette jouissance même est le résultat de l'opération universelle, tandis qu'à son tour elle fait naître le travail et la jouissance de tous... Chaque entité singulière croit bien agir en vue de son intérêt égoïste... mais considéré aussi seulement de l'extérieur ce moment se montre tel que, dans sa jouissance, chacun donne à jouir à tous, et que, dans son travail, chacun travaille aussi bien pour tous que pour soi et tous pour lui. » C'est là l'expression même du libéralisme économique, de cette harmonie qui s'établit entre les besoins et les travaux individuels, entre les projets égoïstes de chacun, et le sens collectif qui se manifeste dans la vie totale de la société. Cependant Hegel tire les conséquences de ce que Adam Smith montre seulement. L'égoïsme n'est que prétendu, et la vertu désintéressée (ou qui se proclame telle), n'est qu'impuissance. Le cours du monde résulte de l'interaction des individualités. C'est là l'*individualité universelle*; et dans l'action, dans l'opération effective, chaque individualité qui se croit égoïste se dépasse elle-même, elle refuse de se reconnaître dans ce monde de l'individualité universelle. C'est pourtant bien elle qui pose et accomplit ce monde. « Mais ainsi l'individu a pris congé de soi-même, il grandit pour soi comme universalité et se purifie de la singularité. » L'opération qui n'est pas seulement visée morale ou intention, mais position de soi dans l'être, est la vérité de l'individualité singulière, et cette vérité a un caractère universel. On voit à quel point Hegel, en approfondissant ce monde économique moderne, tel qu'il est décrit par Adam Smith, parvient à une philosophie de l'opération humaine qui transcende aussi bien les philosophies contemplatives de la nature que les philosophies seulement morales de l'esprit, la *vision morale du monde de Kant ou de Fichte*. C'est ce *dépassement aussi bien du naturalisme que de l'idéalisme moral* que note justement G. Lukács pour montrer comment l'évolution philosophique qui conduit de Kant à Hegel, doit se prolonger ensuite jusqu'à K. Marx. La liquidation de l'idéalisme moral — seulement moral — après le rationalisme plat de l'*Aufklärung* est la signification du grand article de Hegel à Iéna sur la philosophie de son temps « *Glauben und Wissen* ». Mais pour comprendre le lien de cet article critique avec l'économique et le social, il faut y joindre les écrits de la même époque sur le *Droit naturel* ou le *Système de la moralité sociale*, qui, comme nous l'avons dit, font de la première philosophie de l'esprit de Hegel une véritable sociologie.

Cependant Hegel ne se contente pas de reproduire le monde économique d'Adam Smith en l'approfondissant par une philosophie de l'action efficace, il réfléchit sur cette aliénation de l'individu singulier qui devient universel dans le cours du monde, dans son opération — dialectique étourdissante : « La conscience devient devant elle-même une énigme, les conséquences de ses opérations ne sont plus devant elle ses opérations mêmes. » En s'extériorisant, en s'objectivant dans le monde, comme dit Hegel — et ce monde est le monde des autres, le monde d'autrui, à travers lequel seule nous parvient la nature, car le moindre instrument matériel suggère autrui, et sans doute l'idée même d'une nature en soi le suggère aussi —, la conscience singulière s'aliène, se fait autre; *objectivation dans le monde* et *aliénation de soi*, voilà les deux grands moments de la dialectique concrète de Hegel.

Or cette aliénation — qui sur le plan logique devient contradiction de soi à soi — se manifeste pour Hegel dans le monde moderne par des contradictions économiques qu'on pourrait justement opposer aux harmonies des libéraux. C'est sur ce deuxième point que Hegel est prophète. Suivons-le avec d'autant plus d'étonnement que la société allemande qu'il pouvait contempler en 1800 ne le conduisait nullement à une telle prise de conscience des contradictions de ce nouveau monde. Il est vrai qu'Adam Smith préparait déjà cette analyse. Hegel ne suit pas ainsi les réactionnaires romantiques, prêchant le retour à quelque nouveau Moyen Age, mais il devance les analyses des économistes et des socialistes qui vont venir.

Le résultat de la division du travail, c'est que, si l'individu ne dépend plus de la nature, il dépend par contre de la société qui agit sur lui comme une force aveugle. Au milieu naturel s'est substitué le milieu social; cette idée qu'Auguste Comte développera plus tard en passant de la biologie à la sociologie, est un des thèmes essentiels de la pensée hégélienne : « La société est pour l'individu sa nature, du mouvement élémentaire et aveugle de laquelle il dépend, qui le maintient ou le supprime physiquement et spirituellement. » Cette société est pourtant l'œuvre commune, l'opération de tous et de chacun, la chose même, mais l'individu est devenu dans cette chose étranger à soi-même, il est aliéné, et cette aliénation qui ne fait qu'un avec l'objectivation pour Hegel, l'extériorisation de l'homme dans son travail, est le terme nouveau qui, substitué à celui de positivité (période de Berne) et de destin (période de Francfort), permettra à Hegel de poser le problème humain dans toute son ampleur. C'est bien ce terme d'aliénation qui servira aussi à K. Marx pour pousser plus loin la dialectique hégélienne.

Cependant l'individu « peut travailler davantage », mais, note Hegel, « la valeur de son travail commence alors à s'amoindrir ». Il est poussé toutefois à augmenter ses heures de travail ou à développer l'intensité de ce travail, afin d'en retirer davantage, de pouvoir se procurer ce dont il a besoin pour vivre. Après un laps de temps variable, ce progrès est anéanti, l'individu retourne au niveau de vie antérieur. « Le travail est une marchandise qui vaut alors moins. » On voit comment Hegel prolonge ici Adam Smith, annonce la loi d'airain sur les salaires, et prépare en un certain sens les analyses de K. Marx. Ajoutons qu'il perçoit toutes les conséquences de la division du travail. « Par le caractère abstrait du travail, celui-ci devient de plus en plus mécanique, de plus en plus absurde. » Certes l'outil est remplacé par l'instrument, et l'instrument par la machine qui est une ruse de l'homme à l'égard de la nature; elle fait servir les forces aveugles à une fin humaine. Elle révèle l'en-soi de la nature dans le pour-soi humain, et c'est par cette étude du travail et de la machine que Hegel élabore une nouvelle conception de la finalité, de la téléologie en général, mais cette ruse de l'homme à l'égard de la nature se retourne contre l'homme individuel; elle transforme, en effet, le travail intelligent et total en un travail stupide et partiel « formel et inhumain ». L'humanisation de la nature a ici pour conséquence la déshumanisation du travailleur. Enfin le mouvement d'ensemble de la production et de la consommation conduit à « la recherche incessante d'autres machines et d'autres débouchés, et ceci sans fin ». On dirait que Hegel, dès 1803, aperçoit ce mouvement de la production pour la production dont parlera Ricardo et qui s'exprimera chez K. Marx par l'idée de la mise en valeur de la valeur animant tout le procès de production capitaliste. Ces textes de Iéna que nous reproduisons ici n'ont pu être connus de K. Marx, et cependant ils le font pressentir. « L'habileté de l'individu est dans la société la possibilité du maintien de son existence. Celle-ci est livrée à la pleine confusion de la contingence du Tout. Il y a ainsi une masse de plus en plus considérable d'hommes qui sont condamnés à un travail malsain, sans sécurité, au travail absurde des manufactures et des mines », et Hegel ajoute : « Toute cette masse finit par être livrée à la pauvreté à laquelle on ne peut venir en aide... C'est alors que l'opposition de la grande richesse et de la grande pauvreté surgit sur la scène du monde — *auftritt.* » Et, formulant d'une manière très vague ce qui plus tard sera la loi de concentration, Hegel s'efforce de montrer que cette *opposition du riche au pauvre* qui se substitue à celle du *noble au vilain*, est le résultat d'une dialectique nécessaire. « La richesse attire tout à soi, et en vertu d'une nécessité immanente ne fait que s'accroître du même côté, tandis que la pauvreté s'accroît de l'autre », « A celui qui a, écrit-il, c'est à celui-là qu'on donne ». L'Etat, providence universelle, ne peut qu'intervenir de loin. Certes, c'est bien en lui plus que dans la monnaie, l'universel collectif devenu chose, que le citoyen se pense comme genre et comme liberté, mais il est au-delà de la société bourgeoise qui doit maintenir le jeu de ses libertés. « La liberté de la société bourgeoise est exigée, mais alors l'individu est seulement enterré dans l'individuel; il ne peut que se sauver dans l'Etat et la religion. » Il finit par vivre ainsi dans deux mondes, étrangers l'un à l'autre, et pourtant répliques l'un de l'autre. De même l'homme de la loi du cœur, en se réalisant, voit se séparer la loi qui devient le cours du monde et ce cœur qui battait d'abord en elle :

> Je veux qu'on soit sincère et qu'en homme d'honneur
> On ne lâche aucun mot qui ne sorte du cœur.

Malheureusement, l'action sépare le cœur de la réalisation. Même dans le langage, autant que dans l'œuvre, l'argent, l'homme s'aliène toujours; c'est bien cette aliénation qui est le problème de Hegel, la clé de la future *Phénoménologie*. Comment surmonter l'aliénation ?

II

G. Lukács nous a montré l'influence des conceptions économiques sur le développement de la pensée hégélienne, insistant sur un point qui avait été trop négligé par les historiens antérieurs. Ce qu'il dit par contre de l'influence de Napoléon et en général de la révolution française était plus connu. Il met en lumière le thème de l'énergie et de l'héroïsme que Hegel développe et qui s'accorde mal avec certaines conceptions bourgeoises. Ce thème est pourtant fondamental dans la « vision hégélienne du monde », au moins à l'époque de Francfort et de la *Phénoménologie*. On connaît ce pantragisme hégélien selon lequel « le tragique exprime la position absolue », tandis que le comique ne fait qu'énoncer la dissolution des formes pour l'individu seul et ne trouve sa signification véritable que dans une nouvelle tragédie, celle de l'homme moderne qui croit à la validité des choses finies, l'argent, la santé, les contrats, et les voit progressivement disparaître, sans comprendre le pourquoi de leur disparition.

Mais la partie la plus intéressante de l'ouvrage de G. Lukács est sans doute celle où il analyse avec précision la critique que le jeune Marx adresse à Hegel. C'est là véritablement que se situe le centre du débat. Selon K. Marx, Hegel aurait confondu *objectivation* (ou, si l'on veut, extériorisation de l'homme dans la nature et le monde social) et *aliénation*. Cette confusion expliquerait aussi bien l'insuffisance de l'analyse sociale de Hegel, son impuissance à résoudre les problèmes qu'il pose, du moins à les résoudre effectivement, que la mystification de sa pensée philosophique qui, au lieu d'aboutir à une action positive, s'achève en un idéalisme spéculatif qui ne tient pas ses propres promesses. Comme le dira Kierkegaard, Hegel qui nous élève jusqu'au ciel spéculatif nous laisse vivre dans les chaumières de la réalité. La pensée de Hegel, sa fameuse idée, n'est qu'une mystification quand elle prétend surmonter toute aliénation par le *savoir absolu* du philosophe. Cette analyse et cette critique des concepts d'*objectivation et d'aliénation* nous paraissent si suggestives et si importantes que nous voudrions les reprendre ici et les suivre un peu plus précisément.

Selon K. Marx, Hegel a donc confondu l'*objectivation*, c'est-à-dire le processus par lequel l'homme se fait chose et s'exprime ou s'extériorise dans la nature par le travail et l'œuvre, avec l'*aliénation*, c'est-à-dire le processus par lequel cet homme ainsi extériorisé se trouve devenu étranger à lui-même, se trouve dans son œuvre comme « un autre que soi », ou plutôt ne se retrouve plus lui-même, ne peut se reconnaître lui-même. Cette reconnaissance manquée, cette méconnaissance de soi dans l'extériorisation de soi, est le grand malheur de l'homme, tant sur le plan des choses que sur le plan social, celui de l'intersubjectivité. L'individu ne se reconnaît ni dans son œuvre, ni en autrui. L'homme est transcendé par ce qu'il a produit, ainsi il ne peut se voir lui-même dans le miroir d'une autre âme, il ne peut se penser comme genre dans l'œuvre collective, mais seulement comme individu perdu, exclu du tout, écrasé par ce qu'il a pourtant édifié de ses propres mains. Là est la *conscience malheureuse* que Hegel n'a surmontée que par la *philosophie*, viande bien creuse ici selon K. Marx.

Or, selon K. Marx, précisément l'objectivation n'est pas en soi un malheur. Elle est au contraire le seul moyen d'unir l'homme et la nature. L'homme transforme la nature et en fait l'expression de l'humain, mais dans cette transformation l'homme naturel, confiné dans les besoins biologiques singuliers, s'universalise et s'éduque, il se cultive et s'élève proprement au genre (comme l'a bien vu en partie Hegel). Tous les besoins qu'il éprouve, du besoin de nourriture au besoin sexuel et esthétique, ne sont plus des besoins singuliers, mais des besoins humains, médiatisés par la reconnaissance naturelle des hommes, cette intersubjectivité nécessaire pour que soit l'homme, et par l'homme la *raison*. Il y a là comme le fondement de ce qu'on a, à juste titre, nommé l'*humanisme socialiste*.

Cependant, pourquoi l'homme extériorisé est-il encore une conscience malheureuse, une conscience perdue et étrangère à son œuvre ? Pourquoi la société ne lui apparaît-elle pas comme l'expression même de sa volonté, mais comme une volonté étrangère ? C'est ici que Hegel et Marx se séparent. La réponse philosophique de Hegel est différente de la réponse pratique et historique de Marx. Marx explique ce décalage par l'histoire, il dénonce le processus de production, croit pouvoir montrer que l'objectivation n'est une aliénation que du fait de certaines circonstances historiques, qui, nées de l'histoire, pourront disparaître dans l'histoire. L'objectivation qui n'est pas *en droit* une aliénation, se trouve l'être *en fait*. La description du capitalisme — telle que Marx la présentera plus tard dans le *Capital* — est la description monumentale de cette aliénation totale du travail humain nécessaire à un moment de l'histoire pour accroître au maximum toutes les forces de production de l'homme.

On voit les conséquences de cette distinction faite par Marx entre *objectivation* et *aliénation*, les raisons pour lesquelles Hegel, prisonnier d'un moment individuel de l'histoire qu'il ne pouvait encore vraiment dépasser, les confondait *en droit*, alors qu'elles n'étaient inséparables qu'en vertu d'*un fait* historique. La philosophie hégélienne qui prétendait dominer l'histoire est par là retombée dans l'histoire et s'explique à son tour par l'histoire. L'idéalisme hégélien n'est que la traduction de cette confusion première. Dans une de ses premières œuvres, *Economie politique et philosophie*, K. Marx prolonge Hegel en montrant le caractère véritable de l'objectivation de l'homme dans le travail. « C'est justement en façonnant le monde des objets que l'homme se révèle réellement comme un être générique. Cette production est sa vie générique créatrice. Par elle la nature apparaît comme son œuvre et sa réalité. C'est pourquoi l'objet du travail est l'objectivation de la vie générique de l'homme, car il ne s'y dédouble pas intellectuellement, comme dans la conscience, mais réellement comme créateur. Il se contemple ainsi lui-même dans un monde qu'il a lui-même créé. » Conscience heureuse ? non, pas encore, mais conscience malheureuse parce que ce travail est aliéné à lui-même dans le système capitaliste qui est une phase de l'histoire, et non parce que la conscience ne s'est pas encore, comme le croit Hegel, pensée elle-même dans la vraie philosophie. « L'objet que le travail produit, son produit, vient s'opposer au travail comme s'il s'agissait d'un être étranger, comme une puissance indépendante de celui qui le produit. » Dans le système capitaliste, le travailleur est frustré de son produit, il est dépossédé, il est aliéné. L'objectivation apparaît donc *en fait* comme la perte de soi, comme la servitude à l'égard de l'objet, et l'appropriation de cet objet apparaît comme une aliénation, comme une dépossession. « La réalisation du travail prend l'aspect de la non-réalisation à un degré tel que l'ouvrier se voit dépouillé de sa réalité au point de mourir affamé. L'objectivation prend l'aspect de la perte de l'objet à un degré tel que l'ouvrier est dépouillé non seulement des objets nécessaires à la vie, mais des objets mêmes du travail. Bien plus, *le travail devient lui-même un objet* dont il ne parvient à s'emparer qu'au prix d'un immense effort et avec des interruptions très irrégulières. » Système écrasant, et dominant aussi bien le capitaliste, pris dans ses propres filets, que le prolétaire réduit à une nouvelle sorte d'esclavage. Le système créé par l'homme écrase l'homme. Cette frustration est non seulement frustration du produit, mais du *Soi* lui-même. « L'ouvrier ne s'appartient plus. De même que dans la religion l'activité propre de l'imagination humaine, du cerveau humain et du cœur humain, agit indépendamment de l'individu, de même dans le travail elle est à un Autre, elle est la perte de son individualité. »

Mais Hegel, tout en ayant noté les caractères tragiques de l'existence humaine, de l'économie bourgeoise qu'il voit naître, a été incapable de les expliquer par une aliénation historique, par l'*événement* de la propriété privée et du capitalisme, et c'est bien pourquoi il a fait de toute objectivation de l'homme une aliénation, de toute aliénation une objectivation et son système philosophique s'explique intégralement par cette confusion.

1) Il ne supprime pas l'aliénation effective. La *Phénoménologie* est une caricature de ce que sera le *communisme*. Le problème est bien le même : supprimer l'aliénation qui fait le malheur de l'homme; or à quoi aboutit la *Phénoménologie* ? Au savoir absolu, c'est-à-dire au triomphe de la *conscience de soi intellectuelle*. L'aliénation est surmontée en pensée et non en fait. La philosophie triomphe sur la religion qui propose un au-delà, l'homme se pense soi-même dans son être aliéné, *mais en fait rien n'est changé*. La spéculation pure n'a pas résolu un problème historique particulier qui ne peut se résoudre que par une révolution historique. Il n'en sera pas de même du communisme qui seul peut aboutir à une fin de l'histoire. « Le communisme, comme l'abolition positive de la propriété privée, considérée comme la séparation de l'homme de lui-même, donc le communisme comme retour de l'homme à lui-même en tant qu'homme social, c'est-à-dire l'homme humain, retour complet, conscient et avec le maintien de toute la richesse du développement antérieur, le communisme étant un naturalisme achevé, coïncide avec l'huma-

nisme. Il est la véritable fin de la querelle entre l'homme et la nature, et entre l'homme et l'homme, il est la véritable fin de la querelle entre l'existence et l'essence, entre l'objectivation et l'affirmation de soi, entre la liberté et la nécessité, entre l'individu et l'espèce. Il résout le mystère de l'histoire et il sait qu'il le résout. »

2) Mais cette première illusion de Hegel en recouvre une seconde. Faisant de l'aliénation une objectivation, en croyant surmonter par la pensée toute aliénation il croit aussi bien surmonter la nature, et l'idéalisme hégélien signifie cette chose étrange que « la nature n'est qu'une aliénation de l'esprit ». Ici, selon Marx, Hegel délire, *il met l'univers la tête en bas,* contre quoi le matérialisme ou plutôt le naturalisme de Feuerbach s'élève à juste titre. Hegel, par sa confusion première, est amené à considérer toute objectivation, en particulier la nature brute et le monde des choses, le monde extérieur à l'homme, comme une sorte d'aliénation. On connaît le texte de la *Phénoménologie* où la conscience de soi se contemple elle-même dans un pur objet, l'os du crâne. Mais s'il est bien vrai que la monnaie est une aliénation de l'homme travailleur et producteur, n'est-ce pas jouer sur les mots que de faire de la nature, encore vierge de toute opération humaine, une aliénation de l'esprit ? C'est là une sorte de *mystification idéaliste.* Hegel ne surmonte pas en fait l'aliénation de l'histoire lorsqu'il la pense (et pourtant il le pourrait en dépassant la philosophie par une action historique), il surmonte encore moins dans la pensée l'objectivité indépassable, celle de la nature, d'où l'homme provient et où il retourne. Tout l'idéalisme hégélien repose donc sur cette mystification d'un *Esprit absolu* dont la nature objective serait l'*aliénation.*

3) Enfin Hegel maintient l'aliénation dans sa conception même de l'absolu. L'absolu ne surmonte qu'en apparence la contradiction, c'est-à-dire le mouvement de l'aliénation. Il n'y a pas pour lui de synthèse sans la présence permanente d'une antithèse intérieure. Il est en effet naturel de penser que le savoir absolu contient encore

l'aliénation, en même temps que le mouvement de la dépasser. Cette contradiction apparaît dans les trois moments du système : *Logos*, Nature, Esprit. L'esprit est bien l'identité du *Logos* et de la Nature, mais en lui l'*opposition* des deux moments est toujours conservée, quoique sans cesse dépassée. L'*Aufhebung* hégélienne est, dans le langage, l'expression de cette notion de l'Absolu. Pour Marx, au contraire, il y a une synthèse définitive dans l'histoire qui exclut la permanence de l'antithèse. « Le communisme résout le mystère de l'histoire. »

Toute l'analyse critique de G. Lukács reprend cette confrontation de Hegel et de Marx, sans peut-être en envisager toutes les conséquences (en particulier en ce qui concerne la notion si difficile d'une *fin de l'histoire*), mais si elle dépasse Hegel avec Marx, elle justifie toutefois historiquement Hegel en montrant pourquoi il n'a pu qu'éterniser une contradiction, une aliénation qu'il rencontrait en fait dans l'histoire de son temps, sans trouver du même coup les conditions techniques et historiques de la résolution de cette contradiction. Le système hégélien est donc bien l'expression de son époque, et ses défauts tiennent à l'impuissance où il se trouve de dépasser son temps.

III. — Conclusion

Nous pouvons pourtant nous demander, au terme de cette étude critique, si G. Lukács n'a pas simplifié à dessein le problème philosophique qui est celui de Hegel. L'auteur de la *Phénoménologie*, de l'*Encyclopédie*, de la *Philosophie de l'histoire* n'a pas confondu l'aliénation de l'esprit humain dans l'histoire avec l'objectivation sans quelques raisons valables, autres que celles qu'on peut découvrir dans la structure économique de l'époque et dans l'état du système capitaliste. Que l'homme, en s'objectivant dans la culture, dans l'Etat, dans l'œuvre humaine en général, en même temps s'aliène, se fasse autre et découvre dans cette objectivation une altérité insurmontable et qu'il faut pourtant tenter de surmonter, c'est là une *tension insé-*

parable de l'existence, et le mérite de Hegel est d'avoir insisté sur cette tension, de l'avoir conservée au centre même de la conscience de soi humaine. Une des grandes difficultés du marxisme est par contre de prétendre supprimer cette tension dans un avenir plus ou moins proche, de l'expliquer trop rapidement par une phase particulière de l'histoire. N'est-ce pas simplifier un peu trop les choses que de prétendre réduire cette tension à une suprastructure du monde économique ? Il est indéniable que le système capitaliste représente une forme d'aliénation de l'homme, mais est-ce la seule ? Dans l'amour, dans les relations humaines, dans la reconnaissance de l'homme par l'homme, dans la technique au moyen de laquelle l'homme édifie et crée son monde, dans l'administration politique de la cité, fût-elle socialiste, n'y a-t-il pas une représentation de soi hors de soi, une reconnaissance de soi dans l'autre qui implique une sorte de séparation, d'aliénation qu'on peut toujours tenter de déplacer, mais qui subsiste toujours, et qui, par conséquent, fait partie de la notion même que nous, hommes, pouvons nous faire de l'Absolu ? Cela ne signifie pas que le combat que les prolétaires peuvent mener pour leur libération soit un combat vain. Il n'est jamais vain de lutter pour surmonter une aliénation devenue insupportable quand on en a pris conscience, et du reste cette prise de conscience même implique les exigences d'un monde nouveau. Mais Hegel élargit un problème que Marx devait préciser et restreindre pour l'action qu'il envisageait. C'est pourquoi il ne peut disjoindre les notions d'objectivation et d'aliénation. Entre la nature et la conscience de soi humaine il y a une première tension que Rousseau avait aperçue ; l'homme n'est plus un vivant comme les autres, en pensant la vie il se met déjà en marge de cette vie, il la saisit comme risque, comme nécessité de la mort; il se confond avec la nature dont il émerge et pourtant il s'en sépare; instinct de vie et instinct de mort mesurent si l'on veut une dualité indépassable. L'aliénation commence déjà là, et avec elle le problème du destin humain.

Les dimensions de cette étude nous limitent à cette critique trop générale de l'interprétation que G. Lukács tente de la philosophie hégélienne. Nous voulions seulement insister sur la portée du concept d'aliénation qui, venant après ceux de positivité et de destin dans la philosophie hégélienne, est bien au centre de cette philosophie. Tel quel, ce concept ne nous paraît pas réductible au seul concept d'aliénation de l'homme dans le capital comme l'interprète Marx. Ce n'est là qu'un cas particulier d'un problème plus universel qui est celui de la conscience de soi humaine, qui, incapable de se penser comme un cogito séparé, ne se trouve que dans le monde qu'elle édifie, dans les autres moi qu'elle reconnaît et où parfois elle se méconnaît. Mais cette façon de se trouver dans l'autre, cette objectivation est toujours plus ou moins une aliénation, une *perte de soi en même temps qu'une découverte de soi*. Ainsi objectivation et aliénation sont inséparables et leur unité ne peut être que l'expression d'une tension dialectique qu'on aperçoit dans le mouvement même de l'histoire.

Ce n'est pas à dire que Hegel, comme on le sait bien, refuse l'histoire, cette monumentale objectivation et aliénation de l'homme. C'est Hegel qui a dit avant Marx que *l'histoire du monde était le tribunal du monde*, c'est-à-dire qui a cherché dans l'objectivité réussie la garantie du succès, et la seule qui pouvait être valable, dans l'homme. Tout son système est déjà un effort pour réconcilier l'homme aliéné avec son destin qui est l'histoire, et nul n'est plus sévère que Hegel pour une intériorité qui resterait intériorité, sans s'extérioriser, pour une loi du cœur qui resterait loi du cœur sans se faire loi sociale objective; cependant tous ces moments de la dialectique hégélienne enferment comme un envers de l'histoire, comme une liberté négative qui serait philosophie de l'échec, en regard de l'épopée victorieuse. Mais cet échec n'est pas le signe d'un autre monde, qu'une théologie viendrait consacrer; il est seulement le néant et la dissolution toujours possible. Ainsi la belle âme, à la fin de la *Phénoméno-*

logie, qui refuse de pardonner à l'homme d'action et de se réconcilier avec lui, ne peut-elle que s'évanouir « comme une vapeur dans l'air ». C'est une nécessité inéluctable pour le soi humain de s'objectiver, de s'engager dans une action dans le monde, sans laquelle la conscience même de soi serait impossible, car la réflexion existe pour l'homme comme réflexion de soi dans le monde, dans un autre soi qu'il aime ou qu'il déteste (Amour ou de moi-même haine), avant d'exister comme réflexion séparée dans les méditations métaphysiques d'un Descartes. L'objectivation, et avec elle l'aliénation, est donc nécessaire. Que manque-t-il à la belle âme, qui, voulant conserver son innocence, se refuse à l'impureté de l'acte ? « Il lui manque la force pour s'aliéner, la force de se faire soi-même une chose et de supporter l'être. » Que devient-elle dans ce refus, qui ne peut plus être que le *refus de la parole* et le *refuge dans le silence interne* ? « La belle âme est disloquée jusqu'à la folie et se dissipe en consomption nostalgique », « sa lumière s'éteint peu à peu en elle-même et elle s'évanouit comme une vapeur sans forme qui se dissout dans l'air ».

Hegel insiste donc sans cesse sur l'exigence humaine de l'objectivation, mais, dans la réconciliation, il découvre toujours une forme inévitable d'aliénation, un destin que l'homme doit porter et affronter ; par là le concept hégélien d'objectivation ne se confond pas, comme chez Marx, avec une sorte de perte complète de soi dans une nouvelle nature. Il y a un problème philosophique de l'aliénation, solidaire du problème de l'objectivation humaine, qui ne disparaîtra pas avec une certaine transformation historique. L'étude que l'auteur de la *Phénoménologie* fait du *Neveu de Rameau* dans son œuvre permet de mesurer ce qu'une dialectique de *l'offense et de l'humiliation*, de la révolte de l'homme contre une culture dans laquelle il se sent enlisé, doit à une certaine phase sociale, à un état d'âme pré-révolutionnaire et ce qu'elle exprime *au-delà de cette phase historique*, comme un problème plus profond qui n'est pas seulement solidaire d'un moment de l'histoire. Ainsi l'explication rigoureuse du marxiste accusant

Hegel d'avoir confondu l'objectivation qui est le bonheur et la fin dernière de l'homme dans la nature retrouvée avec une aliénation de soi qui ne tiendrait qu'à un moment particulier du développement de l'histoire, celui du système capitaliste, ne nous paraît pas rendre justice à l'analyse philosophique que Hegel donne de ces concepts ou au sens qu'il leur prête. Peut-être même risquerait-elle de simplifier par trop un système très solidaire d'une certaine action, mais par ailleurs ouvert sur des problèmes philosophiques qu'il n'a fait qu'effleurer dans ses relations avec cette action, et de présenter le marxisme, en en durcissant trop les contours, sous un aspect qui le rendrait inacceptable au philosophe, quelle que soit par ailleurs la validité de certaines de ses analyses.

5

HUMANISME ET HÉGÉLIANISME *

L'importance de la philosophie hégélienne dans l'histoire de la culture européenne et dans l'histoire de la pensée humaine ne saurait être exagérée. L'influence de cette philosophie s'étend jusqu'à l'époque présente, et si la France avait pendant longtemps vécu un peu en marge d'un hégélianisme qui dominait les philosophies anglaise, italienne ou russe, il semble qu'aujourd'hui, par contre, l'hégélianisme soit très vivant en France, quand on commence à l'oublier dans les autres pays. Il est vrai que ce qui nous intéresse dans Hegel, ce n'est pas le système, ce n'est pas l'idéalisme absolu, mais les travaux de jeunesse, la *Phénoménologie*, la philosophie de l'Etat et de l'histoire, en tant que ces diverses œuvres ont plus ou moins inspiré des courants philosophiques contemporains, l'existentialisme, par exemple. (J.-P. Sartre se réfère très souvent à la *Phénoménologie* de Hegel, il reprend à son compte, dans *L'Etre et le Néant*, la célèbre dialectique de la conscience malheureuse), ou encore, le marxisme. Les transformations de l'hégélianisme nous intéressent particulièrement; on reprend la formule célèbre : « *Hegel genuit Feuerbach qui genuit Marx* », et de nombreuses thèses sont en préparation sur les rapports de la dialectique hégélienne et de la dialectique marxiste, sur l'article de Marx : *Economie politique et philosophie*,

---

* Extrait des Actes du Congrès international des Etudes humanistes (*Congresso Internazionale di Studi Umanistici*), Rome, 1952.

article qui s'efforce de faire le bilan de la jeune science économique — entendue comme la science des sociétés humaines dans leur structure économique — et de la philosophie à l'apogée de son développement possible sous la forme de savoir absolu. Bref, l'hégélianisme ne nous intéresse pas en France de la même façon qu'il a intéressé une grande partie des philosophes européens au milieu du XIXᵉ siècle; nous y voyons aujourd'hui un centre d'intérêt parce que c'est par rapport à lui que nous tentons de comprendre les mouvements philosophiques contemporains, de Kierkegaard à Marx et à leurs disciples plus proches encore de nous. Mais notre intérêt se porte encore sur l'hégélianisme parce qu'il y a, dans cette pensée, une philosophie de l'histoire, un effort pour révéler le sens ultime de l'histoire humaine, et que la pensée française — assez hostile à l'histoire — tente aujourd'hui de se mesurer avec des philosophes qui ont voulu penser l'histoire.

Quel rapport y a-t-il entre l'hégélianisme et l'humanisme? Il faudrait d'abord définir l'humanisme. On peut entendre ce terme dans sa signification historique, et il semble que l'intention de beaucoup des membres de ce congrès soit de revenir à la signification première de ce terme, c'est-à-dire « au mouvement d'esprit représenté par les humanistes de la Renaissance et caractérisé par un effort pour relever la dignité de l'esprit humain et le mettre en valeur, en renouant par-dessus le Moyen Age et la scolastique, la culture moderne à la culture antique ». Quel rapport y a-t-il eu entre cet humanisme et la pensée chrétienne? Il est certain qu'on a tenté de concilier un certain platonisme avec le christianisme, mais il est certain aussi qu'on a opposé ce retour au paganisme et à la Grèce antique, au christianisme et à la transcendance du Dieu chrétien, de sorte que le terme d'humanisme a fini par s'opposer à celui de christianisme et de religion révélée. A l'extrême limite de cette signification, l'humanisme devient la philosophie qui se passe d'une révélation et qui prétend trouver dans l'homme seul, ou dans l'humanité historique, « la mesure de toutes choses ». L'humanisme serait une philosophie de l'immanence, par opposition à une philosophie de la transcendance. Que cette dernière signification du terme soit très étrangère aux humanistes du xv⁵ et du xvi⁵ siècle, c'est possible et même probable, mais qu'elle soit devenue usuelle dans les polémiques actuelles, cela n'est pas douteux. On a écrit un livre sur l'humanisme athée; les marxistes s'efforcent de montrer que leur philosophie est la véritable philosophie humaniste, et l'existentialisme de Sartre s'efforce de répondre à la question : l'existentialisme est-il un humanisme ? par : « Cette théorie est la seule qui puisse donner une dignité à l'homme. »

Nous prendrons le mot humanisme dans cette signification actuelle — une philosophie de l'immanence par opposition à une philosophie de la transcendance, une philosophie de l'homme et de l'humanité, par opposition soit à une philosophie de la seule nature, qui engloutit l'homme, soit à une philosophie religieuse, qui réfère la vie humaine à un au-delà et, par l'expérience du péché, la condamne en tant que vie *seulement* humaine. Et nous nous demanderons quelle position occupe l'hégélianisme par rapport à une pareille philosophie.

Il est d'ailleurs remarquable que, dans ses premiers travaux de jeunesse, Hegel ait opposé le paganisme et le christianisme, la culture antique et la culture chrétienne, et ait manifesté une préférence pour la culture antique : « Notre religion veut élever les hommes au rang de citoyens du ciel, dont le regard est toujours tourné en haut, et, par là, ils deviennent étrangers aux sentiments humains » *(Fragments de Tübingen)*. Hegel aimait, à cette époque, opposer Socrate à Jésus, Socrate ne cherchant pas, comme Jésus, à briser les liens naturels. L'humanisme grec est alors, pour Hegel, supérieur à l'ascétisme chrétien.

Mais très vite Hegel a pensé les séparations introduites par le christianisme, le tragique chrétien, comme supérieures au paganisme. Alors a commencé cette interprétation du christianisme — de tous ses mystères, trinité, incarnation, rédemption — par le philosophe Hegel, interprétation qui a visé à donner une signification rationnelle à ces mystères chrétiens, au contenu de la foi chrétienne, de sorte que nous avons là une extraordinaire laïcisation, transposition philosophique du dogme chrétien. Mais le savoir a remplacé la foi, et l'on peut alors se demander ce qu'il reste des authentiques inspirations chrétiennes dans cette philosophie qui prétend les avoir absorbées en elle (on sait que c'est là la question que s'est posée Kierkegaard). L'effort de Hegel pour réduire à l'immanence tout le contenu de la vie et de la pensée religieuses est une des choses les plus étonnantes dans l'histoire de la pensée. On peut suivre cet effort dans la première grande œuvre de Hegel, la *Phénoménologie* ou, plus tard, dans la *Philosophie de la religion*.

Il est cependant difficile de dire que Hegel est athée, aussi difficile que de le dire de Spinoza, et le problème est semblable pour les deux philosophes. Hegel sent perpétuellement, comme nous essayerons de le montrer, que la réduction complète de la transcendance à l'immanence, du divin à l'humain, aboutirait à une dévalorisation même de l'humanité. Si Dieu est mort, il faut que l'homme s'élève à Dieu et réalise en soi le divin.

Mais ce divin que l'homme réalise, qui passe par l'homme, c'est surtout dans l'histoire que Hegel en voit la véritable manifestation, histoire politique aussi bien qu'histoire des idées. Que résulte-t-il pour l'humanité même de cette divinisation de l'histoire ? C'est ce que nous tenterons de montrer. Notre dessein sera précisément de montrer que l'équilibre que veut maintenir Hegel entre l'esprit absolu et l'humanité est un équilibre instable, et risque d'aboutir, en fin de compte, à une philosophie de l'histoire qui justifie une négation de la personnalité humaine. L'intérêt de ces rapports entre l'hégélianisme et l'humanisme, c'est de saisir l'ambiguïté de la position de Hegel et d'apercevoir en elle les directions déjà indiquées de nos problèmes contemporains.

6

RUSE DE LA RAISON
ET HISTOIRE CHEZ HEGEL*

On peut prolonger la philosophie hégélienne dans deux directions différentes : une philosophie de l'histoire qui aboutit à un humanisme, dans le sens de Feuerbach ou de Marx, une philosophie du savoir absolu; mais dans ce dernier cas que signifie encore l'histoire de l'humanité ? L'hégélianisme inclut en lui-même ces deux développements possibles; il est ambigu, car Hegel est aussi bien l'auteur de la *Science de la Logique* — le *Logos* intemporel est le savoir absolu, et comme médiation il est le fondement de la nature et de l'esprit fini comme histoire — que des *Leçons sur la philosophie du Droit*. Il ne semble pas que Hegel lui-même ait choisi nettement l'une de ces deux directions. Il accorde cependant un privilège au savoir absolu, mais le savoir absolu apparaît dans l'histoire.

La Phénoménologie de l'esprit de 1807 contient à la fois cette philosophie de l'humanité — ou, si l'on veut, cette anthropologie — et cette philosophie du savoir absolu dans laquelle l'homme joue seulement le rôle d'une révélation de l'absolu, il n'existe que pour expirer dans cette parole intelligible qui est le *logos* de l'Etre.

Hegel n'a donc pas choisi, mais ses successeurs ont accentué les directions divergentes de sa pensée. Partant de sa philosophie de l'histoire, les uns ont fait de l'absolu une fin de l'histoire, une humanité devenant Dieu (le marxisme particulièrement), les autres sans nier l'immanence de l'absolu à l'histoire, ont refusé de poser

* Extrait des Actes du Congrès international des Etudes humanistes *(Congresso Internazionale di Studi Umanistici)*, Rome, 1952.

l'absolu comme historique. Nous voudrions seulement indiquer cette opposition.

Chez Hegel l'histoire réalise dans le temps l'idée de l'Absolu, comme la nature la réalise dans l'espace. Mais l'histoire n'est plus le progrès linéaire d'une humanité devenant de plus en plus heureuse et satisfaite de son sort. La conception simpliste que la philosophie des Lumières se fait du progrès est largement dépassée par Hegel. Il se baigne déjà dans cette innocence du devenir dont parlera Nietzsche, et l'idée absolue qui se montre dans l'histoire n'est pas la simple réalisation d'une humanité sage et satisfaite. Le tableau que nous offre la contemplation de l'histoire universelle est loin d'être réjouissant du seul point de vue de l'homme, et l'optimisme de Leibniz est dénoncé : « On peut amplifier ces résultats, sans exagération oratoire jusqu'au tableau le plus terrible, simplement en rapprochant avec exactitude toutes les infortunes subies par ce qu'il y eut de plus beau en fait de peuples, de constitutions et de vertus privées et pousser ainsi l'émotion jusqu'à la douleur la plus profonde, la plus perplexe à laquelle ne peut faire équilibre aucune conséquence apaisante. » Pourtant Hegel n'en affirme pas moins que l'histoire est le devenir de la raison absolue, de la liberté véritable de l'esprit. Mais cette raison n'est pas la raison abstraite de l'individu, elle ne correspond pas aux opinions singulières et à la prudence calculatrice des consciences de soi individuelles. Celles-ci ne sont que des moments de l'histoire, elles sont, sans toujours le vouloir, au service de ce qui les dépasse. Ce ne sont pas elles qui décident du sens ou du destin de l'histoire, bien qu'elles réalisent ce sens. Ce sens est l'idée absolue, et cette idée est objective autant que subjective, elle est la substance de l'histoire universelle, mais elle n'existe qu'à travers les consciences singulières qui deviennent alors les instruments de l'Idée.

Ici se manifeste l'ambiguïté de l'hégélianisme. Cette idée en effet, qui est immanente à l'histoire, comme, à un niveau inférieur, à la nature, est-elle une fin de l'histoire dans laquelle l'homme en tant qu'homme se réaliserait, ou est-elle le *Logos* dont l'homme est seulement le support ou le gardien, ce qui se dit dans l'errance de l'histoire ? La première hypothèse, que le marxisme poussera à son terme, est déjà esquissée par Hegel dans la mesure où cette idée absolue apparaît comme la volonté universelle de l'Etat, et de l'Etat qui termine ou terminera l'histoire.

Hegel montre d'abord que la réalisation de l'idée absolue dans l'histoire passe par l'interaction des consciences individuelles. Celles-ci jouent leur rôle dans le drame de l'histoire. Elles ne sont pas d'ailleurs inertes; rien n'est plus étranger à Hegel que la séparation de l'idée absolue et de sa manifestation. C'est leur unité qu'il faut comprendre et non la dualité de l'essence et de l'apparence. Les héros de l'histoire sont des passionnés : « Rien de grand ne se fait sans passion », ils ont leur projet particulier qui est plein de sens et qui pourtant n'est pas le sens ultime. Ainsi Hegel peut parler d'*une ruse de la raison* dans l'histoire comme on parlait jadis des desseins cachés de la Providence, se servant des hommes de l'Ancien Testament et de leurs ambitions terrestres pour préfigurer à leur insu la venue et l'action du Christ. Mais Hegel laïcise cette conception de la Providence. Il dépasse par là toute *vision morale du monde*. Nous blâmons à tort les grandes individualités en les accusant de rechercher seulement leur intérêt personnel, et surtout d'être poussées par l'ambition et l'amour de la gloire. Nous apercevons toujours un intérêt dans leurs actes : « mais celui qui consacre son activité à une chose n'est pas seulement intéressé d'une façon générale, mais il *s'y* intéresse ». L'intérêt est objectif, il est *notre* intérêt (un aspect subjectif qui ne peut manquer) et il est intérêt pour la *chose même*. L'action suppose le dépassement de la dualité réflexive, elle est don et abandon, perte presque complète de soi dans cette chose même, qui finit par être « la chose de tous et de chacun », l'universel concret, et c'est parce que la réflexion subjective est toujours là, virtuelle, que nous pouvons éclairer faussement l'action des grands hommes en les jugeant « du point de vue du valet de chambre ». C'est le jugement de l'envie qui s'efforce toujours de rabaisser l'action des grands hommes à son propre niveau. En fait ceux-ci ont fini par faire ce qu'ils voulaient et vouloir ce qu'ils ont fait; ou du moins le *cours du monde* dans lequel ils ne reconnaissent pas absolument leur projet, est leur volonté devenue objective. « Mais ainsi l'individu a pris congé de soi-même, il grandit pour soi comme universalité et se purifie de la singularité. L'individu qui veut connaître l'universalité seulement dans la forme de son être-pour-soi immédiat ne se reconnaît donc pas dans cette universalité à l'état libre, et toutefois en même temps il appartient à cette universalité, car elle est son opération. »

Hegel a beaucoup insisté sur cette dialectique de l'histoire — une *dialectique du réel* dont il a peut-être eu l'idée en étudiant les économistes et particulièrement Adam Smith. Celui-ci en effet avait bien remarqué que les individus en poursuivant leur intérêt propre, en actualisant leur projet singulier, finissent à leur insu par actualiser un projet total, un intérêt collectif dont le sens est au-delà du sens visé. Mais alors ce sens caché qui apparaît seulement à la fin et que les individus réalisent à leur insu (ruse de la raison), se montre à eux comme leur échec. L'histoire de ce point de vue n'est pas le lieu du bonheur de l'individu, elle est leur destin — non une force brutale de la nature, mais la conscience d'eux-mêmes comme d'un ennemi. C'est ce destin qui est l'idée absolue de l'histoire, et dans cette idée l'individu, comme individu, ne se reconnaît pas, n'actualise pas sa liberté. Le moi individuel doit se trouver en tout ce qu'il projette et fait. Le pieux individu aussi veut être sauvé et bienheureux. Cet extrême qui existe pour soi, à la différence de l'essence absolue, universelle, est un particulier qui veut et connaît la particularité. Il se trouve ainsi placé d'une façon générale au point de vue phénoménal. C'est le lieu des fins particulières en tant que les individus s'établissent dans leur particularité, la remplissent et la réalisent.

C'est aussi le point de vue du bonheur et du malheur. Heureux est celui qui a conformé son existence à son caractère, à son vouloir et à son bon plaisir particulier, jouissant ainsi de lui-même en son existence. *L'histoire universelle n'est pas le lieu de la félicité.* Les périodes de bonheur y sont ses pages blanches.

Ainsi dans l'histoire, l'individu, comme tel, exécute autre chose que ce qu'il croyait vouloir, et toutefois ce qu'il réalise effectivement ne lui est pas absolument étranger. Le bien, qui n'est pas un idéal vide, est dans cette médiation concrète, dans cette réalisation qui transcende la pure conscience individuelle et ses projets finis. « Car quelque chose d'aussi vide que le bien pour le bien n'a d'une façon générale pas sa place dans la vivante réalité. » Certes la moyenne des hommes n'a qu'à se laisser porter par le flot, elle n'a qu'à suivre une objectivité déjà donnée, mais les individualités historiques sont aussi bien des criminels, parce qu'ils brisent cette objectivité, que des héros parce qu'ils ouvrent une objectivité nouvelle : « Les grands hommes de l'histoire sont ceux dont les fins particulières renferment le facteur substantiel qui est la volonté du génie universel. On doit les nommer des héros en tant qu'ils ont puisé leur fin et leurs vocations, non seulement dans le cours des événements, tranquille, ordonné, consacré par le système en vigueur, mais à une source dont le contenu est caché et n'est pas encore parvenu à l'existence actuelle, dans l'esprit intérieur, encore souterrain, qui frappe contre le monde extérieur, comme à un noyau et le brise parce qu'il n'est pas l'amande qui convient à ce noyau. Ils semblent donc puiser en eux-mêmes, et leurs actions ont produit une situation et des conditions mondiales qui paraissent être uniquement leur affaire et leur œuvre. De tels individus n'avaient pas, en ce qui concerne leurs fins, conscience en général de l'Idée, mais ils étaient des hommes pratiques et politiques. C'étaient aussi des gens qui pensaient et qui savaient « ce qui est nécessaire et ce dont le moment est venu ». »

On ne peut contester la puissante description que Hegel donne ici de l'histoire en général, et de son incessant mouvement. La ruse de la raison opère parce que l'idée absolue se manifeste dans l'histoire, mais *cette Idée est-elle l'humanité ?* Nous avons vu que l'histoire était au-delà des projets singuliers du bonheur individuel. Est-elle cependant l'œuvre de l'homme et une œuvre dans laquelle il doit enfin se reconnaître et se diviniser, ou n'est-elle que le lieu de l'apparition de l'Idée, une idée qui, elle-même ne serait plus historique, et passerait seulement nécessairement par l'homme ?

On sait les critiques de Feuerbach, puis de Marx, à l'égard de Hegel. L'esprit absolu, dit le premier, c'est l'homme et l'homme seul ; c'est l'humanité historique réalisant nécessairement son projet fondamental à travers les méandres de la dialectique historique du réel, démontre le second. Mais Hegel a toujours senti que l'humanité réduite à elle seule, se prenant elle-même pour fin, était sa propre perte. Ce qu'elle porte, et qui n'est pourtant que par elle, est le *Logos* même de l'être, et non l'humanité-Dieu.

Cependant on aperçoit que la transition qui conduit de Hegel à Marx, c'est la *divinisation de l'Etat*, et il faut signaler ici la profonde influence de Rousseau sur Hegel. Adam Smith avait peut-être inspiré la dialectique du réel, Rousseau inspire le thème de l'Etat comme incarnation de la volonté universelle, donc comme idée réalisée dans l'histoire et susceptible d'être voulue comme telle. A côté de la société bourgeoise, qui est la société des hommes privés incapables de vouloir directement l'universel, Hegel place l'Etat dans lequel le citoyen veut directement l'universel. L'Etat serait donc la liberté réalisée dans l'histoire, cette communauté qui serait, en transcendant la société bourgeoise, l'œuvre humaine absolue. « La volonté subjective a aussi une vie substantielle, une réalité où elle se meut dans l'essentiel, ayant l'essentiel même comme fin de son existence. Cet essentiel est l'union des volontés subjective et rationnelle, c'est le Tout moral, l'Etat qui est la réalité où l'individu possède sa liberté et en jouit, en tant que savoir, foi et savoir universel. » L'Etat, ainsi divinisé, n'est plus un moyen au service du bonheur des individus discrets, mais il est leur universalité réalisée, il est comme le *langage*, l'unité de l'universel et du singulier, la *conscience de soi universelle*.

On voit comment il sera possible, en partant de cette conscience de soi universelle se réalisant dans l'histoire, de diviniser l'humanité réconciliée avec son destin. Marx, il est vrai, concevra un au-delà de l'Etat, mais seulement parce que l'Etat aura d'abord effectué la réconciliation, et que l'apparence de contrainte ne sera plus nécessaire. L'œuvre absolue ne sera pas liée à *l'historicité ;* elle sera *l'histoire* même ; la raison absolue sera ruse tant que l'histoire existera et que la communauté ne pourra plus être voulue directement comme telle, mais elle deviendra l'humanité, la liberté véritable, quand l'individu aura cessé de vouloir médiatement son idée. L'absolu n'est plus alors immanent à l'histoire, comme à la nature, il est proprement historique, il est ce qui se fera par l'histoire. Mais alors, dans ce cas, la métaphysique tout entière se confond avec l'anthropologie. L'absolu, la conscience de soi universelle de l'Etre, se confond avec le projet fondamental de l'homme *en tant qu'homme*.

Non seulement Hegel n'est pas allé jusque-là, mais il a même dit le contraire. Nature et histoire ne sont pour lui que des moments subordonnés au *Logos*, au langage de l'Etre. Ce qui apparaît à travers l'homme, ou plutôt dans la conscience de soi universelle, dont l'homme est seulement le porteur, c'est le discours ontologique, le savoir absolu de l'être, et *ce savoir n'est pas l'homme*, bien qu'il n'existe pas ailleurs que dans le langage humain et possède ainsi incontestablement une historicité.

Hegel écrit la *Phénoménologie* pour introduire le *Savoir absolu*. La conscience phénoménale, ou anthropologique, ne comprend pas le Savoir absolu, mais le Savoir absolu se *comprend lui-même et son Autre*, il sait que « la philosophie doit s'aliéner » et se présenter comme nature et comme esprit fini, comme humanité dans l'histoire. La conscience de soi universelle que prépare la *Phénoménologie* n'est pas nécessairement la conscience de l'humanité historique, du projet humain comme tel. Sans doute les catégories de l'absolu se dévoilent aussi dans l'errance de l'histoire, mais le discours lié de ces catégories, la logique hégélienne, le *Logos* de l'Absolu n'est pas l'histoire. L'histoire, comme la nature, n'est pas en dehors de l'Absolu, elle en est aussi une révélation, mais l'histoire est encore esprit fini (esprit objectif) et l'erreur serait de croire que parce que l'idée absolue se manifeste dans l'histoire, l'absolu serait historique, une fin de l'histoire. Il ne semble pas que Hegel ait vraiment commis cette erreur.

Dès lors la situation de l'homme est toute différente dans cette perspective de ce qu'elle était dans la perspective de la seule philosophie de l'histoire. L'homme est conscience et conscience de soi universelle (il ne faut pas inverser cette proposition et traduire la conscience de soi universelle par l'homme). La manifestation de cette conscience de soi universelle, ce n'est plus l'Etat, mais le langage authentique, qui est la *demeure de l'Etre*. Ce n'est pas l'homme qui interprète l'Etre, c'est l'Etre qui se dit en l'homme, et ce dévoilement de l'Etre, cette logique absolue — substituée à une métaphysique (qui serait plus ou moins théologie) passe par l'homme. L'homme est à la fois un être naturel et la conscience de soi universelle de l'Etre. L'homme n'est pas l'Absolu ou la fin suprême, il est un carrefour, il n'existe authentiquement qu'en tant que par lui l'Etre se comprend et se manifeste. Le *Logos* n'est pas l'homme, il le dépasse infiniment, mais l'homme, dans l'enceinte fluctuante de l'esprit fini, est l'existant par le moyen duquel seul le *Logos* est là.

Qu'en est-il alors de l'homme, et quels rapports existent entre l'anthropologie et l'ontologie ? Que devient l'histoire dans la perspective du savoir absolu ? Ce sont là les questions fondamentales qui se posent quand on se refuse à suivre la première direction de l'hégélianisme, celle qui aboutit à l'humanisme marxiste, ou même à l'humanisme sartrien. L'ontologie de Heidegger pourrait peut-être contribuer à éclairer cette deuxième direction possible de l'hégélianisme.

7

ESSAI SUR LA « LOGIQUE » DE HEGEL *

I. — Idée générale de la logique hégélienne

« J'appelle art, écrit A. Malraux, l'expression de rapports inconnus et convaincants entre les êtres ou entre les êtres et les choses. » Tout se passe comme s'il existait une expérience vécue immédiate qu'il s'agirait d'exprimer, cette expression étant tout à la fois une découverte au sens étymologique du terme et une invention, puisque l'expression n'en a pas encore été formulée. L'expression la plus générale, la seule qui mérite vraiment ce nom parce que toutes les autres se réfèrent plus ou moins à elle, c'est le langage humain qui devient alors le *Logos* de l'expérience vécue, le *Logos* même de l'Etre, sa révélation universelle, pourrait-on dire. Dire l'Etre, cela paraît la tâche même de l'homme, la signification propre de la conscience qui devient ainsi la conscience de soi universelle de l'Etre. C'est cette conscience de soi universelle de l'Etre, ce dit de l'Etre, qui définit exactement la *Logique* hégélienne ; elle est au sens propre du terme le poème rigoureux de l'Etre, se dévoilant par et à travers l'homme, la manifestation de la conscience de soi universelle dans la conscience de soi singulière du philosophe, l'idée qui apparaît dans le jugement humain et n'en est pas seulement le produit plus ou moins arbitraire, ou subjectif, comme on dit.

* Extrait de la *Revue internationale de Philosophie*, n° 19, 1952.

Une pareille définition de la Philosophie, comme Logique, apparaît paradoxale et soulève aussitôt qu'on la formule une série de critiques diverses. Hegel avait tellement conscience du paradoxe de ce savoir absolu, dans lequel l'Etre immédiatement se pense et dans lequel la pensée est immédiatement Etre, qu'il a éprouvé le besoin d'écrire une introduction considérable à cette Logique sous le nom de *Phénoménologie de l'esprit*. La *Phénoménologie de l'esprit* répond à cette conviction de la conscience réfléchie que « l'être est un autre qu'elle », et que sa certitude subjective est distincte de la vérité objective qu'elle vise à atteindre.

On se débarrasse difficilement de la représentation de la connaissance comme d'un *milieu* à travers lequel la vérité nous parvient ou comme d'un *instrument* à l'aide duquel nous nous en emparons (1). Mais instrument et milieu nous séparent toujours de l'Absolu ou de l'Etre que nous voulons penser, de sorte que la conséquence de cette représentation est inévitablement un scepticisme intégral, ou une philosophie critique qui distingue une vérité objective relative à l'entendement humain et un en-soi absolu inaccessible qui ne peut être que l'objet d'une foi, la position d'une transcendance radicale. La philosophie hégélienne est le refus de toute transcendance, l'essai d'une philosophie rigoureuse qui prétend rester dans l'immanence et n'en pas sortir. Il n'y a pas d'autre monde, il n'y a pas de chose en soi, il n'y a pas de transcendance, et pourtant la pensée humaine finie n'est pas condamnée à rester prisonnière de sa finitude, elle se dépasse elle-même, et ce qu'elle révèle ou manifeste c'est l'Etre même. Ce n'est pas alors l'homme qui dit plus ou moins exactement l'Etre, c'est l'Etre qui en l'homme se dit et s'exprime. La Philosophie, comme savoir absolu, est cette expression même, et la philosophie de la philosophie n'est que la prise de conscience de cette fonction de la philosophie de dire l'Etre. Dans la *Phénoménologie de l'esprit*, Hegel

---

(1) Cf. *Introduction à la Phénoménologie*, trad. franç., Aubier, t. I, p. 67.

part de la conscience naïve qui distingue dès le départ le subjectif et l'objectif, la certitude et la vérité, mais sur le fond d'une identité primordiale. Cette distinction présuppose une unité originaire, une expérience neutre qui n'est encore ni celle d'un sujet, ni celle d'un objet, mais la conscience n'est conscience que dans la mesure où elle effectue cette distinction, où elle réfléchit cette expérience immédiate selon le schéma sujet-objet, certitude-vérité. La *Phénoménologie* décrit l'itinéraire de la conscience finie, c'est-à-dire de la conscience humaine, pour dépasser cette différence dont elle est partie, et qui est la source de son devenir et comme l'âme de son mouvement. En tant que conscience finie et singulière j'éprouve l'Etre, je le vis, je le pose comme une vérité à atteindre, et je tente de le connaître, c'est-à-dire de formuler d'une façon exacte ce qui s'est donné à moi immédiatement. Mais cette exactitude implique le sens ou le fondement d'une pareille conformité.

Quel rapport possible entre ce concept qui est une parole sur l'Etre, et l'Etre même tel qu'il se donne à moi ? Certitude subjective et vérité objective s'opposent, l'une est le concept (lié au langage), l'autre est l'objet, ou plutôt il est indifférent, comme le remarque Hegel, de nommer l'un ou l'autre objet ou concept, l'essentiel étant cette mesure de l'un par l'autre, qui constitue toute l'expérience humaine en tant que devenir, en tant que chutes et progrès au cours desquels ce qui était d'abord posé comme Absolu indépendant de moi apparaît comme relatif et provisoire ; la distinction se reproduit toujours jusqu'au moment où la conscience se dépasse elle-même en rejoignant son point de départ, et découvre (et ceci est une découverte historique, celle même du savoir absolu) que l'objet est lui-même concept et le concept objet, ou que l'Etre est lui-même Sens comme le Sens est Etre. C'est à ce moment que la Logique hégélienne devient possible, au moment d'une prise de conscience par l'humanité que la distinction certitude-vérité, sujet-objet, est une distinction qui se justifie à partir d'une indistinction plus profonde, celle du savoir le plus naïf qui présuppose l'identité originaire, ou celle du savoir le plus haut, le savoir absolu qui étant la distinction dépassée rejoint ou justifie le point de départ. L'Etre se pense et se dit, ce qui signifie que lui-même se pense et se dit en l'homme qui en est l'interprète, mais l'homme ne se sait ainsi l'interprète de l'Etre que quand il a dépassé dans son histoire (une histoire effective) les phases de l'*aliénation* de la conscience. La conscience finie en effet pose (et tel est le sens de la *Phénoménologie*) une vérité absolue qui lui serait transcendante, elle pose l'interprétation de l'Etre, comme antérieure à l'Etre même, comme un entendement divin, dont l'entendement humain ne serait qu'une chute ; dès lors la *certitude* est toujours en deçà d'une *vérité* qui est un au-delà ; et cette vérité pour fonder cette certitude est bien aussi concept, *Logos*, mais c'est un *Logos* divin, transcendant, qui en tant que tel échappe toujours aussitôt qu'on veut le saisir. La conscience finie, qui croit saisir la vérité dans son expérience vécue, la voit toujours reculer, ou retomber sur elle-même, sur une vérité pour elle et non en soi; elle est donc fondamentalement *conscience malheureuse* qui projette en un Dieu transcendant et toujours lointain l'identité fondamentale de la certitude et de la vérité, du concept et de l'Etre. La *Phénoménologie de l'esprit* qui, comme son nom l'indique, ne considère que l'aspect phénoménal de la conscience, décrit le dépassement historique de cette conscience malheureuse. L'homme a pris conscience que le Dieu lointain et transcendant est effectivement mort. Il y a une histoire de l'esprit en ce sens que la conscience humaine surmonte son aliénation, et comprend le sens de cette séparation qui fait que la conscience se pose en face de cet Etre immédiat pour le révéler et le dire. Au commencement comme au terme de cette histoire on retrouve toujours l'*identité dans l'*immédiat *de l'Etre et du Sens*. La conscience naïve est l'Etre même dont elle commence à se distinguer pour le dire, la conscience de soi universelle, le savoir absolu, est l'Etre même qui se dit, qui se signifie, parce que cette réflexion qui apparaît dans la conscience comme dualité sujet-objet apparaît dans l'Etre même comme une réflexion interne, une réflexion de l'Etre en soi-même, de l'Etre qui s'apparaît et se fait Sens, se comprend lui-même en se faisant. C'est pourquoi la *Phénoménologie de l'esprit* et la *Logique* hégélienne sont l'une et l'autre le Tout de la philosophie, mais sous deux aspects différents. Dans la première Hegel suit l'expérience humaine en tant que cette expérience se meut dans une relativité propre, et pour ainsi dire dans la dimension de la subjectivité. Il y a un immédiat, une unité première, originaire; elle se brise parce que « cette égalité est dans sa différence la certitude *de* l'immédiat, ou la conscience sensible, le commencement dont nous sommes partis » (1). Mais c'est la prise de conscience de cette égalité à travers la différence réflexive de l'expérience qui est le terme de la *Phénoménologie*. Alors ce qui était seulement visé par la conscience sensible est maintenant atteint. Cette immense richesse qui se donnait immédiatement est maintenant révélée, dite; ces rapports inconnus et convaincants ou ces essences de l'expérience sont découverts; ils sont *apparus* au cours même de l'expérience humaine; mais ils sont apparus comme subjectifs, comme des moments particuliers, sans qu'on ait pu voir leurs relations à la totalité de l'Etre; ils sont apparus dans une *Phénoménologie*, c'est-à-dire comme des phénomènes coupés plus ou moins de l'Etre. Sans doute la conscience qui les a découverts les a d'abord pris comme absolus, mais elle les a ensuite relativisés, elle les a dépassés, et n'a pas vu la vérité qui habitait en eux. Elle ne l'a pas vue parce que le caractère particulier de la *Phénoménologie* — qui correspond à une sorte de philosophie critique — est précisément cette distinction d'un en-soi et d'un pour-nous, d'un objectif absolu et d'un subjectif, et que cette distinction relativise nécessairement toute expérience. Mais en même temps que ces rapports se révélaient, la conscience humaine dépassait cette distinction qui culmine dans la distinction d'un Dieu trans-

---

(1) *Phénoménologie : Le Savoir absolu*, t. II, p. 311.

cendant et d'une conscience finie toujours en deçà de lui ; elle découvrait que cette transcendance n'était pas autre chose que l'identité originaire, l'immédiat premier; elle repense donc à la deuxième puissance cet immédiat premier qui devient le savoir absolu dans la conscience, l'identité maintenant posée de la certitude et de la vérité, du Sens et de l'Etre. Il y a ainsi un cercle — et ce cercle est essentiel dans la philosophie hégélienne qui est une philosophie de l'immanence intégrale —, la fin atteinte, le savoir absolu, justifie le point de départ, l'identité originaire, à travers la médiation de la réflexion consciencielle; mais cette réflexion n'était pas inutile, elle est même essentielle, car elle montre que cet immédiat qui n'était que *visé*, proposé à la réflexion, comportait en lui-même réflexion, interprétation de soi, médiation. Dès lors le savoir absolu ne sera plus la *réflexion de la conscience*, mais la *réflexion de l'immédiat lui-même*, son interprétation interne, sa médiation à travers la pensée humaine (l'Etre qui est réflexion de soi) (1), le sens ne sera plus sens subjectif opposé à Etre objectif, mais sens même de l'Etre, et si l'on peut encore parler de subjectivité, ce sera comme d'une subjectivité qui est l'Etre même, ce que veut dire Hegel lorsqu'il dit que toute sa philosophie se résume en cette phrase : « L'Absolu est sujet et non pas substance. »

Ces formules sont difficiles, on peut essayer de présenter les choses d'une façon plus simple sans respecter la rigueur des concepts hégéliens. Hegel a présenté dans la *Phénoménologie* à la fois une découverte (et une invention par l'expression) de ce que nous nommons aujourd'hui, au sens husserlien, des *essences*, et un itinéraire de l'homme pour dépasser la relativité propre de sa connaissance, relativité qui renvoie soit à une substance ineffable, soit à un Dieu transcendant. En restant dans la *Phénoménologie*, on étudie ces dévoilements d'essences, but des artistes et des philosophes, mais on

_____

(1) *Phénoménologie*, t. Ier, p. 33.

distingue ces essences de l'Etre même, elles restent des interprétations humaines plus ou moins subjectives, plus ou moins reconnues, on ne les fonde pas ontologiquement, on ne montre pas leur nécessité intrinsèque. La conséquence d'une *Phénoménologie* qui se refuse à devenir *savoir absolu*, logique hégélienne, est une sorte de philosophie de la culture qui certes fait l'inventaire de toute la richesse de l'expérience et des modes d'expression de cette expérience, mais ne dépasse pas l'humanisme, c'est-à-dire l'interprétation de l'Etre par l'homme. Dès lors le fantôme de la chose en soi surgit toujours et renvoie l'humanisme à une foi au-delà de tout savoir. C'est ce qu'a précisément essayé de montrer Hegel dans son grand article d'Iéna sur *Foi et Savoir*. Humanisme ou foi en une transcendance inaccessible : c'est entre ces deux termes, allant de l'un à l'autre, qu'oscille le plus souvent la pensée contemporaine. Elle reste une philosophie de la conscience, elle élargit considérablement l'entreprise hégélienne de la *Phénoménologie* ; elle veut décrire, à travers toutes les expériences vécues par des consciences singulières, des essences qui structurent toute l'expérience humaine et qui, en tant qu'elles sont dites, traduisent dans le milieu du *Logos*, le singulier dans l'universel, mais cette transposition du vécu singulier dans l'universel doit montrer sa propre possibilité, et ces essences doivent se montrer aussi bien essences de l'Etre sous peine de subir une subjectivisation radicale. C'est pourquoi cette philosophie phénoménologique finit par renoncer à la philosophie même — en tant que science rigoureuse —, elle devient une anthropologie, un humanisme, ou comme on voudra dire, mais non une philosophie véritable, peut-être même pourrait-on parler d'une chute de la philosophie dans la littérature, avec cette remarque que la littérature elle-même s'élève à la découverte de ces rapports inconnus et convaincants, et aspire à la philosophie qu'elle ne peut pas être absolument. La philosophie de la conscience aboutit toujours à cette subjectivisation, même quand elle a recours à la notion d'un moi transcendantal. C'est ce qu'a voulu dire un philosophe contemporain lorsqu'il a écrit : « Le progrès est matériel ou entre essences singulières, son moteur, l'exigence de dépassement de chacune d'elles. Ce n'est pas une philosophie de la conscience, mais une philosophie du concept qui peut donner une doctrine de la science. La nécessité génératrice n'est pas celle d'une activité, mais d'une dialectique. » Aussi bien la phénoménologie hégélienne ne se propose-t-elle pas de rester phénoménologie, mais de se dépasser, d'aboutir à une genèse idéale de ces essences dévoilées à travers l'expérience — et parfois dans la contingence de l'histoire — et de montrer que ces essences s'enchaînent par une nécessité dialectique à partir d'une identité absolue de l'Etre et de la pensée, Etre qui se montre comme susceptible de se penser, de se comprendre. Ce *Logos* de l'Etre, c'est l'Etre même qui se pense. Et ce savoir absolu, cette logique ontologique, s'achève à son tour par une justification de la phénoménologie; elle montre en effet que l'Absolu est sujet, donc se pense, se signifie et que sous sa plus haute forme cette signification est dans son apparence la conscience humaine elle-même. L'essentiel est de bien retenir ce parallélisme de la phénoménologie et de la logique. Ce sont les mêmes essences qui ici sont dévoilées à travers l'expérience humaine (et il n'y a rien qui ne soit dans l'expérience humaine), là se manifestent comme la pensée de l'Etre même, une conscience de soi universelle qui dit le sens absolu de l'Etre et en est la révélation. « A chaque moment abstrait de la science correspond une figure de l'esprit phénoménal en général. Comme l'esprit étant là n'est pas plus riche que la science, ainsi encore dans son contenu il n'est pas plus pauvre » (1). La logique hégélienne sera donc bien la dialectique de ces essences dévoilées à travers l'expérience, leur justification comme l'Etre se pensant absolument à travers la conscience humaine. Ce n'est pas l'homme qui fait la philosophie, mais à travers l'homme la philosophie se fait et la philoso-

(1) *Phénoménologie*, II, pp. 310-311.

phie de la philosophie est la prise de conscience d'une pareille genèse idéale, un essai pour constituer la métaphysique comme une Logique de la philosophie.

II. — Schéma général de la logique hégélienne

La logique de Hegel est donc, selon l'expression de B. Croce, une logique de la philosophie. Pour Hegel la pensée n'est jamais formelle. Elle est toujours pensée de l'Etre, pensée de la « chose même »; il ne s'agit donc pas de formuler les lois générales de la pensée analytique, en excluant tout contenu ou tout sens. Bien au contraire le concept, le jugement, le raisonnement sont considérés dans leur sens et non dans leur mécanisme formel. C'est le sens de la forme qui importe, et ce sens c'est le contenu de la pensée qui n'est autre que l'Absolu. La logique de Hegel, comme la logique de la philosophie, est l'expression même de l'Etre absolu, l'Etre absolu en tant qu'il est susceptible d'être dit, en tant qu'il se dit, et il se dit dans les diverses philosophies qui se sont succédé dans l'histoire humaine. Chacune d'entre elles a exprimé l'Absolu sous un point de vue comme la monade leibnizienne exprimait à sa façon tout l'univers. Dans une œuvre de la période d'Iéna, Hegel écrivait à propos des grands systèmes de philosophie : « Toute philosophie est parfaite en soi-même et renferme, comme une authentique œuvre d'art, la totalité en soi » (1). Dans chacune d'entre elles l'Absolu s'est pensé et s'est exprimé. La comparaison avec l'œuvre d'art évoque l'influence de Schelling à cette époque, mais dans ses leçons d'esthétique Hegel montrera combien la poésie — dans le sens le plus général du terme — est déjà proche de la philosophie en tant qu'elle se sert du langage qui est l'existence de la conscience de soi universelle, qui permet de traduire dans le milieu de l'universel les

---

(1) *Etude sur la différence des systèmes de Fichte et de Schelling.*

nœuds ou les particularités des expériences singulières. C'est le langage qui est l'être-là de l'universel, la manifestation de l'unité existante du singulier et de l'universel. Dans le langage s'énoncent à la fois la chose dont on parle et le Moi qui parle ; le langage est cette voix « qui se connaît, quand elle sonne, n'être plus la voix de personne ».

La *Logique* de Hegel développe la découverte kantienne de la *Logique transcendantale* qui identifiait les conditions des objets de l'expérience aux conditions mêmes de la pensée de l'expérience. Mais tandis que Kant refusait de faire de cette logique transcendantale une logique de la philosophie, et laissait subsister le fantôme de la chose en soi au-delà de l'expérience possible, Hegel pousse à son terme la conception kantienne de l'identité de la nature et de la pensée de la nature, il saisit les catégories non plus seulement schématisées, et comme conception des phénomènes, mais comme expressions de l'Absolu. Il n'y a rien au-delà de ces catégories dans lesquelles l'Absolu s'exprime à la fois comme chose et pensée de la chose. Chaque catégorie est un *moment particulier de cette identité première*, elle s'est approfondie et développée dans un certain système de philosophie, mais sa réfutation vient de son insuffisance, de la particularité ou de la partialité de son point de vue. Cette partialité rendait possible une histoire, au sens strict du terme. Chaque catégorie est le Tout, l'Absolu, mais son expression est particulière et insuffisante, et pourtant cette expression est nécessaire, si on la considère comme une phase dans un développement. Il y a donc un certain parallélisme entre la *genèse réelle* dans l'histoire des philosophies, et la *genèse idéale* des catégories dans la logique hégélienne. Ce parallélisme n'est pas parfait. L'histoire est soumise à des vicissitudes temporelles, à des conditions particulières. Tant qu'il y a sens non explicité — ou aliéné (1) — il peut, il doit même peut-être y

(1) Cf. l'aliénation du savoir, non seulement dans la conscience, mais encore dans la nature et l'histoire, *Phénoménologie*, II, p. 311, et cette remarque d'un fragment antérieur sur le savoir absolu : « La philosophie doit s'aliéner. »

avoir contresens. La tentative hégélienne de reprendre les catégories, d'en faire une recollection, puis de montrer leur enchaînement interne, fait penser à la tentative d'un mathématicien qui s'efforcerait de repenser systématiquement les diverses notions mathématiques apparues au cours de l'histoire. Mais la comparaison est malheureuse parce que la mathématique peut faire abstraction de l'enchaînement vivant des notions, tandis que la logique de la philosophie sans être astreinte à la genèse réelle, qui a permis aux catégories de l'Absolu *d'apparaître* dans l'expérience humaine, doit présenter une genèse idéale, montrer la dialectique qui lie les catégories les unes aux autres par l'insuffisance de chacune d'entre elles et l'exigence de dépassement qui est le moteur interne de leur mouvement. La logique hégélienne, comme logique de la philosophie, présuppose ces systèmes de philosophie auxquels Hegel fait sans cesse allusion dans les remarques et les addenda de sa *Logique* (1), mais elle s'efforce aussi de substituer à l'histoire effective une genèse idéale qui manifeste le lien interne de toutes les catégories; elles ne sont plus alors envisagées comme des moments historiques, mais comme des moments du *Logos*, d'une pensée de l'Etre à la fois intuitive, puisqu'elle est toujours pensée immédiatement totale, pensée de l'Etre aussi bien que d'elle-même, et discursive puisqu'elle présente médiatement cette pensée totale dans chacun de ses aspects, s'arrête à chacun d'entre eux, paraît s'y fixer, et en l'approfondissant comme s'il était seul, découvre ce qui lui manque et exige son dépassement. « Il n'y a pas en réalité distinction d'essence entre les anneaux durcis qui semblent marquer les termes et le mouvement qui les traverse. » Tout se passe comme si la seule et unique catégorie, celle de l'Absolu, se spécifiait et se développait elle-même jusqu'à épuiser sa propre richesse; c'est toujours la même catégorie, la même pensée absolue de l'Etre qui se développe et se détermine jusqu'au moment

---

(1) Il s'agit de la *Wissenschaft der Logik.*

où elle peut justifier son point de départ. Cette pensée est en effet nécessairement circulaire; elle se prouve elle-même en se développant, et cette preuve, cette dialectique, loin d'être un instrument étranger à l'être prouvé en est au contraire une partie intégrante. La preuve n'est pas en dehors de la chose, ici l'Absolu, elle en est le mouvement, elle n'appartient pas à une connaissance qui serait étrangère à son objet; c'est l'Absolu lui-même qui se pose comme tel, et il n'est absolu que dans et par cette position de soi, c'est-à-dire qu'il est à la fin seulement ce qu'il prétend être au commencement. Il n'est que dans sa position. « De l'Absolu il faut dire qu'il est essentiellement résultat. » On comprend alors le mouvement de la logique hégélienne qui part de l'Etre, et s'élève au concept, au sens, mais par là même pose ce sens comme Etre et rejoint son point de départ pour inaugurer peut-être une nouvelle phase. La forme circulaire de cette logique s'énoncerait ainsi : « *L'Etre est Sens et le Sens est Etre.* » L'immédiat dont on part, l'Etre en soi qui serait origine absolue et lui-même sans origine, est, tel qu'il se développe et se présente dans sa propre expression, sens, mais ce sens à son tour se fait Etre, redevient immédiat, s'enlise comme le passé de ce qui fut un avenir. Il est remarquable de voir comment dans ses travaux de jeunesse, Hegel, avec les idées de positivité et de destin, a énoncé concrètement ce que sa *Logique* développe avec une telle universalité. L'idée absolue qui termine la *Logique*, l'identité de l'Etre et du Sens, reconduit à l'immédiat primitif, mais, sous cette seconde forme, cet immédiat se présente comme nature. L'idée absolue comme existant immédiatement c'est la nature, de sorte qu'il y a identité *immédiate* entre la nature et le *Logos*, mais cette identité *posée*, devenue pour soi, c'est l'esprit dans lequel la nature à nouveau se pense comme *Logos*.

Reprenons cependant cette *identité du Sens et de l'Etre*, dont la démonstration est la logique même. Le moment intermédiaire entre les catégories de l'Etre et celles du concept et du sens, c'est le moment de l'essence; comprendre la logique hégélienne, c'est saisir ce développement des catégories sous ces trois aspects fondamentaux : la logique de l'Etre ou de l'Immédiat, la logique de l'Essence ou de la Réflexion, la logique du concept ou du Sens. La première est le présent éternel de l'Etre, la deuxième l'éternel passé de l'Etre : « *Wesen ist was gewesen ist.* » La troisième son éternel avenir qui se fait toujours présent ; ainsi la temporalité est l'éternité même du concept, ce sens, cette subjectivité de l'Etre qui se confond avec lui et se perd en lui. L'Etre, et ainsi en est-il de la nature, est un sens perdu, mais ce sens n'existe que comme Etre; il n'est pas un devoir être, un *sollen* qui exprimerait un faux infini de l'avenir, comme l'idée d'origine, d'immédiateté absolue, exprime un faux infini dans le passé. Si l'Absolu est sujet, cela signifie qu'il est l'identité concrète de l'immédiat et de la médiation, de l'intuition et du discours. La médiation ne doit pas être conçue comme un intermédiaire, mais comme la totalité concrète. Dans la *Phénoménologie*, Hegel énonce à propos de la religion chrétienne ce perpétuel renvoi du Sens à l'Etre, comme leur réciprocité. Le christianisme est toujours tenté de remonter à l'origine absolue, de retrouver les paroles authentiques de l'homme-dieu, et sans cesse les écoles et les églises ont essayé de se purifier en retrouvant cette origine : « A la base de ce retour en arrière se trouve certes l'instinct d'aller jusqu'au concept, mais il confond l'origine, comme l'être-là immédiat de la première manifestation, avec la simplicité du concept » (1). Cette confusion est constante, la recherche de l'origine, de l'immédiat, hante toujours notre esprit, mais l'inverse est également vrai, nous sommes hantés aussi par un sens qui ne serait qu'un avenir lointain, et qui s'opposerait radicalement à l'immédiateté de l'Etre. Entre les deux, la pensée qui sépare l'apparence, ou l'existence, de l'essence, de ses conditions d'intelligibilité, aboutit à concevoir deux mondes

(1) *Phénoménologie*, II, p. 271.

dont l'un serait la raison d'être de l'autre. La conscience qui se
représente le sensible traduit cette médiation essentielle à l'Absolu
sous une forme qui lui est appropriée; elle se sert du temps et de
l'espace pour présenter d'une façon sensible la médiation même :
« Mais passé et éloignement sont seulement la forme imparfaite
selon laquelle le mode immédiat reçoit la médiation ou est posé
universellement » (1).

Le *Logos* de l'Etre dit donc d'abord l'immédiateté de l'Etre
et développe les catégories qui expriment cette immédiateté et soutiennent toute description du sensible. La médiation est nécessairement là, mais elle est là comme devenir pur, Protée aux mille formes.
Certes la pensée est toujours totale, pensée intégrale de l'Etre, pensée
intuitive, mais elle ne s'exprime que d'une façon abstraite; elle fait
abstraction elle-même de sa propre richesse, de son propre développement, elle se pose donc d'abord comme Etre et Néant, ou
comme passage perpétuel de l'un à l'autre, un *passage* qui inclut la
contradiction. L'Etre n'est pas puisqu'il devient, est toujours anéantissement, et toujours il est puisque le devenir ne cesse pas. La pensée
concrète est ici l'instabilité de la médiation qui va d'un terme à
l'autre, sans jamais parvenir à les penser effectivement l'un par l'autre,
ou l'un dans l'autre. Les catégories de qualité et de quantité expriment
cette immédiateté de l'Etre et son instabilité. L'un des termes disparaît quand l'autre apparaît, la médiation comme devenir est à la
fois cette séparation et ce lien des termes qui se fuient et s'exigent
l'un l'autre. La contradiction est présente dans cette immédiateté
sous sa forme la plus aiguë. On sait que Hegel retrouve quelques
grands moments de l'histoire de la philosophie à propos de ces
catégories, Parménide et Héraclite, mais aussi les atomistes, et avec
la catégorie de mesure, unité concrète de l'être qualitatif et de l'être
quantitatif, il prétend exprimer l'idée la plus profonde de la pensée

---

(1) *Phénoménologie*, II, p. 270.

hellénique, qui sert de transition aux catégories de l'essence (Platon).
Les catégories de l'essence manifestent non plus l'opposition
immédiate de l'Etre et du Néant, mais la *réflexion* même de l'Etre qui
a intégré à soi le Néant. La médiation n'est plus ici immédiate comme
devenir, mais elle est la réflexion d'un terme dans un autre. Très
brièvement on peut dire que la contradiction est ici celle de l'essence
intelligible et de l'apparence. L'Etre ne passe plus dans le Néant, il
apparaît (non pas seulement à une conscience, le mot latin *videtur*
a le double sens d'être vu et d'apparaître), mais à lui-même, il se
dédouble, et l'apparence est aussi essentielle à l'essence, que l'essence
à l'apparence, de sorte que ces deux mondes à la fois s'exigent et
se contredisent, ils se réfléchissent l'un dans l'autre. Cette distinction
posée est ce qui justifie logiquement l'être-là d'une histoire. Des
philosophes comme Spinoza et Leibniz sont précisément allés jusqu'aux conditions les plus profondes de l'intelligibilité de ce qui
se manifeste, mais il doit y avoir identité entre cette intelligibilité et
cette manifestation, entre la substance et ses modes. De même que
dans la *Phénoménologie* l'homme aliène sa propre conscience de soi
et en fait un Dieu à partir duquel il s'explique lui-même, de même
l'Etre s'aliène à soi-même (se réfléchit), pose l'Absolu au-delà de la
manifestation, du phénomène. Cette pensée de l'Etre devient un
autre Etre, l'essence, dans lequel se réalise l'intelligibilité de l'Etre,
distincte du phénomène, mais tout le mouvement de la catégorie
de l'essence est de surmonter cette dualité, d'identifier complètement l'essence et l'apparence; alors l'apparence est intégralement
son intelligibilité, elle est ce que Hegel nomme la réalité effective,
la réalité qui se fait, où la nécessité n'est pas distincte de la contingence apparente, la réalité qui est la réalité comprise, dont le développement est cette compréhension même. Hegel montre que la
réalité n'est pas la manifestation d'un Absolu qui serait distinct
d'elle, mais la manifestation ne manifeste qu'elle-même, elle est à
elle-même et pour elle-même ce qu'elle manifeste. Dans la réalité

effective il n'y a pas un contenu absolu dont la forme serait la manifestation, mais la forme même est le contenu : « L'Absolu en tant que ce mouvement d'explication qui se supporte lui-même, comme mode qui est son absolue identité avec soi-même, est manifestation non d'un intérieur, non contre un quelque chose d'autre, mais manifestation absolue, manifestation en soi et pour soi. Il est de ce fait réalité effective. » Concrètement la pensée naïve, qui s'en tient à l'immédiat, s'est élevée jusqu'aux sources intelligibles de ce qui lui apparaît, elle s'est réfléchie, mais elle redevient naïve, à la deuxième puissance, si l'on peut ainsi dire; c'est dans cette réalité que la nécessité réfléchie se montre immédiatement; l'essence n'est plus condition, mais devient le sens de la réalité, ce sens c'est cette réalité en tant que compréhension de soi, non plus seulement en tant que comprise. Avec la troisième partie de la *Logique* à laquelle Hegel a donné le nom de *Logique subjective*, le *sens* se substitue à l'*essence*, la logique devient logique du sens proprement dit, et ce sens s'identifie à la réalité qui se fait, il est l'Etre même, l'Etre du début qui s'était lui-même révélé comme sens. L'idée absolue par laquelle la logique se termine est ce sens comme Etre, ce retour à l'immédiat qui est la réalité même de la médiation. La logique de l'immédiat, de l'Etre, correspond à la description du sensible, aux premières grandes métaphysiques de l'Etre, la logique de l'essence correspond à la pensée intelligible du sensible, aux métaphysiques de l'essence, mais la logique du concept ou du sens (grâce à laquelle l'Absolu se révèle sujet, non seulement être-compris mais se comprenant, se faisant lui-même, réalisant pour ainsi dire concrètement sa propre démonstration et s'identifiant à elle), correspond aux philosophies qui, depuis Kant, s'efforcent de substituer la pensée du sens à celle de l'essence. Seulement, pour Hegel la distinction de l'Etre et du Sens disparaît dans la médiation, qui est l'Etre comme Sens et le Sens comme Etre, avec le perpétuel passage de l'un à l'autre qui est alors réflexion sur soi. Ce passage de l'être à l'essence (c'est-à-dire à la réflexion) et ce retour de la réflexion à l'immédiat comme sens, par la réflexion de la réflexion, sont très proches de formes de pensée contemporaines.

L'historien de la philosophie découvre deux directions possibles dans l'hégélianisme. L'une indique une philosophie de l'histoire qui s'achève plus ou moins en un humanisme (c'est l'héritage le plus fréquent de l'hégélianisme), l'autre indique ce savoir absolu qui, réflexion externe sur les philosophies du passé, n'en constitue pas moins une philosophie interne de l'immanence complète, dans laquelle la pensée ne retient du temps que l'éternelle temporalité de la médiation et s'élève au-dessus de toute histoire. Comment réconcilier la philosophie hégélienne de l'histoire (qui est proprement philosophie de l'histoire humaine) et le savoir absolu de la logique ? Peut-être faut-il prendre au sérieux la *Phénoménologie* quand elle ne voit dans l'histoire que la préparation du savoir absolu, c'est-à-dire d'une logique réflexive de la philosophie. Mais cela supposerait une sorte de fin de l'histoire au sens propre du terme, ou du moins l'apparition dans l'histoire humaine d'une phase absolument nouvelle; ce savoir absolu dépasserait à la fois l'humanisme, puisque la conscience de soi exprime seulement l'aventure de l'Etre, et une philosophie de l'Absolu qui serait, elle, au-delà de toute histoire. L'identité posée du Sens et de l'Etre (ou la mort de Dieu) inaugurerait une ouverture pure qu'on ne pourrait plus nommer histoire.

8

LA CRITIQUE HÉGÉLIENNE
DE LA RÉFLEXION KANTIENNE*

HEGEL ET L'HISTOIRE DE LA PHILOSOPHIE

Hegel est un historien de la philosophie et un philosophe. C'est même un philosophe de l'histoire de la philosophie. C'est pourquoi on lui a reproché — souvent à juste titre — de méconnaître l'originalité et la spécificité des grands systèmes qu'il étudie. Ce reproche, qu'on peut faire aussi bien à Aristote, est la contrepartie d'un éloge. Hegel a traité les philosophes en philosophe, et non en historien qui recueille des accidents et collectionne des « visions du monde ». Il a su instituer un dialogue avec les philosophes du passé qui met en cause la notion même de la philosophie. C'est parce qu'il y a déjà chez Hegel une problématique de la métaphysique comme telle, une métaphysique de la métaphysique, que son histoire de la philosophie reste vivante et qu'elle respecte plus souvent qu'on ne le dit l'originalité des systèmes qu'il étudie. Ce n'est pas toujours dans les *Leçons d'histoire de la philosophie* qu'il faut chercher les meilleures analyses de Hegel, mais dans la *Logique* ou dans les premiers écrits de Iéna. C'est par exemple dans l'article *Foi et Savoir* qu'il nous

---

* Extrait des *Kant-Studien*, t. 45, cahiers 1-4, Cologne, 1953-1954.

donne son point de vue le plus profond sur le système kantien, entendu comme philosophie de la réflexion, et non dans les dernières leçons d'histoire de la philosophie. Dans celles-ci sa pensée est un peu sclérosée, il résume trop Kant par rapport à lui-même et en le détachant d'un contexte historique. Car si Hegel est un philosophe de l'histoire de la philosophie il est aussi un philosophe de l'histoire, on pourrait presque dire de l'historicité. Le problème fondamental qui est le sien est le problème du rapport de l'homme à l'Absolu, et singulièrement de la place et de la situation de l'homme dans cet Absolu lui-même. Or ce rapport saisi comme tel est le thème de la métaphysique, et la métaphysique n'est pas une réflexion extérieure à l'Absolu qui serait alors un faux infini opposé au fini, elle est la réflexion de l'Absolu lui-même. Mais cette réflexion advient historiquement. Il y a chez Hegel une historicité de ce rapport qui engage à la fois l'Absolu et l'homme, l'Absolu n'étant pas absolu sans cet engagement, et l'homme n'étant pas homme s'il n'est qu'animal raisonnable, s'il n'est pas en son être même ce par quoi se dévoile ou se révèle l'Absolu. Dans ses travaux de jeunesse, Hegel a étudié dans la religion et dans la politique bien plus que dans la philosophie, au sens technique du terme, ce qu'on pourrait nommer le destin historique de l'homme. Il a vu dans la religion le miroir de l'esprit humain et il a opposé le tragique grec dans lequel l'homme dévoile l'Absolu sans au-delà ni en-deçà au tragique juif et chrétien qui aboutit à la distinction de deux mondes, au dualisme de l'au-delà et de l'en-deçà. Par là le monde juif, puis chrétien, exprime une réflexion qui est proprement la conscience malheureuse, la conscience du malheur de la vie radicalement séparée de l'Absolu, toujours au-delà. Mais Hegel veut intégrer cette séparation elle-même pour la dépasser, comme l'histoire de son temps, celle de l'*Aufklärung* et de la Révolution, l'a déjà dépassée. Car c'est là le contexte historique au sein duquel Hegel commence à réfléchir sur la métaphysique et sur le lien de cette métaphysique au destin historique de l'homme.

En arrivant à Iéna en 1801 Hegel substitue à sa réflexion sur la religion, une réflexion historique sur la philosophie. C'est la philosophie qui exprime authentiquement ce rapport de l'homme et de l'Absolu qui est le problème originaire. Ce problème est unique et pourtant sa solution paraît multiple. Mais la philosophie n'est pas un métier qui se perfectionne, une technique qui s'améliore, elle est toujours la même dans sa diversité, une répétition du même et pourtant une histoire. Si Hegel croit s'élever au-dessus de cette histoire, c'est en découvrant l'élément ou la dimension dans laquelle une métaphysique de la métaphysique — qui sera pour lui la logique spéculative — devient possible. C'est pourquoi Hegel s'oppose à Reinhold qui voit dans les philosophes du passé des précurseurs forgeant l'instrument nécessaire de la pensée. « On le voit, la fin que se propose une telle entreprise est fondée sur une représentation de la philosophie d'après laquelle celle-ci serait une sorte de métier qui s'améliore grâce aux techniques sans cesse découvertes... Il faudrait trouver une dernière technique de valeur plus universelle grâce à quoi, pour quiconque se serait seulement familiarisé avec elle, l'ouvrage se fabriquerait de lui-même... Mais si l'Absolu et sa manifestation, la raison, sont éternellement une seule et même chose, comme ils le sont de fait, chaque raison qui s'est tournée vers soi et s'est reconnue a produit une véritable philosophie et résolu pour soi le problème qui ne varie pas plus que sa solution suivant les époques. Comme dans la philosophie la raison qui se reconnaît elle-même n'a affaire qu'à elle-même, toute son œuvre et son activité reposent également en elle, et eu égard à l'essence intérieure de la philosophie, il n'y a ni prédécesseurs ni successeurs... Si quelque chose de particulier constituait réellement l'essence de la philosophie, il n'y aurait pas alors de philosophie » (1). Et pourtant il y a bien pour

(1) Nous renvoyons à *Hegels Sämtliche Werke*, éd. LASSON, I, p. 9. C'est à ce t. I, *Erste Druckschriften*, que se rapportent toutes nos citations.

Hegel un devenir, un destin de la philosophie retrouvant toujours cette essence intérieure qui ne s'est présentée dans chaque système que selon une perspective spéciale.

Le conflit de cette essence intérieure et de cette perspective fait l'histoire même, mais il faut ajouter que cette perspective n'est pas une partie, un morceau qui attend d'autres morceaux pour se compléter, elle est elle-même une *pars totalis*. C'est ainsi que le philosophe pourra engager un dialogue avec les philosophes du passé, dans le même élément, en approfondissant leur perspective jusqu'à retrouver l'essence intérieure, implicite dans cette perspective.

Quand Hegel arrive à Iéna, il interroge ainsi les philosophies qui sont celles de son temps et qu'il nomme des philosophies de la réflexion — Kant, Jacobi, Fichte — parce qu'elles ont intégré à la philosophie la foi qui, dans l'époque antérieure, était au-delà de la philosophie, dans le second monde. L'*Aufklärung* a triomphé, la raison l'a emporté sur la foi, mais cette victoire ressemble à celle des nations barbares qui se laissent séduire ensuite par leurs vaincus. La foi s'est introduite au cœur même de la raison, comme le dépassement exigé, mais non réalisé, et non réalisable, d'une finitude irrémédiable. Cette séparation du savoir et de l'Absolu, de la pensée et de l'Etre, est proprement l'obstination de la réflexion et la philosophie comme réflexion. Or Hegel veut s'arrêter à ce moment de la réflexion qui exprime pour lui un moment de l'Absolu lui-même, « le vendredi saint spéculatif » ou « la croix dans la rose du présent » (1). C'est faute d'avoir approfondi suffisamment cette réflexion pour la dépasser en la conservant — comme une identité relative dans l'identité absolue — que Kant en est resté à elle. Mais il y a aussi dans le système transcendantal kantien le germe de ce dépassement. C'est

(1) Sur le Vendredi saint spéculatif et la mort du divin, cf. HEGEL, I, p. 346. Hegel cite PASCAL : « La nature est telle qu'elle marque partout un Dieu perdu et dans l'homme et hors de l'homme. »

ainsi que Hegel va tenter de repenser Kant, en le prolongeant et en le réduisant : en prolongeant, selon l'indication de Kant lui-même, le germe spéculatif que contient la déduction transcendantale, en le réduisant, selon l'expression de la finitude humaine et de l'anthropologie qui se trouve littéralement chez Kant, mais qui aboutit à faire de son système une réflexion seulement humaine sur la connaissance. *Or Hegel a bien vu que la problématique authentique de Kant dépassait celle de la connaissance comme telle.*

LE SYSTÈME DE KANT

La philosophie de Kant est donc une philosophie de la réflexion, et comme telle, elle ne parvient pas à l'identité de la pensée et de l'Etre. Comme toute réflexion qui ne se dépasse pas assez pour se réfléchir elle-même, elle persiste dans la séparation et l'opposition, elle distingue la chose en soi inconnaissable et la connaissance humaine, l'infini ou l'Absolu et le fini. Elle ne s'avère donc pas capable d'établir ce rapport de l'être de l'homme à l'Absolu qui est le thème spéculatif de Schelling et de Hegel. Elle réintroduit donc une foi dans la philosophie sous le nom de postulat, et cette foi est la négation du savoir, le non-savoir. Il n'y a pas de savoir absolu (non pas une omniscience mais un savoir qui dans son fondement se dépasserait lui-même, serait être et savoir à la fois, aussi bien que possibilité de leur distinction, ce que Hegel nomme ici *l'identité absolue et originaire*). Il n'y a qu'un savoir empirique, un savoir du fini, une connaissance de l'expérience (ce que Hegel nomme une *identité relative*, laquelle ne peut être *fondée* que sur l'identité originaire). « L'idée unique de la vraie philosophie, celle qui possède pour la philosophie la réalité et l'objectivité véritable, c'est l'être-supprimé absolu de l'opposition, et cette identité n'est pas un postulat universel, subjectif, qui ne doit pas être posé comme réalité, mais elle est l'unique réalité vraie. La connaissance de cette identité n'est pas non plus une foi, c'est-à-dire un au-delà pour le savoir, mais elle est son unique savoir » (1).

L'essence de l'homme suppose pour Hegel ce rapport originaire à l'Absolu. Dans l'Absolu nous sommes et nous vivons, et lui-même ne s'exprime que dans notre savoir, il n'est pas ailleurs que dans le surgissement de l'être pour nous. Ce serait donc bien mal comprendre Hegel — en dépit de la terminologie schellingienne qui est encore la sienne en 1802 — que de prendre cette identité originaire comme une identité analytique, de n'y pas voir ce qu'il nomme le véritable infini, c'est-à-dire la médiation primordiale. Hegel refuse ce second monde dont parle le théologien tout autant que la finitude empirique de ce monde-ci. Nous contenter de la finitude de ce monde-ci ou nous aliéner dans un monde imaginaire, ces deux extrêmes sont deux aventures de l'esprit du monde, elles expriment le conflit de l'*Aufklärung* et de la foi. Mais ce qui subsiste à la fin de ce conflit et ce qu'exprime la critique kantienne, c'est seulement l'opposition des deux extrêmes. L'un d'entre eux est le champ de l'expérience finie — où Newton triomphe — mais affecté contre l'*Aufklärung* du signe négatif. Ce champ de l'expérience, où l'homme peut cultiver son jardin, est en soi néant. La critique révèle le néant de cette positivité apparente à laquelle pourtant nous sommes rivés. L'autre extrême est bien l'en-soi, l'Absolu, mais il est vide de toute positivité effective, il est la contrepartie de ce néant, son Etre, mais un Etre qui posé au-delà est seulement postulé par la subjectivité et demeure toujours inaccessible.

La pensée hégélienne veut surmonter ce dualisme de la réflexion à laquelle Kant reste fixé et qu'il commence pourtant à dépasser quand il s'élève au fondement originaire de la connaissance.

Mais la philosophie kantienne se donne comme philosophie de la connaissance et non comme philosophie du fondement, ce qu'elle

---

(1) HEGEL, *op. cit.*, p. 236.

est pourtant aussi. Si elle n'est qu'une critique de la connaissance, elle ne fait que prolonger la tentative de Locke. La réflexion transcendantale redevient réflexion empirique, et descend jusqu'à l'humanisme anthropomorphique, elle devient une *anthropologie supérieure*. Kant lui-même prête le flanc à cette représentation médiocre de sa pensée. « On peut alors comprendre Kant de telle sorte que la diversité sensible (la conscience empirique, c'est-à-dire l'intuition et la sensation) soit en soi quelque chose de non lié, que le monde soit un émiettement au-dedans de soi, obtenant seulement par le bienfait de la conscience de soi de l'homme doué d'entendement, liaison objective et permanence, substantialité, pluralité et même réalité et possibilité, bref une détermination objective que l'homme projette du regard dans cet émiettement » (1). Hegel critique « cette humanité bien-aimée » (2), à laquelle Kant reste rivé, et qui l'empêche de saisir l'être même de l'homme, en tant que par lui l'Absolu est dévoilement de soi. L'erreur de Kant est dès le départ dans la conception de la connaissance comme d'un milieu ou d'un instrument qui nous sépare de l'Absolu. Une véritable lecture de la *Critique de la Raison pure* nous révèle pourtant selon Hegel une dimension plus profonde de la pensée kantienne, « mais tandis que la philosophie de Kant tient cette connaissance finie (celle de l'expérience) pour la seule possible et confère une valeur d'en-soi, une valeur positive, précisément à ce côté négatif purement idéaliste, ou inversement tandis qu'elle prend précisément ce concept vide pour raison absolue tant théorique que pratique, elle retombe dans la finitude et la subjectivité absolues, si bien que toute sa tâche et tout le contenu de cette philosophie consistent non pas à connaître l'Absolu, mais à connaître cette subjectivité, ou à critiquer sa faculté de connaissance » (3).

---

(1) HEGEL, *op. cit.*, p. 242.
(2) L'expression est de HEGEL, p. 246.
(3) HEGEL, *op. cit.*, p. 236.

Ce qui caractérise Kant, c'est donc ce malheur d'une réflexion qui, en tant que réflexion, oppose l'expérience finie à ce qui la dépasse, et ne peut que séjourner dans cette opposition. Cette réflexion philosophique a déjà sa source dans la réflexion de la vie sur elle-même qui apparaît avec l'homme et qui brise l'unité synthétique primitive, mettant d'un côté la totalité inaccessible et de l'autre le fragment, le transcendant d'une part, l'empirique de l'autre. Cependant cette réflexion opposante présuppose l'unité originaire, elle est *immédiatement* cette unité même, mais elle ne la réfléchit pas dans sa réflexion. Le fond de la finitude kantienne n'est peut-être pas le fini empirique, mais ce que Hegel nomme l'infini véritable, c'est-à-dire celui qui inclut en soi-même l'opposition, qui n'isole pas l'Absolu de sa propre révélation et l'empirique de son fondement originaire. Hegel prépare une philosophie de la médiation, et l'Absolu est pour lui la médiation même.

C'est pourquoi Hegel reproche à Kant son dualisme radical. Ce dualisme est le produit de la réflexion, mais la dimension du transcendantal, découverte par Kant, surmontait en soi ce dualisme; l'erreur de Kant est donc, après avoir surmonté le dualisme, d'y être revenu avec obstination par une sorte d'illusion de perspective sur sa propre découverte. La *finitude* kantienne sur laquelle on a bien raison d'insister est-elle seulement une limitation de la connaissance, ou a-t-elle un sens plus profond ? D'autre part *l'infini* dont parle Hegel n'est pas l'infini transcendant, il n'est que dans sa relation au fini, dans son dévoilement à travers et par le fini. C'est pourquoi l'approfondissement de la finitude kantienne pourrait conduire à ce que Hegel nomme l'infini véritable et qu'il oppose au faux infini. L'essentiel est pour nous la critique que Hegel présente du dualisme final de Kant, et la recherche qu'il entreprend pour montrer comment ce dualisme était évitable, comment Kant lui-même l'avait déjà au fond surmonté.

Hegel va ainsi distinguer dans le système kantien le germe spéculatif qui aurait pu se développer, et la lettre du système qui ne lui est pas resté fidèle; méthode contestable puisqu'elle discerne au cœur d'un même système deux perspectives différentes, l'une authentique et l'autre inauthentique. Hegel, pourrait-on dire, repense Kant à sa façon, mais il n'en montre pas moins les justifications, à l'intérieur du kantisme, de ce conflit entre l'esprit et la lettre, il cherche non seulement ce qui est pour lui l'erreur de Kant, mais il met en lumière les raisons internes de cette erreur, les glissements d'une forme de pensée à l'autre.

Pour Hegel, l'idée spéculative, c'est-à-dire l'identité originaire, fondamentale de la pensée et de l'être — le savoir absolu — se trouve bien déjà chez Kant, mais elle n'est pas là où on s'attendrait à la rencontrer, quand Kant traite de la *raison*. C'est au contraire quand il s'agit de l'entendement dans la *déduction transcendantale des catégories*, et au moment où Kant parle de *l'imagination transcendantale* que cette idée apparaît. C'est là que l'esprit de la philosophie kantienne se montre sous sa forme la plus pure et la plus pleinement dégagée de le lettre. Dans cette déduction, remarque Hegel après Fichte, le principe de la spéculation, l'identité de l'objet et du sujet, est exprimée de la façon la plus nette. « Cette théorie de l'entendement a été baptisée par la raison » (1). Au contraire la théorie kantienne de la raison est purement formelle. L'unité suprême à laquelle parvient cette raison est l'abstraction de l'entendement pur, sans sa relative identité avec l'expérience, donc l'unité vide incapable d'atteindre l'Absolu. « Si l'entendement a été traité avec la raison, la raison est au contraire traitée avec l'entendement. »

La déduction transcendantale — surtout dans la première édition — remonte jusqu'à la source commune de la sensibilité et de l'entendement, cette imagination transcendantale purement produc-

---

(1) Hegel, *op. cit.*, p. 4.

trice, passive dans son produit, active dans sa production. Cette imagination est partout dans l'architecture kantienne, et pourtant n'a nulle place définie dans l'édifice. Déjà l'esprit spéculatif de la philosophie kantienne apparaît dans l'affirmation selon laquelle « le concept seul est vide, l'intuition seule est aveugle ». Ce qu'on nomme expérience, c'est *l'identité relative* des deux, l'intuition s'éclaire, se dévoile à travers le concept, mais le concept se réfère à la plénitude de l'intuition. Le passage de l'un à l'autre est proprement « le voir ou la conscience » (1). Hegel jette ici les bases de sa propre théorie de l'expérience comme telle ; la *Phénoménologie de l'esprit* dans laquelle il s'attachera à ce moment qu'il nomme l'identité relative... et qui est donc aussi l'opposition relative. Ce moment de l'expérience dans lequel le concept se retrouve partiellement dans l'intuition sensible, et s'oppose partiellement à elle, est le moment de *l'expérience phénoménale* que Kant veut fonder. Or ce fondement permet selon Hegel de s'élever à l'identité originaire qui fonde cette identité relative et explique en même temps l'opposition relative, inséparable de l'expérience de la conscience. C'est parce que l'identité originaire est synthétique qu'elle se réfléchit en dualité, mais Kant, après être remonté jusqu'à la source, est resté victime de la réflexion, et n'a fait qu'accentuer l'opposition relative en opposition absolue et insoluble. La découverte de la source — de l'unité originairement synthétique et de l'imagination transcendantale — était pourtant l'essence intérieure de la philosophie. « Et s'il ne nous restait nul autre fragment de Kant que celui-ci (la déduction transcendantale) cette transformation serait presque inconcevable. Dans cette déduction des formes de l'entendement s'expriment avec le plus haut degré de précision le principe de la spéculation, l'identité du sujet et de l'objet » (2).

(1) HEGEL, *op. cit.*, p. 238.
(2) HEGEL, *op. cit.*, p. 4.

La question essentielle c'est bien celle que pose Kant sous la forme devenue classique. « Comment des jugements synthétiques *a priori* sont-ils possibles ? » Mais Kant n'a pas osé aller jusqu'au bout de la question, son sens universel. Il en est resté à la signification subjective (pour la connaissance) de cette question. Il lui est arrivé à lui-même ce qu'il reproche à Hume, de n'avoir pas vu la portée de son problème. « Comment les jugements synthétiques *a priori* sont-ils possibles ? Ce problème exprime simplement l'idée que dans le jugement synthétique le couple sujet et prédicat, celui-là étant le particulier sous la forme de l'être, celui-ci l'universel sous la forme de la pensée, bref ce rapport d'hétérogénéité est également *a priori*, c'est-à-dire universel » (1). Le jugement dans sa structure est subjectif et objectif, il dit de l'étant ce qu'il est, il attribue au ceci sensible des prédicats universels qui l'éclairent et le dévoilent. Comment le terme de base du jugement, son sujet, peut-il être caractérisé par les prédicats universels de la pensée ? Certes Kant énonce bien que « les conditions de la possibilité de l'expérience en général sont en même temps les conditions de la possibilité des objets de l'expérience et c'est pourquoi elles ont une valeur objective dans un jugement synthétique *a priori* », mais son énoncé contient des conditions restrictives de sorte que la notion de synthèse *a priori* ne vaut pas absolument. La déduction transcendantale allait pourtant jusqu'à cette unité originaire, et originairement synthétique, la synthèse première qui fonde toute vérité. Hegel insiste sur le caractère même du jugement. *Urteil* signifie la division primordiale et la manifestation d'une dualité. D'un côté il y a l'être, l'étant particulier, de l'autre il y a les déterminations de la pensée. Que l'étant soit déterminable et pensable, que nous puissions le révéler et l'éclairer, c'est bien ce qui apparaît dans le jugement (identité relative) mais sous le signe d'une dualité, d'un « ceci est pensable »; il y a le ceci, le divers aveugle,

(1) HEGEL, *op. cit.*, p. 238.

et la détermination de la pensée. Le jugement fait donc émerger la vérité sans la fonder. Il est lui-même ambivalent, oscillant entre l'apparence subjective et la validité objective. Les jugements par le moyen desquels un sujet connaît la nature sont des jugements synthétiques *a priori*, mais leur nécessité, leur *a priori*, repose dans un fondement caché, cette unité originairement synthétique dont parle Kant à propos de la déduction.

Le fondement caché se découvre quand on peut remonter de l'intuition passive et du concept déterminant à leur source commune. Le jugement n'est plus alors seulement une opération de l'entendement humain, il est la division primitive qui rend possible la manifestation ou la révélation de l'unité originaire, mais cette révélation n'est là qu'immédiatement, elle ne se sait pas elle-même comme révélation de l'en-soi et c'est pourquoi elle est encore phénoménale et finie. Cependant cette source commune n'est autre que l'imagination transcendantale, cette imagination qui dans son extension et sa dispersion est l'intuition, dans sa concentration sur soi, le concept. C'est le même en-soi qui se réalise comme nature et s'idéalise comme esprit; dans la connaissance, l'intuition sensible est « l'identité plongée dans la différence », le sens perdu et oublié. « La nature est un esprit caché », égaré hors de soi, l'intuition sensible est le sens aveugle, et les formes de l'intuition, espace et temps, expriment à ce niveau inférieur l'opposition interne, l'une est déjà l'identité de l'être (l'espace), l'autre déjà l'identité de l'esprit (le temps) (1). Le concept par contre est l'identité abstraite de la différence, posée pour soi. C'est pourquoi intuition et concept se réfèrent l'un à l'autre, mais aussi bien sont relativement identiques puisque c'est la même activité qui là se réalise comme synthèse figurée, ici s'idéalise comme concept. Le passage de l'un à l'autre est l'identité originaire comme médiation, le sens s'oublie et se perd dans l'être, mais l'être s'illumine

(1) HEGEL, *op. cit.*, p. 239.

comme sens. La conscience sensible et la connaissance sont ce mouvement alternant de l'être au sens et du sens à l'être qui présuppose le germe originaire, *unité de l'unité et de la différence de l'être et du sens.* Que Hegel conçoive ce germe comme étant lui-même médiation est le trait fondamental de sa philosophie. Cette médiation n'est-elle pas bien proche de la temporalisation, et sur ce point Hegel ne continue-t-il pas Kant ?

Cette médiation se manifeste comme l'imagination transcendantale, « il faut reconnaître cette imagination non comme un intermédiaire simplement introduit entre un sujet et un monde ayant tous deux une existence absolue, mais comme ce qui est premier et originaire et d'où dérivent en se séparant et le moi subjectif et le monde objectif donnant lieu d'abord nécessairement à un double phénomène et à un double produit, bref il faut la reconnaître comme étant seule l'en-soi ».

Le jugement a cet en-soi pour fondement, mais il ne le reconnaît pas, il est un produit de la réflexion, mais il ne sait pas que cette réflexion est la réflexion même de l'Absolu, son apparition et sa manifestation. La raison ne se trouve pas elle-même dans cette découverte. Là où elle *découvre* elle ne *se découvre pas elle-même.* Le moment de la découverte, de la présence est le moment de l'expérience, mais que cette présence soit sa propre présence, que cette découverte soit sa conscience de soi, c'est ce que la raison n'aperçoit pas dans le jugement lui-même. L'expérience est phénoménale et finie parce que la raison s'y méconnaît en ne s'y reconnaissant pas elle-même. La raison ne se reconnaît pas dans le jugement synthétique *a priori* puisque l'unité du jugement, sa nécessité, n'est pas pensée comme telle dans le jugement. Elle est là seulement immédiatement *dans la copule du jugement*; ce qui prédomine c'est la dualité de la réflexion, ce qui est inconscient ou oublié, c'est la médiation. Le *est* du jugement est non pensé, il est l'inconscience de l'originaire. « Ainsi Kant a résolu en vérité son problème : comment des jugements synthétiques

a priori sont-ils possibles ? Ils sont possibles grâce à l'identité originaire et absolue d'une hétérogénéité. Seulement le rationnel, ou,
selon l'expression de Kant, l'*a priori* de ce jugement, l'identité absolue,
ne se présente pas comme moyen terme dans le jugement, mais dans
le syllogisme ; dans le jugement il est seulement la copule *est*, c'est-à-
dire quelque chose d'inconscient. Pour la connaissance le rationnel
est ici absorbé dans l'opposition, comme par rapport à la conscience
en général l'identité l'est dans l'intuition. La copule n'est pas un
pensé, un connu, mais elle exprime le *non-être-connu* du rationnel » (1).
    L'être dans le jugement est inconnu. Le jugement est bien mani-
festation d'un sens dans l'étant, mais le sens du sens n'est pas dévoilé,
il est là immédiatement, mais cette immédiateté est le signe de son
non-être-connu. La raison apparaît donc sans s'apparaître. Hegel
insiste sur les trois moments, l'unité originaire, le jugement absolu
(manifestation de la dualité de la réflexion) et ce qu'il faut, en souvenir
d'Aristote, nommer le syllogisme absolu. Ce syllogisme, dont Kant
se servira comme fil conducteur des idées de la raison, devrait être
selon Hegel la reconnaissance de ce *est* immédiat du jugement, sa
présentation comme médiation. Le moyen terme authentique est
la raison des termes, la source de leur unité et de leur dualité. Mais
il faut bien concevoir cette médiation comme moyen terme *(Mittel-
begriff)* et non comme une chose introduite entre des choses distinctes
(Mittelding) ou même comme un intermédiaire *(Mittelglied)*. Le
jugement dit que l'*être est sens*, mais il ne montre pas le devenir
réciproque des deux moments, c'est pourquoi il laisse subsister
deux pôles de la réflexion ; et ce que Kant nomme en fin de compte
le champ de l'expérience n'est qu'une zone commune au-delà de
laquelle il y a le Moi et la chose en-soi. Ce que le jugement n'éclaire
pas c'est le caractère de sa propre unité, ce *est* qui est l'oubli de
l'originaire dans son immédiateté apparente, au contraire le syllogisme

(1) HEGEL, *op. cit.*, p. 240.

fera saillir ce *est*, le fera apparaître comme la médiation et le dévoilera comme l'unité originairement synthétique.

Mais Kant selon Hegel a accentué la réflexion du jugement au lieu de la réfléchir elle-même dans son fondement. Ainsi le sujet, le *je pense*, devient relativement identique à l'être dans le champ fini de l'expérience, et cette relative identité laisse subsister une relative opposition. Kant oppose les deux moments de sorte que la non-identité se montre inconciliable avec l'identité, alors l'idéalisme transcendantal retombe à un idéalisme formel. Le sujet contient les conditions d'une objectivité valable *pour lui*, mais hors de ces conditions il n'est plus qu'une unité abstraite, aspirant à un absolu qu'il ne peut et ne doit pas atteindre. Pourtant l'unité originairement synthétique était bien autre chose que ce *je pense* abstrait et vide : « On ne peut rien comprendre à toute la déduction transcendantale tant des formes de l'intuition que de la catégorie en général sans distinguer du Moi, qui est le représentant et le sujet et que Kant dit devoir accompagner toutes nos représentations, la puissance de l'unité synthétique originaire de l'aperception, sans reconnaître l'imagination non comme l'intermédiaire... mais comme ce qui est premier et originaire. » Cette distinction est en effet toute la question.

En glissant de cette unité originaire — condition pourtant d'une authentique déduction — au *je pense* formel qui doit pouvoir accompagner toute représentation, Kant laisse s'affermir l'opposition qui n'était qu'un moment. Il la développe pour soi, il replie alors les formes de l'intuition et de l'imagination sur un sujet humain qui constituerait un monde phénoménal à partir d'une source radicalement étrangère. L'idéalisme authentique devient un idéalisme formel, le moi ne se dépasse pas lui-même et s'oppose à un inconnaissable toujours au-delà de lui. La tentative de Kant, sous cette forme dégradée, prolonge celle de Locke et devient ce qu'on nomme une critique de la connaissance.

Comment pourrait-on alors résumer d'après Hegel la démarche

kantienne ? D'une part Kant descend au fondement originaire du savoir, il garantit son objectivité, parce que l'objectivité de l'objet est identique à la subjectivité du sujet; mais dans le jugement et dans les principes de l'expérience, ce fondement synthétique n'émerge pas lui-même, et la dualité domine. La conscience de l'expérience reste donc phénoménale, parce qu'elle n'est pas encore la conscience de soi dans l'expérience; s'il en était ainsi, la conscience humaine se dépasserait elle-même, elle deviendrait conscience de soi de l'Absolu, et l'Absolu se révélerait comme conscience de soi. Mais d'autre part Kant ne prolonge pas ainsi cette démarche et il replie toute sa déduction transcendantale sur un savoir humainement valable, mais nécessairement borné, un savoir qui ne peut plus alors fonder son objectivité que sur cette limitation (tel est en particulier le mouvement de la deuxième déduction), la science empirique est garantie parce que le savoir est seulement savoir phénoménal, fini et excluant la chose en soi. L'entendement, qui est l'identité fixée pour soi, est dégagé sous le nom de raison pure, mais ayant perdu tout rapport à une expérience possible, toute détermination, il ne peut rien constituer, il ne peut que dévaloriser le phénomène, le considérer comme néant par rapport à un savoir absolu qui nous est radicalement refusé. Telle est « la limitation du savoir pour faire place à la foi ».

Le kantisme n'est plus qu'une critique de la connaissance humaine, un idéalisme formel. Cependant même de ce point de vue il y a encore une trace de la pensée spéculative sur laquelle Hegel insiste particulièrement. Dans l'anthropologie qui commence avec Locke, toutes les déterminations de l'entendement viennent du dehors. Les concepts et les formes sont fournis par l'objet ; ce qui appartient au sujet humain, c'est seulement l'entendement en général, *l'entendre immanent à toute perception déterminée*. C'est là si l'on veut l'*a priori* du sujet sous sa forme la plus vague et la plus générale ou la plus indéterminée. C'est pourquoi cet empirisme est aussi bien idéalisme, mais formel. Le contenu divers de mon expérience est mien, mais ce *mien* est étranger à tout son contenu. Il est seulement l'appréhension pure.

Kant dépasse Locke en ce point essentiel que la forme, l'entendement, contient chez lui le principe originel de la détermination. Il n'est donc pas seulement mon entendement en général, il est l'entendement qui se détermine d'une façon immanente dans un système de catégories, *l'entendement de l'être*. Mais cette détermination de soi — qui n'en reste pas à l'*a priori* formel du Moi vide et indéfini — qui se développe pour soi dans ses dimensions, est la notion même de l'*a posteriori*. L'entendement renferme déjà en lui l'origine de l'altérité, de l'autre que soi, la forme de l'opposition. Qu'est-ce en effet que l'*a posteriori* si ce n'est cet autre que le Moi formel ? L'idéalisme kantien dépasse donc l'idéalisme formel en ce qu'il s'élève à la détermination de la forme. Le sujet de l'expérience est aussi le sujet qui se détermine comme *système des catégories*. Mais ce mouvement de la forme, qui est un mouvement dans la forme sans être formel, est l'idée de la raison, *l'unité de l'a priori et de l'a posteriori*. Tel est le sens caché de la *triplicité* découverte par hasard par Kant, mais qui correspond au sens profond de l'idéalisme transcendantal (différent de l'idéalisme formel par son orientation vers le contenu). La triplicité n'est pas la manie de la thèse, de l'antithèse et de la synthèse, elle est le mouvement de la détermination de l'*a priori*, comme mouvement vers l'autre, comme *a posteriori*, et comme identité de l'*a priori* et de l'*a posteriori*. Or c'est cette identité synthétique qui est la raison et l'originaire. Dès cette étude de 1802 sur Kant, Hegel entrevoit le thème de sa philosophie, l'identité concrète de l'*a priori* et de l'*a posteriori*, et esquisse déjà dans sa réflexion sur les catégories sa logique ontologique. « Ce dernier idéalisme, l'idéalisme kantien, détermine en outre lui-même la perception comme une forme immanente et par là sans doute réalise déjà un gain infini du fait que le vide du percevoir ou de la spontanéité *a priori* est absolument rempli par un contenu puisque la détermination de la forme n'est rien d'autre que l'identité des opposés par quoi l'entendement *a priori* (la forme vide) devient en même temps, du moins en général, *a posteriori*, car l'*a posteriori* n'est que l'opposition, et ainsi est donné le concept formel de la raison qui est d'être *a priori* et *a posteriori*, identique et non identique, dans une absolue unité » (1). La base de l'idéalisme transcendantal — dépassant en cela tout idéalisme formel lié à l'empirisme pur — est découverte ici par Kant comme dans la déduction transcendantale l'était l'unité originairement synthétique. Pourtant Kant est resté fixé à la réflexion dans toute sa rigidité. Le germe spéculatif est resté germe, et le système lui-même, en dépit d'une nouvelle tentative, suivie d'un nouveau recul, dans la *Critique du Jugement*, est un système critique qui réitère toujours l'affirmation de la dualité.

Le résultat final est ce dualisme moral que Hegel critiquera si subtilement dans la *Phénoménologie* sous le titre de *Vision morale du monde*. En 1802 il montre brièvement comment le dualisme kantien conduit à l'opposition irréductible du monde sensible phénoménal et de la raison morale abstraite, de la nature et de la liberté. La raison kantienne, qui n'est que la forme abstraite de l'entendement privée de ses dimensions et de sa *référence* au contenu, devient pourtant constitutive en morale sous le nom de raison pratique. Elle s'oppose alors absolument à la nature constituée par l'entendement. L'infini n'est pas ce qui est, mais ce qui doit être. Le dualisme statique de l'âme et du corps devient dans cette philosophie de la réflexion purifiée le dualisme du devoir et de la nature. Mais les deux termes de l'opposition, parce qu'ils restent dans l'opposition et ne doivent pas se réconcilier pour la connaissance, se montrent dans la sécheresse de leur abstraction. Le dualisme kantien se présente alors comme le dualisme du bonheur et de la moralité, il consacre une position qui est un moment empirique de l'existence humaine, mais

---

(1) HEGEL, *op. cit.*, p. 246.

seulement un moment, et l'élève à l'absolu. La vision morale du monde, comme on le verra avec Fichte, est le dernier mot de cette philosophie. Mais les deux termes devoir et nature, moralité et bonheur, ainsi séparés sont aussi médiocres l'un que l'autre : « La vilaine chose, dit Hegel, qu'une pareille moralité et qu'un pareil bonheur » (1). Il y a bien encore deux mondes, mais le premier, celui de l'en-deçà, de la nature sensible, est pris dans toute sa platitude, l'autre monde dans l'abstraction du vide érigé en être infini. Kant conçoit le bonheur à la manière de l'*Aufklärung*, ce n'est que la satisfaction du désir sensible, et non pas cette aptitude à se découvrir soi-même dans l'être, à se retrouver soi-même dans le *destin* que Hegel envisage comme l'idée spéculative. Quant au devoir, il est la loi abstraite dont le sens est de toujours s'opposer à la sensibilité. Empiriquement on a bien souvent opposé le devoir à la passion, mais ici, cette opposition empirique prend une valeur métaphysique, devient la valeur métaphysique suprême. En fait c'est la mesquinerie de cette moralité qui devient permanente, elle éternise son mécontentement et son opposition à la nature. « Elle outrage ainsi la nature et l'esprit de la nature comme si la nature n'était pas instituée rationnellement » (2). Le génie de l'univers ne s'est assurément pas organisé pour répondre aux exigences de cette moralité abstraite. « Si la raison parvenait à voir et à savoir que raison et nature s'harmonisent absolument et sont bienheureuses en elles-mêmes, alors elle devrait reconnaître pour un néant sa mauvaise moralité qui ne s'accorde pas avec le bonheur et le mauvais bonheur qui ne s'accorde pas avec la moralité, mais on tient à ce que tous deux soient quelque chose, et quelque chose d'élevé et d'absolu » (3).

---

(1) HEGEL, *op. cit.*, p. 260.
(2) *Ibid.*
(3) *Ibid.*

L'idée spéculative — qui était le germe de la déduction transcendantale, que Kant reprenait dans la *Critique du Jugement* à titre de maxime subjective — devient l'exigence d'une réconciliation de ces deux termes inconciliables. Ce plat bonheur et cette moralité mesquine doivent en soi s'unir. Le *postulat* de cette unité sans présence, mais à laquelle il faut *croire*, se substitue à la profondeur ontologique. A la révélation de l'absolu, au tragique assumé que les Grecs nous avaient appris à entrevoir comme l'existence même, le dualisme kantien substitue les deux pôles de la réflexion, le fini qui n'est que fini. et l'infini qui est seulement infini par son opposition au fini. Leur union est *postulée* sous le nom de souverain bien, mais elle n'a pas de présence effective, de certitude de soi. C'est pourquoi elle est une foi, destinée à rester toujours une foi. Hegel insiste sur le caractère original du postulat kantien. Kant dans la philosophie de la réflexion a choisi le moment de l'objectivité. Le fini est considéré dans son objectivité comme nature, comme le système des principes de la nature, l'infini, de son côté, réside dans l'anéantissement de la subjectivité abstraite pour poser la loi objective. La subjectivité y est donc considérée dans la dimension vectorielle de l'objectivité. Le postulat n'est subjectif que dans sa forme. Son contenu, l'identité de la pensée infinie et de l'être, de la raison et de la réalité, est nécessairement en soi pour Kant. Il n'est pas subjectif comme contenu, ce qui sera le cas chez Fichte : « En soi il ne doit y avoir aucun postulat, aucune foi. C'est seulement quelque chose de subjectif et de contingent que l'idée soit quelque chose de subjectif » (1). Cette contingence est la seule subjectivité qui soit *éprouvée* comme telle dans la philosophie kantienne, et qui nous reste à nous hommes; le sujet ne s'éprouve lui-même que dans cette maxime subjective du jugement réfléchissant, qui envisage humainement la nature et la beauté comme si un autre entendement en

(1) HEGEL, *op. cit.*, p. 261.

était la source, ou dans cette foi qui postule l'idée spéculative. Ainsi ce *milieu* que tout le système kantien présuppose, et qu'il refuse toujours, existe sous la forme humaine d'une maxime subjective du jugement et d'une foi pratique. D'autres philosophies de la réflexion, celle de Jacobi et celle de Fichte, approfondiront cette dimension subjective comme nostalgie de l'infini dans le fini, ou comme *Sollen* en soi et pour soi.

Mais Hegel a voulu montrer comment tout le système kantien convergeait vers une idée spéculative que Kant refuse en fin de compte. Pourquoi ce refus et pourquoi l'idée spéculative reste-t-elle une maxime subjective et une foi pratique ? Sans insister sur le destin historique qui suscitait la philosophie kantienne elle-même au terme du conflit de l'*Aufklärung* et de la foi théologique, on peut déceler dans l'intimité de cette philosophie ce qui la conditionnait au dualisme de l'opposition. *Le système kantien est l'approfondissement de la réflexion dans toutes ses dimensions.* Cette réflexion pénètre bien dans ce qui la rend possible — et c'est là son côté spéculatif — mais elle n'a pas voulu sortir de la rigueur réflexive — et c'est là un mérite que Hegel lui reconnaîtra toujours davantage ; or elle n'a pu dépasser la réflexion avec la réflexion, elle est donc restée enchaînée à l'opposition réflexive. Hegel pense au contraire — et ceci dès 1802 — que l'Absolu lui-même est réflexion et que l'opposition à laquelle se fixe Kant est un moment de la révélation absolue. Dès lors la dialectique n'est plus seulement une antithétique, elle est l'apparition de la médiation originaire (1). C'est cette médiation et la *présence authentique* de cette médiation qui seront le thème de la philosophie hégélienne.

(1) Sur les relations de l'antithétique kantienne et de l'antithétique hégélienne, cf. l'article de M. Gueroult, *Revue de Métaphysique et de Morale*, juillet-septembre 1931.

9

HEGEL ET KIERKEGAARD
DANS LA PENSÉE FRANÇAISE
CONTEMPORAINE *

I. — Hegel et Kierkegaard en France

C'est beaucoup d'audace de ma part de venir en ce pays vous parler de Kierkegaard. C'est ici qu'a vécu cet étrange génie littéraire, religieux et philosophique, inclassable, prophète en un temps qui ignorait son mal. Son souvenir hante encore votre vie.

Mon excuse, s'il y en a une, c'est que j'ai contribué, dans mon pays, à répandre et à faire apprécier la philosophie hégélienne, dont Kierkegaard fut le grand adversaire, et que j'ai participé à tout un mouvement de pensée en France qui a subi l'influence double et antithétique de Hegel et de Kierkegaard pour donner naissance à ce qu'on a nommé l'existentialisme. C'est donc de ce point de vue que je vais vous parler de votre philosophe qui a exercé une telle action — qu'il ne prévoyait sans doute pas — sur les mouvements philosophiques contemporains.

Un mot d'introduction, si vous le permettez, sur la pénétration de Hegel et de Kierkegaard en France.

* Conférences faites à l'Université d'Upsal, à l'Institut français de Stockholm, d'Oslo et de Copenhague du 3 au 15 décembre 1955.

La France a été rebelle à l'influence hégélienne. Tandis que toute l'Europe était imprégnée d'hégélianisme, quand Kierkegaard obtenait le titre de docteur à Copenhague sur le *Concept d'Ironie,* la France restait plus ou moins étrangère à cette philosophie monstrueuse qui répondait à trop de questions. C'est beaucoup plus tard qu'on a redécouvert Hegel en France. Quelques années avant la guerre de 1939, je commençais la traduction de la *Phénoménologie de l'esprit* (jamais traduite encore en France), tandis qu'indépendamment de moi Kojève élaborait un commentaire très existentiel de cette œuvre hégélienne. Nous redécouvrions Hegel, mais le Hegel de jeunesse, celui des écrits théologiques qu'ignorait Kierkegaard, ou le Hegel de la *conscience malheureuse* dans la *Phénoménologie.* Nous reprenions Hegel, non par l'*Encyclopédie* ou le système des systèmes (celui qu'a tant attaqué Kierkegaard sous des formes bien connues : Hegel théorise sur l'amour, sur l'action, il n'agit pas, il n'aime pas ; ou encore : Hegel fut un professeur de grand style, il expliquait tout, il est le professeur des professeurs), mais par l'itinéraire de jeunesse, le *voyage de découverte* de Hegel. Nous allions repenser en France Hegel, en le confrontant à Feuerbach, à Marx, à Nietzsche, à Kierkegaard, et, chose étrange, nous trouvions dans ses premières œuvres une possibilité de le comprendre autrement que comme le professeur des professeurs et le faiseur de systèmes. Le grand interprète de Kierkegaard en France, Jean Wahl, écrivait *Le malheur de la conscience dans la philosophie hégélienne* en même temps qu'il élaborait cette magnifique somme des *Etudes kierkegaardiennes.* C'est en effet à cette époque, au moment même où on traduisait la *Phénoménologie de l'esprit,* que Kierkegaard est commenté et traduit en France (il faut excepter les articles de Delacroix et de Basch — 1900 et 1903 — et celui de Bellesort — 1914).

C'est donc en même temps que nous avons lu les ouvrages de jeunesse de Hegel sur Abraham et la conscience malheureuse, et les livres de Kierkegaard, *Crainte et Tremblement, La Répétition, Le*

Concept d'Angoisse. Ainsi, nous avons trouvé parfois que Hegel était déjà kierkegaardien avant de devenir systématique et que Kierkegaard était encore hégélien même en substituant le paradoxe à la médiation, car il avait pris au sérieux « le travail, la douleur et la patience du négatif », ce qu'exigeait Hegel, et nous nous demandions même si Kierkegaard n'avait pas sa place dans l'itinéraire hégélien, celle de la conscience malheureuse ou de la belle âme.

C'est de ce rapport particulier de Kierkegaard et de Hegel que je veux vous parler aujourd'hui et non de la critique que Kierkegaard fait du système hégélien en tant que tel. Car sur ce dernier point Kierkegaard a gagné. Son affirmation de l'existence, contre le penseur qui s'oublie lui-même — comme ce visiteur qui, à force de faire des visites, a oublié son propre nom — son rappel de la certitude, contre l'objectivité, sa réflexion sur l'angoisse (Heidegger n'a-t-il pas dit que le penseur qui a le plus approfondi le phénomène de l'angoisse est Kierkegaard ?), tout cela est aujourd'hui intégré à un tel point dans notre philosophie contemporaine que l'hégélianisme orthodoxe ne peut plus avoir de place comme tel. Kierkegaard a gagné. Et pourtant, il y a une *énigme* Kierkegaard : « Dieu m'a donné la force de vivre comme une énigme », et l'influence de Kierkegaard reste ambiguë. Il se retrouve dans des existentialismes athées, lui qui a tant médité existentiellement sur le christianisme.

C'est pourquoi je laisserai de côté le thème trop rebattu de la lutte de l'existence contre le système, pour m'attacher seulement au problème de la communication des consciences chez Kierkegaard et chez Hegel, et au problème de la transcendance chez l'un et chez l'autre. Peut-être cela nous conduira à voir dans Kierkegaard un cas exceptionnel, une existence (comme nous en voyons une aujourd'hui dans le cas de Sartre, à la fois philosophe, écrivain, critique, polémiste), mais une existence qui s'isole et peut-être se fige dans un face-à-face avec la transcendance, un être exceptionnel subissant une épreuve de Dieu. Peut-être même pourrons-nous penser que cette solitude, cette existence restent abstraites par rapport à la communication historique des hommes qu'entrevoyait Hegel. C'est alors Hegel qui nous paraîtra dans le concret et nous aidera à comprendre Kierkegaard. Mais Kierkegaard voulait-il être compris ?

C'est une marque de grossièreté, en philosophie, que de vouloir terminer un débat par la victoire d'un parti. Il ne s'agit pas de cela, mais d'approfondir une situation de Kierkegaard, situation exceptionnelle assurément. Le danger est que nous ne puissions la comprendre qu'en la situant dans un ensemble plus vaste, et que cette manière de situer est justement ce qu'a toujours refusé Kierkegaard. Nous essayerons d'éviter la prétention de vouloir simplement le dépasser.

II. — La communication des consciences chez Hegel et chez Kierkegaard

Une des grandes originalités de Hegel a certainement été de mettre le problème de la communication des consciences (disons, si vous voulez, le rapport des consciences de soi) au centre du problème philosophique. La conscience de soi, ce n'est pas *moi*, c'est *nous*, moi dans un autre moi (Je est un Autre), et de substituer ce rapport au rapport de l'homme à Dieu. Tandis que dans la philosophie classique le philosophe s'isole et établit la relation de sa raison avec la raison divine (tel Descartes dans son poêle ou Malebranche dans son oratoire), avant de revenir aux autres hommes, fort de la garantie divine, Hegel décrit la conscience de soi humaine comme cherchant à se retrouver dans une autre conscience de soi humaine (l'amour), ou à se faire reconnaître (le maître et l'esclave). En somme, la *Phénoménologie*, reprenant sur ce point toutes les études de jeunesse, décrit jusqu'à son terme final ces relations de plus en plus concrètes de l'homme à l'homme, relations d'amour ou de domination, relation de la conscience noble et de la conscience vile, de la conscience cultivée et de la conscience naturelle, de la conscience agissante et de la conscience jugeante, et sans cesse il a rencontré un problème quasi insoluble pour lui, celui de la conscience qui se ferme sur soi et se refuse à la communication pour préserver son secret ou sa pureté. Il a prétendu résoudre ce nœud, montrer l'inanité de cette conscience persistant dans son entêtement. L'a-t-il résolu ?

C'est précisément à Kierkegaard qu'il faut le demander, car Kierkegaard est justement cette conscience subjective dont le drame a été de ne pouvoir établir de communication directe avec aucun autre être humain, aucune organisation collective, Etat ou Eglise, de maintenir son mystère, et de projeter cette absence de communication humaine, ce mystère maintenu, dans une relation absolue à la transcendance et à Dieu, de faire de l'individu, de l'exceptionnel, la catégorie suprême, de se séparer de l'homme, comme espèce animale. Mais cette transcendance, qu'est-elle ? Est-elle seulement la projection de la solitude existentielle de Kierkegaard ou le fondement inébranlable de la foi (au-dessus de tout savoir et de toute communauté humaine) ?

Reprenons précisément, si vous voulez, ce problème de la communication chez Kierkegaard pour montrer par trois exemples ce caractère impossible, insoluble de la communication chez Kierkegaard.

C'est sur le secret (1), le mystère d'un être singulier que porte la question. En termes hégéliens, Kierkegaard dit que l'intérieur n'est pas l'extérieur. « Il t'est sans doute arrivé, cher lecteur, de te demander si la proposition philosophique bien connue suivant laquelle l'intérieur est l'extérieur est vraie. Toi-même, tu as sans doute porté en toi un secret dont tu sentais qu'il t'était trop cher pour être communiqué. Et ta vie t'a peut-être mis en contact avec des hommes qui te donnaient le sentiment d'un mystère que tu ne pouvais percer. »

Ce secret, nous le trouvons dans les relations si émouvantes

---

(1) Thème du secret. Le secret n'est jamais où on croit qu'il est.

de Kierkegaard avec son père (un père *naturel* qui est projeté après sa mort en père *spirituel*). Kierkegaard a évoqué lui-même souvent cette relation fondamentale de sa vie qui lui a peut-être servi de modèle pour les relations d'Abraham et d'Isaac (1) ; elle a dû constituer pour lui la base de sa conception même de la communication, impossible directement. « Il y avait une fois un père et un fils. Un fils est comme un miroir où le père se regarde lui-même, et pour le fils le père est à son tour comme un miroir où il se voit tel qu'il sera plus tard. Pourtant, ils ne se regardaient que rarement ainsi [...]. Alors, le père mourut [...]. Le père était le seul qui l'eût compris et pourtant il ne savait même pas s'il l'avait compris; et le père était le seul confident qu'il eût eu; mais la mort n'avait pas interrompu cette confidence. »

Nous trouvons ici le germe de toute communication chez Kierkegaard ; pour être authentique, elle est indirecte (2) et mystérieuse; elle n'est jamais sûre; elle est *répétée* (c'est-à-dire conservée, sous une forme abstraite et idéale) après la mort du père.

Le deuxième exemple de la communication et de la non-communication chez Kierkegaard, c'est le drame de ses fiançailles rompues, c'est l'histoire, trop connue pour être reprise en détail, de son lien avec Regina Olsen, la fraîche et innocente jeune fille. La rencontre de Regina en 1837, les fiançailles en 1840, qui écartent le prétendant Fritz Schlegel (que Regina épousera un jour), puis, la rupture des fiançailles en 1841 (3).

Un auteur marxiste français, Lefebvre, a pu, sous le titre *Maître*

---

(1) Kierkegaard était aussi le dernier-né.
(2) Poétique, peut-être.
(3) La rupture a d'ailleurs été dramatique, et on comprend bien le dilemme : coupable ou non coupable. En juillet 1841, Kierkegaard n'y tient plus et renvoie l'anneau de fiançailles. Regina monte chez lui et, ne le trouvant pas, laisse un billet où « elle le conjure au nom du Christ et par la mémoire de son père de ne pas l'abandonner ». Sous l'influence des siens, Soren renoue, mais tente de se rendre odieux.

et esclave, montrer l'égoïsme de Kierkegaard et la façon de traiter en Regina la femme comme un objet.

On sait l'importance de l'événement pour Kierkegaard. Dès le lendemain des fiançailles, il s'interroge déjà sur la limitation qu'il risque ainsi de donner à sa vie. Il rompt et passe pour un séducteur, mais, après sa rupture, il s'interroge lui-même : coupable ou non coupable ? Il essaye de comprendre son acte. A-t-il renoncé au mariage pour entrer dans l'exceptionnel, dans le religieux, ou n'est-il qu'un séducteur ? Est-il resté dans le stade esthétique ou est-il authentiquement religieux (1) ? Il écrit sous divers pseudonymes, il tente de communiquer indirectement avec Regina. Au fond, il ne parvient pas à une communication réelle dans sa vie; il sacrifie le réel pour être sûr de l'authentique. Mais que peut signifier l'authentique sans le réel ? « Des trois stades de la vie, stade esthétique, stade éthique, stade religieux, il a sacrifié le deuxième, il s'est refusé à prendre place parmi les réalités sociales et légales pour devenir de plus en plus le religieux, l'extraordinaire, l'unique. »

De ce problème du père au problème du mariage impossible (pourquoi ?), nous suivons l'itinéraire de Kierkegaard et nous pensons à celui de Kafka, plus tard.

Mais Kierkegaard n'a pas seulement échoué dans la communication de personne à personne, il a refusé aussi la communication avec une réalité collective (son désintérêt pour la politique). C'est

---

(1) « On a souvent parlé dans le monde d'amour malheureux et chacun sait fort bien ce que ce terme veut dire : les amants ne peuvent pas s'unir; quant aux raisons d'aimer, il peut y en avoir tant ! Il est une autre sorte d'amour malheureux, celui qui nous occupe, dont aucun cas terrestre n'offre une entière analogie, mais que nous pouvons cependant, en usant un temps d'un langage imparfait, nous figurer sur terre. Le malheur n'est pas l'impossibilité pour les amants de s'unir, mais celle, pour eux, de se comprendre. Chagrin infiniment plus profond que l'autre » *(Riens philosophiques)*.

Exemple du roi qui se déguise.

Kierkegaard ne se prend pas pour Dieu.

surtout son refus d'être pasteur et sa rupture avec l'Eglise officielle qui manifestent le mieux cet éloignement de Kierkegaard à l'égard du social tout entier. Il en dénonce l'inauthenticité — ce que les philosophes nommeront plus tard la banalité du *on*. Il caractérise son époque comme l'époque du social dans toute sa banalité, en face de l'exceptionnel : « Cette époque hait l'isolement; et comment pourrait-elle souffrir qu'un homme conçoive l'idée désespérée d'aller seul à travers la vie, cette époque où tous, la main dans la main, bras dessus, bras dessous, vivent pour l'idée de communauté ? »

La rupture avec l'Eglise officielle se manifeste par sa protestation contre le discours de Martensen le 18 décembre 1854 après la mort de Mynster, par la publication de *L'Instant* en 1855, et par son refus, en mourant, de recevoir la communion de la part d'un prêtre-fonctionnaire.

Dans tous ces domaines, Kierkegaard a lutté, et il semble que pour préserver la pureté, l'authenticité, le secret de son être, il ait rendu impossible toute communication concrète et effective. N'a-t-il donc été que la belle âme, dont Hegel écrivait prophétiquement dans la *Phénoménologie* : « La belle âme privée de la réalité, dans la contradiction de son pur soi et de la nécessité pour ce soi de s'aliéner jusqu'à l'être, et de se convertir en réalité, dans l'immédiateté de cette opposition figée — une immédiateté qui seule est le moyen terme et la conciliation d'une opposition intensifiée à son plus haut degré d'abstraction, qui est pur être ou néant vide — la belle âme, donc, comme conscience de cette contradiction dans son immédiateté inconciliée est disloquée jusqu'à la folie et se dissipe en aspiration nostalgique. »

Le problème de la communication est un problème crucial pour l'opposition Kierkegaard-Hegel. Si Hegel a poussé jusqu'à sa profondeur tragique l'opposition des consciences, il n'en a pas moins cru résoudre dans l'immanence d'une Eglise, puis d'un Etat, cette opposition. Hegel reste le maître de tous ceux, marxistes ou non, qui orientent le rapport de communication vers une solution humaine ou historique. Mais ne risque-t-il pas par là de tomber dans la platitude de toutes les relations sociales, dans la banalité du *on* ? Si Kierkegaard a préservé le mystère, le secret de l'existence, en vue de communications authentiques, ne risque-t-il pas d'aboutir au refus de communication, à l'abstraction d'une solitude ? Il est vrai que, pour sauver la communication, Kierkegaard s'élève au religieux et met le religieux — la foi — au-dessus de tout savoir. Pour Kierkegaard, ce qui intéresse l'homme, ce n'est pas l'homme, la relation à l'homme, mais la relation à la transcendance.

III. — TRANSCENDANCE ET IMMANENCE

On serait conduit à dire que Kierkegaard a tenté, dans la rupture de toutes les relations humaines, de parvenir à un dialogue authentique, existentiel, avec Dieu. C'est la relation à la transcendance, la relation verticale qui est le sommet de sa pensée et de son existence. Mais que signifie cette relation, et comment faut-il l'entendre ? Sur ce point, la rupture avec Hegel, c'est-à-dire avec la philosophie, avec toute philosophie, est décisive. Hegel avait tellement pensé la religion, tellement assimilé ses dogmes et ses mystères, l'incarnation, la rédemption, le pardon des péchés, qu'on n'avait plus affaire qu'à la philosophie. Le christianisme était intégré, la finitude remplaçant le péché. C'est contre cette intégration que Kierkegaard, à juste titre, comme jadis Pascal, proteste. Dans le post-scriptum aux *Miettes philosophiques*, il montre que la foi est un paradoxe, un absurde, et que la démonstration de l'objet de la foi ne signifierait rien par elle-même. La foi est une attitude, elle est essentiellement subjective, elle implique un choix, et la manière dont s'accomplit le choix, le comment de la foi, l'emporte absolument en valeur sur la nature de ce qui est choisi, sur le contenu de la foi (1). Kierkegaard avait-il

(1) Le *Ce que* et le *Comment (Journal)*.

la foi ? : « Ai-je la foi ? De cela je ne puis avoir aucune certitude immédiate, car la foi est précisément cette oscillation dialectique qui, dans le tremblement et la crainte, ne désespère pourtant jamais. Elle est ce souci infini au sujet de soi-même, ce souci précisément de savoir si on a la foi et c'est ce souci qui est la foi. » Il s'agit de ne pas transformer la foi qui est un vin fort en l'eau fade de la rationalité des Hégéliens.

Même si nous devons penser que Kierkegaard a projeté une transcendance pour échapper à la banalité, à la platitude du social, qui est un oubli de l'existence et une perte dans le temporel (exemple du théâtre), il nous faut reconnaître que les analyses qu'il a données de cette attitude sont devenues pour nous fondamentales. Les trois œuvres maîtresses me paraissent être : *Crainte et Tremblement*, *La Répétition*, *Le Concept d'Angoisse*, trois œuvres qui se situent entre 1842 et 1844, au moment de la rupture avec Regina.

Nous y voyons d'abord une analyse de la culpabilité humaine (le péché et le vertige du péché repris plus lourdement dans chaque homme de l'espèce d'Adam). C'est le vertige du péché qui fait l'angoisse jusque dans l'innocence (l'innocence humaine n'étant pas l'innocence animale). « L'angoisse de l'innocence, c'est l'angoisse de la liberté devant elle-même, devant son propre pouvoir. » Cette analyse de la culpabilité, de l'angoisse de la liberté devant elle-même se retrouve aussi bien chez Heidegger que chez Sartre, et pourtant ni l'un ni l'autre ne sont chrétiens.

Nous y voyons comment, par le péché et par le péché seulement, l'homme devient soi, comment aussi il s'oppose à Dieu et par là, découvre Dieu, le dévoile (1).

Enfin, dans *Crainte et Tremblement*, nous voyons comment un acte exceptionnel (le sacrifice d'Abraham), un acte injustifiable sur

(1) Le disciple immédiat et le sauveur — ou bien, le Socrate.
Passage dans l'instant de la non-vérité à la vérité.

le plan du monde, du langage, de la rationalité, peut, en nous mettant hors de l'éthique, nous ouvrir l'accès du domaine religieux, de la relation avec la transcendance.

Il n'y a pas de médiation (comme il y a, chez Hegel, une médiation qui est synthèse); il n'y a que rupture dialectique, paradoxe, affrontement des opposés. Mais pourtant, Kierkegaard ne renonce pas à une réconciliation (il faut bien qu'il y ait une réconciliation). Dans *Crainte et Tremblement,* Dieu substitue un animal à Isaac, et au moment où tout semble perdu, tout est retrouvé. La *répétition* joue ici le même rôle que l'*Aufhebung* hégélienne, mais sur un autre plan, dans la relation avec la transcendance (1). Ainsi, Kierkegaard pensait, après avoir renoncé à Regina, devoir la retrouver par une grâce divine. Ainsi, l'homme qui est passé par l'exceptionnel pourrait se retrouver dans la vie presque indiscernable de l'extérieur d'un autre. Plus tard, cette répétition, cette réconciliation, sera répétée au-delà de la mort.

Nous voyons à travers cette analyse de l'angoisse (angoisse devant la liberté, devant l'interdit qui est en même temps désiré) (2), à travers cette relation qu'établit le péché, ou l'acte exceptionnel, avec Dieu, comment la transcendance est fondamentale pour que l'authenticité de Kierkegaard soit préservée. Sans cette transcendance, sans cette relation verticale, l'homme sombre dans la banalité des relations quotidiennes et sociales. Cette exigence de la transcendance

---

(1) Le thème de la répétition, remplaçant la médiation, est donc fondamental. La répétition est l'espérance chrétienne. « La répétition est le terme décisif exprimant ce que la réminiscence représentait chez les Grecs. Ils enseignaient que toute connaissance est un ressouvenir. De même, la philosophie de nos jours proclamera que toute la vie est une répétition. Leibniz est le seul moderne qui en a eu le soupçon. Répétition et Ressouvenir sont un même mouvement, mais en sens opposé, car ce dont on se ressouvient *a été*, c'est la répétition dirigée en arrière; mais la répétition proprement dite est le ressouvenir jeté en avant — ce qui a été *est*. »

(2) Et nous pensons à l'angoisse du désir sexuel refoulé tel que l'a décrit Freud.

suffit-elle pour affirmer la transcendance ? et s'agit-il de la transcendance divine ? Il y a parfois chez Hegel une conception qu'on retrouvera chez Nietzsche : la découverte que Dieu est mort, qu'il n'y a plus de transcendance, peut-elle être d'un tel ordre qu'elle réduise les hommes à la prose du monde ?

Kierkegaard a refusé cette platitude, mais n'a-t-il été que le poète de la religion, l'esthète de la vie religieuse (1) ?

Nous avons seulement tenté de montrer comment, chez Kierkegaard, le drame de la communication aboutit à la relation de la solitude à la transcendance divine — transcendance qu'il faut prendre au sérieux, et qui n'est pas un simple superlatif de l'humain (2); mais relation abstraite, qui est peut-être plus une fuite qu'une manière d'assumer toute la condition humaine.

Cependant, les philosophes de notre temps, existentialistes chrétiens ou athées, ont découvert dans Kierkegaard une dimension

---

(1) *Comment comprendre Kierkegaard* — L'aspect inintelligible de l'histoire de Dieu (cf. *Miettes philosophiques* : un roi aimant une fille du peuple — voir les choses du côté de Dieu — dépasser l'humain — Dieu ne peut faire qu'une histoire à sa mesure (cruauté) — Kierkegaard ne s'est-il pas mis à la place de Dieu dans l'histoire de Regina ?).

Problème de concevoir le malheur comme une épreuve — Job, dans *La Répétition*, personnage corrélatif d'Abraham.

(2) Dans les *Méditations chrétiennes* de 1847, KIERKEGAARD oppose sans cesse la transcendance du « tu *dois* aimer » à l'amour humain (dont les serments sont vains, perpétuel vertige d'un changement de l'amour contre lequel on cherche une épreuve) — séparation radicale de l'Eternel (de la relation à l'éternel et du temporel). La forme sous laquelle l'éternité se présente dans le temporel, c'est le futur comme possible.

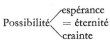

Possibilité < espérance = éternité crainte

Kierkegaard recherche essentiellement l'authenticité, l'individu contre la masse. Les rôles que nous prenons dissimulent la véritable existence, c'est-à-dire l'éternel (ressenti comme une sorte de présence charnelle (thème de la *présence* de l'Eglise contre l'écriture)).

nouvelle de la pensée et de la subjectivité (1). Nous le disions au début : même si nous donnons une place à Kierkegaard dans l'itinéraire hégélien — au niveau de la conscience malheureuse ou de la belle âme — nous ne pouvons pas nous contenter de cette intégration. La partie, ici, se révolte contre le tout, et c'est ce tout hégélien, ce système du savoir, qui est désormais impossible. Kierkegaard a triomphé, mais son triomphe n'est peut-être pas celui qu'il attendait; ce n'est pas nécessairement le christianisme qu'il a contribué à rénover dans sa théologie. Car la transcendance kierkegaardienne est ambiguë : elle est aussi bien le monde devant lequel je m'angoisse, chez Heidegger, ou la liberté qui s'angoisse devant elle-même, chez Sartre, et l'impossible et absurde désir de se faire Dieu.

Kierkegaard, à travers l'hégélianisme, nous a obligés à nous enfoncer davantage dans l'énigme de l'existence et de son sens (2).

---

(1) Existence et transcendance : une nouvelle dimension dans le problème de l'Etre.

(2) Folie et grandeur de Kierkegaard. Hegel : *La loi du cœur et le délire de la présomption* (projection dans l'autre de son propre mal — le rejeter de soi dans l'autre).

L'ambiguïté d'Abraham : « Nous sommes alors en présence du paradoxe. Ou bien l'individu peut comme tel être en rapport absolu avec l'absolu, et alors le moral n'est pas le suprême; ou bien Abraham est perdu, il n'est pas un héros, ni tragique ni esthétique. » Le paradoxe est donc : *ou bien* l'individu est dans un rapport absolu avec l'absolu — avec la transcendance — *ou bien* Abraham est perdu.

La plus grande objection qu'on puisse faire au christianisme, c'est la cruauté de Dieu.

Qu'est-ce que le christianisme pour Kierkegaard ? Une histoire à la mesure de Dieu (et non de l'homme), d'où la difficulté pour l'homme de comprendre son propre sens. L'individu exceptionnel est au-dessus de l'espèce.

Qu'est-ce que le christianisme pour Hegel ? Une histoire divine à la mesure de l'homme. L'espèce est au-dessus de l'individu.

10

DIALECTIQUE ET DIALOGUE DANS LA « PHÉNOMÉNOLOGIE DE L'ESPRIT » *

La *Phénoménologie de l'esprit*, comme la *Critique de la Raison pure*, est une réflexion sur l'expérience et sur ses conditions cachées et qu'il faut mettre au jour. Mais tandis que l'œuvre kantienne montre à la fois la nécessité et l'impossibilité de dépasser l'expérience (il y a un au-delà, mais la dialectique qui prétend l'atteindre est illusoire, et c'est justement cette illusion qui définit pour Kant la dialectique), la *Phénoménologie* hégélienne découvre le savoir absolu au cœur même de l'expérience : « Tout est dans l'expérience humaine », tout est dans le champ de l'expérience. La *Phénoménologie* est donc un *itinéraire* de la conscience naturelle pour accéder au savoir absolu, et cet itinéraire, ce passage d'une figure de la conscience à une autre, est *l'expérience*, « l'expérience qui — nous dit Hegel — est la dialectique ».

Ainsi, si pour Kant la dialectique est l'art de l'illusion, tandis

---

* Conférence faite à Athènes *(Entretiens philosophiques)* en 1956 ou en 1957 (ce texte n'est probablement que le résumé de la conférence).

que l'analytique est le domaine de la vérité qui nous est accessible, pour Hegel l'expérience est elle-même une dialectique.

C'est cette identification de l'expérience et de la dialectique qui doit nous arrêter particulièrement. On a souvent défini la dialectique par un dialogue, une confrontation ou une suite de thèses, d'antithèses ou de synthèses, ou encore par la négativité infinie. Mais jamais, comme le fait ici Hegel, par l'expérience elle-même. Or, la racine de la dialectique, c'est l'expérience.

L'expérience est dialectique pour Hegel en tant qu'elle permet à la conscience naturelle d'accéder au savoir absolu, en tant qu'elle est le surgissement de ce savoir. Tout se passe comme si l'expérience était la naissance de la vérité. La conscience naturelle, c'est celle qui s'ignore encore elle-même et croit trouver la vérité dans l'objet qui lui fait face. Elle fait donc l'expérience de son objet (que cet objet soit sensible ou intellectuel, le perçu ou le conçu), mais dans cette expérience de son objet, elle fait aussi l'expérience de sa propre inquiétude, elle est amenée à se dépasser elle-même et à changer son propre objet. C'est cette inquiétude ou cette instabilité de la conscience naturelle qui *est* la dialectique de l'expérience. La conscience se change elle-même et change son objet au cours de l'expérience, elle s'éprouve elle-même, elle se mesure elle-même. Ainsi, la réflexion sur l'expérience appartient encore à l'expérience, elle est le devenir de l'expérience, « la naissance ou le jaillissement du nouvel objet vrai ». Ce nouvel objet vrai, le savoir absolu, n'est pas un au-delà de l'expérience, il est l'expérience elle-même dans son être, dans son devenir. Mais cette considération de l'expérience comme vérité — en tant, dit Hegel, que le nouvel objet vrai en jaillit — n'appartient plus à la conscience naturelle engagée et comme engluée dans l'expérience, mais à *nous*, c'est-à-dire au philosophe qui présente l'expérience dans son être.

Que faut-il entendre par ce *nous*, par cette considération philosophique de l'expérience qui est différente de la considération naturelle ? Comment peut-on passer de l'expérience vécue naturellement à la *vérité* de l'expérience pour le philosophe ? Comment la conscience humaine peut-elle être à la fois la conscience naturelle décrite par Hegel — celle qui sent, perçoit, entend, comprend — et la conscience philosophique, ce *nous* qui accompagne la conscience naturelle, mais que la conscience naturelle « a pour ainsi dire derrière son dos » ?

Il n'est certes pas possible de distinguer la conscience naturelle et la conscience philosophique comme l'en-deçà et l'au-delà, comme deux mondes séparés. Le *nous* philosophique est déjà immanent à la conscience naturelle. C'est pourquoi il doit émerger dans l'expérience elle-même. Nous croyons que la thèse fondamentale de la *Phénoménologie* de Hegel est que cette émergence du *nous* philosophique dans l'expérience est possible par l'*intersubjectivité*, par la relation mutuelle des consciences de Soi et par l'affrontement des perspectives singulières. Il faut bien dire : affrontement, car chez Leibniz aussi il y a des perspectives, mais ces perspectives ne se rencontrent pas, ne sont jamais mises en mouvement. Si l'expérience est dialectique, promotion d'une vérité de l'expérience, c'est parce que cette dialectique est un dialogue, un rapport de consciences de soi. Ainsi, le pronom *nous*, employé par Hegel pour désigner la perspective philosophique sur l'expérience, et le pronom employé pour désigner une pluralité de consciences de soi singulières sont les mêmes (« Le nous qui est un moi et le moi qui est un nous »). L'expérience est *dia*lectique, mais cette *dia*lectique se manifeste par la pluralité et la relation des consciences de soi particulières, c'est-à-dire des perspectives particulières. La dialectique est alors le dialogue des consciences de soi, du maître et de l'esclave, de l'individu et de son autre dans le monde social, de la conscience noble et de la conscience vile, de la conscience qui juge et de celle qui agit (ce dernier dialogue résumant en lui tous les autres et mettant en évidence la dialectique de l'histoire humaine). Notre thème consistera donc à montrer que la dialectique hégélienne est le dialogue de la conscience naturelle et de la conscience ontologique (c'est là l'expérience elle-même), mais que ce dialogue s'exprime et se montre par le dialogue des consciences de soi particulières, par leur relation mutuelle, relation d'opposition autant que de séparation. Il y a une conscience de soi de l'expérience — un dialogue suprême de la conscience naturelle et de la conscience ontologique — parce qu'il y a une multiplicité de consciences de soi qui s'affrontent et s'identifient. Dans « dialectique », il y a le *dia*, l'*entre*, l'espace où se joue l'écart entre la conscience naturelle de l'objet et la conscience ontologique de la condition même de l'objet. Mais cet écart se mesure dans la conscience de soi, et la conscience de soi, c'est toujours une réflexion dans une autre conscience.

En d'autres termes, la conscience de soi n'existe pour Hegel que dans son opposition à elle-même, sous la forme d'une autre conscience de soi. C'est pourquoi la *Phénoménologie de l'esprit* présente l'accès à la vérité, au sens de l'expérience et de l'histoire, par l'étude des dialogues de la conscience de soi. La vérité n'est pas connue, mais reconnue : la lutte pour la reconnaissance exprime le désir de l'homme d'être reconnu par un autre, mais la reconnaissance, c'est la conscience de soi elle-même qui ne connaît qu'en reconnaissant. De là le conflit historique du maître et de l'esclave, ainsi que l'aliénation de l'homme qui voit l'action de son œuvre comme une altérité dans le monde où il ne se reconnaît pas, et qui n'est pourtant que sa projection spéculaire, l'histoire enfin qui est son propre jugement.

En définitive, la *Phénoménologie* de Hegel justifiera dans cette dialectique de l'expérience le sens le plus primitif du mot dialectique, celui de dialogue. Le dialogue de l'âme avec elle-même, celui dont parle Platon, passe à travers le dialogue des âmes entre elles. C'est pourquoi l'expérience, comme dialectique, est aussi histoire.

« PHÉNOMÉNOLOGIE » DE HEGEL ET PSYCHANALYSE *

Le titre de cet article (1) peut sembler en lui-même curieux et énigmatique. Le rapprochement entre la phénoménologie de Hegel et la psychanalyse paraît violer toutes les lois de l'histoire et le principe de l'irréversibilité du temps. Il faut bien reconnaître qu'il n'y eut pas d'influence historique de Hegel sur le fondateur de la psychanalyse. Freud n'avait pas lu, semble-t-il, Hegel. Ne peut-on rapprocher de cette « lacune » dans une si vaste culture, cette confidence qu'il s'était refusé à lire Nietzsche malgré les satisfactions qu'il aurait pu en tirer, pour ne pas risquer de se laisser influencer dans l'originalité de ses propres découvertes ?

D'autre part, le bon sens semble nous interdire de parler d'une influence rétrospective, une sorte d'influence remontant le cours du temps, de Freud sur Hegel. C'est cependant cette sorte d'absurdité que je voudrais d'abord justifier, car elle comporte quelque chose de véritable, qui est la *rétrospection*. Dans cette intention je rappellerai

---

* Extrait de *La Psychanalyse*, P.U.F., 1957.

(1) Article rédigé par Jean LAPLANCHE, d'après une conférence prononcée le 11 janvier 1955 par M. Jean HYPPOLITE, à la Société française de Psychanalyse.

ce texte admirable de Freud, dans la *Science des Rêves* (1) où il nous raconte la tragédie d'Œdipe nous montrant Œdipe courant à son destin, et où il nous dit tout à coup, dans une de ces remarques si profondes qui donnent à la lecture de Freud (je ne dis pas des freudiens, à quelques exceptions près) un charme prodigieux : mais c'est une psychanalyse ! Cela se déroule comme une psychanalyse, la psychanalyse est une sorte de drame comme la découverte progressive que fait Œdipe de lui-même. J'en rapprocherai encore ce texte où Freud nous dit qu'une psychanalyse se termine par une phrase de cet ordre : « Je l'ai toujours su » : c'est au moment où le psychanalysé lui-même reconnaît cela que son analyse est achevée.

Eh bien, c'est dans un esprit qui n'est pas tellement différent de celui de la psychanalyse freudienne dans de tels textes, que nous essayerons d'envisager, par une interprétation à proprement parler rétrospective, la phénoménologie de Hegel. Relire ainsi la *Phénoménologie* consisterait à envisager la totalité de cette œuvre si difficile et sinueuse comme la véritable tragédie d'Œdipe de l'esprit humain tout entier, avec peut-être cette différence que le dévoilement final — ce que Hegel nomme « savoir absolu » — reste ambigu et énigmatique.

Comment reprendre, dans un espace relativement limité, la totalité de la *Phénoménologie de l'esprit* sous un certain aspect ? Nous choisirons comme fil conducteur de notre interprétation la thèse suivante : la notion de vérité, comme dévoilement, s'effectue par l'intercommunication des consciences de soi humaines, par la reconnaissance mutuelle et par le langage qui se substitue au problème même de Dieu. Peut-être faudrait-il remonter à Rousseau pour trouver l'origine de cette nouvelle façon de poser le problème de la vérité. Tandis que, par exemple, chez les Cartésiens la conscience dans sa solitude s'adresse à Dieu pour se faire garantir la

(1) *G. W.*, p. 267 sq., trad. franç., p. 197 sq.

vérité, retournant ensuite armée du témoignage divin vers ses semblables, pour Hegel c'est seulement dans le jeu de l'intercommunication des consciences, dans le langage, que s'élabore la conscience de soi universelle et se dévoile la vérité.

Ce problème est développé dans toute la *Phénoménologie* mais en se répétant à des niveaux différents. Nous nous proposons de reprendre quatre de ces moments.

Le premier moment, qui correspond à l'Introduction de la *Phénoménologie*, nous pourrions l'appeler l'*inconscience* — ou l'*inconscient* — *de la conscience*. Dans ce texte (si admirablement et si partiellement commenté par Heidegger (1) — mais il n'y a de grands que ceux qui ont une grande partialité), Hegel nous présente la conscience qu'il appelle *naturelle* (nous ne disons pas qu'elle est naïve). Aussi bien que la conscience de l'homme de la rue, ce peut être celle de ces savants qui font de la psychanalyse. C'est une conscience naturelle, et qui ne peut d'ailleurs pas s'empêcher d'être telle : une conscience qui s'ignore elle-même et dont un des caractères fondamentaux est un inconscient radical.

Une inconscience radicale de soi, on pourrait appeler cela *fonction d'inconscience de la conscience*. La conscience voit et ne se voit pas. La conscience en connaissant méconnaît. Mais n'oublions pas que méconnaître, ce n'est pas complètement ne pas connaître; méconnaître, c'est connaître pour pouvoir reconnaître, et pour pouvoir dire un jour : je l'ai toujours su. Qui se méconnaît d'une certaine façon se connaît. De telle sorte que si la conscience naturelle est fondamentalement inconscience de soi, elle est aussi une certaine façon, en se méconnaissant, de pouvoir un jour se reconnaître.

Peut-être y a-t-il là une clé du problème de l'inconscient : il n'est pas une chose située derrière une chose, mais fondamentalement

(1) *Hegels Begriff der Erfahrung*, Holzwege, Clostermann, 1950.

une certaine âme de la conscience, une certaine façon inévitable, pour la conscience naturelle, d'être elle-même.

On pourrait donc parler d'une certaine inconscience ontologique de la conscience.

« La conscience naturelle se démontrera être seulement concept du savoir ou savoir non réel. Mais comme elle se prend immédiatement plutôt pour le savoir réel, ce chemin qu'elle parcourt a, de son point de vue, une signification négative, et ce qui est la réalisation du concept vaut plutôt pour elle comme la perte d'elle-même; car sur ce chemin elle perd sa vérité. Il peut donc être envisagé comme le chemin du doute, ou proprement comme le chemin du désespoir » (1).

Ce chemin est celui même de la tragédie d'Œdipe. C'est celui de la découverte de soi, dans cette conscience inconsciente d'elle-même. Il y a donc une sorte d'itinéraire, et la conscience est jetée d'emblée dans un voyage qui s'appelle l'expérience. Et c'est la présentation de ce voyage comme voyage qui est le thème même de la *Phénoménologie* de Hegel.

Le début de notre citation illustre cette fonction d'inconscience de la conscience : « La conscience naturelle se démontrera être seulement concept du savoir. » Elle est donc quand même quelque chose dans son inconscient. Elle a déjà quelque lueur sur elle-même. Ne disons pas qu'elle est subconsciente, ce qui ne ferait que masquer la contradiction; ontologiquement la conscience ne se voit pas, et pourtant elle ne peut être conscience que parce que dans une certaine mesure elle se voit : sinon, elle ne verrait rien. Elle ne voit que dans un voile, dans le non-voir. Dans cette méconnaissance, elle est déjà apte à se reconnaître un jour, et c'est ce que Hegel appelle « être seulement concept du savoir », c'est-à-dire anticipation du

---

(1) *Phénoménologie de l'esprit*, trad. Jean HYPPOLITE, Aubier, I, p. 69. (Les notes suivantes, sans spécification, renvoient à ce texte.)

savoir; et c'est parce qu'elle est anticipation d'elle-même, parce qu'elle est en guerre et errante, qu'elle est expérience et itinéraire; elle s'arrêterait bien, mais elle ne le peut pas, parce qu'elle est plus que conscience naturelle; et cependant, en tant que conscience naturelle, elle naturalise à nouveau chaque vérité qu'elle découvre : c'est au fond le destin de toutes les grandes découvertes, fût-ce celles de Freud, fût-ce dans Freud même, c'est-à-dire qu'il y a comme une transposition naturelle d'une découverte originale qui ne peut plus se voir elle-même, et qui pourtant ne peut pas s'arrêter; en ce sens, la « conscience naturelle » de Hegel est nécessairement la forme sous laquelle se présente celui qui croit être arrivé au terme.

Il reste encore une énigme dans cette Introduction du texte hégélien : quel est donc ce « nous » qui, lui, y voit clair dans une conscience qui ne se voit pas elle-même ? La *Phénoménologie* dans son ensemble est précisément une réponse à cette question : c'est ce « nous » qu'il faudra trouver, alors qu'il est présenté au début comme un « pour-nous ». Ce « pour-nous », disons ce « philosophe » de l'Introduction de la *Phénoménologie*, peut être compris dans une référence très concrète : celle des « romans de culture », dont le premier fut l'*Emile*. (Et il serait encore passionnant de lire, comme une psychanalyse, *La Nouvelle Héloïse*.) Dans l'*Emile*, il y a deux personnages : l'un est essentiellement la conscience qui fait l'expérience, l'autre, avec beaucoup de patience d'ailleurs, regarde notre sujet faire son expérience; il y a le précepteur et il y a l'autre.

Or, le problème est ici de savoir quel rapport existe entre ce « nous », ce précepteur qui dans une certaine mesure est le descendant de Dieu, et d'autre part la conscience naturelle, toujours ontologiquement ignorante de soi. Si « nous » y voyons clair dans cette conscience, si nous connaissons déjà sa vérité, ne suffit-il pas de rapprocher immédiatement ce qu'elle est vraiment de ce qu'elle croit être ? Or, pour Hegel cette solution, cette sorte de court-circuit à la *Phénoménologie*, est radicalement impossible. En effet,

« ce que nous affirmerions comme son essence, ce ne serait pas sa vérité, mais seulement notre savoir de lui » (1). Mot très profond : si le psychanalyste croit lire l'histoire du sujet dans ses symptômes, et lui communique sa découverte, il aboutit à un échec. En effet, le sujet ne reconnaîtrait pas cette vérité, puisqu'elle serait en quelque sorte lue en lui sans que lui-même la lise en lui-même. Et de ce fait même, cette vérité serait une erreur. « L'essence ou la mesure tomberaient en nous » (en nous philosophes) « et ce qui devrait être comparé à la mesure, ce sur quoi une décision devrait être prise à la suite de cette comparaison, ne serait pas nécessairement tenu de reconnaître la mesure » (2). Il n'est donc pas d'autre voie de vérité, pour notre conscience naturelle, que ce long voyage qui l'amène à lire elle-même sa vérité.

De ce voyage, nous ne prévoyons pas encore tous les détours. Marcher vers le savoir, pour une conscience qui s'ignore elle-même, n'est-ce pas simplement se découvrir en se retournant sur soi ? Ainsi la *Phénoménologie* comporterait deux chapitres : conscience naturelle et conscience de soi. Or ce thème célèbre de Hegel : « la conscience de soi », « domination et servitude » (maître et esclave), n'intervient que comme un moment dès les premiers chapitres de la *Phénoménologie*. Le mot de cette énigme, je voudrais le laisser pressentir en proposant pour ce moment dialectique un titre qui « parlera » aux auditeurs du Dr Lacan tout en exprimant exactement le drame qui se joue dans ce texte fort abstrait de Hegel : *La conscience de soi comme jeu de miroir* (3).

---

(1) I, p. 73.
(2) I, p. 73.
(3) Et, si l'on tient absolument à prouver que le « stade du miroir » n'est pas une « découverte » du Dr Lacan, l'on serait plus avisé de méditer son sens auprès d'un Hegel, au lieu de se hâter d'en réduire la portée aux protocoles d'expérience sur lesquels il s'appuie. *(N.d.R.)*

Or, ce chapitre de Hegel est aussi un chapitre sur la vie. Paradoxe pour nous, puisqu'une conscience de soi humaine n'est pas seulement une conscience vivante, un désir de vivre, car celui-ci ne présuppose justement pas l'altérité fondamentale. On pense à ce thème de *La Jeune Parque*, lorsqu'elle évoque le temps antérieur à toute blessure :

> Une avec le désir je fus l'obéissance
> Imminente, attachée à ces genoux polis;
> De mouvements si prompts mes vœux étaient remplis
> Que je sentais ma cause à peine plus agile !
> Vers mes sens lumineux nageait ma blonde argile,
> Et dans l'ardente paix des songes naturels
> Tous ces pas infinis me semblaient éternels.
> Si ce n'est, ô Splendeur, qu'à mes pieds l'Ennemie,
> Mon ombre !

... mais ici quelque chose surgit qui est déjà l'altérité.

Donc le désir vital ne connaît pas vraiment l'altérité, ou il la dépasse, comme dans la sexualité. « La vie, dit Hegel, renvoie à quelque chose d'autre que ce qu'elle est » (1), elle renvoie au sens de la vie; mais le sens de la vie s'éprouve dans autre chose que la vie, dans la constitution d'un moi étranger.

« Je est un autre »... peut-être Rimbaud ne prêtait-il pas à cette phrase tout le sens que nous lui avons donné : la conscience de soi n'existe comme moi que lorsqu'elle se voit dans une autre conscience de soi; la *Phénoménologie* nous présente ici en termes abstraits le schème de l'altérité, où le rapport « en miroir » est essentiel : on pourrait dire que le double (Hegel dit le « doublement ») (2) est fondamental dans la conscience de soi. Entendons bien par là que la conscience de soi n'est pas enfermée quelque part, dans un organisme biologique. Elle est relation et relation à l'autre. Mais elle est relation à l'autre à condition que l'autre, ce soit moi; relation à moi

(1) I, p. 152.
(2) I, p. 155.

à condition que moi, ce soit l'autre. C'est ce que Hegel nomme *l'infini*, qui se caractérise par le double sens, un double sens qui s'exprime dans la contradiction du double, de *l'alter ego*, avec *alter* et avec *ego*.

« Pour la conscience de soi, commence Hegel (1), il y a une autre conscience de soi. Elle se présente à elle comme venant de *l'extérieur* »; c'est bien cela qui est fondamental : pour exister comme moi, il faut que j'en *trouve* un autre; en insistant sur le mot « trouver », car si je le fais ce n'est plus un autre. Or ceci nous engage dans le jeu de la double signification : « La conscience de soi s'est perdue elle-même, car elle se trouve comme étant une *autre* essence »; si je trouve un autre moi, je suis perdu puisque je trouve mon moi comme un autre. Mais le double sens, c'est que la conscience « a par là même supprimé l'*Autre* car elle ne voit pas l'Autre comme essence, mais c'est *elle-même* qu'elle voit dans l'Autre ». Il y a donc une espèce de course infinie où jamais la conscience de soi, à la différence de la vie, ne s'atteint. Qu'elle tente maintenant de supprimer l'autre, ceci a encore un double sens : « 1º Elle doit se mettre à supprimer l'*autre* essence indépendante pour acquérir ainsi la certitude de soi-même comme essence; 2º Elle se met par là à se supprimer *soi-même* car cet autre, c'est elle-même. »

Et l'on verrait facilement comment cette dialectique d'apparence abstraite est le schème du jeu du « fort-da » dont nous parle Freud (2); dans le jeu de la présence et de l'absence, cet enfant qui a peut-être perdu sa mère ou la personne qui s'occupait de lui a fait bien pire encore : il s'est perdu lui-même en se mettant au-dessous de la glace. Car, en fin de compte, en faisant disparaître l'autre je me fais disparaître aussi moi-même ; mais en faisant apparaître l'autre je me perds

---

(1) I, p. 155 sq. : « La conscience de soi doublée ».
(2) Au-delà du principe du plaisir, *G.W.*, XIII, p. 11 sq., trad. franç., p. 13 sq. Cf. LACAN, Rapport au Congrès de Rome, *La Psychanalyse*, 1, p. 162-163.

aussi, je suis d'une certaine façon hors de moi, puisque je me vois comme un autre.

Or ce qui est la découverte propre de Hegel, c'est qu'il n'y a pas de sens à parler d'un moi en dehors de cette relation. Plus encore, cette relation, malgré l'enchaînement de ce double sens, est encore trop unilatérale pour constituer un moi : « Ce mouvement de la conscience de soi dans son rapport avec une autre conscience de soi a été représenté de cette façon comme l'*opération de l'une* des consciences de soi »; or il faut que l'*opération* elle-même soit bilatérale; il faut qu'elle soit la double opération commune et mutuelle de chacune des consciences. Pour que je reconnaisse l'autre comme étant un moi, il faut que je le voie faire sur moi ce que je me vois faire sur lui.

Nous saisissons l'entrecroisement de deux consciences qui non seulement se voient l'une dans l'autre, mais *se voient comme se voyant* l'une dans l'autre, et se manquant en même temps, dans une réciprocité qui s'exprime ainsi : « Ils se reconnaissent comme se reconnaissant réciproquement » (1).

Nous n'insisterons pas ici sur la suite d'un texte qui est bien connu, lutte à mort des consciences de soi opposées, et « maître et esclave ». Nous dégagerons seulement les deux prolongements, fort opposés en apparence, de cette dialectique.

Le premier, c'est qu'à la fin de cette lutte on a l'impression que la conscience de soi s'est repliée sur elle-même, que dans une certaine mesure elle a fait disparaître l'altérité : c'est la *conscience malheureuse*. La conscience est malheureuse parce qu'elle est engagée dans le travail et dans la peine; elle a transformé ce qui était pour elle le maître, en quelque chose qui est là et qu'elle n'atteint pas : la conscience immuable : l'altérité est devenue le surmoi. La conscience a engendré ce dieu qui fait qu'elle ne se juge elle-même que coupable, qu'elle s'enfonce dans sa culpabilité, transposant en son sein la relation de domination-servitude. Et il y aurait dans la formation de la conscience pécheresse ou de la culpabilité tout un thème à reprendre (1).

Mais dans le mouvement de la conscience hégélienne, le jeu de miroir de la conscience de soi ne se termine pas en impasse. On peut dire que le schème abstrait que nous avons présenté est l'expérience fondamentale pour que se constitue une conscience de soi *humaine*. Et il faut d'abord que se constitue une conscience de soi humaine « en miroir » pour que l'histoire même soit possible. Les figures concrètes que nous allons aborder ne sont possibles que dans l'*élément* de la conscience de soi (au sens où l'on parle de l'élément marin par exemple), et cet élément pourrait se définir ainsi : l'essence de l'homme c'est d'être fou, c'est-à-dire d'être soi dans l'autre, être soi par cette altérité même.

Dans cette tragédie qui se répète (non pas au sens de la répétition mnésique de Freud, mais comme approfondissement), nous passons maintenant sur un plan plus concret, dans un monde social où se reproduit l'*aliénation de la conscience de soi concrète*. Pour concrète qu'elle soit, notre conscience de soi n'en a pas moins un objet imaginaire, non encore réalisé, et qui est elle-même.

Sa première tentative pour se réaliser, est celle du désir (2). Son désir d'abord est de s'éprouver elle-même dans une autre conscience de soi, concrète elle aussi. Il n'y a qu'à être heureux, goûter le plaisir — pourquoi pas ? — jouir du bonheur plutôt que de le

---

(1) Une chose est très frappante chez Hegel : il n'est pas un moraliste, on sent que la morale à proprement parler ne le préoccupe pas comme elle a par exemple préoccupé Kant ou même Nietzsche ; en même temps il étudie constamment les conditions de la conscience morale. Conscience pécheresse, conscience de culpabilité, conscience qui pardonne, sont les figures qu'il analyse, ce qui va d'ailleurs beaucoup plus loin que tous les discours de morale.

(2) I, p. 297 sq.

faire ; cueillir la vie comme on cueille un fruit mûr, et qui, à peine mûr, serait pris : c'est un plaisir que la conscience de soi pourrait goûter immédiatement, et elle éprouverait ainsi dans la jouissance l'intuition de l'unité des deux consciences de soi. Or ce qu'elle éprouve n'est pas cette unité, mais une frustration inévitable, et à laquelle elle ne comprend rien. C'est ce qu'elle appelle « la rencontre de la nécessité ». La jouissance se heurte au destin, à une frustration qui n'a pas de sens. La conscience se voit ici sans se comprendre dans un destin qui n'est pas conscience. Elle se survit sans être capable, dans cette survivance, de faire l'histoire de sa propre origine. Sur l'unique plan du vécu, elle n'est pas capable de découvrir encore ce qui, pourtant, seul, donnera un sens à ce vécu, une vérité qui sera promue par le langage. Ce qu'elle vit renvoie à un avenir qu'elle ne vit pas encore; comme cet avenir sera le sens de ce qu'elle vit présentement.

Et c'est pourquoi ce que cette conscience rencontre prend la forme de la nécessité la plus pauvre : « Ce *passage* de son être vivant dans la nécessité morte se manifeste alors à lui comme une inversion qui n'a aucune médiation » (1); c'est-à-dire que ce qui manque à cette jouissance, ce qui manque à cette frustration, c'est justement le sens. Et l'individu trouve simplement dans l'absence de sens qui le frappe le pur non-sens. C'est cela qui lui apparaît comme destin : « Le médiateur devrait être ce en quoi les deux côtés s'unifieraient, devrait donc être la conscience, qui connaîtrait l'un des moments dans l'autre, c'est-à-dire connaîtrait dans le destin son but et son opération; et, dans son but et son opération, son destin » (2); c'est-à-dire qu'elle serait capable non pas seulement de découvrir sa propre frustration, mais de comprendre encore dans sa vie elle-même le sens de sa vie. C'est précisément ce qui est impossible à cette conscience, en raison

(1) I, p. 301.
(2) I, p. 301-302.

de ses exigences singulières. « Dans l'expérience qui devrait lui développer sa vérité, la conscience est donc plutôt devenue à soi-même une énigme; les conséquences de ses opérations ne sont plus devant elle ses opérations mêmes; ce qui lui arrive n'est pas *pour elle* l'expérience de ce qu'elle est *en soi.* »

Le deuxième passage est ce que Hegel appelle la « loi du cœur » et « le délire de la présomption », et dans lequel nous pourrions voir, ainsi que dans le troisième passage, celui du donquichottisme, la forme de la connaissance paranoïaque en tant que structure fondamentalement humaine (1).

C'est que la conscience n'est plus à ce niveau élémentaire que nous venons de décrire. Elle n'est plus seulement une conscience avide de cueillir la vie et d'en jouir, et qui s'aperçoit qu'au moment où elle croit cueillir la vie elle regarde la mort; elle est une conscience qui, en face de cette énigme, a pris sur elle la nécessité; et c'est ce qu'elle appelle « la loi du cœur ». C'est une conscience qui se croit parfaitement pure et qui trouve que le monde est mal fait.

Et cette conscience veut réaliser dans le monde la loi de son propre cœur. Elle ne veut pas seulement réaliser son cœur, mais *la loi de ce cœur* : elle ne veut pas seulement réaliser sa jouissance, son désir, mais un désir qui soit *en même temps* universellement valable.

Tous les hommes, pense-t-elle, sont pris dans un dilemme : ou bien ils réalisent leur désir, leur cœur, mais sont privés de la conscience de leur propre excellence; ou bien ils réalisent la loi mais vivent privés de la jouissance. Que reste-t-il donc à faire, sinon mettre le plaisir et la loi du même côté : c'est la loi du cœur.

Malheureusement, lorsque l'individu veut réaliser la loi de son cœur, elle lui devient quelque chose d'étranger où il ne se reconnaît pas. Il se méconnaît dans l'homme qu'il *devient dans les autres et pour les autres.* Et ce drame est le commencement d'une folie par laquelle

(1) I, p. 302.

l'homme ne peut pas ne pas passer (en tant qu'homme) : « La loi du cœur justement par le fait de son actualisation cesse d'être loi du *cœur*, elle reçoit en effet dans cette actualisation la forme de l'*être* et est maintenant puissance universelle à laquelle ce cœur particulier est indifférent; ainsi l'individu par le fait d'*exposer* son ordre propre ne le trouve plus comme le sien » (1).

Ce thème va se développer plus profondément dans la mesure — et c'est ce qui correspond au titre de *délire de la présomption* — où l'individu qui a voulu ainsi réaliser la loi de ce cœur ne se reconnaît pas dans sa propre opération, qui se retourne contre lui-même. Il sent un bouleversement profond en lui-même et il le refuse en le projetant hors de soi. Cette *projection* est fondamentale. Et c'est bien elle qu'on peut appeler cette folie propre à l'homme. C'est celle que Hegel analyse dans le personnage célèbre de Schiller, le Karl Moor des *Brigands*, et que le Dr Lacan retrouve dans notre Alceste, qui n'est pas l'homme vertueux, mais véritablement le fou (2). Car il est bien évident que le mal qu'aperçoit Alceste, il le porte en son propre cœur, il le projette hors de soi pour ne pas le voir en soi. Et cette projection (le terme est dans Hegel même) n'est pas un phénomène psychologique particulier; elle est le fond même de l'homme; elle réalise concrètement le schème qui se présentait comme dualité abstraite au niveau de la « conscience de soi ».

Alors, nous dit Hegel, « le battement de ce cœur pour le bien-être de l'humanité passe dans le déchaînement d'une présomption démente, dans la fureur de la conscience pour se préserver de sa propre destruction — et il en est ainsi parce que la conscience projette hors de soi la perversion qu'elle est elle-même, et s'efforce de la considérer et de l'énoncer comme un Autre » (3). Car ce qui est

(1) I, p. 305.
(2) Propos sur la causalité psychique, p. 39 sq. dans : *Problème de la psychogenèse des névroses et des psychoses*, Desclée de Brouwer.
(3) I, p. 309.

ici fondamental, c'est que la conscience est dérangée en elle-même, dérangement interne dont Hegel, admirant beaucoup Pinel, nous dit qu'il est caractéristique de la folie; car il n'y aurait pas de folie si l'homme fou n'était en même temps raisonnable; comme il n'y aurait pas de malades si le malade n'était en même temps quelqu'un de sain : autrement il serait mort, purement et simplement.

Il y a donc une dualité profonde dans l'homme fou, et pour s'en défendre il la voit hors de soi, comme quelque chose de contingent : il n'y aurait qu'à détruire tout cela en dehors, et tout irait bien. Et ici la représentation véritablement paranoïaque, que se faisaient du monde certains révolutionnaires : « Des prêtres fanatiques, des despotes corrompus aidés de leurs ministres » — et cela n'était pas tout à fait faux — « qui en humiliant et en opprimant cherchent à se dédommager de leur propre humiliation, auraient inventé cette perversion exercée pour le malheur sans nom de l'humanité trompée. Dans son délire, la conscience dénonce bien l'*individualité* comme étant le principe de cette folie et de cette perversion, mais c'est une individualité étrangère et contingente » (1).

Nous n'insisterons pas ici sur la troisième figure, à laquelle aboutit ce délire, le donquichottisme, pour passer à la *résolution* de cette espèce d'entrecroisement des consciences de soi, dans la phase finale de la *Phénoménologie* : « le mal et son pardon » (2). Elle nous montre encore les deux personnages que nous avons sans cesse rencontrés et qui présentent toujours une opération à double sens, en un double sens.

Mais ici, ces deux consciences sont réalisées de la façon la plus concrète. L'une prend la forme d'une conscience qu'on pourrait appeler créatrice, la conscience agissante; Hegel l'appelle *Gewissen*,

(1) I, p. 309.
(2) II, p. 190 sq.

et j'ai traduit, avec un peu d'audace, par bonne conscience. Car, en fait, quand on agit, il faut toujours être un peu hypocritement une bonne conscience. En effet, nous dit Hegel, la conscience morale est muette; celle qui agit est concrète; elle invente ce qu'il faut faire. Et elle le justifie après coup. Elle justifie toujours. Si elle ne justifiait pas, elle commettrait la maladresse d'être immorale. Car elle peut toujours se justifier. Dans un texte célèbre des *Provinciales*, Pascal se demande si vraiment un homme a le droit de vie et de mort sur un autre homme. Et il dit que les Jésuites pensent que quand l'honneur d'un homme est atteint, il le peut, après tout... Pascal va très loin, jusqu'à dire : personne n'a le droit de vie et de mort sur un autre homme, il n'y a que Dieu... Mais il faut bien que Dieu délègue de temps en temps ce pouvoir à quelque souverain.

Rappelons-nous aussi Tartuffe; aux scrupules qu'avec une malice bien féminine lui objecte la femme de son ami et souffre-douleur Orgon :

> Mais des arrêts du Ciel on nous fait tant de peur,

il répond :

> Je puis vous dissiper ces craintes ridicules
> Madame, et je sais l'art de lever les scrupules.
> Le Ciel défend, de vrai, certains contentements;
> Mais on trouve avec lui des accommodements.
> ... il est une science
> ... de rectifier le mal de l'action
> Avec la pureté de nos intentions (IV, 5).

Et peut-être croit-il lui-même à ses justifications. Quand on vole c'est pour nourrir sa famille, quand on tue c'est pour venger son honneur ou défendre sa patrie. L'immoralité est en somme la maladresse de ne pas pouvoir se justifier. Nous en connaissons bien d'autres, de ces consciences qui savent être élastiques. Et elles le sont toutes. Car autrement l'action serait impossible.

Eh bien, les consciences qui sont ici en présence sont d'un tel ordre. Elles sont toutes les deux jésuites. Il n'y a rien à faire, le jésuitisme a quelque chose d'éternel, d'inévitable en lui-même. Celle qui agit invente ce qu'elle a à faire et se justifie. Mais elle *a besoin de se justifier*. Là est son besoin fondamental. Elle a besoin de se justifier auprès d'une autre conscience de soi. Et l'autre conscience de soi, elle, juge la première. Elles ont l'air dissymétriques : une sera la conscience qui juge, et l'autre sera la conscience jugée.

Remarquons à quel stade concret nous sommes, dans la répétition du même drame qui nous amène à dire : où est le « nous » ? Ce « nous » qui est en quelque sorte la lumière de la conscience qui s'ignore elle-même : il apparaît maintenant sur le plan du rapport le plus concret : le besoin d'être jugé. Et c'est un besoin qui ne quitte pas l'homme, c'est un besoin d'être reconnu, c'est un « appel à l'histoire »; comme disait Péguy, « il faut en appeler à l'histoire ». On en appelle aux hommes, on écrit même pour qu'on vous juge après votre mort.

« L'histoire jugera », disait l'autre...; mais il s'agit de savoir quel est le personnage qui finalement jugera l'autre. Au début, c'est celui qui n'agit pas. S'agit-il du rapport du psychanalysé au psychanalyste ? Peut-être, si l'on donnait aux contre-transferts le même poids qu'aux transferts... Car ici, d'après le schème du maître et de l'esclave, il y a échange : la conscience qui est noble devient basse; et la basse devient noble. Il arrive que la vraie conscience pécheresse est la conscience qui juge; et que la conscience qui, au fond, dissout ou résout son nœud dans l'autre, arrive à se voir dans l'autre. Et elle s'y voit d'autant plus que l'autre est aussi coupable qu'elle.

Et pourquoi la conscience qui juge est-elle une conscience pécheresse ? C'est que, pour Hegel, la conscience jugeante est au fond hypocrite : elle n'agit pas et veut faire passer son jugement pour une action. Mais il existe une raison plus profonde : c'est que pour pouvoir apercevoir sous sa lumière le mal et la partialité de l'autre, et l'inégalité de l'autre, il faut qu'elle les porte déjà en soi. Nous connaissons cette projection. Nous connaissons ces gens qui ont dénoncé hors d'eux toute leur vie ce qui s'avère l'infernal désir qu'ils n'ont pu réaliser dans la leur. C'est là le mal que porte en soi la conscience jugeante. Et, à son sujet, Hegel cite la phrase de Napoléon qui se trouve déjà dans *La Nouvelle Héloïse* : « Il n'y a pas de grand homme pour son valet de chambre. » Non qu'il n'y ait pas de grand homme, mais parce qu'il y a des valets de chambre. La conscience jugeante du valet de chambre est la moralité. Il n'y a pas de grand homme qui ne soit susceptible d'être envisagé du point de vue du valet de chambre. Et éclairer un homme du point de vue du valet de chambre, lui servir de miroir de ce point de vue, c'est porter en soi le mal qu'on dénonce en lui.

Ainsi les rôles sont renversés entre la conscience qui pourrait être universelle et dissoudre le nœud, et résoudre en elle la conscience agissante, et celle-ci qui éprouve le besoin d'être justifiée, reconnue, qui fait appel à un sens qui ne peut se réaliser que dans un dialogue et dans un langage; Hegel le dit en termes propres (1) :

« Ainsi, une fois de plus, nous voyons le *langage* se manifester comme l'être-là de l'esprit », il est « conscience de soi universelle »; c'est dans le langage, qui est langage du sens, et dans cette intercommunication, que se résout le problème du « nous ».

Mais, comme vous le voyez, le *nous* n'est ni dans la conscience qui prétendrait juger, ni dans la conscience qui est jugée. Tout se dégage de la reconnaissance mutuelle, chaque conscience étant tout à la fois celle qui agit et celle qui juge, celle qui projette le mal, et celle qui est le mal, et celle qui a besoin d'être reconnue.

L'émergence de ce « nous » peut cependant encore éprouver un échec ultime. Echec terrible dû à ce qu'on pourrait appeler l'instinct de mort de celui qui ne veut pas guérir, c'est-à-dire qui à

(1) II, p. 184.

jamais ne veut plus parler (1). Quand il arrive que l'une des consciences — et Hegel décrit ce dernier stade (2) — se retire sur elle-
même et se refuse totalement à la communication, cette schizophrénie
suprême, cette rupture totale du rapport, ne peut pas être comprise
comme bénéfice de la maladie, mais comme refus intégral de jamais
guérir.

Au contraire, dans la communication surgie entre la conscience
jugeante et la conscience jugée, dans ce mouvement qui est encore
une sorte de jeu de miroir, puisque la conscience pécheresse dit :
« Je suis le mal, mais vous aussi », et que l'autre dit : « Je vois le mal,
mais je le suis aussi », apparaît un « nous » qui n'est plus celui que
Hegel posait abstraitement à l'origine. Ce « nous » qui avait l'air
d'une transcendance et qui transperçait une conscience qui se
méconnaissait elle-même, surgit ici comme le mouvement à jamais
inachevé d'une histoire où se *résout le problème du sens*, du savoir
absolu, un nous qui est tel qu'on peut dire à la fin : il n'est pas
sans nous.

(1) Ou, du moins, s'il a encore un langage pétrifié, refuse la parole.
(2) II, p. 188-189.

12

LA « PHÉNOMÉNOLOGIE » DE HEGEL ET LA PENSÉE FRANÇAISE CONTEMPORAINE *

Tandis que l'hégélianisme se répandait en Europe, en Angleterre et en Italie notamment, la France restait à l'écart de ce mouvement. Elle n'ignorait pas complètement Hegel, mais elle ne l'étudiait pas directement, phénomène français caractéristique. C'est un Italien, Vera, qui traduisait une partie de l'*Encyclopédie* en français, mais les œuvres fondamentales, la *Phénoménologie*, la *Science de la Logique*, la *Philosophie du droit*, étaient inconnues. Sans doute, l'atmosphère hégélienne existait : le Saint-Simonisme baignait en elle, Proudhon, Leroux, Comte lui-même la respiraient. Mais l'Université, agissant par cette institution bien française, la classe de philosophie, se refusait à considérer Hegel comme un philosophe classique, digne d'être étudié et commenté au même titre que Platon, Descartes ou Kant. Il y avait bien Renan et Taine, et antérieurement Victor Cousin, qui avaient pressenti toute l'importance de l'hégélianisme; mais ils n'avaient pas réussi à le faire passer, comme l'Université française avait réussi à absorber et à assimiler Kant. Ma génération a été

* Conférence faite à Bruxelles en 1957.

formée par la philosophie kantienne : Lachelier, Boutroux, Brunsch-vicg se référaient sans cesse à Kant, mais ils se défiaient des post-kantiens, et de Hegel plus que d'un autre. Il y avait à ce refus des raisons profondes, et pas seulement la méconnaissance de textes difficiles, non encore traduits. La pensée française était hostile à une vaste philosophie de l'histoire, elle s'y refusait par tradition carté-sienne, elle craignait de se laisser entraîner dans un mouvement qui dépasse les analyses de la réflexion. De fait, le *Discours de la Méthode* cherche à écarter l'histoire, la *Phénoménologie*, à prendre appui sur elle (P. Valéry, *Regards sur le monde actuel*). Enfin, après la guerre de 1870, la pensée française considérait un peu l'hégélianisme comme une forme du pangermanisme. En face de la tradition universitaire qui avait assimilé Kant, la philosophie nouvelle qui dominait en 1925, quand je faisais mes études à la Sorbonne, était celle de Bergson; mais il est remarquable de voir Bergson édifier une philosophie de la vie plutôt qu'une philosophie de l'histoire. Par Ravaisson, peut-être, le bergsonisme renouait-il avec Schelling, certainement pas avec Hegel.

Il y avait cependant une exception remarquable à cette ignorance et méconnaissance de Hegel. Le bibliothécaire de l'Ecole Normale, alsacien d'origine, Lucien Herr, avait profondément étudié Hegel, il le possédait, mais n'avait publié rien d'autre qu'une étude de quelques pages sur Hegel dans la *Grande Encyclopédie*, étude éton-nante à l'époque : il indiquait que la formation de Hegel était toute personnelle et écartait le thème : Fichte-Schelling-Hegel. L'influence de Lucien Herr fut considérable; de la bibliothèque de l'Ecole Normale, il orientait bien des esprits, et non seulement dans le domaine de la science, mais encore dans celui de l'action; il inspirait Jaurès aussi bien qu'Andler, il conseillait à Alain, ce professeur de première supérieure au lycée Henri IV qui eut une telle action entre les deux guerres, de faire un cours sur Hegel et de saisir le réalisme hégélien. On conçoit donc que la rencontre de la pensée française et de l'hégélianisme ait été longuement préparée; les circonstances, enfin, notre défaite de 1940 nous entraînant à une méditation nouvelle sur l'histoire (car si nous écartions l'histoire, l'histoire, elle, ne nous écartait pas), contribuèrent aussi à cette découverte tardive, mais capitale, de Hegel.

La situation commença à changer aux environs de 1930. En 1929, Jean Wahl publie *Le malheur de la conscience dans la philosophie de Hegel.* Cette étude fut pour nous bouleversante. Elle nous révélait un Hegel romantique — quand nous imaginions Hegel comme un fabricant de système — le Hegel de la conscience malheureuse et non celui de l'Eglise triomphante. Par Jean Wahl, nous avions appris à connaître à la fois Hegel et Kierkegaard, et ce n'est pas une des choses les moins étonnantes que la découverte de Hegel à partir de 1930 fût contemporaine de la découverte de ses adversaires, l'existentialisme et le marxisme. En venant tardivement à Hegel, nous étions capables de découvrir en lui, rétrospectivement, ce que les commentateurs antérieurs n'avaient pu y voir. Jean Wahl nous initiait à un Hegel déchiré, décrivant une conscience malheureuse qui n'était pas si éloignée de celle de Kierkegaard : le sentiment d'une conscience déchirée (Abraham), hostile à l'abstraction du concept, cherchant une philosophie d'un peuple, le peuple juif, saisissant la méditation dans la vie même et non dans une philosophie abstraite. L'hégélianisme orthodoxe avait surtout connu le système hégélien de l'*Encyclopédie*, comme le système de la synthèse et de la réconciliation; notre hégélianisme allait retrouver dans Hegel « le travail, la douleur et la patience du négatif ». Quelques poètes français hermétiques, de Villiers de l'Isle-Adam à Mallarmé, et peut-être à Rimbaud, avaient, dit-on, entrevu Hegel à travers une traduction résumée de l'*Esthétique* par Benard. Ce Hegel allait nous revenir dans la lumière de la spéculation philosophique. Mallarmé n'a-t-il pas écrit quelques vers hégéliens ?

L'espace a soi pareil, qu'il s'accroisse ou se nie...

ou
  Tel qu'en lui-même enfin l'éternité le change...

Hegel écrit : « Ce n'est pas cette vie qui recule d'horreur devant la mort et se préserve pure de la destruction, mais la vie qui porte la mort et se maintient dans la mort même, qui est la vie de l'esprit. » Et ailleurs « ... la mort sans signification, la négativité sans plénitude du soi, se retourne, dans le concept intérieur, dans l'absolue positivité ».

Si Jean Wahl nous reconduisait au Hegel romantique, en même temps qu'il nous faisait connaître Kierkegaard, un marxiste, Henri Lefebvre, publiait quelques années plus tard les *Cahiers de Lénine sur la dialectique de Hegel*. Les marxistes français apprenaient de la bouche de Lénine que, faute de bien connaître Hegel, tous ceux qui avaient écrit sur Marx depuis cinquante ans n'y avaient rien compris. Le terrain était préparé pour la découverte française de l'hégélianisme.

L'originalité de l'hégélianisme français fut précisément que, étant tardif, il venait à une époque où il rencontrait des mouvements nouveaux qui s'étaient d'abord présentés comme anti-hégéliens, et où il pouvait donc relier ces mouvements à leur source et les interpréter par rapport à elle. Ces deux mouvements furent l'existentialisme (athée ou chrétien) et le marxisme.

Dans la période qui suit immédiatement la guerre (de 1946 à 1950), le renouveau philosophique français se caractérise par l'ampleur des deux mouvements que nous venons de mentionner. C'est l'époque de la plus grande influence de *L'Etre et le Néant*, de Jean-Paul Sartre. L'existentialisme, avec Sartre et Merleau-Ponty, se répand dans l'Université autant que dans les milieux littéraires et, avec lui, l'œuvre fondamentale de Hegel, la *Phénoménologie de l'Esprit*, que nous venions de découvrir, de traduire en français pour la première fois et, pour ainsi dire, de repenser. Derniers venus dans l'hégélianisme, ce n'était pas à l'*Encyclopédie* que nous nous adressions, mais à l'œuvre de 1807, à cette *Phénoménologie* si étonnante dans la littérature philosophique et qui, dissimulée derrière les œuvres et le système de la maturité, n'avait peut-être jamais été vraiment et authentiquement commentée, et que Hegel lui-même avait été sur le point de renier. Après 1946, la *Phénoménologie* — avec *L'Etre et le Néant*, de Sartre, avec la *Phénoménologie de la perception*, de Merleau-Ponty — devient le livre fondamental auquel on se réfère dans tous les milieux philosophiques français. Le texte sur la conscience de soi a même les honneurs du programme de l'agrégation, et dans toutes les classes de philosophie de Paris et de la province on explique le thème du dévoilement de la vérité absolue comme le dévoilement du dévoilement, la dialectique du maître et de l'esclave, du monde et du travail, la vérité de la vie qui est une autre vie : l'histoire.

On comprend d'ailleurs très bien que cette œuvre — qui donnait un violent mal de tête à Schelling — et qui rebute d'abord par son apparence abstraite, la diversité de ses allusions, sans références explicites — dut plaire aux Français, une fois l'obscurité en partie dissipée. C'est en effet, en même temps qu'une œuvre spéculative, une sorte de roman philosophique comme l'*Emile* et le *Wilhem Meister*. En France, nous aimons relier la philosophie à la littérature, Sartre est à la fois un philosophe et un écrivain, et le *Traité des passions* de Descartes n'est pas sans rapports avec l'œuvre de Corneille. La *Phénoménologie* parle de Faust, de Schiller, de Cervantès, c'est le roman de culture de l'humanité. Mon ami Merleau-Ponty, m'écrivant sur mon commentaire de la *Phénoménologie*, me disait : « C'est aussi intéressant qu'un roman. Il n'y a rien à voir derrière le rideau des phénomènes. »

En vous parlant de l'influence de la *Phénoménologie* en France, je vais être obligé de vous parler de moi-même et de mes propres travaux, ce dont vous voudrez bien m'excuser.

L'introduction de la *Phénoménologie de l'esprit* s'est produite de deux façons. Premièrement, en marge de l'Université, M. Alexandre

Kojève, prolongeant les études de M. Koyré, a commenté le texte de Hegel devant un public restreint mais important. Il y eut des cours organisés aux Hautes Etudes de 1933 à 1939. Beaucoup de futurs maîtres de la génération d'aujourd'hui (Raymond Aron, Maurice Merleau-Ponty, peut-être Jean-Paul Sartre) ont suivi ces cours, que j'ignorais à cette époque. En 1939 parut, dans la revue *Mesures*, une traduction commentée de la *Dialectique du maître et de l'esclave* qui reproduisait sans doute un de ses cours. Deuxièmement, à la même époque, c'est-à-dire en 1939, je publiais la traduction d'une première moitié de la *Phénoménologie*, sur laquelle je travaillais depuis dix ans dans d'obscurs lycées de la province française. La deuxième partie devait paraître quelques années plus tard, en 1941. En 1946, enfin, je présentais comme thèse à la Sorbonne un commentaire de la *Phénoménologie* sous le titre : *Genèse et structure de la phénoménologie de l'esprit*. Un an plus tard, en 1947, M. Queneau, des éditions Gallimard, fort apprécié par ailleurs comme romancier, publiait *in extenso* les notes qu'il avait prises aux cours de Kojève de 1933 à 1939. C'est dans cette même période que paraissent et se répandent les grandes œuvres de l'existentialisme : *L'Etre et le Néant*, la *Phénoménologie de la perception*. Sartre se réfère directement à la *Phénoménologie de l'esprit* quand il caractérise l'être-pour-soi et quand il étudie les relations mutuelles des consciences de soi : le néant, le rien, c'est la négativité hégélienne; ce rien qui nous sépare de l'être et de nous-même est ce qui permet à la conscience humaine d'advenir. Les marxistes, de leur côté, redécouvriront les travaux de jeunesse de Marx, en particulier *Economie politique et philosophie*. La philosophie hégélienne devenait le lieu de rencontre de ces frères ennemis, les existentialistes et les marxistes, et comme ce lieu leur était commun, il fallait bien que les uns et les autres adaptent leurs positions et, sans l'avouer formellement, en atténuent la rigidité. Les existentialistes devaient sortir de leur liberté sans racine et sans histoire, ils devaient réconcilier le pour-soi avec l'histoire, réintroduire la continuité et la détermination de l'histoire. La *Phénoménologie de la perception*, de Merleau-Ponty, s'orientait dans cette voie, qui était aussi celle de Hegel. Les marxistes, à leur tour, étaient bien obligés de reconnaître qu'il y avait de l'existence et de l'historicité dans l'histoire, que le devenir de la société sans classes et de la fin de l'histoire ne s'accomplit pas nécessairement et fatalement, et que l'histoire peut pourrir (cf. le rapport Kroutchef). Ils trouvaient dans la *Phénoménologie* de Hegel à la fois la nécessité du devenir et des descriptions de l'existence humaine, de son existence historique, qui les rapprochait de l'existentialisme. La lecture de la *Phénoménologie* de Hegel fut donc, pour cette génération, une lecture essentielle, une référence fondamentale. Les chrétiens, eux aussi, s'interrogeaient sur la pensée de la religion chez Hegel. J'ai parlé de deux introductions à la lecture de la *Phénoménologie*, celle de Kojève et la mienne. En apparence, elles étaient très différentes ; mais le désaccord était plutôt dans la forme que dans le fond.

Kojève a considéré la *Phénoménologie* de Hegel en l'isolant de tout le système hégélien. Il y a vu une sorte d'énigme (historique et spéculative) qu'il s'est efforcé de déchiffrer. Hegel, selon lui, aurait dissimulé, sans doute volontairement, le sens explicite de sa pensée, de son projet historique. En 1806, Hegel aurait vu dans Napoléon l'homme qui terminait l'histoire en inaugurant l'empire *universel* (du moins en droit) et *homogène* (les citoyens sont reconnus en eux-mêmes, détachés de leur substrat social). Cette forme d'empire universel, auquel Hegel invitait les Allemands à se soumettre, tandis que Fichte s'indignait de l'occupation, annonçait la fin de l'histoire humaine comme histoire. La *Phénoménologie* serait l'épopée de l'esprit humain pour aboutir à cette fin de l'histoire, de l'opération de la négativité humaine. La philosophie de Hegel, en prenant conscience de cette histoire, maintenant achevée, serait le savoir absolu. Hegel serait le philosophe qui permet à Napoléon, l'homme d'action, de se réconcilier avec le savoir et la conscience absolue de soi. Napoléon, par Hegel, deviendrait : « Tel qu'en lui-même enfin l'éternité le change. »

Sans contester l'admiration de Hegel pour Napoléon et l'importance qu'il accordait à son Empire en 1806, je ne peux m'empêcher de croire que Kojève exagère un peu en interprétant le dernier passage sur le pardon des péchés comme la réconciliation du philosophe et de l'empereur, du savoir spéculatif et de l'action effective, de la belle âme et de la conscience agissante. Sans doute, il s'agit bien de la synthèse du savoir et de l'action, mais Hegel a-t-il pu croire que Napoléon le convoquerait un jour à Paris pour en faire le philosophe de son Empire ? C'eût été, de part et d'autre, beaucoup de naïveté, et n'oublions pas qu' « il n'y a pas de grand homme pour son valet de chambre ».

La *Phénoménologie* montre bien comment la conscience de soi — l'homme — s'élève au-dessus de la nature et de la vie biologique ; enfermée dans des cycles sans histoire, de la naissance à la mort, elle se crée elle-même une histoire par la négativité. La *Phénoménologie* raconte cette histoire de l'esprit, dans laquelle l'homme ne peut se trouver lui-même comme négativité qu'en affrontant les autres hommes dans une lutte de pur prestige, une lutte pour la reconnaissance avec laquelle commence l'histoire.

Cette lutte devient histoire parce que dans la dialectique du maître et de l'esclave aussi bien que dans la dialectique du travail, la reconnaissance peut devenir effective, au lieu de s'éteindre avec la mort. Kojève, qui mettait en lumière cette définition hégélienne de l'homme par le néant et la négativité, montrait ensuite comment la *Phénoménologie* conduisait à la nouvelle société dont Napoléon était l'accoucheur, une société que le marxisme devait présenter ultérieurement comme la société sans classes. Kojève, enfin, insistait beaucoup sur l'athéisme hégélien. Pour lui, Hegel disait — presque en clair — que Dieu est mort, que l'homme qui a agi sur le monde et édifié des cultures a d'abord pensé ces cultures sous la forme aliénée de la religion, mais que le dernier mot de la religion est aussi sa destruction comme religion, la réduction de toute la substantialité divine à l'humain. La *Phénoménologie* de Hegel serait une anthropologie absolue.

En face de cette interprétation si riche et si personnelle, souvent si juste, la mienne voulait être plus modeste et se proposer un but plus restreint : fournir aux chercheurs et aux philosophes un instrument de travail, une traduction aussi littérale et aussi lisible que possible, et un commentaire qui mettrait en relief l'extraordinaire richesse concrète de chacune des dialectiques de la *Phénoménologie*, des phénomènes mis en lumière par Hegel. Je ne faisais pas un sort particulier à la dialectique du maître et de l'esclave, tout en en reconnaissant l'importance. J'insistais aussi sur les remarquables dialectiques de l'action, du plaisir et de la nécessité (l'homme qui va chercher son plaisir et trouve l'inéluctable nécessité), de la loi du cœur (ou suivre la loi et ne pas suivre son cœur, ou suivre son cœur avec culpabilité) et de la folie de la présomption (où certains psychanalystes français ont aperçu une remarquable définition de la folie, cette manière de répéter hors de soi ses propres contradictions internes). J'étais sensible, enfin, à toutes les résonances littéraires de l'œuvre : au *Faust* de Gœthe, à *Don Quichotte* de Cervantès, aux études sur Shakespeare et sur la tragédie grecque, annonçant déjà Nietzsche. Je pensais que Kojève exagérait quelque peu l'influence de Napoléon sur la totalité de l'œuvre et sur la pensée spéculative même (tout en me souvenant de ce que fut Napoléon pour la génération qui suivit, pour Stendhal ou Balzac : la mesure suprême de ce que peut enfin l'homme). Mais j'étais d'accord avec Kojève pour reconnaître toutes les résonances existentielles de l'œuvre de Hegel, pour voir dans la *Phénoménologie* une position de l'homme comme négativité créatrice et non comme essence statique. J'insistais moi aussi sur cette phrase de la *Phénoménologie* : « L'homme seul a une histoire, la nature n'a pas d'histoire. » La raison, pour Hegel, est elle-même un devenir;

elle est un genre de l'histoire, et peut-être mon article le plus significatif sur Hegel était-il *Vie et conscience de la vie*, de 1937, dans lequel je montrais que la vie humaine s'interprète elle-même et que cette interprétation de soi — oubli, retour, avenir — est l'histoire même.

Dans une note de son cours, Kojève reproche à Hegel de ne pas être assez dualiste, c'est-à-dire de ne pas faire deux ontologies, l'une concernant la nature, l'être-en-soi, statique et donné, l'autre concernant l'homme, l'être-pour-soi ou la négativité. Dans cette note, Kojève fait allusion à l'œuvre de Heidegger dans laquelle il aperçoit le germe de cette double ontologie. Il faisait sans doute un contresens courant à cette époque sur la philosophie de Heidegger qu'il interprétait comme une anthropologie. Mais le contresens — qui fut aussi celui de Sartre — a été génial. La double ontologie que réclamait Kojève, c'est Sartre qui la réalise dans *L'Etre et le Néant*.

Pour ma part, je n'apercevais pas chez Hegel, comme Kojève, un athéisme militant, mais j'étais loin de voir en lui, comme le P. Fessard et le P. Niel, une pensée religieuse (en dépit d'une philosophie de l'humanité). J'écrivais : « Ce qui nous paraît surtout caractéristique de la pensée hégélienne, c'est son effort pour surmonter le grand dualisme chrétien, celui de l'au-delà et de l'en-deçà. Le but de la dialectique de la religion n'est-il pas d'aboutir à une réconciliation complète de l'esprit dans le monde et de l'esprit absolu ? Mais alors il n'y a plus aucune transcendance en dehors du devenir historique; dans ces conditions, la pensée hégélienne, en dépit de certaines formules, nous paraît très loin de la religion. Toute la *Phénoménologie* apparaît comme un effort héroïque pour réduire la transcendance verticale à une transcendance horizontale. »

Faut-il ajouter la conscience du tragique de cette réduction (exemple de la comédie antique) ?

Le thème fondamental de la *Phénoménologie*, c'est la relation entre la conscience qui seulement vit et celle qui réfléchit. Elle vit *pour elle* un certain élan immédiat; *pour nous*, elle résulte, elle annonce, elle a un passé et un avenir. Mais le pour-nous, la réflexion sur une conscience, est une autre conscience vivante, qui connaît l'autre comme objet et non comme soi-même; elle voit apparaître, elle ne s'apparaît pas.

L'avenir m'a appris à moi-même la signification de mes différences d'interprétation avec Kojève. Après la *Phénoménologie*, je me suis mis au travail sur la *Science de la Logique* sur laquelle j'ai publié un volume : *Logique et existence*. Je crois l'interprétation de Kojève trop uniquement anthropologique. Le savoir absolu n'est pas, pour Hegel, une théologie, mais il n'est pas non plus une anthropologie. Il est la découverte du spéculatif, d'une pensée de l'être qui apparaît à travers l'homme et l'histoire, la révélation absolue. C'est le sens de cette pensée spéculative qui m'oppose, semble-t-il, à l'interprétation purement anthropologique de Kojève.

Mais ici commence un autre développement de la philosophie contemporaine en France. Nous n'en sommes plus aux grands élans de l'existentialisme et du marxisme. Nous les dépassons pour réfléchir sur eux, au sens de l'*Aufhebung* hégélienne. Il s'agit pour nous de reprendre les problèmes de l'histoire et de l'historicité aussi bien que le problème du sens de la pensée spéculative. Nous sommes venus très tard à Hegel, mais ce retard n'a pas été un mal. Hegel est sans doute pour nous ce que fut Aristote pour le Moyen Age, et il était bon de redécouvrir Hegel à la lumière de toutes les philosophies du xixe siècle qui se sont opposées à lui, mais qui avaient fini par le caricaturer. C'est un véritable retour aux sources que nous avons effectué. Ce retour nous a permis de ne pas traiter Hegel « comme un chien mort », mais de le repenser et, pour employer une expression heideggérienne, de le « répéter » à la lumière du monde actuel.

13

L'ÉTAT DU DROIT
(LA CONDITION JURIDIQUE)*

Introduction à un commentaire

Le texte dont je voudrais vous parler appartient à la *Phénoménologie de l'esprit* (éd. Hoffmeister, p. 342 à 346). Comme beaucoup de chapitres de cette œuvre extraordinaire, il est un peu une énigme. Ce n'est pas un commentaire du texte, au sens strict, que je vous propose, mais seulement une introduction à sa lecture. Il s'agit de le situer dans l'ensemble de l'œuvre, d'expliquer le titre, *L'état du Droit*, ou mieux la *condition juridique*, c'est-à-dire ce que peut signifier ici le *Droit* dans cette histoire de l'esprit, enfin de tenter d'éclairer la portée historique et philosophique de cette condition juridique pour Hegel. Ainsi la voie serait libre pour un commentaire plus minutieux et plus littéral.

La situation du texte d'abord : c'est déjà une première difficulté. Il y a, comme vous le savez, une première partie de la *Phénoménologie de l'esprit* qui est une phénoménologie de la *conscience* (nous la retrouverons dans l'*Encyclopédie*), mais ici nous sommes dans la seconde, celle qui est une phénoménologie de *l'esprit*, au sens où

* Communication au Colloque de Royaumont, 1964.

l'esprit est une grandeur et une réalité historique — un individu qui est un monde. A une certaine étape de l'itinéraire la conscience singulière n'*a* plus seulement la raison, elle *est* elle-même devenue la raison (c'est Hegel qui fait lui-même cette différence entre l'avoir et l'être). La raison est un monde organisé, un monde historique, un peuple qui appartient à l'histoire universelle. La raison n'est plus l'instrument dont la conscience singulière se sert pour penser, mais la conscience singulière est « une grandeur évanouissante » dans une totalité concrète, une substance qui est la raison elle-même dans son processus de devenir, et de même que la conscience singulière découvre dans son itinéraire son appartenance à la raison, de même cette substance de l'esprit doit se réfléchir comme sujet, se montrer comme l'esprit universel — non plus seulement *vrai* — c'est-à-dire *objectif* — mais encore *certain de lui-même*, c'est-à-dire créateur de son destin, sans aucune transcendance, l'esprit conscient d'être créateur de son histoire, ne se représentant plus seulement lui-même à lui-même — *la religion* — mais dépassant encore cette *image* de soi — *le savoir absolu ou la science*.

C'est comme un moment de cette histoire de l'esprit qu'apparaît notre texte sur l'*état du Droit*. L'esprit est d'abord substantiel, il est l'esprit *vrai*, l'esprit qui existe comme une Nature sans s'être élevé à la conscience de lui-même. C'est pourquoi il faut qu'il se brise ou se déchire. Il doit laisser derrière soi cette beauté qui est tout à la fois la paix apparente de la nature et l'inquiétude inconsciente de l'esprit, une œuvre d'art qui s'ignore elle-même. C'est de cette façon qu'il pourra se reconquérir, retrouver une certaine immédiateté dans un long processus de culture, de *Bildung*. Notre texte appartient encore à cet esprit substantiel, il est la première émergence de l'individu singulier dans une totalité historique, mais comme il s'agit de l'esprit, cet individu n'est pas l'individu biologique qui lutte encore pour sa reconnaissance dans l'élément de la vie, il est l'individu à la fois *singulier* et *universel*, la personne privée qui se sait égale à toutes les autres personnes privées. L'esprit substantiel éclate en atomes. L'esprit clos de la famille — la loi divine — et l'esprit manifeste, ouvert, de la cité — la loi humaine — se dissolvent. L'esprit vrai n'est plus que l'esprit du *droit privé*; et comme le contenu subsiste — dans l'art comme dans toute œuvre humaine, a dit Hegel, c'est le contenu qui joue le rôle décisif —, il se réfléchit de son côté, et ce contenu qui n'est plus immanent à la personne, qui la domine comme la contingence de la *possession* et du *pouvoir*, constitue un monde incohérent et déchiré, celui qui va se reprendre et se reconstituer dans un long processus de *culture*. Ce déchirement sera posé pour lui-même dans la division de l'en-deçà et de l'au-delà, aussi bien que dans la division du pouvoir de l'Etat et de la richesse. Le monde moderne succédera au monde antique et la *révolution française*, au terme de cette culture, ouvrira une nouvelle époque.

L'énigme dans le texte hégélien provient de ce que Hegel n'indique pas lui-même ses références historiques. L'abstrait dissimule le sens concret. C'est pourquoi le commentaire suppose d'abord l'illustration du texte. Elle n'est pas très difficile, mais elle apparaît contingente. Elle l'est pourtant beaucoup moins qu'on ne pourrait croire, et notre première tâche doit être de la faire disparaître ou de la déplacer autant qu'il est possible. Pour cette crise de la culture, il suffirait de reprendre l'œuvre de J.-J. Rousseau. Hegel a voulu comprendre son époque. Mais pourquoi a-t-il choisi ces exemples-ci plutôt que ceux-là ? C'est ce qu'il faut essayer d'expliquer. Il n'est pas douteux que l'*esprit immédiat*, l'esprit qui est encore une nature, c'est pour lui l'esprit grec, la cité antique; la *condition juridique*, l'*état du Droit*, c'est pour lui le monde romain, avec le développement du droit privé, le stoïcisme, et la conscience malheureuse du christianisme, où l'esprit fuit ce monde pour trouver son salut dans un autre; la *culture* s'achevant par la révolution française, c'est pour lui le développement des nations modernes, et la grande crise du xviiie siècle. Il faudrait maintenant comprendre pourquoi cette histoire de l'esprit effectif commence avec la cité antique, tandis que l'histoire de la religion — du spectacle que l'esprit se donne de lui-même — commencera avec les religions orientales et le culte des animaux et des plantes. Il faudrait aussi expliquer pourquoi les moments du stoïcisme, du scepticisme et de la conscience malheureuse reparaissent comme moments historiques, et non plus comme moments de la conscience. Nous croyons que cette compréhension est possible si l'on ne perd pas de vue l'objectif qui est de saisir par la raison le sens d'une époque, celle que vivait Hegel et dont nous sommes, à beaucoup d'égards, les héritiers. Il faut se souvenir que l'idée de la cité antique fut l'idéal de ce temps, l'idéal révolutionnaire du citoyen qui se confondrait avec sa cité, sans la médiation d'un Etat extérieur et comme étranger aux personnes privées, devenues, au XVIIIᵉ siècle, des *bourgeois*. La révolution française a échoué selon Hegel parce qu'elle a trouvé des bourgeois et non des citoyens et qu'il a fallu concilier une société civile, une société d'hommes privés, avec une volonté générale qui ne pouvait plus être immédiatement une *volonté de tous et de chacun*. De même la subjectivité — que représente bien la *vision morale du monde* ou du moins son résultat, la certitude inaliénable de la conscience — est l'héritage du christianisme, et là encore il n'est pas question de revenir en arrière. Cette histoire qui va de la substance au sujet est irréversible, elle doit intégrer le *bourgeois* et le *chrétien*, l'homme de la richesse, de la production, et celui qui prétend retrouver son intention dans l'œuvre collective, sinon la demander à un autre monde. La *Philosophie du droit* de Berlin est paradoxale. Elle se présente comme la *République* de Platon sous la forme d'une construction qui échappe à l'histoire. Mais comment comprendre les deux premières parties de cette œuvre, le *Droit abstrait* (qui correspond si bien à notre texte de la *Phénoménologie*), et la *Moralité* (qui correspond explicitement à un autre texte de la *Phénoménologie*), sinon en se référant à une double histoire qui conditionne la présentation de l'*Etat moderne*, le droit privé et le développement de la richesse des nations et des individus (économie politique, formalisme juridique), le christianisme et la subjectivité qui intériorise si profondément ce monde d'abord objectif. C'est Hegel lui-même qui nous donne ces références dans un texte pour moi essentiel et où l'histoire montre son visage derrière l'organisation conceptuelle. Hegel remarque que la *République* de Platon n'est pas une utopie, qu'elle exprime très exactement le monde de son temps à l'heure de sa disparition et il écrit : « Le principe de la personne autonome, de l'individu, de la liberté subjective *qui est apparu intérieurement dans la religion chrétienne, extérieurement dans le monde romain où il est lié à l'universalité abstraite* n'est pas reconnu dans cette forme de l'esprit réel qui n'est que substantiel. » C'est moi qui ai souligné le texte qui insiste sur cette apparition historique et sur son caractère irréversible. L'esprit que Hegel veut présenter devra tenir compte de ce droit abstrait, de cette condition juridique de la personne privée — qui se réalise dans le bourgeois moderne — et de cette intériorité, de cette subjectivité qui est liée au christianisme : n'oublions pas aussi que la tyrannie du dedans — le surmoi — est aussi grande que celle du dehors.

Je ne voulais qu'introduire à la lecture de ce texte de la *Phénoménologie*, en soulignant le moment historique auquel il correspond, et le sens, la portée qu'il a dans le contexte de la pensée hégélienne en général. Mais on me permettra d'aller un peu plus loin, et de tenter d'expliquer pourquoi chez Hegel le droit abstrait — le droit privé — est lié à une certaine violence; quand on lit le chapitre sur l'*état du Droit* dans la *Phénoménologie*, on voit mal pourquoi la violence impériale, le désordre et la contingence de puissances sans frein sont liés au *droit abstrait*, à la *reconnaissance juridique*, qui en première apparence du moins devraient s'opposer à la force. Ne parle-t-on pas souvent de la paix par le droit ? Le même paradoxe se manifeste quand à la fin de la *Philosophie du droit* de Berlin, la vérité du droit se montre dans cette dialectique qui va du droit

contesté de bonne foi — du conflit juridique insoluble — au crime
et au châtiment, à mon sens une des plus belles dialectiques hégéliennes, celle où apparaît la contingence du droit et l'intériorisation
de la violence qui l'accompagne. N'y a-t-il pas d'ailleurs déjà dans
le droit l'équité qui est un droit sans contrainte et la détresse qui
est une contrainte sans droit ?

Pour Hegel comme pour Pascal, on réaliserait facilement la paix
par le droit si l'on pouvait s'entendre sur le droit, mais comme le
droit abstrait et privé reste formel, et que son contenu est contingent,
la possession devenant propriété, et le système de la propriété privée
— et dirons-nous de toute la production de la société civile — restant totalement inadéquat à la réflexion abstraite et absolue de la
personne universelle, la vérité de ce monde juridique qui n'est pas
encore posé comme positif par l'Etat et la juridiction, est la violence, et la vengeance, la lutte pour l'honneur, puisqu'on a mis son
honneur dans une contingence. Ainsi la comédie bourgeoise chez
Hegel fait apparaître la servitude de celui qui a posé son absolu
dans l'argent ou dans toute autre contingence. La violence toutefois
n'est pas violence pure, elle est ce qui conditionne à son tour l'apparition de la subjectivité. Il faudra bien que l'histoire les réconcilie.

Je citais tout à l'heure Pascal : on mentionne souvent le texte
où il parle de cette justice impuissante parce qu'elle n'a pas la force
à son service. A-t-on assez remarqué pourquoi cette coordination
est impossible ? C'est parce que la justice abstraite ne peut s'expliciter sans ambiguïté : « La justice sans force est contredite parce qu'il
y a toujours des méchants; la force sans la justice est accusée. Il
faut donc mettre ensemble la justice et la force et pour cela faire
que ce qui est juste soit fort et que ce qui est fort soit juste.

« La justice est sujette à dispute, la force est très reconnaissable
et sans dispute. Ainsi on n'a pu donner la force à la justice, parce
que la force a contredit la justice et a dit que c'était elle qui était juste. »

Cependant Pascal continue, comme ne continuerait sans doute

pas Hegel (en dépit des théories de la force qu'on lui prête) : « Et ainsi ne pouvant faire que ce qui est juste fût fort, on a fait que ce qui est fort fût juste. » Mais Pascal est cette conscience malheureuse que Hegel lie à sa condition juridique, il demande la vraie justice à un autre monde ; Hegel doit — ce qui n'est pas facile — assumer la violence même, l'intégrer à la liberté et à l'histoire. Je m'arrête ici par crainte de ne pouvoir le suivre.

14

LE PHÉNOMÈNE DE LA « RECONNAISSANCE UNIVERSELLE » DANS L'EXPÉRIENCE HUMAINE *

Il nous faut partir d'un *paradoxe*. Notre époque est celle du déclin des fondements et des normes universelles. Aucune philosophie, aucune théologie ne saurait aujourd'hui s'imposer. Tout système de cet ordre est immédiatement contesté et contestable. Pourtant aucune époque n'a présenté un tel sens existentiel de l'universalité. Toutes les rencontres historiques s'achèvent, toutes les régions de la terre sont découvertes, et sont entrées en rapport les unes avec les autres. Le *phénomène humain* apparaît pour la première fois comme un phénomène qui existe et recouvre de son universalité la diversité des conditions et des situations particulières. Ce qui signifie qu'il n'est pas seulement objet, mais qu'il est l'objet de la conscience de soi. Il nous faut reconnaître et mesurer ce contraste entre l'impuissance de la raison à fonder *a priori*, et cette émergence, cette appa-

* Rapport présenté aux *Entretiens de l'Aquila* (Italie) sur le fondement des droits de l'homme, 15-19 septembre 1964.

rition d'une *reconnaissance universelle* des hommes les uns par les autres. C'est pourquoi il faut parler d'un *phénomène de l'universel*, il faut découvrir ce phénomène, le laisser apparaître, le voir tel qu'il se montre dans l'extraordinaire expérience que nous sommes en train de vivre, une expérience qui est à la fois celle de la Tour de Babel, et celle de l'universalité, malgré les forces centrifuges et les incompréhensions en apparence insurmontables et pourtant déjà surmontées entre les hommes.

Maurice Merleau-Ponty disait : « Il circule peut-être plus de vérité dans notre monde actuel qu'il n'en a jamais circulé. » Une certaine hypocrisie — ou une certaine inconscience — est sur le point de disparaître. Il y eut des époques ambitieuses de l'histoire où l'homme, particulièrement l'homme occidental, s'appuyait sur des fondements qu'il croyait solides et stables. Il croyait pouvoir fonder un ordre universel, il parlait de dignité de l'homme, de respect de la personnalité, d'égalité de tous selon la raison, ou selon la création divine, mais il restait inconscient d'une existence de fait qui était la négation de cette universalité proclamée. L'ordre énoncé s'accommodait assez bien de ses conditions d'existence qui lui étaient opposées. Marx, Nietzsche, Freud nous ont appris ce qui pouvait se dissimuler derrière la démocratie et les droits de l'homme, le rationalisme, la culture. Mais ce qui compte c'est moins cette dénonciation par des philosophes d'une fausse conscience, ou d'une conscience aliénée, que l'avènement d'une expérience généralisée, où pour la première fois nous éprouvons l'exigence d'une reconnaissance universelle, comme condition suprême de l'existence de notre conscience de soi. Ce qui est nouveau, c'est ce rapport à l'autre — sans lequel il n'y a pas de conscience de soi — devenant un rapport à tous les autres, enveloppant ce rapport. Notre conscience de soi est aujourd'hui historiquement universelle. C'est le devenir historique qui suscite cet horizon d'universalité, par-delà la diversité et les oppositions.

C'est le philosophe Hegel qui a le plus clairement annoncé ce phénomène de la reconnaissance des hommes, comme forme de l'existence d'une conscience de soi. L'homme, en tant que conscience de soi, n'existe pas comme une réalité seulement vivante; il s'élève au-dessus de la vie animale, il réfléchit la mort qui n'est dans la nature qu'une disparition abstraite : il devient capable de mettre sa vie en jeu, il n'aspire pas seulement à la vie, mais à la liberté, et la liberté ne se réalise que si elle est reconnue, acceptée par les autres, ce qui n'est possible que par le mouvement réciproque. Il y a une antinomie entre la conservation de la vie, sans laquelle il n'y a pas d'existence, et cette liberté reconnue sans laquelle il n'y a pas d'existence humaine. Toute l'histoire est une suite de conflits et d'états relativement stables ou instables dans lesquels cette antinomie se présente plus ou moins clairement. Les hommes changent leurs conditions, leur milieu de vie, ils luttent contre la rareté, mais dans une situation telle que certains sont esclaves, ou du moins maintenus dans une semi-inconscience, tandis que d'autres dominent. L'exploitation de l'homme par l'homme affecte des formes dont l'ampleur et la diversité sont longtemps méconnues. Cependant cette servitude, pour une conscience de soi, n'est pas tolérable, et un jour ou l'autre l'exigence de la liberté se manifeste, la révolte éclate; mais ce qui est non moins remarquable, c'est que la conscience de soi des maîtres, de ceux qui, en apparence, se sont libérés ne saurait se dissimuler toujours à elle-même cette inégalité de la reconnaissance, elle est hantée par le « regard des plus défavorisés », elle ne saurait se passer de cette reconnaissance sans laquelle elle n'existe pas authentiquement et quand la révolte apparaît la mauvaise conscience de ceux qui dominent apparaît aussi et ne peut plus être étouffée, même si la première réaction est violente. L'existence humaine, liée à la conscience de soi, est d'emblée engagée dans un dialogue avec les autres, avec tous les autres. Ce dialogue, cette intersubjectivité, est une donnée. Sans eux il n'y a pas de conscience de soi humaine et l'histoire suscite l'avènement de ce milieu de l'universalité comme milieu de la reconnaissance. Sans doute il y a la violence, mais la violence n'est pas une reconnaissance, elle peut s'entrelacer avec la prise de conscience ; l'histoire est à la fois violence et prise de conscience, mais nous sommes entrés dans une période où l'hypocrisie, la fausse conscience devient plus difficile, où le phénomène de l'universalité est authentiquement un phénomène. Dans sa philosophie de l'histoire, Hegel désigne les grands moments de cette histoire. D'abord un seul est libre, puis certains, plusieurs sont libres, quand les autres ne le sont pas encore. Enfin tous le deviennent. Mais cette phase ultime n'est pas même encore la nôtre. A coup sûr elle n'était pas encore présente effectivement pour Hegel lui-même. L'originalité de Hegel a été seulement de décrire comme existence effective ce mouvement de la reconnaissance. Dans un monde humain encore clos il voyait disparaître les ordres, les différences qui ressemblaient à des différences de nature, une zoologie humaine; il voyait apparaître dans la société bourgeoise — dont il a été un admirable témoin — les classes et le conflit de la société économique et de l'Etat (où tous sont en *droit* également libres, mais en droit seulement, non en fait). Il découvrait dans l'horizon de son temps le rapport des peuples sous-développés et des peuples développés, mais ce rapport n'avait pas encore pour lui de présence existentielle. Pour nous au contraire tous ces rapports ont une présence historique; le problème de la vie de l'humanité est maintenant immanent à l'existence de chaque conscience de soi singulière; il nous habite, et il exige une solution. Comment concilier les conditions de la vie qui sont celles de la subsistance et la liberté qui constitue la conscience de soi comme telle, conciliation qui est le centre de la conscience de soi ? Tout pourtant n'est pas encore possible, il y a pour le moment de l'indépassable dans la situation humaine (une forme d'inégalité qui tient à la domination d'une technique savante dans tous les domaines, et à l'impossibilité où nous sommes d'éviter une cer-

taine technocratie). Mais cet indépassable ne peut être que provisoirement indépassable, si le phénomène de la reconnaissance universelle est vu dans sa dimension véritable. Il y eut une époque
où le socialisme devait tenir compte de la différence du manœuvre
et de l'ouvrier qualifié, héritier de l'artisan de jadis; cette époque
est derrière nous; ainsi la nôtre aussi sera dépassée.
Pour nous philosophes, qui ne pouvons plus chercher la garantie d'un ordre transcendant, nous devons nous donner le spectacle
de cet universel concret qu'est le monde humain d'aujourd'hui,
dans sa confusion et dans son unité, dans l'*urgence* de son problème
(les moyens techniques en cause exigent une solution, car c'est la
vie de l'humanité autant que la liberté de tous qui est en cause).
Il est inévitable que nous restions dans une description essentielle,
relativement abstraite — le phénomène de l'universel — mais nous
devons veiller à ce que cette description corresponde à l'universel
concret de l'histoire; veiller à ce qu'elle ne soit pas prisonnière des
systèmes antérieurs, qu'il s'agisse des systèmes proprement philosophiques, ou religieux, ou politiques. Il nous faut une vue neuve,
dans l'avènement d'un monde qui est nouveau par ses dimensions
et par la fin des rencontres historiques. Cette fin est à la fois un
nivellement et une promotion. C'est cette conscience neuve qui permettra à la philosophie de jouer un rôle; elle fera voir ce qui est déjà
là impliqué dans l'histoire. Elle liquidera peut-être ainsi de faux
problèmes, elle psychanalysera des violences qui sont des réma-
nences, et permettra de détecter avec plus de lucidité les horizons
qui surgissent réellement dans ce monde.

15

LE TRAGIQUE ET LE RATIONNEL
DANS LA PHILOSOPHIE DE HEGEL *

I. — Pantragisme et Panlogisme

On a voulu caractériser la philosophie de Hegel comme un « pantragisme » qui devient dans la spéculation philosophique, dans le système final un « panlogisme ». Cette description n'est pas fausse ; elle néglige pourtant un trait marquant de la pensée hégélienne, la relation du rationnel, de la raison *(Vernunft)* et du tragique, relation qui dépasse celle d'une sagesse humaine et d'une organisation positive de l'expérience, telle qu'elle apparaît dans les conceptions de l'*Aufklärung*, dans la vision optimiste des penseurs du XVIIIe siècle, vision qui appartient à l'entendement *(Verstand)* et non à la faculté de l'Absolu *(Vernunft)*. Le rationalisme français du XVIIIe siècle, la pensée encyclopédique antérieure à la révolution, les conceptions plus ou moins optimistes des économistes, la théorie du progrès continu et presque fatal, tout cela appartient à l'entendement et néglige, selon Hegel, « le travail, la douleur et la patience du *négatif* » qui sont à l'œuvre dans le processus de l'histoire et qui manifestent dans le tragique et par le tragique la présence, l'immanence de l'Absolu au devenir historique. Hegel découvre la « puissance du négatif »

---

* Extrait de *Hegel-Jahrbuch*, 1964.

et l'impossibilité de séparer la positivité des résultats de cette puissance de la négation, et aussi bien l'impossibilité de séparer cette négation, comme abîme, comme Absolu qui engloutit tout, de la réalisation positive qui se fait jour à travers elle. C'est ce lien de la positivité du résultat et de la négativité du mouvement qui est pour Hegel le « concept absolu » et implique la permanence du tragique dans les réalisations les plus raisonnables et les plus sages de l'histoire. La problématique d'une fin de l'histoire en est elle-même affectée.

Que Hegel ait commencé par une description de l'existence humaine qui paraît très éloignée du système final, nous le savons bien aujourd'hui depuis la publication des travaux de jeunesse, et la nouvelle lecture de la *Phénoménologie de l'esprit*, qui nous a ramené à l'hégélianisme. On a pu parler d'un *existentialisme* hégélien, on a été sensible à cette étude de la tragédie antique, réconciliant l'objectivité du langage épique et la subjectivité du lyrisme, manifestant l'opposition, le déchirement qui est la condition de tout apparaître et la réconciliation qui surgit à partir de cette opposition; on a été sensible à cet effort de Hegel pour éclairer le destin du christianisme, qui est le destin de la subjectivité, l'incarnation et la mort de Dieu dans l'histoire, une mort qui signifie en même temps la mort de l'Absolu abstrait et sans visage, qui serait la nuit infinie de la disparition. Dans la *Phénoménologie*, l'histoire jugée apparaît sous la forme de ce pardon des péchés dans lequel l'esprit absolu se divise pour se réaliser, pour s'effectuer dans l'action, et cependant se retrouver lui-même comme totalité positive dans le plus grand déchirement. Il y a là comme une permanence du tragique qui fait déjà songer à Nietzsche.

Cette vision tragique du monde paraît pourtant s'estomper dans un système conceptuel. *La Science de la logique* d'abord, *l'Encyclopédie des sciences philosophiques* ensuite, et la *Philosophie du Droit*, de l'Etat moderne enfin paraissent substituer une dialectique logique à la dialectique existentielle caractéristique des *Œuvres de jeunesse* et même de la *Phénoménologie de l'esprit*. En fait, il n'en est rien ; en suivant les œuvres de la période d'Iéna (1801-1807), on voit se souder le tragique existentiel et la négativité de l'Absolu. Ce qui est dans la nature l'abîme et le silence de la mort devient dans la philosophie de l'esprit le *sujet absolu* qui habite chaque sujet singulier, individu ou peuple, et le conduit à l'œuvre positive, une œuvre qui ne serait que platitude si elle ne portait pas en elle les traces de cette infinité qui la constitue, lui permet de subsister, et de se conserver dans sa disparition même. C'est ce lien de la négativité et du tragique, de l'Absolu et du sujet (l'Absolu infini se fait sujet et non seulement substance, le sujet singulier se fait sujet absolu, et par là subsiste) que nous voudrions indiquer brièvement, en nous référant aux œuvres d'Iéna.

II. — Le Sujet absolu et la négativité

Quand Hegel arrive à Iéna en 1801, il veut élever à la hauteur spéculative ses réflexions concrètes sur l'existence humaine, il veut penser dans le cadre de la philosophie — la plus haute forme d'expression de la culture — ce qui fut le thème de ses méditations de jeunesse, moins la religion que la vie d'un peuple, moins la théologie que l'anthropologie. La grande œuvre d'art, l'authentique expression de l'Absolu, c'est l'organisation humaine, la société, la vie collective sous toutes ses formes, et parmi elles la forme de la conscience de soi, de la représentation de soi-même. Il se propose donc de présenter l'image la plus exacte, et la plus valable pour notre temps de ce monde humain. C'est pourquoi il écrira un *Système de la Moralité objective (System der Sittlichkeit)*, qui sera sa première philosophie de l'esprit. Il n'en sera pourtant pas satisfait et le laissant inachevé, il ne le publiera pas, mais il donnera quelques mois plus tard un article sur le *Droit naturel* qui implique, à notre avis, un progrès considérable sur le système antérieur. En même temps il élaborera sa *Logique* qui est une logique de l'Absolu comme infinité, c'est-à-dire comme mouvement et devenir, et il traitera de la *Philosophie de la nature et de l'esprit*. En 1807, il sera conscient de son originalité, du sens de sa pensée, et nous aurons alors la *Phénoménologie*.

Un de mes amis, A. Kaan, nous donnera prochainement une interprétation — qui me paraît décisive — de toute cette période. Je voudrais seulement insister ici sur la découverte de la négativité, comme moment essentiel de l'Absolu et sur les conséquences de cette découverte pour la philosophie de l'histoire et pour l'anthropologie. Dans le *Système de la Moralité objective*, Hegel s'efforce de présenter l'œuvre humaine, la société et l'Etat, en se servant du langage de Schelling (intuition intellectuelle, puissances, indifférence), mais il n'y parvient pas; la philosophie de la nature ne convient pas pour cette présentation de l'Esprit, dont Hegel dira bientôt qu'il est Histoire, et qu'il est plus haut que la nature. Un des caractères de ce système est d'isoler la négativité, d'en faire un moment séparé de tout ce qui est positif. Ainsi la négativité apparaît, elle est reconnue mais elle n'est pas encore intégrée au résultat. La première partie du système traite de la vie humaine (la famille, le langage, le travail, la propriété et l'économie, les relations de domination et de servitude), comme si on pouvait l'envisager à part des violences de la nature et de l'histoire. Mais cette abstraction a sa contrepartie dans une seconde partie qui considère précisément ces violences, l'injustice, les dévastations barbares, la violence et le meurtre, la guerre, qui dominent ces réalisations positives, et les réduisent le plus souvent à néant. On pourrait parler d'un triomphe de la mort, qui dans la nature, est seulement un vide, une disparition abstraite, mais dont le rôle doit être assumé par l'esprit, si l'esprit est absolu. Contrairement aux économistes, aux penseurs du xviiie siècle, et plus tard aux marxistes, Hegel n'a jamais cru que la liberté humaine pourrait se satisfaire dans l'élaboration définitive d'un monde humain raisonnable. Ce monde doit intégrer la violence et la mort, prendre sur soi une négativité qui est un des caractères de l'Absolu comme infinité. Cependant la troisième partie du système, l'œuvre collective comme telle, l'Etat et la société, ne donnent pas ce qu'on attend d'eux, l'intégration et comme le retournement de cette négativité dans un sujet absolu.

Il n'en est pas de même dans l'article sur le *Droit naturel*, où nous voyons l'effort de Hegel pour penser la négativité comme l'envers de la positivité, comme la condition suprême de la dialectique historique et de la vie d'un peuple. Le grand mérite des systèmes de Kant et de Fichte, nous dit Hegel, c'est de s'être élevés au-dessus de toute positivité, au-dessus de toute détermination, et d'avoir conçu l'identité du Sujet et de la Moralité. Mais en rester là, c'est se condamner à opposer sans médiation des déterminations positives (auxquelles en reste l'empirisme de la nature humaine, ou du droit positif fondé sur un prétendu droit naturel), et la valeur absolue d'un sujet qui ne se présentera jamais comme tel dans l'expérience. Toute l'ambition de la pensée hégélienne devient alors celle de concevoir le lien de cette négativité et des réalisations positives de la vie humaine. Le grand empiriste, l'homme d'action vit cette conception, il n'a pas besoin de la penser, il s'enfonce dans les déterminations concrètes, mais pour les surmonter; l'âme du Tout habite l'homme d'action. Mais la science positive — qui se veut empirique — ne sait qu'isoler des déterminations, et les relier plus ou moins arbitrairement les unes aux autres. Dès lors la conception du sujet chez Kant et chez Fichte s'oppose victorieusement à ces données disparates, elle les laisse pourtant subsister parce qu'elle ne les pénètre pas, et s'avère incapable de constituer leur Totalité, leur organisation en un monde humain et historique.

A partir de là Hegel dépasse largement la philosophie de la nature de Schelling, et l'indifférence de son Absolu — la nuit où toutes les vaches sont noires — mais il nous introduit à une histoire où le tragique de la négativité — qui est la mort assumée, devenue

comme on le voit dans la *Phénoménologie* le sujet lui-même (c'est par
la conscience de la mort dans la lutte, et par le travail de sa libération
que la conscience de soi humaine se forme) — se lie étrangement
à l'œuvre rationnelle et raisonnable que devient la cité des hommes.
Marx remarque quelque part avec ironie — mais c'est une ironie qui
pourrait se retourner contre lui — que l'Etat hégélien est vraiment
lui-même dans la détresse (guerre ou terreur), car c'est seulement
là que l'individu séparé se confond avec sa totalité et s'élève à l'Idée.
Le pantragisme, comme négativité, intégration de la violence, de la
guerre, de la domination de l'Etat sur la société économique et
bourgeoise, reste donc toujours à l'arrière-fond de la pensée hégélienne. Les relations juridiques, les réalisations d'un sujet singulier
sont inséparables d'une violence qui doit être surmontée à son tour
par une négativité absolue. — Alors le droit abstrait devient le
droit concret de l'esprit du monde, le sujet singulier devient le
sujet absolu. Si les peuples heureux n'ont pas d'histoire, l'histoire
qui est le processus de l'Absolu n'est pas le bonheur, du moins le
bonheur plat et limité des optimistes du xviiie siècle.

La Prose du Monde et le Tragique

On connaît les textes célèbres de Hegel sur la guerre dans la
Phénoménologie (le gouvernement doit de temps à autre ébranler
par la guerre les systèmes qui se durcissent et s'enlisent dans une
vie sans esprit), dans la *Philosophie du Droit* (la guerre qui ressemble
à la tempête, empêchant les eaux du lac de croupir), et on peut s'en
indigner ou y découvrir des précédents dangereux. Pourtant Hegel
n'est pas un héros, sa correspondance montre son absence de romantisme. Il ne ressemble pas à Fichte qui fut le J.-P. Sartre de l'époque.
Il veut une société raisonnable, il s'oppose à l'école du droit purement
historique. Il nous représente un Etat qui n'est autre que l'Etat
bourgeois, issu de la révolution française, et conciliant le libéralisme
de la société civile avec la puissance de l'Etat qui est l'Etat de tous

et de chacun, qui domine le désordre (qu'Hegel aperçoit très bien) de cette société économique. Il est vrai qu'il signale ce désordre, et ce déchirement, et qu'il entrevoit sans doute une mutation de cet Etat et de cette société. Si Hegel loue Platon d'avoir représenté dans sa *République* la réalité de la Cité antique — et non une utopie — on peut louer Hegel d'avoir présenté avec profondeur l'Etat moderne et la société bourgeoise, et d'avoir soupçonné en eux les germes de leur transformation, mais il se défend de vouloir dépasser son temps. On connaît le texte célèbre sur l'oiseau de Minerve, qui ne se lève qu'à la nuit. Il reste donc que l'entendement ne suffit pas pour penser le monde humain qui ne trouve pas sa satisfaction dans l'ordre économique et privé. La comédie moderne, c'est-à-dire la comédie bourgeoise, découvre la dialectique dont est la proie l'avare ou l'amoureux ou le malade qui a mis son absolu dans une détermination finie, fût-ce la préservation à tout prix de sa vie. L'avarice, la jalousie, l'obsession de la maladie, sont avec le droit privé, le système de la propriété, et le jeu des relations économiques, des déterminateurs comiques pour un spectateur étranger, tragiques pour celui qui les vit. Une certaine satisfaction, un certain ordre sont incompatibles avec l'idée de la liberté humaine. L'oppression est l'arrière-fond de l'exploitation, et la lutte pour l'honneur et la reconnaissance sous-tend toutes les relations humaines.

Cependant nous sommes selon Hegel entrés dans la *Prose du Monde*. La belle harmonie de l'universel et du particulier qui permettait à des individus d'incarner dans la vengeance, la violence contre la violence, les plus hautes formes de l'héroïsme spirituel et humain est derrière nous. Don Quichotte ne trouve plus devant lui que la *Prose du Monde*, c'est-à-dire la séparation de l'universel et du particulier, de la loi et des cas singuliers. L'Etat moderne dit la loi, assure la justice en se substituant à la passion de la vengeance. Hegel reconnaît ce monde et son organisation. Il dit même que la guerre — par la nature des armes — n'est plus aujourd'hui une passion mais un froid calcul abstrait. Que dirait-il aujourd'hui en présence des nouvelles armes, ces missiles partant de si loin et capables d'anéantir tant de cités et de vies ? Pourtant ce sont encore des hommes qui détiennent ces pouvoirs abstraits; et l'histoire continue par une étrange conjonction du positif et du négatif. La *Prose du Monde*, l'Etat moderne ne peuvent éliminer complètement une perspective tragique qui est au-delà des satisfactions de la vie privée et de la vie bourgeoise même étendues à tous. Cette satisfaction d'entendement marque le rationnel; elle rencontre donc le tragique d'un destin. Il est possible que la figure de ce tragique change au cours de l'histoire : la différence est grande d'Eschyle à Shakespeare, du *pathos* antique à la passion moderne. La prose du monde semble nous introduire dans une nouvelle époque, mais cette époque a aussi son tragique dont un Kafka est peut-être le meilleur témoin. Hegel indiquait dans l'Etat qu'il décrivait une opposition grandissante entre les conditions de la vie sociale et économique, et la liberté réclamée par chaque sujet humain — une liberté qui n'est pas seulement celle du libéralisme économique; pour lui l'histoire n'était donc pas encore achevée; même s'il se défendait de l'ouvrir sur d'autres perspectives, l'expertise qu'il en donnait ne pouvait manquer de les suggérer. Pour nous le problème est autre, les rencontres humaines des peuples développés et sous-développés s'achèvent; les questions de l'économie se posent sur une échelle tellement vaste et tellement complexe que ni l'économie planifiée, ni l'économie libérale ne se suffisent à elles-mêmes. Les conflits ont une dimension planétaire, et la technique des moyens de production ou de destruction a bouleversé le champ de l'expérience. Dans ce nouveau monde humain toutefois le tragique ne saurait disparaître. Nous l'apercevons bien dans ce qui menace l'existence humaine dans sa précarité, mais nous ne sommes pas sûrs, comme Hegel, qu'il coïncide avec le rationnel. Cette coïncidence est encore une forme d'optimisme que nous ne pouvons plus postuler.

16

HEGEL A L'OUEST *

I. — Hégélianisme et existentialisme

En 1907, le philosophe italien Benedetto Croce publiait un ouvrage sur « ce qui est vivant et ce qui est mort dans la philosophie de Hegel ». Le moment était donc venu de faire le bilan définitif de l'influence de Hegel (considérable dans toute l'Europe, sauf en France) et de ce qui pouvait subsister de cette influence. Benedetto Croce n'imaginait pas une renaissance de l'hégélianisme, il ne pouvait pas prévoir que Hegel, par un étrange paradoxe, serait associé à un mouvement existentialiste dont les précurseurs avaient été les adversaires du système hégélien. Kierkegaard et Marx se sont définis l'un et l'autre par opposition à l'hégélianisme. L'idéalisme absolu

---

* Ce manuscrit était destiné au *Dictionnaire encyclopédique* (titre provisoire), article « Hegel », que préparait la maison d'édition Herder à Fribourg. Le texte demandé par la maison Herder devait s'intituler : « Hegel (aspect occidental) » et comporter 560 lignes de 47 signes chacune. Le contrat fut passé en septembre 1965. Mais, alors que le texte avait déjà été traduit en allemand (les épreuves de cette traduction ont été retrouvées dans les papiers de Jean Hyppolite), l'auteur, par une lettre de septembre 1966, le retira. On peut donc considérer *Hegel à l'Ouest* comme un inédit.

Nous avons trouvé, de ce texte, deux versions assez différentes l'une de l'autre. Nous avons choisi de retenir la version qui — par comparaison avec la traduction allemande — nous a semblé représenter la version définitive, plus élaborée que l'autre, encore que parfois moins riche.

de Hegel dépassait l'histoire en la jugeant, il rassemblait dans un système aussi vaste que profond toutes les philosophies du passé. Mais dans ce système le penseur individuel et l'homme historique disparaissaient. Ils étaient des moments évanouissants d'une histoire monumentale qui présentait la réalisation progressive de l'Absolu. Les fins singulières, les projets concrets des hommes n'étaient pas complètement ignorés; ils étaient reconnus comme des moments, jugés et absorbés par une ruse de la raison qui se servait d'eux pour s'actualiser dans la réalité. La liberté humaine, ses aventures, ses risques, ses échecs ou ses réussites partielles, contribuaient seulement à cette théodicée. La liberté de l'existence se perdait dans la nécessité universelle. Or, nous avons connu en France, en Europe et même jusqu'en Amérique un mouvement de pensée se réclamant souvent de Kierkegaard et parfois de Marx pour revendiquer les droits de l'existence, la liberté de l'homme en situation, engagé dans une histoire, dont le sens est ambigu et n'est pas garanti une fois pour toutes, en dépit de tous les calculs de risques. En France, ce sont les noms de Sartre et de Merleau-Ponty qui sont associés à ce mouvement de pensée, celui-ci n'étant pas hostile au marxisme. Il retenait seulement du marxisme l'analyse des situations historiques concrètes, la réflexion sur les bases économiques de l'existence humaine, et surtout l'exigence d'une libération de l'homme par le prolétariat surmontant son aliénation dans l'histoire. C'est à cette époque qu'on découvrit en même temps les travaux de jeunesse de Hegel et ceux de Marx. La genèse du système hégélien depuis les *Travaux théologiques* (titre fort contestable) jusqu'à la *Phénoménologie de l'esprit* de 1807, et la genèse du matérialisme dialectique de Marx et de Engels, depuis la *Critique de la philosophie du droit de Hegel* et le manuscrit *Economie politique et philosophie* de 1844 jusqu'à la *Critique de l'économie politique* de 1859 (germe du *Capital*) furent une véritable révélation pour toute une génération. Hegel, avant le système, avait décrit une conscience malheureuse religieuse et historique qui faisait penser à Kierkegaard ou à Feuerbach. Jean Wahl publia *Le malheur de la conscience dans la philosophie de Hegel*. Nous avons traduit pour la première fois en français la *Phénoménologie de l'esprit* et tenté un commentaire historique de cette œuvre étrange qui décrit l'épopée de l'esprit humain comme une reprise terrestre de la *Divine Comédie* de Dante. L'œuvre sans doute s'achève par un savoir absolu qui paraît clore l'existence, mais elle vaut par le détail concret et les sinuosités de l'itinéraire de la conscience. Elle dévoile les rapports de la conscience individuelle avec la nature et surtout avec la conscience des autres individus. Elle décrit bien plus qu'elle ne déduit les bases concrètes d'une histoire où les hommes s'affrontent dans une lutte à mort, une guerre absolue — qui est une limite, comme chez Clausewitz. Cependant, parce que cette lutte serait une impasse, Hegel décrit des relations de domination et de servitude dans lesquelles c'est l'esclave qui, par le travail, finit par dominer le maître et édifier l'histoire comme son œuvre, l'œuvre de tous et de chacun. Cette histoire se donne le spectacle d'elle-même dans la religion et l'art, elle éprouve le tragique indépassable d'une réconciliation de l'action et du savoir qui est toujours à reprendre. Quel est le sens de cette œuvre obscure dans laquelle Marx a remarqué que Hegel avait souvent décrit avec une grande exactitude quelques-unes des caractéristiques fondamentales de la condition humaine, en particulier celles de l'aliénation de l'homme dans son travail et dans son existence ? Le texte de jeunesse de Marx, *Economie politique et philosophie*, est précisément un commentaire de la *Phénoménologie de l'esprit*. Le livre de Kojève sur la *Phénoménologie de l'esprit* (1947) reproduisait des cours qui eurent à cette date une grande influence. Dépassant le commentaire littéral, Kojève parlait de l'athéisme de Hegel et de l'interprétation que le philosophe donnait à cette époque (1807) de l'empire de Napoléon, achevant la révolution française. La découverte des travaux de jeunesse de Hegel et des travaux de jeunesse de Marx a permis à la pensée occidentale de comprendre autrement que par le système de l'*Encyclopédie*, et par la dialectique schématique de Engels, ce que pouvaient signifier la phénoménologie hégélienne et le matérialisme historique de Marx. Elle a pu poser d'une façon nouvelle le problème des relations de Hegel et de Marx. L'idée trop simple d'un renversement dialectique qui conduirait du monisme de l'esprit chez Hegel au monisme matérialiste de Marx a pu être révisée. C'est le thème de l'aliénation et du dépassement éventuel de l'aliénation qui a d'abord été au centre de notre réflexion. Il inspire en effet les premiers travaux de Marx. Mais tout flux a son reflux, et la génération qui succède à la génération existentialiste prend aussi conscience des grands problèmes de structure qui dominent *Le Capital* de Marx et la *Logique* de Hegel. Sur ce point encore, plus proche des commentaires de l'est, il semble que des réflexions nouvelles permettent de poser un peu autrement la question de la filiation Hegel-Marx.

II. — Aliénation et existence historique

Nous savons maintenant que Hegel n'a pas commencé par réfléchir sur des systèmes philosophiques. La filiation Kant, Fichte, Schelling, Hegel est une reconstruction assez arbitraire. Elle ne rend pas compte des premières préoccupations de Hegel, de ce qui se dissimule plus tard dans les paragraphes abstraits de l'*Encyclopédie*. Le souci de Hegel a toujours été l'histoire vivante. Avant sa mort il s'intéressait encore aux réformes électorales de l'Angleterre et à l'avenir de l'Amérique. Il est parti, dit-il, des besoins élémentaires des hommes pour s'élever progressivement à la pensée spéculative. Pendant ses années de séminaire de Tübingen, puis pendant les années de préceptorat de Berne et de Francfort, il s'est enthousiasmé pour la révolution française (et il ne l'oubliera jamais tout à fait). Il a rêvé d'une cité heureuse — la grande œuvre d'art collective — et, comme beaucoup de ses contemporains, il a eu la nostalgie de la cité grecque où l'Etat n'existait pas encore comme une violence nécessaire, un destin opposé à la société des hommes privés, des bourgeois. Si la révolution française échoue, si elle aboutit à la Terreur et à des guerres nationales — et enfin à un équilibre nouveau — c'est parce que le monde moderne n'est plus le monde antique, parce que le bourgeois s'oppose au citoyen, parce qu'il existe un droit privé, un mouvement de la richesse, des intérêts individuels qui ne réalisent que dans la médiation l'œuvre collective. Sans doute, les principautés avec leurs aristocraties s'écroulent, mais ce n'est pas la cité antique qui surgit : c'est le monde bourgeois, le monde de la liberté du travail et de la production privée qui coexiste avec l'Etat, un Etat qui fut d'abord soutenu par la noblesse et la monarchie absolue, mais qui exige maintenant une bureaucratie de fonctionnaires, capables de penser l'intérêt collectif comme tel.

Nous venons de résumer ici une très longue évolution de Hegel, celle qui le conduira à la *Philosophie du droit* de Berlin, en passant par la *Phénoménologie* et par les essais philosophiques de Iéna. Hegel découvrira en même temps le caractère progressif de la négativité (la patience du négatif) et le développement historique. Cette négativité — la mort dans la nature, la violence, le crime, le châtiment, la guerre dans les opérations humaines — se fera positive comme négation de la négation dans l'histoire de l'esprit comme sujet. C'est à Iéna que Hegel réfléchit dans une philosophie et dans une logique ce qui fut l'idéal de sa jeunesse et ce qui ne fut d'abord qu'une anthropologie. Il avait pensé à une cité nouvelle capable d'échapper aux aliénations de l'histoire, mais il découvre la nécessité de l'aliénation et du passage par la conscience malheureuse. Il présenta d'abord ce malheur de la conscience comme un moment de la décadence romaine. Dans un texte de jeunesse (pendant la période de Berne), il décrit la disparition du citoyen antique et son remplacement par un homme privé, hanté par le souci de sa sécurité, de sa possession, reconnue abstraitement comme propriété privée. L'individu est ainsi séparé de la totalité, l'idée est devenue pour lui étrangère, transcendante. C'est la domination terrestre de l'empire et la fuite dans l'au-delà. L'individu fuit ce monde fini décevant, comique pour un spectateur étranger, tragique pour l'individu qui adhère à cette finitude, la possession. Le christianisme et le péché originel correspondent à cette conscience malheureuse. Mais Hegel prendra conscience de l'évolution irréversible de l'histoire. Le christianisme et la société civile (ou bourgeoise) seraient donc deux moments nécessaires. Avec le christianisme apparaît la subjectivité que le monde antique n'a pas connue et le droit pour le sujet de se retrouver lui-même dans son œuvre. Cette reconnaissance de soi ne pourra, cependant, s'effectuer directement, le sujet devra se former pour se rendre adéquat à son histoire et savoir s'y retrouver, se réconcilier avec son destin. Avec la société civile apparaît la fin de l'esclavage antique et commence le monde de la richesse et de la production. Mais dans cette production de sa vie, le bourgeois ne réalise l'universel que médiatement. Hegel a médité sur Adam Smith et sur la société, comme rapports de production et forces productives. Ce n'est pas là que l'homme atteint sa liberté authentique, c'est au-delà de cette société civile qu'il découvre sa volonté profonde, comme volonté générale de l'Etat.

Mais la conscience de soi de l'individu ne s'exprime pas ainsi directement, immédiatement. Cette immédiateté de l'Esprit est maintenant pour Hegel un passé, la cité antique, et l'aliénation ne peut plus être surmontée par une action effective dans le monde, mais par le savoir. C'est ici que Marx reprend Hegel, le continue et le rectifie. Il faut pourtant insister aussi bien sur les traits communs que sur les différences. La plus grande différence visible est celle des fins humaines. Hegel n'a jamais cru, comme les économistes du XVIIIe siècle et, plus tard, les marxistes, que l'histoire humaine pouvait cesser d'être tragique et s'organiser dans le bonheur de la

production et de la consommation : il n'est plus l'homme du
XVIIIᵉ siècle, mais le contemporain de la Révolution et des guerres
nationales. Marx a raillé Hegel en disant que son Etat n'est vraiment lui-même que dans les moments de détresse (le péril extérieur)
ou de terreur. Alors, la société civile, le monde bourgeois se dissolvent, et il ne reste plus que le grand mouvement du salut commun.
La négativité hégélienne, même si elle s'adapte à la subsistance, à la
positivité retrouvée, reste toujours tragique. Hegel, par certains
côtés, annonce Nietzsche. L'histoire est violence, mais cette violence pensée se nomme liberté.

C'est cependant un curieux paradoxe d'opposer à ce tragique
hégélien (qui s'accommodait aussi de la paix bourgeoise) le développement de la pensée et de l'histoire marxistes. Cette histoire a
montré sa grandeur dans la lutte des classes et parfois dans la terreur
pour l'affirmation de l'intérêt collectif. Elle annonce la société de
consommation et le dépassement de l'Etat, mais en fait, c'est le
tragique hégélien et c'est l'étatisme hégélien (sous la forme d'une
classe de la société civile soutenant la volonté générale) qu'elle actualise. Il y a là un nœud de questions existentielles qui méritent bien
l'attention du philosophe.

Que penser de toutes les critiques que Marx fait de l'Etat hégélien ? Il dénonce à juste titre des survivances auxquelles Hegel croyait
peu (Erik Weil, parmi d'autres, a fait justice du conservatisme prussien attribué à Hegel); il montre le caractère bourgeois de cet Etat
qui se dresse au-dessus de la société civile et qui présente la volonté
générale coupée de sa base, incarnée dans une bureaucratie d'Etat
(Hegel a reconnu aussi les contradictions de la société civile qui
produit trop et pas assez pour entretenir la vie de tous et il entrevoit
déjà un rôle économique de l'Etat). Mais a-t-on pu concevoir l'Etat
autrement ? A-t-on pu éliminer ces fonctionnaires de l'universel
qui aujourd'hui orientent autant qu'ils expriment la volonté de
tous ?

Nous venons d'insister sur les différences. Mais il y a un rapport direct de Hegel et de Marx qui apparaît bien dans le manuscrit *Economie politique et philosophie* et dans l'*Introduction à la philosophie du droit.* Ce que Marx doit à Hegel, c'est la considération de l'œuvre humaine dans sa totalité. L'animal continue de vivre, l'espèce n'apparaît en lui que par la mort et la succession inconsciente des individus. L'homme produit, au contraire, les conditions de sa vie à partir du milieu, il crée son milieu de vie, il le reproduit par le travail; c'est l'espèce entière qui édifie l'œuvre collective et s'aliène en elle. Mais la totalité des médiations — production, consommation, échange — n'apparaît pas comme telle à l'individu limité. C'est pourtant l'ensemble qu'il faut saisir. Marx s'inspire ici de Hegel et tentera un jour de concevoir cette totalité encore aliénée sous la forme du *Capital.* Cette œuvre collective est la production de l'espèce humaine par elle-même. Elle est, pour la conscience de soi, une objectivation et une aliénation. Marx va ici, comme l'a bien montré Lukács, distinguer ce que Hegel confond. Le problème commun, pour les deux penseurs, c'est celui de l'aliénation humaine à surmonter. Mais pour Hegel, l'aliénation se confondant avec l'objectivation, étant un moment nécessaire de l'Idée, c'est le savoir seul qui effectuera ce dépassement. Pour Marx, au contraire, l'objectivation est une expansion heureuse de l'espèce humaine. L'aliénation est un incident de l'histoire de la production, elle est le résultat du système capitaliste qui fut nécessaire pour le développement de cette production. Elle doit disparaître avec le prolétariat qui porte en lui le sens de la liberté humaine.

III. — STRUCTURE DIALECTIQUE CHEZ HEGEL ET MARX

Marx a donc trouvé d'abord dans Hegel une théorie de l'aliénation humaine et une philosophie de l'histoire qui lui a servi de point de départ. Il a substitué le prolétariat à la nation comme incarnation de l'Idée. La société civile, c'est-à-dire la société des producteurs et des consommateurs, le système des rapports concrets de production, est devenue chez Marx non plus le phénomène de l'Etat (comme elle l'est chez Hegel), mais son essence. C'est à partir de la société civile qu'il faut expliquer l'Etat et la vie politique. Enfin, Hegel avait conçu dans toute son extension une méthode dialectique pour expliquer le développement de l'histoire. Mais cette dialectique était une dialectique de l'Idée, de la pensée, qui se réalisait ensuite dans la nature. Pour Marx, la dialectique est d'abord dans la nature avant de se refléter dans la pensée. On pourrait donc dire que Marx a renversé l'hégélianisme, qu'il a mis sur ses pieds un système qui marchait sur la tête. Ce renversement suffit-il à rendre compte du passage de l'hégélianisme au marxisme ?

Nous ne le croyons pas ; les rapports de la dialectique hégélienne et de la dialectique marxiste sont bien plus complexes et il ne faut pas se contenter d'une formule qui oppose simplement l'*idéalisme absolu* de Hegel et le *matérialisme dialectique* de Marx, comme deux contraires qui, à la limite, s'identifieraient dans un monisme. Cette formule méconnaît toutes les richesses concrètes et les intuitions de la dialectique hégélienne qui débordent le système, elle méconnaît peut-être aussi l'originalité, la spécificité de la dialectique marxiste.

C'est sur ce dernier point que nous voudrions attirer l'attention. Après avoir découvert les itinéraires de jeunesse de Hegel et de Marx, nous sommes en train de méditer aujourd'hui sur les résultats de ces voyages de découverte et sur les grandes œuvres de maturité, la *Logique* de Hegel, *Le Capital* de Karl Marx (avec son premier moment si important : la *Critique de l'économie politique*, de 1859). Au flux de l'existentialisme succède un reflux non vers l'essentialisme (à jamais dépassé) mais vers la pensée structurale. Il n'existe encore que des indications de cette réflexion sur la structure de la *Logique* hégélienne et sur la structure du *Capital*; nous nous inspirerons de deux articles de Louis Althusser, parus dans la revue *La Pensée*, qui nous paraissent poser nettement la question. La dialectique de Marx telle qu'elle se manifeste effectivement dans l'étude de la société humaine et du capital n'est pas la même dialectique que celle de Hegel. Ce n'est pas la même méthode appliquée à un système qui serait l'envers de l'autre. Hegel, en effet, est idéaliste et moniste. Pour lui, c'est *un seul principe*, une totalité originaire indivisible qui se divise et s'oppose à elle-même pour se retrouver ensuite (ce que Lénine dans ses notes trouve à juste titre fort peu clair). C'est un sujet absolu qui s'aliène et devient son propre phénomène, pour se reconquérir. L'esprit s'est perdu et se retrouve. Le voyage de l'esprit absolu est tel qu'il est déjà de retour quand il part. C'est là une *théologie*, et quand les commentateurs de l'Est mettent la matière à la place de l'esprit absolu de Hegel et conservent la dialectique de l'Un qui se nie, ils sont encore des théologiens. Ils conservent de Hegel ce que Marx s'est efforcé de dépasser. Ils s'enfoncent dans un dogmatisme qui ressemble à une métaphysique de théologien. Ce qu'il faut admirer dans Hegel et dans sa logique même, c'est l'infidélité à ce monisme, particulièrement dans la doctrine de l'essence. Il décrit alors des structures où l'essentiel et l'inessentiel se reflètent l'un dans l'autre, où les conditions d'existence d'une contradiction dominante font partie de cette contradiction même. Chez Marx, il ne s'agit jamais d'un sujet absolu, matière ou esprit, qui suivrait un développement dialectique continu. Il s'agit toujours de structures concrètes préexistantes. Il n'y a pas une totalité originaire indivise, mais des totalités, la société humaine dans la phase du capitalisme, par exemple. Ces totalités ne sont pas des essences, mais des structures où, comme Althusser l'a montré, la contradiction dominante, celle, par exemple, des rapports et des forces de production, se reflète dans ses conditions d'existence qui ne sont plus alors des superstructures contingentes liées arbitrairement à leur infrastructure. La contradiction dominante peut se déplacer, apparaître dans des aspects divers (Marx a su être sensible à ces phénomènes caractéristiques de l'histoire, il suffit, pour s'en rendre compte, de lire ce qu'il a écrit sur la lutte des classes en France et sur l'avènement de Napoléon III, son explication est loin d'être simpliste). La structure n'est pas un sujet unique qui apparaît, mais un ensemble original, une totalité d'un autre type que le principe spirituel de Hegel. C'est dans cette totalité que le développement s'opère, soit dans des phases où l'antagonisme n'est encore qu'une différence, soit dans des phases où cet antagonisme apparaît comme une lutte ouverte, ou comme une explosion qui entraîne une mutation de la totalité. En reprenant le commentaire, souvent remarquable, que Lénine a donné de la *Logique* de Hegel, on pourrait retrouver des conceptions de cet ordre, quand il montre, par exemple, le rapport entre un développement naturel et un développement spirituel, quand, dans une image caractéristique, à propos de la logique de l'essence, il insiste sur l'importance de l'écume par rapport aux courants profonds d'une masse liquide.

En s'orientant vers ces études de structure — et de stratégie — la pensée de l'Ouest se rapproche peut-être des commentateurs de l'Est sur la filiation Hegel-Marx. Elle s'en éloigne sur un point essentiel. Elle refuse le schématisme dialectique de Engels, le monisme et le nécessitarisme qui sont beaucoup plus hégéliens que marxistes. Par ailleurs, ces études de structure — et de stratégie — qui font du marxisme une science et qui correspondent sans doute à la pensée mûre de Marx, ne nous paraissent pas suffisantes si elles liquident les élans de jeunesse et la méditation existentielle sur l'aliénation. Quels seraient, en effet, le sens de l'histoire et la signification du mouvement révolutionnaire s'ils ne s'éclairaient pas dans l'existence par la conscience de l'aliénation et la volonté de la surmonter ? Comment le pour-soi vient-il à l'en-soi, dirait Sartre, et du fond d'une existence antérieure à la conscience ? Au moment de la Commune de Paris, Marx, qui considérait la révolte comme prématurée et inefficace, prit immédiatement parti pour elle quand elle éclata et sut aussi la considérer comme la base d'une nouvelle tradition révolutionnaire.

A la lumière de l'histoire contemporaine, nous pouvons peut-être aujourd'hui repenser l'hégélianisme et le marxisme. Il n'est pas défendu de souhaiter qu'une coexistence pacifique permette une prise de conscience plus profonde de cet héritage philosophique et humain qui a une valeur universelle.

BIBLIOGRAPHIE

Il ne saurait être question de donner ici une bibliographie sur Hegel et sur Marx (on la trouvera dans des ouvrages spéciaux). Nous ne mentionnerons pas non plus les éditions diverses des œuvres de ces philosophes. Nous indiquerons seulement des travaux récents qui illustrent plus ou moins les mouvements de pensée que nous avons tenté de caractériser.

Louis ALTHUSSER, Contradiction et surdétermination, revue *La Pensée*, Paris, décembre 1962.

— Sur la dialectique matérialiste (De l'inégalité des origines), revue *La Pensée*, Paris, août 1963.

Wilhem R. BEYER, *Zwischen Phänomenologie und Logik : Hegel als Redacteur der Bamberger Zeitung*, Frankfurt, 1955.

Erns BLOCH, *Subjekt-Objekt ; Erläuterungen zu Hegel*, Berlin, 1951.

Y. CALVEZ, *La pensée de Karl Marx*, Paris, 1956.

A. CORNU, *La jeunesse de Karl Marx*, Paris, 1934.

B. CROCE, *Ciò che è vivo e ciò che è morto della filosofia di Hegel*, Bari, 1907.

T. J. DESANTI, Le jeune Marx et la métaphysique, *Revue de Métaphysique et de Morale*, Paris, 1957, n° 52.

J. N. FINDLAY, *Hegel. A re-examination*, London et New York, 1958.

E. FLEISCHMANN, *La philosophie politique de Hegel*, Paris, 1964.

R. GARAUDY, *Dieu est mort. Etude sur Hegel*, Paris, P.U.F., 1962.

F. GRÉGOIRE, *Aux sources de la pensée de Marx, Hegel, Feuerbach*, Louvain, 1947.

Th. HAERING, *Hegel, sein Wollen und sein Werk*, 2 vol., Leipzig et Berlin, 1929-1938.

M. HEIDEGGER, *Hegels Begriff der Erfahrung*, in *Holzwege*, Frankfurt, 1952.

S. HOOK, *From Hegel to Marx*, New York, 1936 (2e éd., 1950).

J. HYPPOLITE, *Genèse et structure de la « Phénoménologie de l'esprit » de Hegel*, Paris, 1946.

— *Introduction à la philosophie de l'histoire de Hegel*, Paris, 1948.

— *Logique et existence*, Paris, 1953.

— *Etudes sur Marx et Hegel*, Paris, 1955.

Iwan ILJIN, *Die philosophie Hegels als kontemplative gotteslehre*, Berne, 1946.

A. KOJÈVE, *Introduction à la lecture de Hegel*, Leçons sur la « Phénoménologie de l'esprit », professées de 1933 à 1939, réunies et publiées par R. QUENEAU, Paris, 1947.

Karl LOWITH, *Von Hegel bis Nietzsche*, Zurich et New York, 1941.

D. LEKOVIC, *La théorie marxiste de l'aliénation* (thèse française), Beograd, 1964.

G. LUKÁCS, *Der Junge Hegel*, Zurich et Wien, 1948 (2ᵉ éd., Berlin, 1954).

H. MARCUSE, *Reason and Revolution, Hegel and the rise of social theory*, Oxford, 1941 (2ᵉ éd., New York, 1955).

M. MERLEAU-PONTY, *Sens et non-sens*, Paris, 1948.

— *Humanisme et terreur*, Paris, 1947.

— *Les aventures de la dialectique*, Paris, 1955.

M. ROSSI, *Marx e la dialettica hegeliana* : t. I : *Hegel e lo Stato* (Roma, 1960); t. II : *La genesi del materialismo storico* (Roma, 1963).

J.-P. SARTRE, *L'Etre et le Néant*, Paris, 1943.

— *Critique de la raison dialectique*, Paris, 1960.

J. WAHL, *Le malheur de la conscience dans la philosophie de Hegel*, Paris, 1929.

E. WEIL, *Hegel et l'Etat*, Paris, 1950.

17

ESSAI D'INTERPRÉTATION
DE LA PRÉFACE
DE LA « PHÉNOMÉNOLOGIE »*

PREMIÈRE PARTIE

La Préface de la *Phénoménologie*, ce festival historico-mondial, a été divisée par Lasson en quatre parties. Hegel avait indiqué dix-sept paragraphes. Nous utiliserons cependant la division de Lasson car elle nous paraît suivre une articulation naturelle de la pensée. La première partie résume ce qu'est pour Hegel la pensée de son temps, le sens de ce temps ; il en profite pour écarter des formes, selon lui, aberrantes, et qui ne correspondent pas à cette pensée. La *Phénoménologie* a été écrite en 1807. La Préface a été rédigée après coup comme une prise de conscience après le voyage de découverte que fut la *Phénoménologie* elle-même. Ce qui nous frappe, c'est

---

* Ce manuscrit inachevé est une partie d'une étude complète que J. HYPPOLITE se proposait d'élaborer sur l'ensemble de la Préface de la *Phénoménologie de l'esprit* de HEGEL, et qui précéderait une nouvelle traduction de cette Préface. J. Hyppolite renonça provisoirement à ce projet, et la nouvelle traduction de la Préface parut aux Editions Aubier en 1966, accompagnée simplement d'une cinquantaine de pages (petit format) de notes. Le texte ci-dessus est donc de 1966.

cette affirmation un peu paradoxale : cette époque de révolution, de bouleversements des institutions et de l'existence humaine, que Hegel a suivie jusque-là dans ses conséquences les plus positives (s'intéressant à la révolution française, à la Terreur, à l'économie politique anglaise, autant qu'à l'état de l'Allemagne de son temps), lui apparaît dans ce début de la Préface comme l'émergence de la philosophie comme *Science*.

Ainsi, toute logique s'orienterait vers la philosophie, non plus comme amour du savoir, mais comme savoir effectif, comme science. Hegel substituerait-il déjà à l'action qui transforme le monde humain et la nature, la pensée, fuyant ainsi les passions de la réalité ? Cette interprétation ne nous paraît pas tout à fait conforme au projet hégélien. Notons d'abord le sentiment, si fort chez Hegel, d'une révolution radicale dans l'existence humaine. L'esprit du monde (c'est le terme dont il se sert) est entré dans une nouvelle époque, et la révolution française, son extension en Europe par l'intermédiaire de Napoléon, est le phénomène fondamental (1) — contemporain sans doute d'une nouvelle philosophie, qui, après la pensée critique de Kant et l'idéalisme transcendantal, découvre l'Idée spéculative. Il y a pour Hegel un lien étroit entre cette Idée spéculative et cette révolution dans l'existence. L'une correspond à l'autre, mais l'une n'est pas plus active que l'autre (2). Si la Révolution a posé le principe de la libération humaine, elle s'est montrée impuissante à réaliser effectivement cette libération dans un Etat rationnel qui exprime en fait d'une façon stable cette libération. D'un côté la Révolution a engendré la Terreur, de l'autre l'Idée spéculative en est restée à son commencement, à la nuit dans laquelle « toutes les vaches sont noires ». Ce double échec relatif tient sans

(1) La Révolution (cf. la Terreur) n'a pas introduit de solution politique durable.
(2) On se souviendra du mot de Hume sur les Allemands se donnant la comédie de la Révolution.

doute à une rupture radicale qui ne s'est pas élevée jusqu'à la recollection du passé, au sens nouveau que prend l'histoire passée à la lumière du présent. Ainsi, l'esprit du monde, à ce grand moment de son devenir, peut reprendre tout son passé et se concevoir comme engagé dès le départ vers le sens de la libération humaine (l'histoire du monde sera l'histoire de la liberté) que la révolution française a fait apparaître d'un seul coup, mais seulement comme une esquisse, un germe (le gland qui ne s'est pas encore pensé comme chêne).

Nous pouvons, par ce résumé schématique, indiquer les grands thèmes de cette première partie de la Préface.

1) Le mouvement de l'esprit du monde et la révolution : « Du reste il n'est pas difficile de voir que notre temps est un temps de naissance et de transition à une nouvelle période. L'esprit a rompu avec ce qui était jusque-là le monde, celui de son être-là et de sa représentation; il est sur le point d'engloutir tout cela dans le passé et il est dans le travail de sa conception. En vérité l'esprit n'est jamais en repos, mais il est conçu dans un mouvement toujours progressif. Mais il en est comme dans le cas de l'enfant, après une longue et silencieuse nutrition, la première respiration, dans un saut qualitatif, brise cette continuité d'un progrès seulement quantitatif, et c'est alors que l'enfant est né. Ainsi, l'esprit qui se cultive mûrit lentement et silencieusement jusqu'à la nouvelle figure, désintègre fragment par fragment l'édifice de son monde précédent. L'ébranlement de ce monde est seulement indiqué par des symptômes sporadiques; l'insouciance et l'ennui qui envahissent ce qui subsiste encore, le pressentiment vague d'un inconnu sont les signes précurseurs de quelque chose d'autre qui se prépare. Cet émiettement qui n'altérait pas la physionomie du tout est interrompu par le lever du soleil qui, en un éclair, esquisse en une fois l'édifice du nouveau monde. Mais ce nouveau monde a aussi peu une effectivité accomplie que l'enfant qui vient de naître, et il est essentiel de ne pas négliger ce point. »

Tout est indiqué dans ce passage, la révolution, qui fut précédée d'une lente désintégration et de la préparation silencieuse du nouveau monde, le caractère d'esquisse et l'insuffisance de ce premier surgissement.

2) Notre époque est aussi l'apparition de la philosophie comme science : « Contribuer à rapprocher la philosophie de la forme de la science — pour qu'elle puisse déposer son nom d'*amour* du *savoir* et devenir savoir *effectif* — c'est là ce que je me suis proposé. [Fichte avait déjà envisagé un changement de nom, en substituant la *Doctrine de la science*, l'épistémologie, à la philosophie] [...]. Démontrer que le temps est venu d'élever la philosophie à la Science, ce serait donc la seule vraie justification des tentatives qui se proposent cette fin — cela montrerait la nécessité de cette fin et la réaliserait en même temps. »

Mais ce que Hegel entend par *Science* est expliqué dans cette Préface. Il ne s'agit pas des sciences positives et des techniques commençantes, encore moins d'un savoir formel. Hegel insiste sur deux caractères de cette apparition de la Science (c'est-à-dire de la philosophie en tant que telle); elle succède au monde de l'existence de l'esprit (son être-là), à la représentation que l'esprit se donne de lui-même, comme une image de soi (religion ou art); elle coïncide avec ce que Hegel nomme le concept. A l'esprit qui existait (comme histoire du monde), à l'esprit qui s'apparaissait à lui-même (comme religion et art), succède l'esprit qui se pense, qui n'est pas seulement pour-soi, mais pour-soi-soi. La Science est ce dépassement — non la suppression pure et simple — de l'image de soi. Maintenant l'esprit du monde se sait dans la conscience de soi humaine. L'origine ne sera plus pour lui que le mythe des origines. Platon se référait à Homère et aux poètes, et pourtant sa philosophie excluait l'immédiateté poétique. Ainsi l'humanité peut concevoir, à travers son image et son existence, son sens comme projet de totalisation de soi.

C'est cette présentation (*Darstellung* et non *Verstellung*) qui constitue la philosophie-présentation qui est une histoire à la lumière du sens nouveau acquis par le mouvement de l'esprit du monde. C'est pourquoi cette Science sera retour au passé, mais pour en éclairer le sens, écarter la préhistoire et tout ce qui n'appartient pas à l'élaboration du sens qui deviendra seule la philosophie de l'histoire du monde. Cette élaboration n'est pas un développement linéaire, mais un *développement organique*. « Le bouton disparaît dans l'éclosion de la fleur, et on pourrait dire que le bouton est réfuté par la fleur. De même par le fruit, la fleur est dénoncée comme un faux-être-là de la plante, et le fruit prend la place de la fleur comme sa vérité. » La présentation de la philosophie (de la pensée du temps reprenant son histoire pour se concevoir) sera donc une présentation organique, une invention de concepts qui feront de cette présentation, non la subsomption d'un particulier sous un universel, ni la cohérence fermée d'un universel qui écarterait le particulier, ni la sommation de connaissances éparses. Cette totalisation n'est pas une totalité close. On a dit, pour exprimer la pensée de Hegel, que ces deux propositions avaient une valeur égale pour lui : « Le Tout seul est vrai », et « Le Tout est faux. »

Il est sans doute important de développer ces deux parties de la pensée de Hegel. Le concept de Science, qui apparaît, exclut la représentation religieuse antérieure, qui se survit dans le romantisme (*Le Christianisme et l'Europe*, de Novalis, les paroles prophétiques de Schleiermacher), autant que le savoir prosaïque, mais riche de contenu, qui fut celui de l'*Encyclopédie* du XVIIIe siècle. L'époque a laissé derrière elle la représentation religieuse d'autrefois, et elle est tombée dans la prose de l'empirisme, mais un retour en arrière comme romantisme religieux n'est pas plus concevable qu'un séjour dans le morcellement de l'expérience. « Non seulement l'esprit a perdu sa vie essentielle, mais encore il est conscient de cette perte et de la finité qui est son contenu » — d'où un besoin nouveau de la philosophie. « Pour répondre à ce besoin, la philosophie ne doit pas tant ouvrir la clôture de la substance, et l'élever à la conscience de soi, non pas tant reconduire la conscience chaotique à l'ordre pensé et à la simplicité du concept, qu'elle doit confondre les spécifications de la pensée, opprimer le concept différenciant, et restaurer le sentiment de l'essence, produire non tant l'intellection que l'édification [...]. A cette exigence correspond l'effort tendu, qui se montre presque violent et irrité, pour arracher les hommes de leur ensevelissement dans le sensible, le vulgaire et le singulier » (1).

La présentation de la philosophie d'autre part, cette totalisation, n'est pas une représentation *(Verstellung)*, une image qui se tient devant la chose en soi, mais une présentation comme une présentation théâtrale, où le Tout est immanent et sans doute inachevé, car au résultat manquerait l'élan du départ. Ce que Hegel dit d'une préface (qu'elle est inadaptée à la présentation de la philosophie) signifie sans doute plus qu'on ne croirait. Dans la philosophie — à la différence d'une science, comme par exemple l'anatomie, l'universel habite le particulier, vit en lui, et ne saurait en être séparé, d'où ce caractère de la présentation philosophique qui n'est rien sans son développement. Il faut supporter la longueur du chemin, il faut connaître ou reconnaître « le travail, la douleur et la patience du négatif ». L'essence n'est rien sans la forme.

Enfin, la présentation philosophique s'oppose à la cohérence purement formelle, à un mode épistémologique qui vaudrait lui aussi en général et ne correspondrait pas à ce développement organique,

---

(1) Cf. Ritter, *Révolution française*, Penser son *temps*.
« Avec l'époque moderne est entrée dans l'histoire une nouvelle réalité qui — pour la première fois dans la tradition occidentale — a posé radicalement hors de soi la philosophie et sa vérité. L'époque actuelle a derrière soi la multitude des systèmes philosophiques, en sorte qu'elle ne fait qu'augmenter la collection superflue de momies et l'entassement général des choses contingentes. »
La subjectivité se réfugie dans l'intériorité et dans la nature. Cette fuite romantique hors de la réalité concrète présuppose que le divin a perdu son pouvoir sur la réalité objective.

où ce qui est absent, ce qui manque encore hante ce qui est présent, et où ce qui est présent résulte d'un conflit qui se résout par le travail du négatif. Elle s'oppose aussi à la sommation, à l'addition encyclopédique autant qu'à la profondeur vide : une idée de l'Absolu qui s'épargne le mouvement de son devenir : « Mais comme il y a une largeur vide, il y a aussi une vide profondeur; comme il y a une extension de la substance qui se répand en une multiplicité finie, sans force pour la rassembler, ainsi il y a une intensité sans contenu qui, se soutenant comme force pure sans expansion, est la même chose que la superficialité. La force de l'esprit est seulement aussi grande que son extériorisation, sa profondeur aussi profonde que son audace à s'élargir et à se perdre dans son déploiement. »

On voit le caractère de cet avènement de la philosophie comme science, substituant la présentation à la représentation, s'efforçant de saisir la pensée d'une époque par sa préparation historique, écartant le modèle formel autant que l'idée spéculative qui s'applique à tout et ne touche rien.

Mais cette présentation ne peut qu'être celle d'un sujet qui ne se définit pas par une origine ou par une base, un *upokeimenon* quelconque, mais par son mouvement propre, son devenir, une genèse de soi, et non un Soi hypostasié. Et ce sujet ne saurait être, dans l'universalité atteinte de la culture, un sujet singulier comme tel. C'est bien de l'esprit du monde qu'il s'agit, en tant qu'il s'apparaît dans la conscience de soi humaine, et ne réside nulle part ailleurs (1).

---

(1) I. *Totalité et totalisation :*

  1) Pas de subsomption du particulier sous l'universel. Unité qui en reste au début.
  Cf. les textes : sur l'opposition avec les sciences particulières (l'anatomie, la zoologie). L'universel ne se spécifie pas lui-même, ne s'organise pas lui-même. C'est en rester à un certain formalisme, même avec l'idée spéculative.
  2) La cohérence (pourtant Hegel parle d'un système, mais ce n'est pas la systématicité formelle qui l'intéresse).

DEUXIÈME PARTIE

Le vrai n'est pas seulement *substance* (Spinoza) mais *sujet* (Fichte). C'est Fichte lui-même qui a dit qu'il y avait deux types de philosophies possibles : le dogmatisme de Spinoza : le vrai est substance, et l'idéalisme de Fichte : le vrai est sujet.

La substantialité, cependant, inclut en soi aussi bien le savoir immédiat que l'immédiateté de l'être pour le savoir. Le savoir immédiat de soi, le Moi = Moi, est aussi ineffectif et sans vie que l'être immédiat, dont le savoir serait une sorte d'épiphénomène. C'est pourquoi il ne suffit pas, pour concevoir l'être comme sujet, d'une intuition intellectuelle (à la manière de Fichte, ou même de Schelling) qui unifierait l'être et le savoir immédiat sans leur laisser la vie. La négativité ne saurait être exclue de l'Absolu (comme la thèse de Fichte paraît le réclamer).

Hegel va donc chercher à donner une esquisse de sa conception, mais comme il vient de le dire, cette esquisse n'est rien sans la présentation du système; elle ne saurait donc valoir comme une loi rigide de la dialectique, une sorte de méthode qui précéderait la présentation (la méthode n'est pas à part de la présentation).

De là la difficulté de ce texte qui se condamne à un aperçu général, quand il énonce par ailleurs qu'une généralité comme telle ne saurait valoir.

(Suite de la note de la page précédente.)

       3) Ce n'est pas une addition.

    II. *Représentation et présentation :*
        En quoi consiste la science comme présentation.
        Pensée d'une époque.
        On peut encore penser le présent sans se réfugier dans la subjectivité.
        Pensée exotérique et non ésotérique.

    III. *Rapport entre la religion* (représentation) *et philosophie :*
        Revenir sur une séquence hégélienne : pourquoi la religion à la fin de la *Phénoménologie* ?

Il s'agit de présenter l'effectivité, la réalité absolue, comme une vie et non comme un absolu immobile; introduire la vie et l'ouverture sans perdre l'unité; maintenir à la fois le pluralisme et le monisme — ce que Hegel a déjà nommé, dans les travaux de jeunesse, le lien du lien et du non-lien, dans l'article sur la différence, l'identité de l'identité et de la non-identité, dans la logique d'Iéna, l'inquiétude anéantissante de l'infini qui n'est authentiquement infini que par le fini conservé dans sa présentation.

C'est donc un schéma que Hegel va donner, pour annoncer la substance vivante, l'être qui est sujet en vérité; il reprendra bien la formule de Fichte, le « se poser soi-même » du Moi absolu, mais il introduira dans cette position de soi par soi ce qui était pour Fichte l'antithèse, la négativité. Bien plus, il fera de cette négativité, la négativité absolue. C'est elle, si l'on veut, qui est première, et cela s'offre comme un paradoxe, puisqu'elle anticipe ce qu'elle nie, ou plutôt apparaît dans sa position première comme une négation *(omnis determinatio est negatio)* qui manque encore à son devenir. Il n'y a pas de position immédiate, de terme premier, d'originaire, mais l'anticipation est déjà immanente au commencement, comme l'avenir peut l'être au passé, le présent vivant étant tout à la fois ce qui scinde et ce qui unit, sans que l'un des moments puisse exister sans l'autre. « C'est pourquoi le Temps est l'être-là du concept. » C'est pourquoi la substance est la médiation entre son devenir et soi-même. C'est la médiation qui joue le rôle de l'immédiat comme devenir. Il est vrai que le devenir est aussi bien un devenir de soi, c'est-à-dire un Sens, une totalisation effective, et non pas une extension spatiale et temporelle quelconque.

Ce que Hegel veut dire — mais il faut répéter que ce n'est qu'un préalable que justifiera seule la présentation du système — c'est que la vie ne saurait être exclue de l'être, pas plus que le sens; c'est l'unité de cette ouverture et de cette totalisation qui est visée comme synthèse originaire. La synthèse est toujours synthèse de la synthèse et de l'antithèse. La substance est la puissance absolue; la subjectivité est la forme absolue qui lui est identique.

Toutefois, il ne suffit même pas d'énoncer cette identité de l'identité et de la non-identité, cette scission du simple qui est déjà là quand et parce qu'elle est surmontée; il faut ajouter ce que dit le paragraphe suivant : « La vie de Dieu peut donc être énoncée comme un jeu de l'amour avec soi-même [...], il y manque encore le sérieux, la douleur, la patience et le travail du négatif. Il manque à cette représentation de l'identité de l'identité et de la non-identité encore trop simple, le mouvement de se faire effectivement étranger à soi-même, de l'aliénation complète *(Entfremdung)* (1). C'est pourquoi l'image du cercle qui présuppose sa fin comme son but et a cette fin au commencement, est encore inadéquate, elle peut tomber au niveau de l'édification, d'un jeu de l'amour avec soi-même. » Le « deviens ce que tu es », le « fais de toi ce que tu es en soi » peuvent encore être mal compris. « Le cercle ne suscite aucun étonnement. » On ne peut exclure le devenir ni le conflit réel, ni la finalité, la téléologie du sens (ce qui suppose un résidu de non-sens) (2).

---

(1) La thèse et l'antithèse chez Fichte sont sur le même plan (mouvement perpétuel).

(2) La pure et simple négativité est la constance d'une négation (l'esprit qui toujours nie). Cette constance suppose, et le mouvement de se scinder — un divers — et l'opposition (la négation), et l'identité de la négation dans cette opposition. Mais la synthèse suscite toujours l'antithèse. « L'activité de diviser est la force et le travail de l'*entendement*, de la puissance la plus merveilleuse et la plus grande, ou plutôt de la puissance absolue. Le cercle, qui repose fermé sur soi et qui, comme substance, retient ses moments, est la relation immédiate, et qui donc n'a rien de merveilleux. Mais que l'accidentel comme tel, séparé de son entour, ce qui est lié et n'est effectif que dans sa connexion avec un autre, reçoive un être-là propre et une liberté séparée, c'est la puissance prodigieuse du négatif, c'est l'énergie de la pensée, du pur Moi. La mort, si nous voulons donner son nom à cette ineffectivité, est la chose la plus redoutable et soutenir ce qui est mort est ce qui exige la plus grande force. La beauté sans force hait l'entendement parce que l'entendement attend cela d'elle et qu'elle ne peut le faire. Ce n'est pas la vie qui recule d'horreur devant la mort et se préserve pure de la destruction, mais

L'*Absolu est sujet*, c'est-à-dire qu'il se pose lui-même, il est son devenir, sa constitution de soi (1). En dehors de cette constitution, de cette formation de soi-même, il n'est rien. On a présupposé le sujet quand on a dit : « Dieu est l'éternel, ou l'ordre moral du monde, ou l'amour », mais cette présupposition peut devenir un obstacle au savoir, si elle méconnaît que Dieu n'est rien qu'un son vide, sans la médiation qui le constitue. Le sujet est immanent à son propre développement, c'est dans ce développement qu'il faut le concevoir (2).

« Le sujet est pris comme point fixe auquel, comme à leur support, les prédicats sont attachés, et ils y sont attachés par un mouvement qui appartient à celui qui a un savoir du sujet, mais qui ne peut être envisagé comme appartenant intrinsèquement au point lui-même. Ce n'est pourtant que par ce mouvement que le contenu serait présenté comme sujet. Mais la façon dont ce mouvement est ici constitué l'empêche d'appartenir au sujet [...]. Cette anticipation, que l'Absolu est sujet, non seulement n'est donc pas l'effectivité de ce concept, mais encore elle la rend impossible, car elle la pose comme point en repos, tandis qu'il est le mouvement autonome. »

Hegel reviendra à la fin de la Préface sur cette conception qui oppose le *sujet* comme base, fondement immédiat, et la connaissance que nous en prenons et qui serait extérieure à cette base elle-même. Peut-être pense-t-il ici à Kant. Dans la déduction transcendantale

la vie qui supporte la mort et se maintient en elle qui est la vie de l'esprit. L'esprit conquiert sa vérité seulement quand il se retrouve soi-même dans le déchirement absolu. L'esprit n'est pas cette puissance comme le positif, qui se détourne du négatif [...]; mais il est cette puissance seulement quand il regarde le négatif en face et séjourne en lui. »

(1) La position de soi chez Fichte et chez Hegel (le travail concret, la réalisation de soi à travers la servitude).

(2) Genèse historique, vue à la lumière de la pensée, ou genèse idéale (diachronique transformé en synchronique) dans laquelle le contenu s'impose lui-même comme pensée.

Kant oppose l'objet transcendantal = X au sujet transcendantal qui se rapporte (nécessairement) à lui; mais cet objet n'est qu'un pôle nécessaire, ce qui oriente la connaissance, laquelle substitue à cet X le système des prédicats. Il y a deux *Soi*, celui qui est posé à la base et qui oriente la connaissance, en fait en droit une connaissance objective, ouvre la dimension du transcendantal, et le *Soi* du sujet connaissant, le *Je pense* qui se substitue au premier (en lui empruntant son objectivité) et relie les prédicats. C'est au support que les prédicats sont attachés, et ils y sont attachés par un mouvement qui appartient à celui qui sait ce sujet, mais qui ne peut être envisagé comme appartenant au point lui-même.

Pour Hegel, *sujet de la connaissance*, le Soi qui connaît, et *sujet sur lequel porte* la connaissance, le Soi objectif, sont identiques. C'est le mouvement de l'Etre qui doit s'exprimer dans le sujet de la connaissance, et celui-ci doit s'oublier lui-même pour se retrouver dans le premier. Cette identité (qui seule rend possible le savoir et le savoir absolu) n'est encore qu'indiquée. C'est pourquoi dans ce début de la deuxième partie de la Préface, Hegel parlera tantôt de la *connaissance*, tantôt de l'*Etre*, mais pour parvenir à la pensée de leur identité, c'est-à-dire à la Science.

Dans les deux premiers paragraphes, « *L'Absolu est sujet* » et le « *Ce qui* » signifient que nous allons d'un sujet ontologique au sujet de la connaissance (Hegel parlera ensuite du savoir) pour revenir de la connaissance au sujet ontologique. La distinction des deux sujets qui doit être transcendée est précisément le passage que nous venons de commenter. Si la médiation appartient à la connaissance, et non à l'Absolu lui-même, les deux sujets se distinguent et ne se rejoindront jamais. Or la Science repose sur leur unité, et cette unité apparaît dans toute sa richesse concrète avec la notion d'esprit qui conclut la première partie de la Préface.

Il s'agit *d'abord* du sujet ontologique : « Tout dépend de ce point essentiel : saisir et exprimer le Vrai, non seulement comme substance, mais aussi comme sujet » — « La substance vivante est l'être qui est sujet en vérité [...] ou qui est le mouvement de se poser soi-même ». La notion essentielle est ici celle d'*effectivité*, opposée à l'immédiateté inerte. Puis Dieu est nommé comme la vie qui inclut « le sérieux, la douleur, la patience et le travail du négatif ». Le chapitre sur le savoir absolu nous montrera que cette douleur et ce travail ne peuvent disparaître, car si le savoir s'apparaît à lui-même dans une phénoménologie, comme il se pense dans une logique, et si la connexion de ces deux formes garantit la liberté du sujet, qui peut ainsi s'aliéner dans le phénomène sans se perdre, il y a plus encore, il y a un irrécupérable, une perte plus radicale comme *contingence* de la Nature et de l'histoire événementielle. « Le savoir ne se sait pas seulement lui-même, mais sa limite. »

Il s'agit ensuite de la connaissance : Hegel vient de dire de l'Absolu qu'il est essentiellement résultat, que c'est à la fin seulement qu'il est ce qu'il est en vérité — et il prend un exemple qui peut étonner, car il porte sur la connaissance : la zoologie n'est pas une connaissance effective quand elle se définit seulement par l'universalité de son objet, tous les animaux. « Si je dis : *tous* les animaux, ces mots ne peuvent pas passer pour l'équivalent d'une zoologie; avec autant d'évidence il appert que les mots de divin, d'absolu et éternel n'énoncent pas ce qui est contenu en eux. » Mais ce qui se produit ici dans la connaissance — la médiation, le caractère synthétique de la proposition — pourrait n'être vrai que de la connaissance, non de l'être. La suite du texte montre l'unité de la réflexion dans la connaissance et dans être. Un nouvel exemple nous fait passer de la connaissance à l'effectivité. « Si l'embryon est bien en soi homme, il ne l'est pas pour soi, l'homme est pour soi seulement comme raison cultivée qui s'est faite elle-même ce qu'elle est en soi. C'est là seulement son effectivité. »

Mais la *médiation*, le *devenir* (qui apparaissent dans le mouvement de la prédication ou de la proposition, dans la formation de l'homme, et de l'Absolu lui-même) ne sauraient s'exclure du résultat. Ils appartiennent au résultat lui-même qui est un devenir, car la liberté n'a pas mis de côté l'opposition pour la laisser en dehors, mais s'est réconciliée avec elle. Le résultat n'est rien sans l'élan du départ, et celui-ci est vide sans le développement qui constitue le résultat, comme son sens. C'est l'effectivité de ce devenir qui est l'Absolu même, une téléologie que Hegel retrouve dans Aristote, mais en comprenant l'acte comme l'effectivité, le sujet, ce qui est la mouvance de l'égalité à soi-même; l'élan du départ, le résultat, le passage de l'un à l'autre, tout cela est le *Soi* et son inquiétude et suggère le présent vivant d'une temporalité qui s'ouvre à son avenir comme le sens constitué de son passé, car le Temps est le concept étant-là. Mais ce Soi est aussi bien le Soi de l'être que le Soi du sujet, leur identité est la Science — « cet éther comme tel ».

Dans la dernière section de cette deuxième partie de la Préface, Hegel va encore de la connaissance à l'ontologie, pour relier l'une à l'autre.

La conséquence de « *l'Absolu est sujet* », c'est que le savoir n'est effectif que comme Science ou comme Système, mais ce système ne saurait être un système au sens habituel du terme, un système clos; et d'ailleurs, il n'y a pas de proposition fondamentale n° I comme chez Fichte; le fondement du système n'est jamais que son commencement, c'est pourquoi il se laisse réfuter, ou compléter.

Et dans le domaine ontologique il apparaît que le « *Ce qui* » est alors l'esprit (le concept le plus sublime qui appartient aux temps modernes et à sa religion) : « Le Vrai est effectif uniquement comme système, la substance est essentiellement sujet, cela est exprimé dans la représentation qui énonce l'Absolu comme esprit. »

L'esprit est l'essence et la relation, mais cet être en soi et pour soi ne l'est d'abord que pour nous ou en soi, il est la substance spirituelle; or il doit l'être pour soi-même, il doit être le savoir du spirituel et le savoir de soi-même comme esprit, c'est-à-dire qu'il doit être objet de soi-même, mais objet qui immédiatement se supprime comme objet et se réfléchit en soi-même.

Pour soi, il l'est d'abord pour nous, en tant qu'il se fait ce qu'il est, en tant qu'il est Histoire, son histoire ; mais ce pour nous est lui-même, est son propre Soi, alors il est pour soi-même pour soi. L'esprit qui, ainsi développé, se sait comme esprit est la Science. Elle est l'effectivité de l'esprit et le royaume qu'il se construit dans son propre élément.

Ainsi l'esprit se constitue et s'engendre, il est son histoire (et la nature est le devenir éternel de lui-même) ; il s'apparaît à lui-même, mais cette apparition comme recollection de son histoire est d'abord *pour nous*, c'est-à-dire qu'il doit identifier son lui-même à ce pour-nous (telle est la phénoménologie, la partie de la Science où l'esprit est encore dans l'immédiateté de cette apparition de soi); il doit aussi bien se concevoir dans son sens pur, comme mouvement interne du contenu, telles sont la logique et la philosophie de la Nature et de l'Histoire.

Le rapport entre ces deux parties de la Science est le thème des sections suivantes de la deuxième partie de la Préface :

7) L'élément du savoir;

8) L'élévation à cet élément est la *Phénoménologie de l'esprit*;

9) La transformation de la représentation et du bien-connu en pensée et de la pensée en concepts.

Ce qui constitue la Science, telle qu'elle se montre dans le savoir absolu, et la scientificité comme telle, c'est le savoir de la substance spirituelle comme de soi-même. L'esprit se sait lui-même et ne sait rien d'autre que soi. « Il doit être le savoir du spirituel et le savoir de soi-même comme de l'esprit, c'est-à-dire qu'il doit être pour soi-même comme objet, mais aussi immédiatement comme objet supprimé, réfléchi à l'intérieur de soi-même. » La réflexion n'est plus ce qui sépare la certitude que l'individu a de soi, d'un objet ou d'un

Autre qui lui est extérieur (le rapport qui constitue la conscience).
La réflexion, la médiation subsistent, mais elles sont devenues immanentes au contenu. La certitude de soi-même s'est oubliée ou perdue
dans l'ex-stase de son objet devenu l'esprit; inversement, cet objet,
parce qu'il est l'esprit, la substance spirituelle, est le Soi qui se développe, s'engendre lui-même. « Le contenu [de ce savoir absolu] est
selon la liberté de son être le soi s'aliénant à soi-même, ou l'unité
immédiate du se savoir soi-même — le mouvement de cette aliénation considéré dans le contenu est sa nécessité. »

Ainsi la scientificité est la conscience de soi absolue, où la réflexion
est la réflexion du contenu, son mouvement en soi-même; elle est
le Soi, non plus le Soi singulier s'opposant à ce qui n'est pas lui,
mais le Soi universel qui est tout contenu et toute médiation — l'éther,
l'élément de la forme absolue qui est tout contenu.

On peut découvrir dans cette conception hégélienne un prolongement spéculatif de la pensée de Fichte. C'est l'unité du savoir de
soi, du Moi = Moi, mais c'est aussi la diversité et la plénitude du
contenu au sein de cette certitude de soi. Pour cela il faut que cette
certitude renonce à son abstraction, à la fixité de son autoposition.
« Il est beaucoup plus difficile de rendre fluides les pensées fixes que
l'être-là sensible [...]. Ces déterminations ont le Moi, la puissance du
négatif, ou la pure effectivité pour substance et pour élément de
leur être-là. Les pensées deviennent fluides quand la pure pensée,
cette immédiateté interne, se reconnaît elle-même comme moment ou
quand la pure certitude de soi-même s'abstrait de soi, non en s'écartant, se mettant à part, mais en abandonnant la fixité de sa position
de soi, aussi bien la fixité du pur concept, qui est le Moi lui-même
en opposition au contenu différencié, que la fixité des différences qui
posées dans l'élément de la pure pensée participent à cette incondi-
tionnalité du Moi. » Ainsi la Science est la genèse absolue de la
pensée, une genèse qui concilie en soi la certitude de soi et la plénitude du contenu. La médiation et la réflexion ne sont plus la sépa-

ration interne de la conscience (sujet-objet), mais la distinction du contenu et le dépassement des distinctions successives. C'est la pensée qui se pense elle-même, et en se pensant, pense toute chose. Mais cet élément de la pensée est pour la conscience commune un lointain au-delà, un élément qui ne lui appartient plus immédiatement. Ainsi Fichte constate l'opposition de la conscience commune, où conscience de soi et conscience coexistent, et de la conscience spéculative philosophique (1). Il s'agit pour lui d'expliquer comment cette conscience commune est possible, il s'agit de la rejoindre, de la reconstituer, de la rendre transparente à elle-même, mais cette transparence est inaccessible, il faut seulement la poser comme un projet, un but encore irréalisé...

Pour Hegel au contraire, cet élément, cet éther de la Science, doit se concilier avec la conscience de soi commune. Il y a une transition, une médiation nécessaires de l'un à l'autre. On ne peut pas imposer le savoir spéculatif à la certitude immédiate de soi qui s'oppose au monde. Ce serait attendre d'elle — sans aucune nécessité — qu'elle marche sur la tête; il faut donc qu'il y ait en elle une échelle qui la conduise à l'éther de la Science (image qui suggère peut-être l'échelle de Jacob). Cette transition de la certitude immédiate de soi, de la conscience de soi commune à l'éther de la Science, est aussi nécessaire à l'une qu'à l'autre. Sans elle la Science reste un lointain au-delà, un but ineffectualisable, et la certitude immédiate, la conscience de soi ne peut pas vivre dans cet éther, pour elle, pourtant, condition suprême de vie, si la vie spirituelle a pour condition de souffle cet éther même. Ce passage est la *Phénoménologie de l'esprit* et cette *Phénoménologie* appartient elle-même à la Science comme la *Logique*, elle en est l'autre partie; de sorte que c'est la Science (nous qui l'avons atteinte), qui indique dans la conscience

---

(1) Chez Fichte, au contraire de chez Hegel, les deux termes n'arrivent pas à se rejoindre.

de soi la voie; mais inversement, c'est le mouvement même de la conscience de soi qui nous apparaît comme accédant spontanément à ce que nous sommes déjà devenus. La substance spirituelle — comme contenu — devient conscience de soi, et la conscience de soi s'élève à la substance spirituelle, elle en a l'effectivité. On comprend ainsi que phénoménologie et savoir spéculatif apparaissaient en 1807 à Hegel, comme les deux parties de la Science, mais la *Phénoménologie* est le commencement, son élément est l'être-là immédiat, le *Dasein*. Ce commencement n'est pas encore son *retour en soi-même* (il l'est seulement pour nous). Sur cette différence repose la problématique de la vérité (la troisième partie de la Préface, la connaissance philosophique).

Mais Hegel devait auparavant préciser le sens et la portée de cette *Phénoménologie de l'esprit*. En quoi consiste-t-elle ? Est-elle une histoire de l'esprit du monde, et si elle n'est pas cette histoire, qu'est-elle ? On peut en effet s'étonner des séquences qui paraissent à beaucoup arbitraires de la *Phénoménologie*. Pourquoi le passage de la conscience à la conscience de soi et de celle-ci à la raison — à travers la dialectique de la conscience malheureuse par exemple ? Et pourquoi attendre la Terreur, et la vision morale du monde, pour faire une dialectique des religions qui remonte jusqu'à la préhistoire et le début de l'histoire (la religion naturelle) ? Que signifient ce voyage en zigzag, ces départs et ces retours continuels ? Pourquoi tels exemples plutôt que tels autres, Antigone et Créon, Œdipe, Faust (d'après le fragment déjà publié et la légende utilisée par Gœthe) ? Pourquoi les *Brigands* de Schiller et *Don Quichotte* ? On peut s'étonner plus encore de tout ce qui manque à cette histoire de l'esprit, autant que de la richesse du contenu. Si riche soit-il, il ne saurait valoir pour une histoire de l'esprit du monde. Hegel, qui prétend à la Science, peut-il au moins dans une certaine mesure répondre à ces questions, ou faut-il se contenter de croire que l'œuvre a été écrite rapidement, et que l'auteur n'a pas su lui-même

au départ jusqu'où il irait ? Faut-il dire avec un commentateur (1) :
« La *Phénoménologie* est certainement non scientifique, indisciplinée,
arbitraire, pleine de digressions. Elle n'est pas un monument d'aus-
térité, de conscience intellectuelle, de souci de rigueur et de précision,
mais un livre sauvage, audacieux, sans précédent, qui incite à la
comparaison avec quelque grande œuvre littéraire. » « L'idée est
au plus haut point suggestive, fascinante, mais en fin de compte
intenable. Cette idée, c'est celle d'un ordre de tous les points de vue
signifiants dans une séquence unique, sur une échelle qui va du moins
mûr au plus mûr; elle est aussi éblouissante à contempler, qu'il
est insensé de la prendre trop au sérieux » (2).

Sans prétendre justifier toutes les séquences de la *Phénoménologie*,
nous avons déjà indiqué ce que pouvait signifier l'apparition tardive
de la Religion par rapport à la période des Lumières et de la belle
âme et s'il nous faut reconnaître que l'élan hégélien n'est pas l'esprit
critique, que pour lui comme pour Whitehead : « la peur de se tromper
est déjà l'erreur même », nous devons quand même prendre au sérieux
ce qu'il dit dans la Préface : « La science peut s'organiser seulement par
la vie propre du concept [...]. L'entendement [...] garde pour soi la
nécessité et le concept du contenu, ce qui constitue le concret,
l'effectivité et le mouvement vivant de la chose [...]. La connaissance
scientifique exige qu'on s'abandonne à la vie de l'objet [...]. Cette
activité du savoir est la ruse qui, semblant se retenir d'agir, regarde
comment la vie concrète de la détermination, en cela même qu'elle

---

(1) Kaufman.
(2) C'est déjà une ontogenèse qui reproduit, mais avec certaines anomalies,
la phylogenèse, l'individu particulier s'élevant à l'esprit universel, et l'esprit
universel se donnant en lui son effectivité. « Il n'est pas nécessaire de recourir
à ces animaux primitifs ou prophétiques pour voir se retracer presque sous nos
yeux les grandes lignes de l'évolution. Il est banal de dire que l'histoire de l'individu retrace celle de l'espèce, en d'autres termes, que l'ontogenèse reproduit la
phylogenèse, ce qui n'est d'ailleurs pas exact exprimé sous cette forme » (texte
actuel de Wolf).

croit poursuivre sa conservation de soi et son intérêt particulier, fait en vérité l'inverse, est une activité qui se dissout elle-même et se fait un moment du Tout » (1). « Ainsi aujourd'hui une manière de philosopher naturelle qui se trouve trop bonne pour le concept et par cette déficience se tient pour une pensée intuitive et poétique, jette sur le marché des combinaisons arbitraires, d'une imagination seulement désorganisée par la pensée, imaginations qui ne sont ni chair, ni poisson, ni poésie, ni philosophie. »

Tous ces textes de Hegel doivent nous mettre en garde contre une interprétation hâtive. Hegel n'est pas le logicien qui a formalisé le concret, l'existence — dénoncé par Schelling dont les critiques ont servi à Kierkegaard de point de départ (beaucoup plus que la lecture de Hegel même). Hegel a été stigmatisé comme un essentialiste, un professeur construisant un système sans relation à l'existence réelle. Les attaques de Kierkegaard ne reposent pas sur une lecture véritable de Hegel, mais du vieux Schelling qui avait développé un profond ressentiment quand la renommée d'Hegel éclipsa un moment la sienne. Schelling prétendait que Hegel lui avait volé ses idées, et d'autre part que Hegel en était resté à une philosophie négative... Hegel serait bien venu après Schelling, mais comme Wolf après Leibniz : « Le vivant et l'effectif auquel un premier philosophe avait attribué la qualité de passer dans son opposé (le sujet), et alors de retourner en lui-même, étaient remplacés chez le second philosophe par le concept logique auquel il attribuait, par la plus étrange fiction et hypostase, un mouvement semblable et nécessaire. Ce dernier point était entièrement sa propre invention et comme on pouvait

---

(1) Influence des lettres de Schiller et de Gœthe (1795). SCHILLER, *Esprit du monde* : Il y a des moments et des stades de développement par où l'esprit singulier doit passer, comme l'a fait l'esprit universel (Nature-Esthétique-Morale). En raison des causes accidentelles qui peuvent se trouver ou dans des influences externes ou dans la liberté arbitraire de l'homme, les diverses périodes peuvent bien sûr être plus longues ou plus courtes, mais personne ne peut y échapper entièrement.

l'attendre, admirée par des médiocres. » Juste retour des choses d'ici-bas, Hegel avait dénoncé le formalisme de Schelling, s'appliquant à tout, sans rien saisir de spécifique (la nuit où toutes les vaches sont noires). Schelling à son tour dénonce l'intellectualisme hégélien, le pur conceptuel.

Si cependant Hegel n'est pas le formaliste qu'on a cru, est-il alors l'auteur d'un roman arbitraire substitué à la conception rigoureuse ou à l'histoire effective ? Notons que, dans le savoir absolu, il distingue profondément l'histoire et la phénoménologie, et l'unité possible de ces deux aspects : « Le but, le savoir absolu, ou l'esprit se sachant lui-même comme esprit, ont pour voie d'accès la recollection des esprits comme ils sont en eux-mêmes et comme ils accomplissent l'organisation de leur royaume spirituel. Leur conservation, sous l'aspect de leur être-là libre, se manifestant dans la forme de la contingence est l'histoire; mais sous l'aspect de leur organisation conceptuelle, elle est la science du savoir phénoménal. Les deux aspects réunis, en d'autres termes l'histoire conçue, forment la recollection et le calvaire de l'esprit absolu, l'effectivité, la vérité et la certitude de son trône sans lequel il serait la solitude sans vie; seulement « du calice de ce royaume des esprits écume jusqu'à lui sa propre infinité ». »

Cette distinction finale de l'histoire contingente, de la *Phénoménologie* et de l'histoire conçue, délimite davantage le sens de cette *Phénoménologie* — chemin de culture de l'esprit singulier à une époque donnée (celle de Hegel) pour reprendre en lui et répéter les étapes de l'histoire de l'*esprit du monde*.

« La tâche de conduire l'individu de son point de vue sans culture au savoir, devait être entendue dans son sens universel et l'individu universel, l'esprit conscient de soi, devait être considéré dans son processus de culture. » Ce développement de l'esprit conscient de soi (« esprit du monde » dans la 1ʳᵉ édition), est tel qu'en lui comme individu universel, l'individu unique, l'Etre, à chaque moment se montre « dans le mode selon lequel il acquiert sa forme concrète et sa figuration originale ». Dans l'*individu particulier* une figure concrète domine les autres qui n'existent qu'en traits estompés.

Dans un esprit qui s'élève à un stade plus élevé qu'un autre, les moments antérieurs sont encore là sous une forme abrégée; il faut les reparcourir à nouveau comme celui qui entreprenant une plus haute science traverse les moments préparatoires qu'il possède depuis longtemps pour s'en rendre le contenu présent (1).

(1) Distinction entre l'*individu* et l'*esprit du monde* (l'individu universel).

Quand Hegel parle ensuite de la relation de ces deux formes d'individus (l'individu et l'esprit du monde — ou individu universel), il les distingue parce que, dans l'individu universel, chaque moment se montre dans le mode selon lequel il acquiert sa forme concrète et sa figuration originale. L'individu particulier, par contre, est l'esprit incomplet, une figure concrète dans l'être-là total, dans laquelle une détermination est dominante et dans laquelle les autres sont seulement présentes en traits estompés.

Degrés de l'esprit — l'être-là infini est rabaissé à un moment indifférent. L'individu doit s'en rendre le contenu présent. L'être-là passé est devenu une propriété de l'esprit universel; il est la substance de l'individu, sa nature inorganique qui lui paraît un dehors. (Ce que vous avez reçu en héritage de vos pères, dit Gœthe, il faut l'acquérir si vous voulez le posséder.) Il y a, entre l'esprit universel et l'individu, un échange. L'esprit universel est la substance de l'individu, et l'individu consomme sa substance, s'en nourrit, tandis que la substance devient conscience de soi.

Substance de l'individu = esprit du monde. Il faut que la science accepte la longueur du chemin et l'originalité concrète de chaque figure, puisque l'esprit a réalisé le prodigieux travail de l'histoire du monde. C'est cette histoire que l'individu doit reprendre comme sa substance, et c'est cette substance qui devient consciente en nous.

Mais cette reprise est une reprise pensée; le travail de l'histoire du monde est déjà accompli. L'être-là est déjà devenu une détermination de pensée : c'est là recollection du souvenir, c'est une représentation familière, dans laquelle l'esprit de l'individu n'a plus son activité et son intérêt. Mais « le savoir est dirigé contre la représentation parvenue à ce stade, contre cet être bien-connu, il est opération du soi universel, il est l'intérêt de la pensée ».

La scientificité suppose donc :
1) la conscience de soi de l'esprit du monde;
2) la résolution des pensées en leurs éléments, à leurs déterminations (ce que fera surtout la logique).

Le travail de diviser est celui de l'entendement. Différence entre la culture

La Science doit reprendre pour l'*esprit singulier*, pour une certitude de soi concrète, ce double processus, reprendre les mouvements et les figures antérieures (puisque aussi bien l'esprit du monde a eu la patience de les réaliser), et considérer ce qui est déjà bien connu, acquis, afin d'en analyser les moments, ce qui est le rôle de l'entendement. Cette double tâche est-elle phénoménologique, logique ou vaut-elle pour les deux ?

Ce que Hegel envisage dans la *Phénoménologie*, c'est donc le savoir phénoménal comme chemin de culture, reprenant par un esprit singulier une certitude de soi concrète, le mouvement de l'esprit du monde, le conduisant de la certitude sensible au savoir absolu. Ce processus de culture a une double signification : il effectue la substance, il en fait un sujet vivant, il substantialise le *sujet*, il en fait le sujet substantiel, il l'identifie au soi de l'esprit du monde, de sorte que l'esprit substantiel de l'esprit du monde se sait comme

antique et la culture moderne. Rendre fluides les déterminations de pensée. Créer une logique qui soit le Logos même, la pensée pour soi. Ce qui est distingué et mort devient vivant. L'entendement en devenir est la rationalité.

« Dans son éducation, chaque individu doit passer par diverses sphères qui constituent le fondement de son concept de l'Esprit et qui ont été formées et élaborées dans le passé, indépendamment l'une de l'autre. Mais ce que l'esprit est maintenant, il l'était depuis toujours ; ce qu'il est maintenant est seulement une conscience plus riche, un concept plus profondément élaboré de soi-même. L'Esprit porte encore en lui tous les degrés de l'évolution passée, et la vie de l'Esprit dans l'histoire consiste en un cycle de degrés qui, d'un côté, existent actuellement et, de l'autre, ont existé sous une forme passée. Lorsque nous parcourons le passé le plus reculé, nous avons toujours affaire à quelque chose d'actuel, car notre objet est l'Idée de l'Esprit, et nous considérons toute l'histoire comme sa manifestation. En philosophie, il s'agit toujours du présent, du réel. Les moments que l'Esprit paraît avoir laissés derrière lui, il les possède toujours dans son actuelle profondeur. De même qu'il a passé par ses moments dans l'histoire, de même il doit les parcourir dans le présent — dans son propre concept » *(La Raison dans l'histoire).*

Les pures pensées deviennent concepts. Ce mouvement est la nécessité et l'expansion de ce contenu en un tout organique. Le chemin est aussi, grâce à ce mouvement, **un devenir nécessaire et complet.**

esprit, sait son propre soi, de même que le soi concret se sait comme
le soi de l'esprit du monde. La substance (la nature inorganique du sujet) devient identique
au sujet, elle est le sujet ou la substance vivante. Cette substance
de l'esprit du monde se réfléchit dans le sujet, soit comme apparition
de soi (phénoménale), soit comme pensée pure de son contenu
(dans lequel le sujet s'est enfoncé) (Logique et philosophie
spéculative).
— Différence intérieure du concept.
— Différence du contenu.
Dans le savoir absolu on trouve le passage de la Phénoménologie
au savoir spéculatif et inversement.

TROISIÈME PARTIE

La connaissance philosophique

Cette troisième partie est vraiment le centre, le cœur de la Préface hégélienne. Elle éclaire non seulement la *Phénoménologie de
l'esprit* et la méthode de cette première partie de la Science. Mais
à propos de cette élucidation elle va beaucoup plus loin; elle nous
révèle ce que signifie pour Hegel la connaissance philosophique et
le caractère de cette connaissance.

Elle part sans doute de la phénoménologie : 1) En quoi la
phénoménologie est négative ou contient ce qui est faux (11); 2) La
vérité mathématique et historique (12); 3) La nature de la vérité
philosophique et sa méthode (13); 4) Contre le formalisme schématisant (14). Le titre de ces paragraphes, qui est de Hegel lui-même,
nous indique bien le mouvement général de la pensée. La *Phénoménologie* n'est que l'occasion d'expliciter *le rôle de la négation*, rôle
actif et non proprement logique (au sens usuel du terme). A partir
de là Hegel peut opposer la vérité historique et mathématique à la
vérité philosophique, non comme on oppose une vérité intuitive

et fulgurante à une enquête ou à une démonstration méthodique, mais une connaissance pleine de contenu et de matière à une connaissance formelle. C'est pourquoi Hegel, après ses critiques des mathématiques et de l'histoire événementielle, peut se retourner contre le formalisme schématisant d'une philosophie de la nature extérieure à son objet, ou de l'Absolu, comme ineffable. Le sens de la triplicité, redécouverte par instinct par Kant, est alors dégagé, libéré de toute interprétation formalisante qui l'assimilerait à un mécanisme sans vie.

Le centre de cette troisième partie est sans doute ce texte, qui définit l'authentique intuition intellectuelle pour Hegel. « Mais la connaissance scientifique exige qu'on s'abandonne à la vie de l'objet, ou, ce qui signifie la même chose, qu'on ait présente et qu'on exprime la nécessité intérieure de cet objet. S'absorbant profondément dans son objet, elle oublie ce survol qui est seulement la réflexion en soi-même hors du contenu; mais enfoncée dans la matière, et en en épousant le mouvement, cette connaissance scientifique revient en soi-même, pas avant cependant que la plénitude du contenu, en se reprenant soi-même en soi-même, et en se simplifiant à la détermination, ne se soit réduite à un côté d'un être-là et ne soit passée dans sa vérité supérieure. »

Ce que Hegel nomme connaissance scientifique, c'est une genèse véritable de l'être qui se révèle comme sens, parce que le sens l'habite et le promeut, parce qu'il en est l'âme et le sujet immanent. Quant au sujet du savoir, de la connaissance, il doit s'oublier lui-même dans cette genèse, ou plutôt se confondre avec elle, les deux sujets n'en faisant à la vérité qu'un seul, et l'esprit du monde dont l'homme est le sommet n'existant que comme réflexion de l'être universel (1).

---

(1) C'est là que se joue le vrai problème (Hegel-Marx). Peut-on soutenir jusqu'au bout l'identité de l'épistémologie et de l'ontologie (au sens hégélien de logique ontologique) ?

C'est pourquoi Hegel est l'adversaire de toute séparation des deux sujets, celui de la connaissance et celui de l'être, et par la même occasion, aussi bien l'adversaire du kantisme que du mathématisme leibnizien.

On pourrait en effet opposer profondément le grandiose système de Leibniz, à celui non moins grandiose de Hegel. Leibniz cherche (bien plus que Spinoza) à mathématiser l'univers, plus exactement à utiliser les mathématiques, non comme une science des grandeurs, mais comme une science de tous les systèmes formels possibles. Il élargit le domaine, la portée, l'importance des mathématiques, non parce qu'il découvre un nouvel algorithme (le calcul différentiel et intégral — ce qui n'est qu'une certaine façon de calculer), mais parce qu'il cherche à généraliser l'idée même de calcul parce que, pour la première fois, il identifie logique et calcul, considère le problème de la création comme un problème de maximum et de minimum. En vérité, pour Leibniz comme pour Hegel, l'ontologie est logique, mais ce n'est pas la même; pour l'un la logique est le système de tous les systèmes formels possibles, l'invention d'une domination supérieure de toutes les correspondances concevables, de tous les jeux formels, dont la mathématique, comme science des grandeurs, n'est qu'un cas particulier. Pour Hegel, la logique est le contraire de ce formalisme, et il n'y a pas de mécanisme dialectique (comme nouveau formalisme), de truc universel pour manipuler l'être de n'importe quelle façon ou de toutes les façons. Il n'y a pas de machines à penser, mais un devenir de l'Etre qui se pense en devenant; le formalisme lui-même doit être éclairé comme sens, ou il n'est qu'un jeu sans intérêt spéculatif.

Ce que Hegel nomme le négatif n'est donc pas une opération logique (au sens usuel du terme), mais une opération véritable, effective, qui s'opère dans le contenu lui-même comme le travail de l'homme qui transforme le monde ambiant, et une opération qui promeut le devenir, parce qu'elle en est l'âme motrice (ce n'est pas par hasard que Marx s'inspirera de Hegel). Certes les anciens ont parfois compris ce rôle du négatif, ils ont parlé du vide, mais ils n'ont pas fait de ce vide le sujet, le Soi. « C'est pour cette raison que quelques anciens ont conçu le vide comme l'élément moteur; ils concevaient bien l'élément moteur comme le négatif, mais ils ne concevaient pas encore ce négatif comme le Soi. »

Il est bien étrange qu'on ait parfois considéré Hegel comme l'intellectualiste qui ramène la nature, la vie, l'histoire à un système conceptuel, alors que toute sa polémique est dirigée contre le formalisme sous tous ses aspects. C'est pourquoi il fallait bien qu'il s'en prenne aux mathématiques elles-mêmes considérées comme le contraire même de la connaissance philosophique. Quand il parle des démonstrations mathématiques en philosophe, il a l'air de viser, il vise même peut-être Spinoza; mais aujourd'hui il nous faudrait dire que son véritable, son authentique adversaire est plutôt Leibniz, et peut-être l'homme de la technocratie moderne.

Comme on l'a montré, Hegel a donné à imprimer la première moitié de la *Phénoménologie*, tandis qu'il rédigeait la seconde, et avant de choisir définitivement le titre de *Phénoménologie*, il pense d'abord à une première partie de la Science : *Science de l'expérience de la conscience*, avant de lui substituer *Science de la Phénoménologie de l'esprit*. La Préface fut écrite en dernier lieu, et nous y trouvons tantôt l'expression « Science de l'expérience de la conscience », tantôt celle de « Phénoménologie de l'esprit ».

Dans le paragraphe 1 de cette troisième partie de la Préface, une justification très générale apparaît de la conception définitive de Hegel en 1807. Ce qui caractérise cette première partie de la Science, c'est que l'esprit n'y est encore conçu que comme l'*immédiat* ou le *commencement*. Il n'est pas encore son retour en lui-même, sa réflexion en soi-même; cela il l'est seulement *pour nous*, et parce qu'il l'est pour nous, le cheminement de la conscience est aussi une Science.

L'existence immédiate de l'esprit — qui équivaut à la conscience dans un sens très général — se caractérise par l'opposition du savoir et de son objet — selon le langage de Fichte du Moi et du Non-Moi. Cette opposition est caractéristique de toutes les figures de la conscience, sans exception, elles font apparaître le savoir et son objet dans une relation concrète, celle de la subjectivité et de l'objectivité, ou, comme le dira Hegel, de la certitude et de la vérité. L'expérience est le surgissement de cette relation, par le mouvement de l'immédiat qui cesse d'être immédiat, soit l'ineffable sensible, soit la pensée comme simple et non développée. L'intuition immédiate est l'abstraction de son développement ou de son devenir; l'expérience est la sortie de cette abstraction. La certitude immédiate est la certitude *de* cet immédiat qui est l'autre, une vérité qui échappe encore à la conscience et dont elle doit faire l'expérience, comme on dit faire l'expérience de la vie, ou du plaisir, ou de la nécessité. Cette *séparation* en certitude et vérité est la séparation de la conscience, la négativité qui disjoint l'esprit.

Nous disons bien l'esprit, car c'est lui-même qui est objet et lui seul. C'est lui qui se présente au savoir, comme s'il était un autre, c'est lui qui fait (sans le savoir puisque le retour en soi n'est pas encore là), l'expérience de lui-même. Il s'apparaît, mais a oublié ou ne sait pas encore que c'est à soi-même qu'il apparaît. Nous qui avons déjà cheminé avec l'esprit du monde, nous avons surmonté cet oubli, et nous comprenons le mouvement de cet objet, c'est-à-dire de l'esprit comme substance; toutefois nous ne pouvons pas nous substituer à la conscience qui se forme, nous pouvons seulement concevoir la transition d'un moment de la substance spirituelle à un autre, le devenir du nouvel objet; le mouvement, l'*Ensthehen*, est pour nous, l'objet, le *Gegensthehen*, est pour la conscience. Pour elle l'objet est là sans médiation, c'est-à-dire sans devenir pour nous. Il y a la médiation, c'est-à-dire le devenir. La figure, l'objet est de l'immobilité, de l'immédiat et de l'abstrait, car ce qui est réel, c'est le devenir des figures, l'incessante médiation. Ainsi, me semble-t-il, on peut comprendre le texte de la Préface : « La substance est considérée telle qu'elle-même et son mouvement soient l'objet de la conscience. » Si Hegel n'avait pensé au départ qu'à l'expérience d'une conscience singulière, qu'au cheminement premier de la connaissance, il a conçu ensuite le problème de la façon la plus générale et la plus étendue. C'est l'esprit tout entier qui s'offre à la conscience, depuis les formes les plus humbles de la connaissance (conscience, conscience de soi, raison), jusqu'aux formes les plus hautes de l'esprit, l'esprit comme grandeur collective, esprit dans l'histoire, esprit comme représentation de lui-même, mais sous une forme encore aliénée (religion et art). C'est à la fin seulement que l'esprit cesse de se représenter pour entrer dans la pensée de lui-même, pour penser sa propre représentation de soi (passage de la religion au savoir absolu).

Hegel va dominer maintenant ce négatif qui s'introduit dans la conscience entre le Moi et le non-Moi, la certitude et la vérité, le sujet et son objet. Cette *inégalité* est l'inégalité du Soi à la substance, mais est aussi bien l'inégalité de la substance à elle-même (puisque la substance est sujet). « Il peut être envisagé comme le *défaut* des deux; mais il est plutôt leur âme, ou la source de leur mouvement. » C'est déjà l'affirmation très générale, mais concrète par rapport à la partie précédente de la Préface, de l'importance, du rôle du négatif (le travail, la douleur et la patience du négatif). Les anciens avaient vu le rôle du vide, mais ils n'avaient pas vu que cette puissance du négatif était le Soi lui-même, le *sujet*.

Cette inégalité est immanente à la substance, elle est son devenir, sa genèse ou son histoire. Dans la *Phénoménologie*, il semble que l'inégalité soit extérieure, que la substance soit comme le vrai, immobile par rapport au sujet qui le découvre. Mais c'est contre cette conception que Hegel se prononce. La substance est elle-même sujet, et le sujet est substantiel : « Ce qui paraît arriver en dehors de la substance, comme une activité dirigée contre elle, est son propre acte. C'est elle qui se montre être intégralement.» L'apparaître de la *Phénoménologie* est vraiment un *s*'apparaître. L'esprit est alors objet pour lui-même tel qu'il est, il a rendu son être-là égal à son essence, il a dépassé l'immédiateté du départ et accompli ce retour en soi-même qui fait de l'être lui-même une médiation de soi, un concept; il se pense, et l'élément ainsi atteint est celui de la Science, celui qui est déjà le nôtre quand nous accompagnons la conscience commune de la *Phénoménologie*. Le vrai est devenu sujet.

C'est à cette occasion qu'il faut reprendre le problème de l'inégalité du départ. Pourquoi l'opposition du vrai et du faux ? Que signifie-t-elle au niveau d'une conscience qui laisse tomber dans l'oubli ses erreurs passées pour conquérir sa vérité ? Y a-t-il donc un faux qui doit disparaître, une inégalité inutile ? Que signifie le problème de l'erreur ? *A priori*, l'inégalité étant la même pour la substance et la phénoménologie, on peut prévoir qu'en *un sens* le faux ne disparaîtra pas du vrai (sinon comme faux dans le sens absolu du terme). Mais cela s'oppose à la connaissance historique comme à la connaissance mathématique. En effet, pour l'opinion commune il y a un faux, comme il y a un mal (et il est déjà heureux de ne pas faire de ce mal un sujet sous la forme du diable). La substance, comme contenu du savoir, serait *le vrai*. Le faux serait alors dans le négatif de cette substance. Hegel vient de citer un texte de Lessing, où, dans *Nathan le Sage* (1790), Saladin demande à Nathan de lui dire laquelle des trois religions, Islamisme, Judaïsme et Christianisme, est la vraie. Il reprend la réponse qui refuse de faire du vrai une proposition simple et nette comme une monnaie frappée prête à être encaissée ou décaissée comme telle (acte III, scène V). La vérité n'est pas sans le mouvement qui l'établit; la recherche, le devenir de la vérité font partie de la vérité. Dire que le faux est le négatif de la substance qui serait le vrai, c'est oublier que la substance est elle-même le négatif, que la substance est sujet, qu'il n'y a donc pas de vérité qui ne soit le devenir d'elle-même. Le vrai est *sujet*. Le négatif est donc immanent à la substance.

Hegel répète ici ce qu'il a dit dans la deuxième partie de la Préface; le négatif dans la substance est aussi bien la différenciation et la détermination du contenu, qu'il est l'acte simple de différencier le Soi et le Savoir en général. Si le vrai est le Tout, chaque détermination est partielle, mais si le Tout est le mouvement du Savoir, le Soi indivisible, cette détermination est une position du Soi, un moment du savoir, qui se dépasse, qui nie sa négation. La thèse de Hegel est ici différente de celle qu'on prête ordinairement à Spinoza, car le négatif n'est pas seulement la détermination, il est le dépassement de cette détermination, le mouvement d'un *sujet*, d'un Soi. Le vrai n'est pas seulement substance, il est sujet.

La vérité, comme substance, n'est donc pas un contenu immobile, mais un mouvement, un devenir, une médiation, un sujet. Cependant, le problème qui se pose dans la *Phénoménologie* paraît distinct. Ce n'est plus le négatif immanent à la substance, mais le négatif qui *paraît* en dehors de la substance, un état d'inégalité entre le Soi et sa substance. Pourquoi donc ne pas commencer par le savoir spéculatif, qui, même s'il inclut le négatif, ne parle pas du faux (par exemple, la logique spéculative)? Dans la phénoménologie on peut bien savoir *faussement*. Savoir faussement signifie l'inégalité du savoir et de la substance. Mais comme on vient de le dire à propos de la substance, cette inégalité, cette inadéquation est moment essentiel, elle est non plus le moment précis de la détermination, mais celui de l'inégalité du savoir en général, de la différenciation en général. La *Phénoménologie* exprime cette séparation intérieure du concept, si son développement est le passage par les figures déterminées. Ce qui provient de cette inégalité du savoir a sa substance, c'est l'égalité devenue, « mais elle n'est pas vérité comme si l'inégalité avait été rejetée, comme les scories du pur métal; pas même comme l'instrument disparaît de l'œuvre achevée, du vase œuvré». Mais l'inégalité est comme le Soi, encore immédiatement donné dans le vrai comme tel. Hegel veut dire ici autre chose et surtout plus que ne dira Kierkegaard. Pour le penseur danois, le christianisme est une vérité immédiate, mais qui ne peut être possédée que par l'adhésion profonde de la subjectivité; en ce sens elle n'est pas sans le Soi, sans le mouvement du vécu. Elle n'est pas impersonnelle. Hegel l'accorderait sans doute. La vérité est dans l'expérience humaine, elle est expérimentée, vécue. « On doit dire que rien n'est su qui ne soit vécu dans l'expérience, qui ne soit relié à la certitude de soi-même.» Cependant ce n'est là encore qu'une partie de ce que veut dire Hegel (et qui concerne proprement la *Phénoménologie*, description de la conscience malheureuse, de la vision morale du monde, du pardon des péchés, etc.). Il veut dire aussi et surtout que chacune de ces visions du monde, chacun de ces phénomènes est habité par la hantise (ou le mouvement) de son propre dépassement, il est rongé de l'intérieur par le mouvement qui fera apparaître une autre vision du monde qui contiendra en elle la précédente et la sublimera. Cela sans doute Kierkegaard ne l'accorderait pas.

La vérité philosophique ne peut être exprimable en formules qui vaudraient comme telles indépendamment de leur établissement, de ce qu'on nomme quelquefois leurs preuves. Le savoir n'est pas l'instrument qui permet d'atteindre la vérité et disparaît ensuite comme instrument. Pourtant il semble bien qu'il y ait des vérités (non philosophiques) qui se présentent ainsi, par exemple, les *vérités historiques*, au sens événementiel, ou les *vérités mathématiques*. Ce que Hegel va ici condamner, c'est le savoir extérieur, étranger à son objet, une médiation qui disparaîtrait du contenu comme tel.

Il s'agit bien entendu des vérités historiques en tant qu'on considère seulement l'accident comme tel, l'historique pur et non son sens, par exemple : quand César est-il né ?, combien de pieds y a-t-il dans un stade ? A ces questions une réponse nette doit être donnée. Mais de même, aux problèmes mathématiques il y a une réponse sûre et définitive, par exemple : le carré de l'hypoténuse égale la somme des carrés des deux autres côtés. Mais s'il est certain que les réponses historiques pures sont sans le mouvement intrinsèque de la conscience de soi, il n'est pas moins vrai qu'elles exigent des recherches, toutefois extérieures au résultat.

Pour les vérités mathématiques il y a quelque chose de plus, le résultat est *vu* comme vrai; mais toutefois cette vérité vue n'est pas encore la vérité philosophique; elle concerne en effet la grandeur, l'espace et l'unité (non le temps), et sa méthode suit la ligne de l'égalité, d'où son formalisme. Hegel ne conteste pas que la vérité mathématique n'est pas *extérieure*, mais *intérieure*, qu'elle n'est pas le produit d'une suite d'expériences étrangères les unes aux autres (la mesure des triangles rectangles et des carrés par exemple); elle suppose un processus épistémologique; mais ce processus n'est pas ontologique comme l'est celui de la vérité philosophique.

En philosophie, contrairement à la mathématique, l'épistémologique et l'ontologique se rejoignent. L'expression (la terminologie) de Hegel est difficile : « Dans la connaissance philosophique aussi, le devenir de l'être-là comme être-là est différent du devenir de l'essence ou la nature interne de la chose. Mais en premier lieu la connaissance philosophique contient les deux, tandis qu'au contraire la connaissance mathématique présente seulement le devenir de l'être-là, c'est-à-dire de l'être de la nature de la chose dans la connaissance comme telle [épistémologie]. En outre, la connaissance philosophique unifie aussi ces deux mouvements particuliers. La genèse intérieure ou le devenir de la substance est transition sans coupure dans l'extérieur ou dans l'être-là; elle est être-pour-l'autre, et inversement le devenir de l'être-là est le retour dans l'essence. Le mouvement est le double processus et le devenir du tout, en sorte que chacun pose en même temps l'autre, et chacun donc a encore les deux, comme deux aspects, en lui. Ils constituent ensemble le Tout parce qu'ils se dissolvent eux-mêmes et se font des moments du Tout » (1).

[*Inachevé.*]

(1) Totalité, Totalisation, Philosophie, Temps. Référence à l'article de D. DREYFUS *, *Temps modernes*, déc. 1965 : « Ainsi définie, la philosophie se présente comme un modèle de totalisation par l'expression » (car l'analyse et la critique ne sont pas le tout de la raison, mais surtout, l'analyse et la critique ne sont pas le tout de la philosophie, même dans les philosophies analytiques et critiques. Autrement dit, les œuvres philosophiques ne présentent pas seulement un modèle de rationalité).

« Totaliser n'est pas unifier. Unifier consiste à subsumer sous un genre commun. L'unification est une opération de pure logique qui aboutit à des systèmes synchroniques. La totalisation, au contraire, est une pensée en devenir qui suppose l'invention de concepts capables d'embrasser toutes les différences.

« Totaliser n'est pas systématiser [...]. Bien des grandes philosophies se sont crues des systèmes, c'est-à-dire ont cru à un ordre préétabli, alors qu'elles étaient des totalisations, c'est-à-dire constituaient cet ordre. » « Totaliser n'est pas additionner. » « La totalisation suppose l'expression. »

C'est là un commentaire remarquable de la première partie de la **Préface** (Hegel et de l'universel concret).

* Et de Fl. KHODOSS. *(Note du Rédacteur.)*

18

LA PREMIÈRE PHILOSOPHIE DE L'ESPRIT DE HEGEL *

M. Forest, qui a été un des premiers à écrire un article sur ce qu'avait été l'hégélianisme en France à un moment où d'ailleurs on allait revenir à l'hégélianisme, a bien voulu dire que j'avais révélé des choses nouvelles chez Hegel; à vrai dire il y a tant de choses nouvelles chez Hegel, une telle richesse de contenu qu'il en résulte une impossibilité de conclure sur la forme même du système hégélien. Et c'est ainsi que, chaque fois que j'étais sur le point de me débarrasser de Hegel, un nouveau texte s'offrait à ma méditation et m'empêchait de la terminer. Hegel est pour nous ce que fut sans doute pour le Moyen Age Aristote, celui auquel on se réfère sans cesse et celui qu'on n'a jamais fini de liquider dans une large mesure. C'est en le voyant sous cet aspect, en tout cas, que je vais essayer de vous parler, en traitant d'un texte particulier de Hegel, sa Première philosophie de l'esprit à Iéna en 1803-1804.

On a découvert un jour les travaux de jeunesse de Hegel et cette découverte a bouleversé la conception que nous nous faisions de Hegel. On se représentait le philosophe de Berlin en 1827 ou 1828, auteur d'une *Encyclopédie* aux paragraphes bien organisés et systé-

---

* Conférence faite à Montpellier en 1967.

matiques, qui avait pensé uniquement sur des concepts abstraits, et on retrouvait un jeune philosophe qui, depuis le séminaire de Tübingen et jusqu'à l'entrée à Iéna, en passant par les préceptorats de Berne et Francfort, avait médité sur la vie de Jésus, sur les problèmes politiques, sur les problèmes religieux, sur l'expérience générale de la vie, beaucoup plus sans doute que sur les techniques de la pensée préhégélienne. Cette découverte des travaux de jeunesse de Hegel fut une révolution, elle permettait de comprendre une œuvre qu'on avait rarement interprétée parce qu'elle donnait terriblement mal à la tête à Schelling et qu'elle paraissait à la fois extrêmement difficile et extrêmement riche : la *Phénoménologie de l'esprit*, en 1807. Mais, indépendamment de ces travaux de jeunesse, nous pouvons redécouvrir aujourd'hui toute une période de la pensée de Hegel, qui va de 1801 à 1807 et qui débute précisément lorsque Hegel arrive à Iéna; il commence alors à se situer dans la philosophie et à construire un système de pensée proprement philosophique. Ce système, nous en possédons toute l'élaboration, nous possédons les manuscrits des notes de Hegel sur les cours qu'il allait faire. Mais la révélation de ces travaux — qui ont d'ailleurs été connus de Rosenzweig et de quelques autres mais qui n'ont été publiés qu'en 1832, dans la collection Lasson, sous le titre de *Realphilosophie* — n'a pas provoqué le même enthousiasme que les travaux de jeunesse, parce qu'ils sont terriblement difficiles. On peut dire que, quand on aborde un de ces textes de Hegel, on est à la fois enthousiaste devant la richesse des contenus qu'il révèle et absolument, je ne sais quel mot employer, disons étourdi par le jeu conceptuel qui l'accompagne. A vrai dire c'est ce contexte conceptuel qu'il faut élucider. Je me suis dit quelquefois : si j'arrive vraiment à expliquer chaque fois ce que veut dire universel, singulier, particulier, moment du concept, infinité, dans les textes hégéliens, j'aurai résolu un grand problème. Et de fait ce langage, cette manière de s'exprimer de Hegel exige chaque fois une nouvelle mise au point. C'est dire que l'élaboration conceptuelle de Hegel n'est pas séparable de la richesse de contenu de sa philosophie, de telle sorte que la méditation des textes d'Iéna de 1801 à 1807 nous livre quelque chose d'extraordinaire, une pensée qui est en train de se former, qui se cherche elle-même, et qui cherche à élaborer la formule, le langage qu'elle donnera au contenu substantiel qu'elle veut assimiler.

J'ai naturellement choisi une partie de ces textes, ne pouvant tous les expliquer, pour vous en donner une vue, une sorte d'exemple. Et j'ai appelé cela la Première philosophie de l'esprit de Hegel. En effet, de 1801 à 1807, Hegel a écrit deux fois, peut-être même davantage — à coup sûr deux fois — les notes de cours qui représentent déjà ce que sera plus tard l'*Encyclopédie*. Il y a ainsi une logique, une théorie du Logos, une philosophie de la nature et une philosophie de l'esprit. C'est de la philosophie de l'esprit que je vais vous parler. Elle comprend l'ensemble des notes de 1803-1804, et il y aura ensuite les notes de 1805-1806 et puis l'apparition, véritablement imprévisible et dont il faudrait montrer comment elle a pu exister, de la *Phénoménologie de l'esprit* en 1807.

Le mot de phénoménologie, qui devait avoir dans l'histoire de la philosophie un si grand usage ensuite, n'est pas employé par Hegel à Iéna; il avait été utilisé par Lambert à propos de problèmes divers, et par Kant d'ailleurs, mais il n'est repris par Hegel que très tard, et la *Phénoménologie de l'esprit* en 1807 est une œuvre unique aussi bien dans toute l'histoire de la philosophie que dans celle de la pensée de Hegel. Elle est encadrée par deux types de philosophies qui sont sans doute proches l'un de l'autre, mais qui ne permettent pas tout à fait de comprendre la *Phénoménologie*, ou alors il faut se livrer à une genèse très spéciale.

Rien n'est peut-être plus opposé à un système clos que la pensée hégélienne. Je me suis toujours refusé à écrire un système hégélien parce que, bien que Hegel ait dit « la philosophie doit être système », je n'ai jamais pu réussir à boucler ce système, j'ai trouvé plusieurs systèmes, de telle manière que cette pensée échappe toujours à toute clôture. En tout cas, dans la période de 1801 à 1807, nous trouvons déjà le contenu de l'*Encyclopédie*, c'est-à-dire une logique, une philosophie de la nature et une philosophie de l'esprit. Et puis en 1807 nous avons la *Phénoménologie*, et ensuite un retour à l'*Encyclopédie*, où la phénoménologie va se situer à une place déterminée du système.

Pourtant, quand on la regarde de près, il y a dans cette première philosophie de l'esprit de 1803-1804, au début de la carrière de Hegel à Iéna, quelque chose qui ne reviendra pas, si ce n'est dans la *Phénoménologie* : c'est la place qui est donnée à la conscience de telle sorte que nous pouvons chercher en profondeur ce qui déjà prépare Hegel à écrire la *Phénoménologie de l'esprit*.

Si je refaisais, je le voudrais bien, *Genèse et structure de la Phénoménologie de l'esprit*, je le referais certainement sous une forme très différente et je tiendrais compte de toute cette philosophie d'Iéna, et peut-être parviendrais-je alors à résoudre certains problèmes que pose ce texte, en particulier celui des rapports qu'il a avec l'histoire. Mais voilà beaucoup de choses autour de cette philosophie de l'esprit d'Iéna; entrons, si vous le voulez, dans son contenu.

Il faut ici rappeler que cette philosophie se situe dans un mouvement dialectique tout à fait caractéristique de l'*Encyclopédie* et qui comprend d'une part la logique qui est une théorie de la pensée pure, d'autre part la nature dans laquelle la pensée s'est perdue, et enfin l'esprit dans lequel la pensée tente de se retrouver. C'est de l'esprit que nous parlons, c'est le moment où l'esprit sort des profondeurs de la nature pour créer progressivement une seconde nature, une nature dans laquelle il se retrouvera lui-même et cette nature, c'est l'organisation sociale, la vie d'un peuple et l'histoire du monde. En d'autres termes, Hegel est en train d'élaborer ou de préparer sa philosophie de l'histoire et en même temps sa philosophie de la culture car nous verrons que la *Phénoménologie* est beaucoup plus une philosophie de la culture qu'une philosophie de l'histoire humaine. De la nature à la vie, à l'organisation d'un peuple et à l'histoire, de la nature à la culture, voilà le titre que l'on pourrait donner à cette première philosophie de l'esprit. Comment l'esprit sort-il de la nature et comment parvient-il à cette seconde nature qu'est la vie d'un peuple et l'histoire, et quel est le caractère de cette seconde nature, voilà des thèmes d'une importance considérable, puisque Hegel y découvre, péniblement, je dois le dire, l'histoire. Il ne faut pas croire en effet que Hegel est parti de l'histoire. Il avait beaucoup plus une vision platonicienne de la société comme cela apparaît dans le *System der Sittlichkeit* et l'histoire qu'il découvre après les travaux de jeunesse, précisément à Iéna, est plutôt ce qui vient troubler cette vision éthique de la société. Voici quelques-uns des premiers textes : Premièrement l'esprit sort des profondeurs de la nature. La nature est un esprit caché, qui n'existe comme esprit, comme pensée que pour nous, qui la pensons, mais qui n'existe pas pour soi comme tel. Dès les premières lignes, énigmatiques, Hegel résume sa pensée. Il dit : « Dans la Logique, nous avons vu la construction de l'esprit comme idée, la substance absolue qui est tout aussi absolue qu'elle devient » et « cette opposition, ajoute-t-il, est l'opposition absolue ». Voilà beaucoup de mots « absolu » et voilà aussi ce qui va engager tout le problème de l'infinité et de l'histoire. « Elle est tout aussi absolue », nous y reconnaissons Schelling, « qu'elle devient », nous y reconnaissons Fichte ; être libre, disait Fichte, n'est rien, le devenir, c'est tout. Or être dans l'absolu, c'est-à-dire être égal à soi-même, être dans l'identité, la plénitude et la substance, c'est sans doute une des nécessités pour l'esprit, mais le devenir en est une autre. Eh bien, ce que se propose Hegel, c'est de concilier l'infinité comme devenir et le retour de l'égalité à soi de l'absolu. C'est là l'opposition fondamentale qui est tout aussi absolue qu'elle devient. Il s'agit donc d'identifier cette égalité à soi-même, cette identité à soi-même et ce devenir qui ne cesse pas, « le repos translucide et simple » et le devenir indé-

fini. Mallarmé avait lu une traduction de Hegel; certains très beaux
vers, comme d'ailleurs le poème d'*Igitur* et celui sur le coup de dés,
esquissent une interprétation, peut-être un peu aberrante d'ailleurs,
de Hegel; pour traduire cette égalité à soi, il y a notamment ce vers :
« L'espace à soi pareil qu'il s'accroisse ou se nie », ce vers que très
longtemps j'ai répété maladroitement en disant « l'espace à soi pareil
qu'il s'affirme ou se nie ». Cet espace à soi pareil, cette identité à soi-
même, c'est ce que les philosophes de la nature appelaient l'éther, la
substance transparente et toujours identique à elle-même. Or dans
la nature, nous dit Hegel, cette idée de l'égalité à soi-même d'une
part, celle du devenir d'autre part, tombaient dans un état de séparation absolue, l'être absolu, l'éther se séparait de son devenir, c'est-à-
dire de l'infinité; dans la nature il y a bien un devenir, mais c'est un
devenir qui est un retour circulaire, c'est un devenir pétrifié, c'est
un devenir qui ne se réconcilie pas avec l'égalité à soi-même. De
telle sorte que la nature est pour ainsi dire brisée. « L'être (c'est
toujours le texte de Hegel), l'être un de l'être absolu — c'est-à-dire
l'éther, l'égalité à soi-même — et du devenir forment l'élément intérieur, l'élément caché qui se hausse hors de soi dans la nature organique et qui existe dans la forme de la singularité, à savoir comme le
un numérique. Dans la philosophie de l'esprit cet élément existe en
tant qu'il se reprend dans l'universalité absolue, alors, en tant que
devenir absolu, il est réellement l'être un absolu. » On peut essayer
de comprendre les choses en disant que ce qui va surgir dans la nature,
c'est l'un de l'individualité organique, mais l'un de l'individualité
organique n'est pas en lui-même son genre comme universel, il
est un individu qui vit, qui passe, qui se reproduit et qui meurt et
cela recommence toujours, cela ne cesse jamais, dans un « meurs et
deviens », où le devenir ne se réfléchit pas « tel qu'en lui-même enfin
l'éternité le change », pour continuer à citer du Mallarmé, c'est-à-dire
qu'il ne se reprend pas dans l'universalité. En d'autres termes, l'individualité organique n'est pas le moi subjectif. Que l'individualité

devienne le moi, qu'elle devienne le « je pense », elle cesse d'être un
un positif, pour devenir un *un négatif*, pour devenir ce qui exclut tout le
reste et finalement s'exclut soi-même, c'est-à-dire arrive à penser sa
propre mort, arrive en quelque sorte à intérioriser la mort. C'est ici
que Hegel, dans ce texte abstrait, a des phrases qui font penser à
ce qu'exprimera plus tard Nietzsche, lorsqu'il dit que c'est seulement dans la maladie que l'individualité organique se dépasse elle-
même. Car dans la maladie l'individualité intériorise sa propre disparition, elle se sépare de soi, mais ajoute-t-il, « la maladie de l'animal
est le devenir de l'homme ». Que dire encore de la mort qui, dans
la nature, existe sans doute mais que personne ne porte ? Car si la
mort existe dans la nature, elle est une négativité qui dépasse les
individus ; ils meurent — et ils auront la chance de ne pas savoir
qu'ils meurent, comme les peuples heureux qui ont la chance de ne
pas avoir d'histoire. L'homme sait qu'il meurt, ou la négativité est
capable d'être portée par l'homme et c'est le moment où elle est
portée qui fait de l'individu organique un moi subjectif. Il n'est pas
seulement le Moi = Moi, mais encore le moi qui reste moi dans sa
propre négation.

Mais cette analyse ne suffit pas, car Hegel est un philosophe réaliste. Nous aurons l'occasion d'insister sur ce réalisme de Hegel et
sur le fait qu'il ne suffit pas de dire que l'homme se dépasse en pensant ce qu'il nie, il faut encore qu'il réalise ce dépassement, il faut que
ce dépassement soit réel, il ne faut pas qu'il soit un dépassement en
idée. Et c'est parce que ce dépassement est réel qu'il y a une histoire.
Tandis que dans la nature les extrêmes sont perpétuellement chan-
geants et rendent impossible un terme stable, il se trouve que l'humanité est capable de réaliser, alors qu'elle meurt et qu'elle passe et que
les hommes passent, des moyens termes, ce que Hegel appellera
bientôt les médiations, qui sont les œuvres d'art, qui sont la langue,
qui sont le travail d'un peuple, et ces médiations, ces moyens termes
sont des conditions de ce qu'on appelle une histoire. Bien que la pre-

mière philosophie de l'esprit de Hegel dont je vous parle s'arrête au moment où elle va aborder l'histoire et que par conséquent elle n'y touche pas encore, elle prépare cependant une problématique de l'histoire, elle montre à quelle condition l'esprit réussit à s'incarner, pour employer une expression que tout le monde peut comprendre, c'est-à-dire comment il est possible, alors que les termes extrêmes sont perpétuellement disparaissants, de fixer un terme qui les renferme l'un de l'autre, qui les dépasse l'un de l'autre et qui subsiste quand l'individu passe. C'est ce que Hegel appelle le moyen terme, en rappelant un texte de Platon dans le *Timée* qui est un texte esthétique, traitant de ce moyen si harmonieux qui permet aux extrêmes de se réunir, et qui est la moyenne géométrique.

Voilà donc les quelques éléments, sur lesquels, avant de décrire cette philosophie de l'esprit, nous allons d'abord insister :

Premièrement, le rôle extraordinaire de la conscience, rôle qui est unique. Deuxièmement, le rôle du moyen terme. Troisièmement, la distinction de l'esprit théorique et de l'esprit pratique, et je crois qu'alors nous aurons les éléments qui nous permettront de comprendre ce que Hegel appelle à cette époque les puissances, dans un langage qui est celui de Schelling mais qui n'est qu'un langage.

Premièrement : le rôle de la conscience est le concept de l'esprit. Hegel ne dira jamais cela plus tard. Mais il est très important, quand on lira l'introduction de la *Phénoménologie de l'esprit*, de se rappeler ce qu'il dit à ce moment-là de la conscience : l'être-sujet, l'être-dit, bientôt, l'être idéel ou idéal (à ce moment-là, il n'y a pas de différence entre les deux termes idéal ou idéel), l'être su. Ce qui surgit des profondeurs de la nature, c'est le concept de l'esprit. Et le concept de l'esprit, c'est la conscience. Or ce qui caractérise cette conscience, c'est qu'elle se croit subjective, et qu'elle ne l'est pas, il faudra qu'elle le devienne, contrairement à Fichte, qui en part dans une certaine mesure. La conscience est à la fois ce qui est conscient, ce dont on est conscient, l'opposition des deux et l'unité des deux.

Hegel connaissait, bien entendu, Kant et Fichte, à ce moment-là il les connaissait fort bien et il en dépend beaucoup. On peut même dire que l'influence de Fichte a été considérable sur Hegel, bien plus que je n'ai pu le pressentir quand j'ai écrit quelque chose sur la *Phénoménologie de l'esprit*. Ce que Hegel doit à la dialectique de Fichte est considérable, mais la différence qui les sépare et que nous allons retrouver tout à l'heure à propos de l'esprit pratique est non moins considérable. Donc, la conscience c'est, si vous voulez, le révélateur de la substance de la nature. La conscience n'est pas une conscience subjective qui serait installée dans la subjectivité et qui de la subjectivité tomberait à l'objectivité, elle est déjà au cœur de l'être et au cœur du monde et de la nature. Elle en est le révélateur. Révélation qui aboutira à la subjectivité absolue, laquelle est insuffisante, pareillement. Voilà un premier moment et quand on lit l'introduction de la *Phénoménologie*, on est frappé par ce tourment de la conscience, par ce qui se passe derrière son dos, par le fait que la conscience se croit subjective, mais qu'elle en sait plus qu'elle ne croit qu'elle en sait, par toute cette substantialité immanente à la conscience. Hegel est plein de cette idée de la substance. Hegel est l'homme qui disait qu'en art comme en toute chose, c'est le contenu qui compte, phrase extraordinaire par rapport à ce que l'on dit d'habitude de Hegel. Le substantialisme, c'est-à-dire le substantiel, car il prenait ce mot dans tout son sens, est fondamental chez Hegel par rapport au formel.

Donc voilà le premier point, le rôle de la conscience, et le caractère substantiel de la conscience. La conscience est révélatrice d'un contenu et elle ne peut pas ne pas le rejoindre, car elle est le concept de l'esprit qui sort des profondeurs de la nature, et c'est à ce titre que la philosophie de l'esprit de 1803-1804 traite de l'esprit ou traite de l'esprit comme conscience. Voilà ce qui est extraordinaire, car en 1805-1806, il y aura une philosophie de l'esprit théorique, une philosophie de l'esprit pratique mais la conscience aura disparu pour réapparaître en 1807, dans la *Phénoménologie*, pour redisparaître à nouveau et devenir un tout petit moment dans la philosophie de l'esprit de l'*Encyclopédie*. Il y aurait sur ce point toute une recherche à faire.

Deuxième problème : celui du mythe. Ce qui caractérise cette philosophie de l'esprit, c'est que Hegel y traite comme essentiel un certain moyen terme, le mythe, ce beau lien entre les extrêmes dont Platon avait parlé dans le *Timée*. Le moyen terme ne laisse pas les extrêmes en dehors de lui. Il les renferme et les domine, et cela d'une manière tout à fait originale.

Prenons, par exemple, l'instrument. L'instrument est le moyen terme entre le travail et la matière. Il n'est pas la matière car on n'agit pas sur l'instrument. Il n'est pas non plus la subjectivité car l'instrument échappe à celui qui travaille. Et les longues traditions finissent par élaborer les instruments et plus tard les machines comme quelque chose à quoi la subjectivité de l'individu doit se plier. Il est donc subjectif-objectif. Il est à la fois quelque chose de la nature et il est quelque chose du sujet et il subsiste comme un moyen.

Le moyen terme, c'est la réalisation du concept de la conscience. Or le concept de la conscience ne peut exister, exister jusqu'à une possession réelle, que s'il se fait chose, s'il s'extériorise, et inversement, si l'extériorité peut devenir quelque chose comme l'idée. C'est ainsi que si la nature n'a pas d'histoire, l'homme a une histoire; il a une histoire parce que, entre les termes extrêmes, c'est-à-dire entre la subjectivité et l'objectivité, quelque chose apparaît qui, tandis que les termes extrêmes sont perpétuellement en disparition, arrive à se constituer et à durer. Le moyen terme est une réalité stable et permanente. C'est par ce moyen terme, dans lequel elle se change, que la conscience obtient l'existence. La conscience parvient à se constituer comme un produit permanent, absolu tandis que la nature ne pouvait parvenir à être ce produit permanent, ni à obtenir jamais de véritable existence. Si la nature n'a pas d'histoire (texte célèbre de la *Phénoménologie* : « mais la nature n'a pas d'histoire »), la conscience, elle, est historique. Ce n'est pas du Hegel, mais c'est ce à quoi Hegel conduit. Les individus passent, la langue demeure et s'enrichit, le moment de la culture est donc devenu possible. Il en va de même pour le travail ; c'est l'instrument qui permet une maîtrise toujours plus grande de la nature. Si l'homme ne réussissait pas à créer tous ces moyens termes dans lesquels il existe, il resterait totalement prisonnier du cours naturel du monde. Son activité cessant, tout retomberait dans le néant ; c'est parce que les œuvres survivent à leurs auteurs que le monde historique devient possible. Telle est la pensée profonde qui se cache sous cette notion abstraite de moyen terme, laquelle deviendra bientôt la théorie de la médiation.

Troisième caractère, qui va jouer un très grand rôle sur le devant de la scène et qui le joue déjà : c'est l'opposition de l'esprit théorique et de l'esprit pratique. Et là, nous reconnaissons une dépendance extraordinaire de Hegel à l'égard de Fichte. Mais quelle différence entre eux ! Là où Fichte va parler de la raison pratique morale, du moi qui va devenir égal au Moi, Hegel va parler de l'instrument, il va parler de la machine, il va parler du travail, il va parler des œuvres d'art ; jamais peut-être une philosophie pratique aussi réaliste n'avait été écrite avant Marx et avec des développements qui ont d'ailleurs à la fois plus d'amplitude et en même temps un aspect moins révolutionnaire que ceux de Marx. L'opposition entre l'esprit pratique et l'esprit théorique est fondamentale. La conscience a tenté de réaliser son concept dans le langage. Nous avons vu qu'elle existe comme langage ; eh bien, chose très curieuse et contrairement à ce que l'on dit d'habitude de lui, Hegel affirme que le langage n'est rien. Sans doute, en un sens, il est tout, puisqu'on peut tout dire, on peut dire ce qui ne se dit pas, on peut même dire qu'on ne peut pas dire telle chose, bref tout cela est dit, tout cela se dit ; mais une fois qu'on a dit, on n'a rien produit. On a transformé idéalement la nature, on n'a pas produit la nature. Et précisément parce qu'on ne l'a pas produite, on ne sait pas ce qu'est la nature. De telle sorte qu'il y a une déficience du langage par laquelle se termine l'esprit théorique. L'esprit théorique a constaté qu'il a formalisé le monde, dans un sens qui n'est pas le sens technique de nos formalismes actuels, mais enfin il a formalisé le monde et pourtant le monde reste incompris, inchangé; l'esprit théorique n'a rien fait. Comme dira plus tard Nietzsche, il a fallu violenter les hommes pour qu'ils apprennent à tenir leur parole et à se souvenir de ce que c'est que la parole. Cela Hegel le sait; il ne suffit pas de dire à quelqu'un : je vous promets, il faut s'engager, il faut même s'engager jusqu'à la mort, et c'est un autre domaine que représente l'esprit pratique par rapport à l'esprit théorique; naturellement il ne s'agit pas de dire que Hegel méconnaît le langage, il s'agit de montrer les limites de l'esprit théorique par rapport à l'esprit pratique, par rapport à ce qu'il appelle la liberté absolue en se souvenant de Fichte; mais l'esprit pratique a à se réaliser à son tour et à recréer une nature dans laquelle l'esprit pourra se retrouver et en même temps devenir cette synthèse dont nous voyons l'ouverture dans le texte dont je vous parle aujourd'hui, cette synthèse qui est l'histoire.

Hegel va donc développer dans ces notes de cours (elles vont paraître bientôt car un de mes étudiants a fait un admirable travail, non seulement en traduisant ces textes qui paraissent vides de sens au premier abord, mais encore en les commentant d'une façon qui est très judicieuse, qui permet de les comprendre, bien que, par eux-mêmes, ils ne sont pas immédiatement intelligibles. N'oubliez pas que ce sont des notes par lesquelles Hegel élaborait sa pensée et non pas un exposé destiné à la publication), cette philosophie de l'esprit, en décrivant les diverses puissances — c'est le nom qu'il emploie — par lesquelles ce concept de l'esprit qui est la conscience, se réalise, en allant jusqu'à cette réalisation authentique qu'est l'esprit d'un peuple et l'histoire. Et ces puissances il leur donne un nom. La première c'est la mémoire — *Gedächtnis*, non pas

Erinnerung — c'est la mémoire et le langage. Notez bien que, dans cette puissance, il y a quelque chose de subjectif qui est la mémoire, il y a quelque chose qui est un véritable [?], c'est le langage. Cette première puissance, mémoire et langage, c'est elle qui représente tout ce qu'on pourrait appeler l'esprit théorique dans cette philosophie où l'opposition de l'esprit théorique et l'esprit pratique est présentée. La deuxième puissance, et nous passons à l'esprit pratique, c'est le travail et l'instrument, le travail étant le côté subjectif, l'instrument étant ce qui subsiste et ce qui en quelque sorte guide le travail, et l'instrument devenant la machine, etc. Il est difficile de donner un titre à la troisième puissance — Hegel ne le donne pas exactement —, mais elle concerne l'amour, le désir, l'enfant et le bien de sa famille. C'est là, dans le bien de famille et dans l'enfant, que se réalise concrètement un amour qui a cumulé le désir animal, qui a trouvé le moyen de créer, avec un désir indéfiniment itérable dans lequel le devenir tout à la fois marque la pénombre et le recommencement, de sublimer le désir et de le réaliser en quelque chose d'autre, qui soit la famille, l'enfant et le bien de famille. Ne confondons pas absolument ces deux derniers termes ; bien sûr, le problème de l'enfant reste fondamental, l'enfant n'étant pas le petit animal. Mon maître Bachelard avait l'habitude de dire : « C'est triste un amour qui ne se réalise pas », mais croyez-moi aussi, un amour qui ne s'idéalise pas, c'est épouvantable. Cette sublimation dont Freud nous parlera et dont parle ici Hegel est évidemment une des grandes conquêtes de l'humanité.

Voici les trois puissances, nous allons les examiner successivement en insistant sur ce fait que toujours Hegel reste près de la nature, tellement près que c'en est choquant. On a dit quelquefois : Hegel est un philosophe qui ne traite que d'une idée de la nature ; non, il va jusqu'à dire que la conscience c'est l'air et la terre. J'ai d'abord été révolté par de telles pensées et puis j'ai ouvert mon Bachelard, non pas celui de la science et du formalisme scientifique,

mais l'autre, celui qui parle de l'air et des songes, de la terre et des
rêveries de la volonté, et j'ai à peu près trouvé les justifications
que j'avais besoin de chercher pour Hegel. Pas tout à fait d'ailleurs,
Hegel va plus loin que Bachelard. Parce que si la conscience est
ontiquement l'air et la terre, elle est ontologiquement le langage et
l'instrument. Bachelard parle beaucoup de l'air et des songes, mais
il ne parle pas de l'air dans ce qu'il est pour les hommes, c'est-à-dire
dans la transmission de la voix. Lorsque dans la nuit l'homme
appelle l'homme, la voix s'entend. Le langage est transmis à travers
l'air (nous savons aujourd'hui qu'il y a d'autres modes de transmission). La conscience est donc la transmission du langage et c'est
l'air qui est l'instrument. Quant à la terre, elle est la pulvérisation
atomique de l'être, mais elle n'est pas l'unité négative, elle est la
coexistence de cette pulvérisation. C'est « la terre et les rêveries de la
volonté »; c'est là-dessus que s'appuie l'instrument pour réaliser quelque chose. Si donc la conscience est l'air et la terre, ontologiquement
elle est le langage qui se transmet à travers l'air qui est la communi-
cabilité — et elle est l'instrument qui va permettre de transformer le
monde matériel, de transformer la matière et d'en faire quelque chose
qui créera à la fois le besoin humain et l'objet du besoin humain.

Il faut revenir rapidement sur la première puissance, car ce que
Hegel nous apporte dans ce petit texte sur la mémoire et le langage
est étonnant. D'abord il nous montre comment la conscience sub-
jectivise le monde. Elle substitue à la nécessité empirique une imagination spatiotemporelle dont elle dispose, ce qu'on appelle l'imagination reproductrice, mais l'imagination est un songe vain et si
on s'abandonnait à ce songe on tomberait dans la folie. Heureusement, ce songe par lequel nous reconstituons subjectivement et
à notre gré le monde en le particularisant et en le plaçant dans un
espace et un temps devenus universels, ce monde transformé, sub-
jectivisé, a toujours une référence à l'autre. Cette référence, c'est le
signe. Le signe est une puissance que Hegel ne nomme pas sépa-

rément comme puissance, mais qu'il distingue du langage. Le signe c'est, dans ce conflit empirique reproduit comme un songe et comme un rêve, dans ce conflit empirique qui est un tableau, la référence à quelque chose qui est en dehors, bref une référence au monde qui subsiste. Mais cette référence est arbitraire. C'est ici qu'apparaît le langage, qui n'est plus arbitraire parce qu'il est l'unité du signifié et du signifiant. Ce qui revient à dire que dans le langage c'est le monde qui disparaît, ce n'est pas l'image qui se réfère au monde, c'est tout d'un coup le monde qui devient la façon dont l'homme l'a dominé : c'est un animal, c'est une couleur, c'est du bleu. Le monde est dit. Et quand il est dit, c'est le monde qui est transformé et qui est exprimé, c'est-à-dire que ce n'est pas non plus quelque chose de purement intérieur. C'est ici qu'à nouveau Hegel nous étonne, car, après avoir parlé en effet du nom et de l'articulation des consonnes et des voyelles, après avoir fait la différence entre le langage humain et le chant animal, le chant des oiseaux, après avoir dit tout cela, Hegel affirme que le langage, ce n'est jamais que le rapport de la multiplicité des mots. Nous pensons à Saussure lorsqu'il pose que chaque terme n'a de sens que par référence à tout le système. Chez Hegel c'est un peu différent, c'est le discours plutôt que la langue. Hegel dit : le langage c'est l'entendement *(Verstand)*, car lorsque nous parlons ou lorsque nous écrivons (il y a une théorie de l'écriture qui apparaîtra plus tard) nous disons : qu'est-ce que ceci ? C'est un bruit, c'est une couleur, mais finalement la réponse est toujours dans le langage, nous restons enfermés dans le langage, et c'est finalement un discours total qui situe les termes abstraits les uns par rapport aux autres — cette abstraction n'étant pas une extraction, car le bleu est une couleur et s'il est une couleur, il est toutes les couleurs possibles, toutes les possibilités sont renfermées en lui, les rouges, les jaunes, les verts. Tout le langage dans la mémoire devient système de signification et non pas un souvenir de songes : *Gedächtnis.* Le langage est l'entendement même.

C'est à ce moment que Hegel nous annonce que — il faudrait, si nous avions le temps, élucider cette transition — le langage n'est qu'un moment fixé du moi, que tous les mots sont une certaine fixation qui se rapportent tous les uns aux autres et que finalement cette fixation peut se fixer elle-même. Le concept devient concept du concept, c'est le Moi = Moi qui soutient tout le reste et qui est totalement vide, c'est-à-dire qu'il n'est que la forme pure, l'abstraction. Le langage, dit Hegel, comme langage émis, se perd dans le monde. Il doit se perdre aussi dans l'entendement, il doit disparaître aussi dans la pensée de lui-même. Non pas qu'il y ait un sens hors du langage (ce serait le sens du sens qui serait hors du langage mais à ce moment-là nous tombons dans le caractère formel de ce discours qui s'oppose au contenu), et c'est pourquoi Hegel nous dit que, finalement, le langage n'a fait que transformer idéellement le monde. Tout peut être dit, tout est dit comme un moment d'un ensemble, mais ce « tout est dit » et « tout peut être dit » laisse complètement en dehors de lui le contenu sur lequel on dit. Le langage produit idéellement le monde, mais il ne coïncide pas avec la production même du monde. Le langage qui s'élève à l'entendement retourne à lui-même, à la réflexion, à ce que Hegel appelle la raison formelle. Le langage, disions-nous avec Hegel, doit se perdre dans la conscience comme il se perd au-dehors. L'idéalité du monde pensé n'est pas le monde. Alors surgit la conscience qui non seulement peut faire abstraction de ceci ou de cela, mais peut faire abstraction de tout et, faisant abstraction de tout, devient la liberté absolue, le vide, le négatif qui nie tout ce qui est en dehors d'elle, et ne se réfère qu'à soi. Nous sommes devenus le moi subjectif, absolument libre, mais dont la liberté peut n'être qu'un entêtement, car finalement il faut bien qu'elle prenne n'importe quoi pour se fixer; à propos de n'importe quoi, il faut qu'elle engage sa liberté jusqu'au bout. C'est ce qui caractérise la liberté pratique et qui indique ce à quoi elle conduit inévitablement : la lutte pour la reconnaissance et le problème de la mort.

Il s'agit maintenant de saisir comment ce mot vide va se réaliser et c'est le passage à la deuxième puissance. Au début de la *Science de la Logique*, au moment où il étudie le rapport de l'être et du néant, Hegel fait une remarque très étrange. Il dit, dans un texte rédigé par lui et non par ses élèves, que le meilleur exemple que l'on pourrait donner de ce qu'est le néant, c'est la liberté. Nous sommes comme un trou dans l'être, le moi se révèle dans sa liberté comme étant le néant, et ce moi identique au néant, il faut qu'il se remplisse, qu'il se réalise d'une autre façon qu'il le faisait dans le langage. C'est ici que commence le moi pratique, qui va se réaliser dans le travail et dans l'instrument. Comme nous avions une puissance de la mémoire et du langage, nous avons maintenant un moi qui ne se contente pas de sa liberté absolue, mais qui se réalise à travers le travail en modifiant la matière, en faisant quelque chose qui réponde au besoin de l'homme. L'instrument n'est ni subjectif comme le travail : il domine celui qui l'utilise, il se transmet, il devient une règle universelle — ni objectif : il n'est pas la chose, mais il nie la choséité comme il nie la subjectivité. Vous voyez que cette fonction que jouait le langage même dans l'esprit théorique et qui consistait à faire exister l'esprit, le travail va la jouer dans l'esprit pratique. A vrai dire, le langage ne faisait exister l'esprit que comme un souffle qui disparaît dans le monde extérieur. Il ne restait qu'une signification, mais une signification qui disparaît elle-même à l'intérieur du moi absolu pour n'être plus qu'une pure signification. Qu'avons-nous fait ? Nous avons parlé. A quoi avons-nous servi si nous avons parlé ? Il faut faire plus, il faut faire la guerre.

Comment ne pas penser ici à Clausewitz qui, si j'en crois d'Hondt, avait suivi les cours de Hegel ? En tout cas, il y a des rapports étroits entre la théorie des extrêmes chez ces deux penseurs. Pour Clausewitz, la guerre, c'est toujours la possibilité pour chacun d'aller jusqu'aux extrêmes afin d'obtenir ce qu'il veut. Voilà ce que je veux et pour l'avoir je suis capable d'accomplir l'escalade, je peux aller jusqu'au bout. Mais l'autre aussi. Ce rapport mutuel comme possibilité pour chacun d'aller jusqu'aux extrêmes, a besoin, de temps en temps, d'être prouvé, jusqu'au moment où il devient si dangereux que la preuve finit par faire disparaître l'objectif même de la guerre. Sans doute, ni Hegel ni Clausewitz n'apercevaient la bombe atomique, mais celle-ci représente cependant le terme de cette problématique. Et dans un texte de la *Phénoménologie* que je ne comprenais pas car je le trouvais banal mais que, hélas, je comprends aujourd'hui, Hegel oppose les deux combattants dont chacun doit prouver à l'autre qu'il n'en a pas peur, qu'il ira jusqu'à la mort et il dit que les choses vont mal parce que, s'ils meurent tous les deux, que restera-t-il ? Telle est pourtant la situation : il faut que quelque chose demeure et il se peut quand même qu'il faille aller jusqu'à la mort. Mais de quelle mort s'agit-il alors ? Quelle est cette idéalisation qui va laisser un « subsister » tout en donnant la preuve jusqu'au bout ? Le problème est celui de la guerre, de la guerre totale où les moyens vont finalement plus loin qu'on ne voulait aller pour créer à la limite une situation que Hegel n'avait probablement pas prévue mais qui est la nôtre, situation dans laquelle le passage aux extrêmes risque d'entraîner la disparition de l'humanité et non pas seulement celle des deux combattants.

Eh bien, c'est tout cela que nous trouvons dans cette deuxième partie sur la puissance de l'instrument et du travail et sur la notion de l'amour et du désir sublimé. La notion du travail est quelque chose de subjectif par rapport à l'instrument, et par rapport à la machine qui au contraire domine l'individu. Sans doute le génie individuel va consister à inventer d'autres instruments et d'autres machines, mais il ne peut en faire que dans la mesure où ces instruments pourront être reçus et utilisés par les autres, c'est-à-dire où la singularité du génie sera capable d'être en même temps l'universalité de l'utilisation, de telle sorte que l'instrument, la machine est à la fois œuvre du singulier négatif et en même temps œuvre universelle. On voit là encore se réunir le devenir dont nous parlions au début, et en même temps l'être absolu et stable.

De même en est-il pour le problème de l'amour. Il y a ici en quelques lignes une dialectique sur le refoulement, sur la différence entre le désir animal et l'amour humain. Le désir est déjà le besoin d'aller à la chose en agissant et en même temps celui de s'anéantir lui-même pour mettre fin à un état de tension. Et finalement ce recommencement perpétuel du désir animal, dont nous trouvons dans la *Phénoménologie* de si magnifiques exemples, non seulement dans le texte sur le travail et le désir, mais encore dans le passage où il est question de celui qui veut cueillir son bonheur comme on cueille un fruit et qui cependant, en trouvant cette jouissance immédiate, ne découvre en fin de compte que la nécessité et la mort, jusqu'au moment où il voudra faire régner la loi du cœur, ce désir s'engage chez l'homme dans une dialectique qui est sa transformation dans l'amour. Et cette transformation consiste en ceci que la réalisation de l'amour est plus importante que l'amour lui-même. La réalisation de l'amour aboutit à un nouveau moyen terme qui est à la fois le bien de famille et l'enfant, la fortune familiale d'un côté, l'enfant qui subsiste lui aussi, de l'autre. Or à propos de l'enfant, nous trouvons un texte admirable dans lequel Hegel dit : « C'est ici que se pose le problème de la culture » et cela parce que ce que les parents portent en eux-mêmes, c'est la nature inorganique de l'enfant. Tandis que l'animal trouve sa nature inorganique hors de lui, dans son *Umwelt*, l'homme, le petit homme, trouve sa nature inorganique dans ses parents, et c'est pour cela qu'il faut qu'il les digère, de même qu'il faut que les parents meurent dans l'enfant. « La croissance des enfants est la mort des parents. » Quand l'enfant contemple ses parents, il dit « voilà ce que j'ai à digérer, c'est tout cela que j'ai à apprendre ». Et quand les étudiants contemplent leurs maîtres, ils disent « c'est terrible, voilà tout ce qu'il faut que je digère pour le rendre vivant, parce qu'en lui qui commence à vieillir, tout cela a perdu sa vitalité ». On comprend alors, je crois, tout ce qu'est la phénoménologie de l'esprit. La phénoménologie n'est pas une philosophie de l'histoire du monde, c'est une philosophie de la culture, c'est-à-dire une philosophie où tout l'acquis déjà assimilé par l'humanité a besoin d'être réanimé. Mais cet acquis ne cesse de croître. Hegel disait que sa croix, c'était la logique, c'était la manière dont était chosifiée et ossifiée la pensée écrite. Mais que dirait-il aujourd'hui ? Je suis épouvanté de tous les livres que je reçois, épouvanté de toutes les thèses qu'il faut lire, épouvanté de tout ce que l'humanité a acquis et qu'il faut que les générations qui viennent réussissent à nouveau, si elles le peuvent, à rendre vivant. Pourront-elles porter le poids des bibliothèques ? Eh bien en ne voyant pas en elle une philosophie de l'histoire du monde mais une philosophie de la culture de l'esprit et de sa réactivation, on comprend la *Phénoménologie*. Il ne s'agit pas de transformer l'immédiateté, c'est déjà fait. Il s'agit de prendre tout ce qui a déjà été transformé, et il s'agit d'être capable de lui donner la vie, de faire que la substance devienne sujet, et que le sujet soit substantiel, que la substance soit capable de dire le sujet et que le sujet soit capable de digérer cette substance. C'est donc le roman de la culture et c'est le problème de la culture, ce qui n'empêche pas que l'histoire du monde continue pendant ce temps.

Tout ce que nous venons de dire, à savoir cette puissance de la mémoire et du langage, cette puissance des instruments et du travail, celle de la famille et des totalités, tout cela s'intègre dans ce à quoi aboutit cette réalisation, à savoir un esprit collectif, l'esprit d'un peuple et d'un peuple cultivé, d'un peuple qui n'est pas barbare. Et le langage n'existe alors que comme la langue d'un peuple. Et le travail et la machine n'existent alors, ainsi que les biens de famille, que comme la richesse. Hegel avait lu Adam Smith et il prévoyait bien des choses que rien dans l'Allemagne de cette époque ne pouvait lui permettre d'apercevoir; de la richesse il disait que la connexion d'une espèce particulière du travail avec toute la masse infinie des besoins devient tout à fait impossible à voir dans un grand peuple et se transforme en une dépendance aveugle, en sorte que soudain une opération éloignée vient subitement rendre superflu et inutilisable le travail de toute une classe d'hommes qui par lui satisfaisaient les besoins qui étaient les leurs. La réalité de cette dépendance qui résulte de la division du travail, du rapport qui s'établit entre un besoin qui est devenu collectif et qui est porté par l'esprit d'un peuple, et un travail qui est devenu, en sa division, lui-même collectif, cette dépendance qui se manifeste par l'argent et par la marchandise est telle, nous dit Hegel, que le résultat en est contradictoire et douloureux. Le besoin et le travail, élevés à cette universalité, forment donc dans un peuple un immense système de communauté et de dépendance réciproque. Ce système vit d'une réalité morte qui se meut en soi-même, vie qui dans son mouvement s'agite d'une manière aveugle et élémentaire et qui, tel un animal sauvage, a besoin d'être continuellement domptée, maîtrisée avec sévérité. Sans doute, et en cela du moins il diffère de Marx, Hegel a vu dans le réel quelque chose d'autre et de plus fondamental que la vie économique; mais il a su qu'elle est un élément important et qui, d'une certaine façon, marchait toujours mal. A-t-il pensé à la fois qu'elle était comme une imperfection radicale dans le système de l'Etat ? Il a eu l'intuition, en tout cas, que l'histoire du monde n'était pas finie. Il disait que les philosophes fatigués se retirent dans la contemplation de cette histoire. Comme l'oiseau de Minerve, ils se lèvent toujours trop tard, ils peuvent comprendre ce qui s'est passé mais non prophétiser sur ce qui viendra. Et c'est sans doute la différence qu'il y a entre ce révolutionnaire qu'est Marx et le philosophe Hegel. Mais nous avons eu l'occasion d'insister sur le caractère pratique de la philosophie d'Iéna, qui pose l'action comme essentielle. Et à la fin de la *Phénoménologie*, dans le savoir absolu, Hegel dira que c'est l'action qui réalise le savoir absolu et dans un autre texte de la *Phénoménologie*, que l'action seule réveille les contradictions endormies. Si la logique de Hegel est souvent apparue comme le royaume des ombres dans lequel en effet on dit tout, il y a pourtant la nature et il y a l'histoire. Le savoir absolu se présente comme un système clos, fermé, mais la grandeur du savoir absolu, dit Hegel, c'est de savoir ses limites. Savoir ses limites, c'est savoir se sacrifier, c'est savoir que l'idée absolue accepte d'être sacrifiée (peut-être est-elle bien en train de l'accepter), accepte la nature et l'histoire, c'est-à-dire, en fin de compte, accepte de pouvoir échouer. Cette pensée donne un relief singulier au texte de la Préface de la *Phénoménologie* dans lequel Hegel dit : « On a comparé la vie de Dieu à la vie de l'amour, soit, mais c'est tomber dans la fadeur quand il manque le travail, le sérieux, la patience du négatif. » Quel serait le sens d'une histoire qui réaliserait toujours providentiellement l'idée ? Hegel ne tomberait-il pas lui aussi dans la même fadeur ? Mais il y a les ruines dans l'histoire, il y a l'échec, il y a une limite, qui n'est d'ailleurs pas réductible théologiquement, c'est-à-dire qui n'est pas susceptible d'être surmontée par Dieu, mais qui est un terme absolu, à savoir le moment où l'idée est autre qu'elle-même dans cette altérité où elle rencontre la possibilité de se perdre et de se sauver. Le destin est présent dans le savoir absolu hégélien, il y a un retour, à la fin de la *Phénoménologie*, à ses limites. Ajoutons que, dans ce texte d'Iéna dont je vous parle, Hegel n'a pas encore découvert l'opposition du maître et de l'esclave (dont je ne suis pas sûr qu'elle ait influencé Marx autant qu'on le dit), ni la lutte qui aboutira à une reconnaissance et à la conciliation par le travail. Ce n'est, alors, que dans la vie d'un peuple que la reconnaissance s'accomplit, à la condition, faut-il préciser, que le juridisme soit dépassé. J'ai un cousin quelque part dans une province française qui est un homme très droit et qui a perdu tout ce qu'il avait d'argent pour quelques centimètres de terrain qu'il disputait à son voisin. Il était tellement entêté dans la reconnaissance de ce qu'il croyait être son droit que, et justement parce qu'il croyait que c'était son droit, il n'a cessé de faire appel sur appel pour quelque chose qui finalement n'en valait pas la peine. Il a mis tout son honneur en question. Cette lutte pour l'honneur, et pour le droit, j'ai appris avec Hegel que ce n'était pas la paix mais la guerre. Le droit positif vient parfois rendre l'entente possible, mais le droit abstrait, comme disait Pascal, est quelque chose dont on discute toujours et qui n'engendre que l'opposition. Si l'on savait ce qu'est le droit, la paix pourrait régner, mais le droit est discuté et la force dit que c'est elle qui est le droit. Et pourtant c'est justement cette lutte par le droit qui entraîne la réalisation d'une positivité, ce qu'est seul un grand Etat dans la notion de droit politique.

Et j'en ai dit beaucoup plus que je ne voulais, vous voyez que cette philosophie de l'esprit d'Iéna enferme les germes de tout le développement hégélien ultérieur.

19

NOTE SUR LA PRÉFACE DE LA « PHÉNOMÉNOLOGIE DE L'ESPRIT » ET LE THÈME : L'ABSOLU EST SUJET *

I

L'historien de la philosophie, quand il étudie Hegel, doit répondre à une double exigence qui n'est pas loin d'être contradictoire, ou, au moins paradoxale. Il n'y a pas de penseur plus systématique que Hegel; lui-même, dès qu'il commence à enseigner la philosophie à Iéna, prétend faire un système, et dans la Préface de la *Phénoménologie*, il insiste fortement sur le système comme caractère de la vérité. Le système n'est pas une méthode ou une manière utile de penser, c'est une conséquence de l'essence de l'Absolu : l'Absolu est sujet, et le savoir qu'il a de soi ne peut être que systématique : « C'est seulement comme Science ou comme système que le savoir est effectif, et ce n'est qu'ainsi qu'il peut être présenté. » Mais, et c'est la source de la seconde exigence, inverse de la première, en forçant un peu les termes il faut dire qu'il n'y a pas de penseur

* Manuscrit non daté, non situé. Peut-être de 1967.

moins systématique que Hegel. Quand on ne se contente pas d'une vue d'ensemble, que lui-même déclare superficielle, on découvre une richesse de contenu, une diversité d'aspects, une variation de présentations qui laissent l'interprète perplexe, d'autant plus que dans sa période de maturité, on a souvent le sentiment que Hegel dissimule certains traits ou du moins certaines conséquences de sa philosophie. Le philosophe est prudent, mais indique le vrai. S'il cherche « la rose dans la croix du présent », il n'en dévoile pas moins les contradictions politiques et sociales qui font que ce présent est encore une croix, qu'il est toujours instable et inquiet, qu'en lui la tendance, l'élan n'ont pas disparu derrière le résultat acquis. Ne dit-il pas dans la Préface de la *Phénoménologie* : « Le résultat nu est le cadavre qui a laissé la tendance (l'élan) derrière soi ? » Or l'Absolu est toujours en instance d'altération, il est toujours un départ, une aventure, ce qui étymologiquement signifie l'éventualité de l'avenir, de même qu'il est en même temps une reprise de soi, un retour en lui-même, « l'être-retourné-dans-la-simplicité ». Ne soyons donc pas étonnés que Hegel offre au cours de son développement philosophique des présentations différentes de son système. Cela est certain dans la période où le système se cherche, la période d'Iéna où nous trouvons le *System der Sittlichkeit* inachevé, la logique encore suivie d'une métaphysique, la *Phénoménologie* enfin intitulée « Première partie du système de la Science », l'autre partie étant la logique spéculative qui est en projet et que la Préface (écrite, comme on sait, après la rédaction brusquée de la *Phénoménologie*) annonce et prépare. Mais cela me paraît non moins certain, quoique moins visible et apparent, dans le temps de maturité et dans les dernières œuvres. Derrière l'armature : Logique, Nature, Esprit, derrière les grandes divisions, esprit subjectif, objectif, absolu, art, religion, philosophie, désormais fixées, se dissimulent des écarts, des variations qui sont loin d'être insignifiantes. Nous trouvons, en effet, dans les cours de Hegel, édités par ses disciples, des remarques marginales, des adjonctions d'un cours à l'autre qui révèlent bien que cette pensée qui se veut systématique est en même temps une pensée *ouverte*, et non pas ouverte par accident, par inconséquence humaine, mais par essence. Le cercle qui est pourtant une image chère à Hegel : « Le Vrai est le devenir de soi-même, le cercle qui présuppose et a au commencement sa propre fin comme son but », n'en est pas moins une image inadéquate qui nous entraînerait vers une représentation *close*. « Le cercle qui repose en soi, fermé sur soi et qui, comme substance, retient tous ses moments est la relation immédiate qui ne suscite ainsi aucun étonnement. »

II

Peut-être pouvons-nous tenter d'éclairer ou du moins d'expliciter ce qui vient de nous apparaître sous une forme paradoxale. C'est la Préface de la *Phénoménologie* qui nous y aidera; elle est en effet la charnière entre la *Phénoménologie* et la *Logique spéculative*, elle est certainement la première [?] conscience authentique, que Hegel prend de son génie et de son destin philosophique. N'a-t-il pas dit que la *Phénoménologie* était son voyage de découverte, et la conscience philosophique, la conscience ontologique, n'est-elle pas toujours sourdement présente à chaque étape de l'*itinéraire* ? Cet itinéraire est comme on le sait celui de la conscience naturelle qui s'élève au savoir absolu d'elle-même et de l'être, et apprend à la fois qu'elle était déjà chez elle quand elle partait, que son Iliade était en même temps son Odyssée, son aventure, à la fois un départ et un retour, une ouverture et une fermeture, une ligne et un cercle. « L'esprit n'est jamais en repos, mais il est toujours emporté dans un mouvement *indéfiniment* progressif. » Pourtant ce mouvement tourne sur soi, il est « le cercle qui présuppose sa fin comme son but ». Les deux images ne sont pas compatibles. Il faut pourtant les penser ensemble, le retour éternel spéculatif n'inclut pas une histoire monotone qui se répéterait, mais une perspective de sens, de téléologie, immanente à l'ex-stase du devenir. Derrière ce jeu paradoxal et en apparence sophistique, il y a selon nous deux aspects complémentaires et presque inconciliables de la pensée hégélienne : 1) Elle est une pensée de l'histoire, de l'aventure humaine concrète et elle s'est constituée pour rendre compte de cette expérience; 2) Elle est aussi une aventure de l'Etre — Hegel dit de l'Absolu — et non pas seulement de l'homme, c'est pourquoi elle est spéculative, savoir absolu, en restant histoire, devenir et temporalité; le savoir absolu n'existe pas ailleurs, il n'est pas au-delà de ce devenir, dans un ciel intelligible ou supra-sensible; mais ce devenir à son tour n'est pas une suite éparpillée et sans lien, il est une téléologie sans préalable, une aventure du Sens, où les moments se joignent en s'écartant comme les moments du temps : « Le Temps est le concept étant là [...], il est l'inquiétude de la vie et le processus d'absolue distinction. »

Sur le premier point il est à peine besoin d'insister. Nous savons par les travaux de jeunesse de Hegel, par sa correspondance, par ses écrits politiques si réalistes, quel intérêt il prit aux grands événements de son temps, la révolution française, la Terreur, l'ascension et la décadence de Napoléon, la Restauration (à laquelle il ne croyait guère, toute répétition dans cette histoire étant illusoire). Nous savons aussi quelle place il a donnée à l'histoire et à la philosophie de l'histoire. Même ses écrits systématiques sur le droit, la société et l'Etat, sont, comme il le dit explicitement, conditionnés par un événement historique, et annonciateurs, sans le vouloir directement, d'un avenir dans lequel nul ne peut sauter sans verser dans l'utopie (seul le peut l'acteur et non le contemplateur de l'histoire; Hegel distingue toujours le philosophe qui repense le monde humain et l'homme d'action qui le fait; mais ce qui est ainsi fait doit par essence pouvoir toujours être repensé). Hegel donne l'exemple de la *République* de Platon comme pensée de la Cité grecque et annonce de son déclin. « L'oiseau de Minerve ne se lève qu'à la nuit... »

C'est le second point qui fait difficulté. Même si on néglige un tragique historique qui s'oppose chez Hegel à la prose de la vie économique et sociale (à laquelle il attache d'ailleurs une telle importance et qu'il décrit si profondément), on ne passe pas facilement de Hegel à Marx. Car l'aventure de l'homme est aussi une aventure de l'Etre, une aventure spéculative à travers l'homme et sa conscience de soi, une aventure de l'Etre, comme sens de l'Etre. Le tragique existentiel qui persiste même dans la prose du monde est, comme la mort qui en est le centre, la trace de l'Absolu dans la condition humaine.

Tout ceci est condensé dans la proposition célèbre de la Préface « L'Absolu est sujet », et dans la dualité de la *Phénoménologie* et de la *Logique spéculative*. Dire que le savoir est système parce que l'Absolu est sujet, c'est sans doute concevoir d'une façon originale le sujet substitué à la substance, et le système substitué au fondement ou à l'originaire. Ce que Hegel entend en effet par sujet, ce n'est pas un support fixe, une base inébranlable ou un préalable à son histoire, ce qui contiendrait en soi ses prédicats : *predicatum inest subjecto*. Où serait alors son originalité ? Il ne répète en fait ni Leibniz, ni même Fichte. Il les exclut au contraire. « Il s'agit de savoir si cette intuition intellectuelle ne retombe pas dans la simplicité inerte et ne présente pas l'effectivité d'une façon ineffective. » La conscience de soi réduite à elle-même n'est pas le sujet, l'effectivité vivante. Celle-ci suppose *en elle-même* une perte et une altération radicale de soi, un « se confier à la différence absolue », de sorte que ce soit « la réflexion en soi-même dans l'être-autre » qui donne seul le vrai — et non une unité originaire comme telle ou une unité immédiate comme telle. C'est de cette conception que découle — on ne l'a peut-être pas assez remarqué — le savoir comme *système*. A première vue, il y a là un paradoxe : faire dépendre l'exigence du système d'une ouverture obligatoire sur un dehors, c'est-à-dire sur une altérité, forme sous laquelle la totalité ne peut être étrangère à elle-même, alors que le système paraît bien plutôt lié à une cohérence interne. Mais les lignes qui suivent dans la Préface celles que nous venons de citer justifient la position hégélienne. Le Savoir est système parce qu'il n'y a pas d'affirmation première, originaire, de préalable absolu. Les philosophes avant et après Hegel ont cherché un fondement et comme un premier moment du temps dont Fichte disait qu' « il n'y en avait jamais qu'un second », ils ont voulu trouver une certitude apodictique sur laquelle faire reposer tout le reste (qu'on songe à Descartes ou à Husserl). Pour Hegel, comme on l'a dit, Dieu n'est pas, mais devient, ou en termes spéculatifs : « De l'Absolu il faut dire qu'il est essentiellement résultat, c'est-à-dire que c'est à la fin seulement qu'il est ce qu'il est en vérité. » L'exigence systématique n'est plus alors une exigence formelle, elle naît de cet appel du résultat sur le point de départ (présupposé), d'une diversité qui repose sur son avenir et non sur son passé; le système n'est pas constitué d'avance, il se constitue, il s'institue. La position de soi n'est jamais qu'une présupposition qui doit se nier comme telle. C'est cependant ce retour sur soi qui réclame le système, cette fin qui ne finit pas. En termes logiques il n'y a pas d'affirmation simple, mais il y a la négativité pure et simple, c'est-à-dire que l'affirmation dépend du mouvement qui, lui, ne cesse pas, elle apppараît toujours comme négation de la négation, jamais comme une origine. Le système est la cohésion vivante, le sens, de ce qui toujours s'aliène ou s'égare hors de soi. Dire qu'il y a système, ce n'est donc pas dire qu'il y a une architecture formelle, une totalité close, mais que le Tout lui-même est ouvert en restant Totalité. La séparation et la cohésion des moments du temps ne sont-elles pas le meilleur indice de ce que Hegel prétend ainsi signifier ?

Que cette pensée ait été modulée par l'expérience de l'histoire, et par l'exigence d'une culture qui n'est pas un développement harmonieux et spontané, une durée au sens bergsonien, mais une aberration, un oubli de soi, et une reconquête réflexive, cela ne nous paraît faire aucun doute. L'ouverture sur soi passe par la rencontre de l'Autre; la culture n'est pas une évolution spontanée, allant de soi, la boule de neige de Bergson; elle suppose que l'esprit s'est fait étranger à lui-même, que son passé lui apparaît comme une nature hors de lui, qu'il faut s'approprier. Mais comment ce sujet qui est son histoire peut-il en même temps donner lieu à une *logique spéculative*, à un savoir absolu, qui est dans le *langage de la représentation* « Dieu lui-même avant la création du monde et d'un esprit fini » ? La justification de cette thèse, qui est celle de l'onto-théologie, est beaucoup plus difficile; elle nous conduirait sans doute trop loin sans espoir certain d'aboutir. Nous voguerions dans la mer sans rivages de la métaphysique. On peut seulement remarquer que cette *logique*, pensée absolue, qui peut être aussi inconsciente que la Nature ou que l'attribut spinoziste, est, dans sa conscience d'elle-même, la pensée de ce sujet qui est sa propre aventure et son propre retour en soi, une pensée qui contient la différence absolue, sans pourtant l'être effectivement. C'est pourquoi la *logique* n'est elle-même qu'un moment, une image aussi semblable et aussi différente que possible de l'existence. Hegel a voulu remanier les cadres d'une logique formelle, d'un *a priori* que les philosophes se sont accordé à eux-mêmes comme une origine. Si l'Absolu est sujet, les catégories immanentes de son développement doivent être aussi dialectiques que son histoire : elles doivent exprimer, dans leur mouvement et leur systématisation, ce pur devenir de soi que Hegel a conçu à une époque de culture qui s'ouvre pour lui avec l'aube du xixe siècle. A l'esprit immédiat, au spectacle que l'esprit se donnait de lui-même dans l'art et la religion (confondus au niveau de la *Phénoménologie*) doit succéder, avec l'Etat et la société nouvelle, une Science qui soit la conception de soi de l'esprit (déjà préfigurée dans les diverses philosophies). Hegel s'apparaît à lui-même dans la Préface de la *Phénoménologie* comme le philosophe qui mettra en œuvre cette Idée spéculative, baptisée par Kant et reconnue par Fichte et Schelling. Mais cette Idée rejoint, ou plutôt accompagne une époque du monde.

La conception de soi de l'Etre ne fait pas disparaître les représentations que l'esprit a données de lui-même dans les religions et les œuvres d'art, elle en est la réminiscence et l'intériorisation, elle les suppose derrière soi en les dépassant. Ainsi pour Hegel l'esprit existe, et se représente lui-même à lui-même, dans la Nature devenue image, dans l'œuvre d'art, dans l'histoire du Dieu incarné. Mais il parvient aussi à se concevoir. Quelle relation profonde peut alors exister entre cette conception et cette époque nouvelle de l'histoire humaine ? Il n'est pas sûr que Hegel donne une réponse satisfaisante à cette question historique, qu'il pose lui-même dans les premières pages de la Préface de la *Phénoménologie*.

20

STRUCTURE
DU LANGAGE PHILOSOPHIQUE
D'APRÈS LA PRÉFACE
DE LA « PHÉNOMÉNOLOGIE
DE L'ESPRIT »*

I

N'est-il pas trop tard pour parler encore de Hegel ? Notre temps n'est-il pas celui des sciences positives qui non seulement ont su conquérir des vérités dans leurs domaines respectifs, mais encore ont su apprécier et fonder elles-mêmes ces vérités dans le champ de leur savoir, sans avoir besoin du secours du métaphysicien ? L'épistémologie contemporaine et l'histoire des sciences et des techniques sont des disciplines positives. Enfin les sciences humaines, et la première d'entre elles, la linguistique, sont, du moins elles le croient, parvenues à se libérer des hypothèses philosophiques. Reste-t-il encore une place disponible pour la spéculation philosophique ? Dans ce cas y a-t-il un style, un caractère propre d'une exposition

* Manuscrit non daté, non situé. Peut-être de 1967.

ou d'une présentation philosophique, comme il y a un style et un caractère propres des grandes œuvres littéraires ?

On a souvent dit de Hegel qu'il était le dernier philosophe classique. Avec lui peut-être, après lui à coup sûr commence le déclin de la métaphysique. Des chercheurs audacieux ont frayé des voies nouvelles, Nietzsche, Marx, Freud sont-ils encore des philosophes ? Ou sont-ils seulement les critiques des métaphysiques du passé ? Que signifie alors cette pensée qui n'appartient ni à la science positive, ni à l'ontologie classique ? C'est justement parce que Hegel est le dernier des grands métaphysiciens, et parce qu'il en a eu une claire conscience, que sa pensée nous intéresse. Nous sommes un peu, par rapport à lui, ce que fut le Moyen Age par rapport à Aristote. Sa grande ombre couvre tous les essais philosophiques qui se firent jour pour ou contre lui. Hier encore il était considéré comme l'inspirateur de toutes les recherches génétiques et historiques — l'histoire de la philosophie devenant elle-même une philosophie, ou l'histoire humaine surmontant l'aliénation. Maintenant, depuis la nouvelle découverte de la *Phénoménologie de l'esprit*, on a considéré Hegel comme une des sources de la pensée contemporaine et de l'existentialisme. Cependant la pensée la plus moderne se détourne des genèses pour s'attacher aux structures, aux systèmes formels, aux correspondances et aux analogies. Ici c'est plutôt Leibniz qui est considéré comme le grand ancêtre. Pourtant Hegel aussi a pensé structures et systèmes, non pas seulement genèse et histoire, mais Leibniz a aperçu la fécondité de la pensée formelle, la systématicité des systèmes, tandis que Hegel a toujours condamné le formalisme. C'est lui qui a dit : « En art comme en tout autre domaine, c'est le contenu qui compte. » Cependant la pensée formelle de Leibniz est si riche, et la pensée du contenu chez Hegel, si systématique, que le rapprochement de ces deux philosophes s'imposera peut-être un jour.

Mais revenons à notre question préalable. N'est-il pas trop tard pour s'occuper encore de Hegel ? Que pouvons-nous apprendre de lui, qu'avons-nous à lui demander ? Certes, il ne s'agit pas de faire revivre un système condamné, il ne s'agit même pas d'être encore hégélien en un sens quelconque. Mais l'œuvre de Hegel, particulièrement la *Phénoménologie de l'esprit*, et la *Science de la Logique* sont comme des modèles d'une présentation, d'un *discours philosophique*. Comme la *Divine Comédie* de Dante, ou le *Don Quichotte* de Cervantes, ou la *Comédie humaine* de Balzac sont des œuvres dont nous pouvons étudier la structure, l'organisation du discours, ainsi pouvons-nous considérer dans ces œuvres philosophiques de Hegel le discours philosophique comme tel. La comparaison avec les œuvres littéraires s'impose d'autant plus que Hegel l'a faite lui-même, mais la différence est non moins importante. Le discours philosophique ne veut pas être une spéculation imaginaire, il engage une norme de vérité, enfin il contient en lui-même sa méthode et sa critique, il parle et il parle encore sur sa propre parole.

II

C'est à ce titre qu'il est intéressant d'étudier la Préface de la *Phénoménologie* de 1807. Hegel l'a écrite après coup. Il vient d'achever cet étonnant roman de culture qu'est la *Phénoménologie*, plus proche de certaines grandes œuvres littéraires que de l'*Ethique* de Spinoza. Il a tenté de repenser la culture de l'individu à la lumière des étapes de l'histoire de l'esprit du monde. Il prend alors une claire conscience de son projet philosophique. Il envisage une logique spéculative qui remplacera la métaphysique dogmatique d'autrefois. Il y présentera le développement des catégories ou des déterminations de pensées qui constituent le *Logos* de l'Etre et qui correspondent dans l'ensemble, aux systèmes philosophiques du passé. C'est entre cette *Phénoménologie* et cette *Logique* que se situe cette Préface de la *Phénoménologie*. Elle dit le projet hégélien, elle l'oppose au mythe et à la représentation religieuse, comme aux représentations esthétiques. Elle l'oppose aussi au langage formel des mathématiques, elle situe enfin ce projet de discours philosophique par rapport à la pensée commune, ou au savoir positif. C'est pourquoi Hegel traite dans cette préface du discours et du langage philosophiques comme tels, du mode de développement des propositions philosophiques, et si l'on ose ainsi s'exprimer, de leur style propre. On peut se demander pourquoi j'insiste ici sur ces termes de *langage*, de *discours* et même de *style*, pourquoi je ne me suis pas contenté de parler de la pensée philosophique en l'opposant aux autres formes de pensée. C'est que la philosophie de Hegel est dominée par le problème du langage qui est pour lui *l'enfant et l'instrument de l'intelligence*, l'enfant parce que le langage est pour lui consubstantiel à la pensée, qu'il est notre milieu originel, et qu'il ne saurait se séparer d'elle, comme elle de lui, l'instrument, parce qu'il est aussi le moyen de la signification et de la communication, mais un moyen qui n'a jamais l'objectivité complète de l'outil. Le langage est le sujet-objet. C'est dans le langage seulement que la pensée existe. Dans toute autre extériorisation, elle se perd et s'égare, si elle n'est pas confirmée par un langage. Dans le langage, le Moi, ce Moi-ci est en même temps pour autrui, il est universel et singulier à la fois. Le langage est cet objet qui est en même temps réfléchi en soi-même, c'est dans le langage que le monde se signifie, et que la pensée est pour elle-même sujet et objet. Le milieu du langage est la conscience de soi universelle de l'Etre. Toute la *Phénoménologie* développe cette thèse sur le langage et la répète à différents niveaux. La connaissance est possible parce que, dès la certitude sensible, jouent ces pronoms personnels — je, tu — et ces déterminations originales du ceci, de l'ici et du maintenant, qui disent à leur façon l'universel dans la visée singulière. C'est à partir d'eux que le dialogue et la détermination deviennent effectifs. La conscience commune ne sait pas toujours ce qu'elle dit ni qui parle en elle mais elle le dit et elle parle, une autre conscience pourra l'entendre. C'est dans le langage et dans son exercice que l'esprit existe. Il est le sujet universel qui est en même temps objet; et s'il y a une diversité de langues, comme il y a une intersubjectivité, cette diversité est contenue dialectiquement dans l'universalité du langage humain. Certes nous regrettons que Hegel n'ait pas poussé plus loin encore sa réflexion sur le langage, et sur les langues; nous ne pouvons que tenter de prolonger sa pensée jusqu'à la nôtre.

Dans toute la *Phénoménologie*, le langage apparaît bien comme cet élément, ce milieu de l'universel concret que Hegel a voulu présenter. Si, dès la certitude sensible, le langage nous situe dans l'universel pour pouvoir atteindre les objets singuliers du monde, et nous manifeste que c'est à travers les significations seulement que nous pouvons nous référer au monde, et ainsi voir, manier et comprendre les choses, il est aussi l'expression des moments successifs, des thèmes de la culture. Il y a le langage du commandement dans la vie éthique, l'impératif de l'ordre, le langage qui agit par sa seule forme de langage dans le serment, il y a enfin le langage d'une culture particulière, le langage de l'honneur ou de la flatterie, le langage du déchirement tel qu'il apparaît dans *Le Neveu de Rameau*, l'œuvre de Diderot analysée par Hegel dans la *Phénoménologie*. A la fin de la *Phénoménologie*, quand il traite de la religion, Hegel parle de l'œuvre spirituelle, il montre comment le monde est dit dans l'épopée, comment la subjectivité s'exprime dans la fluidité de de l'œuvre lyrique, comment enfin le théâtre, tragédie et comédie, concilie la subjectivité des Moi et l'objectivité du monde, la nécessité et le destin. Avec la religion, avec ces expressions esthétiques dont Hegel montrera plus tard qu'elles aboutissent à l'œuvre poétique, comme à leur fin, nous sommes proches du discours philosophique; mais pour Hegel ce discours n'est plus celui de la représentation, mais du concept, il est, pourrait-on dire, l'essence même du langage, des significations comme telles et de leurs médiations.

Dans la Préface de la *Phénoménologie*, Hegel tente de caractériser le langage et le discours philosophique, en l'opposant aux autres formes de langage; il critique d'ailleurs la possibilité de traiter cette question dans une préface qui ne peut être qu'une indication, un schéma formel. Pour lui la philosophie ne se sépare pas de sa présentation effective. Il n'y a pas de méthode préalable, d'instrument séparable de son usage. On a souvent reproché à Hegel un mécanisme formel procédant par thèse, antithèse, et synthèse, et se répétant avec monotonie. Pourtant il a lui-même condamné ce schématisme. Le contenu et la forme sont pour lui inséparables dans le message philosophique. Le message est à la fois contenu et forme, il est le message et le message sur ce message. Cependant, Hegel a écrit cette Préface sur l'œuvre, son discours de la méthode, et nous y sommes aujourd'hui plus sensibles encore qu'à l'œuvre elle-même. Si nous admirons, comme elles le méritent, la *Phénoménologie*, science originale de la pensée commune et du langage quotidien, et la *Logique*, science des catégories qui sous-tendent et articulent toute l'expression de la pensée, nous ne pouvons cependant les considérer que comme des essais; elles valent pour nous comme des exemples d'une présentation philosophique, nous ne croyons pas comme Hegel qu'elles embrassent la totalité; mais le projet qui les anime et qui est un projet de totalisation est aussi le nôtre, dans la mesure où nous essayons encore de dire et de communiquer le savoir lui-même. Même si des divergences essentielles nous séparent de Hegel, nous ne pouvons pas être insensibles à cette réflexion sur le langage et le discours philosophique.

III

Nous comprendrons mieux Hegel si nous nous représentons ce que furent ses travaux de jeunesse, et les premières manifestations de sa pensée. Il ne fut pas d'abord un philosophe au sens technique du terme, mais il étudia par exemple Montesquieu et Lessing,

Rousseau, etc. Il s'est nourri de toute la pensée française du XVIIIe siècle. Il a été formé par l'*Aufklärung*. Il semble bien que la pensée philosophique devint pour lui l'expression de la vie et de la culture humaine, prenant la place de la religion. C'est ainsi du moins qu'il la présente dans sa première œuvre philosophique sur la différence des systèmes de Fichte et de Schelling en 1801. A l'époque de la *Phénoménologie*, en 1807, il s'agissait pour lui de caractériser la philosophie par rapport à la pensée commune. Par une sorte de paradoxe, la *Phénoménologie de l'esprit* qui nous paraît si difficile est une réflexion sur la conscience commune, nous dirions aujourd'hui sur le langage quotidien. A la fin de sa Préface, Hegel dit qu'on la comprendra bientôt, mais ce n'est qu'aujourd'hui que l'originalité et la portée de la *Phénoménologie de l'esprit* nous apparaissent. Il s'agit en effet d'une science de l'expérience commune, et nous savons que le langage quotidien est le plus difficile à penser. Dans sa Préface, Hegel nous dit que la Science, si elle est en dehors de la conscience de soi commune, reste ineffective. Elle doit donc montrer elle-même son rapport à la conscience et à l'expérience commune. Celle-ci doit de son côté découvrir en elle l'apparition de la Science; ainsi elle surmontera son inconscience profonde, car elle se méconnaît elle-même, elle ne sait pas ce qu'elle dit ou fait; pourtant le philosophe ne doit pas se substituer à elle, mais la suivre dans ses expériences théoriques et pratiques, les recueillir dans l'élément du savoir (Hegel dit « l'élément » comme nous disons l'élément marin), jusqu'au moment où, dans le savoir absolu, la conscience commune pourra se reconnaître dans la conscience philosophique; et celle-ci à son tour dans celle-là. Il en est un peu comme dans une psychanalyse, où le patient peut dire à la fin de la cure « je l'avais toujours su ». Car, ce qui est remarquable dans cette histoire de la conscience commune et de son langage, c'est qu'elle est toujours un dialogue humain, et que l'élément du dialogue accompagne l'élément cognitif. Le savoir passe par la communication et d'abord par l'inégalité des consciences avant la reconnaissance effective.

Cette tentative de présenter la conscience commune, d'en suivre l'histoire, de voir germer en elle un savoir de soi plus profond qu'il ne lui semblait, est certainement une acquisition définitive de notre pensée. Nous pouvons trouver que Hegel n'a pas résolu la question qu'il a posée, qu'il n'a pas tenu compte (comment l'aurait-il pu à cette date ?) du développement des sciences positives et donc de leur relation à la conscience commune, problème pour nous si important et que Husserl a abordé pour sa part dans ses dernières œuvres, mais nous ne pouvons méconnaître la portée d'une relation du savoir scientifique au savoir commun, du langage scientifique au langage quotidien. Si l'œuvre littéraire, les romans de culture, auxquels Hegel se réfère explicitement, sont une présentation imaginaire d'une vie exemplaire, que sera donc l'œuvre philosophique dans la mesure où elle présentera la conscience commune ? Quel sera le caractère de cette présentation ? A quelles conditions le discours commun deviendra-t-il discours proprement philosophique ? Dans la Préface de la *Phénoménologie*, Hegel oppose le discours philosophique aussi bien au bavardage et à la conversation, ou à l'œuvre littéraire, qu'à la science dogmatique et plus spécialement au savoir formel des mathématiques. Il s'oppose à un savoir qui ne serait qu'un catalogue ou une nomenclature; le langage dans sa profondeur est pour lui bien autre chose. Il tente de caractériser le discours philosophique par sa nécessité interne, par son développement intérieur qui, moins lâche qu'un récit ou qu'une histoire événementielle, n'a pourtant pas recours à des démonstrations extrinsèques. Ce qu'il condamne dans le savoir formel, ou dans le savoir dogmatique, c'est la séparation de la forme et du contenu des démarches du savoir et de leur résultat. Le discours philosophique sera le seul dans lequel le Soi du savoir, et le Soi du contenu s'identifieront. Ce langage ne sera pas un langage *sur* quelque chose qui viendrait du dehors, ou un langage formel qui servirait seulement de cadre à un contenu absent, il sera le dit de l'Etre qui est son propre savoir, et le savoir de sa différence. Comment l'expérience peut-elle ainsi se signifier et se dire, comment peut-elle — et ce sera le sens de la *Logique* — présenter ses déterminations et ses articulations fondamentales, aussi bien dans leur fixation que dans leur mouvement ? La *Logique* hégélienne s'efforcera de réconcilier la fixation de l'écriture avec la vitalité de la parole vivante.

Hegel oppose le discours philosophique à la pensée dogmatique et à la pensée critique. Dans un cas la vérité se manifeste sous l'aspect d'une proposition fixe, d'un résultat. Les preuves sont seulement un instrument de la connaissance qui ont servi à établir la proposition, mais elles n'appartiennent pas au vrai lui-même. Hegel critique le formalisme mathématique; il considère que les démonstrations mathématiques sont des moyens de la connaissance, une argumentation comme le langage d'Euclide le manifeste déjà : axiomes, postulats, etc. Elles n'expriment pas le devenir de la chose elle-même. C'est au contraire ce devenir que doit présenter le discours philosophique. Dans la pensée critique qui inclut toutes ces formes d'argumentations et de polémiques, le savoir se replie toujours sur soi. Il sait montrer ce que la chose n'est pas, mais il ne peut aller au-delà de sa critique, il doit attendre qu'un nouveau contenu s'offre à lui du dehors, pour en faire à nouveau le thème de sa critique. C'est ici que Hegel définit la pensée philosophique comme celle qui concilie en elle la pensée dogmatique et la pensée critique. La critique ne vient pas du dehors, elle appartient au développement même de la chose, elle est son mouvement et son devenir, inversement la proposition vraie n'a plus le caractère d'une affirmation séparable en droit des moyens qui ont servi à l'établir. « Le vrai, dit Hegel, est sujet, il est le délire bachique, dont tous les membres sont ivres » et qui résout aussi bien tout ce qui tend à se séparer. C'est pourquoi il est à la fois le mouvement et le repos. Dans la pensée représentative, le sujet dont on parle, et le sujet du savoir, celui qui parle, sont différents. Il y a un support, une base fixe à laquelle les prédicats sont attachés. La proposition commune comporte ce lien extérieur du prédicat au sujet. C'est pourquoi elle oscille entre un noyau inconnaissable, une chose en soi, d'où lui viendrait son objectivité, et des prédicats qui sont attribués à ce noyau, mais dont le lien résulte d'une argumentation propre au sujet connaissant. Ainsi la pensée représentative a besoin de cette référence à une chose extérieure pour se donner un contenu, mais en même temps elle réfléchit dans le sujet connaissant toutes les démarches du savoir. C'est cette séparation des deux sujets, celui de la chose même et celui du savoir, qui oppose la pensée représentative à la pensée philosophique. Cette opposition se traduit dans le langage et dans le discours lui-même. Le savoir non philosophique va d'un de ces sujets à l'autre, il n'est pas capable de s'oublier lui-même dans le contenu, il y a donc d'un côté l'argumentation et le savoir, de l'autre le support fixe, d'un côté la réflexion, de l'autre la chose, d'un côté une pensée subjective, de l'autre l'objectivité. C'est ce que traduit la structure ordinaire du discours, et l'extériorité de la médiation par rapport aux termes ; le style de la pensée philosophique — que Hegel nomme la dialectique — apparaît dans un discours dans lequel la médiation est la chose même, un discours qui est celui d'un sujet impersonnel comme l'est après tout le langage lui-même. L'idéalisme hégélien est le contraire d'un subjectivisme ou d'un criticisme, au sens kantien du terme. Si le vrai est sujet, cela ne signifie pas qu'il est la subjectivité humaine, celle de l'individu singulier ou d'un sujet du savoir séparable de l'univers. Il y a bien une pensée représentative, une pensée subjective, mais ce sont là seulement des moments et le sens de la *Phénoménologie* est de reconduire ces moments au savoir philosophique, au savoir absolu, qui est la dialectique des choses et non la dialectique d'un savoir qui en serait séparable.

Le discours philosophique bouleverse la manière commune

d'entendre la proposition et le lien des propositions entre elles. C'est la distinction du sujet et du prédicat qui est dépassée. Le sujet n'est plus la base immobile, la référence constante et le prédicat n'est plus un attribut extérieur. Le sujet passe dans ce qu'on nommait le prédicat, mais celui-ci à son tour devient sujet. L'essence, la détermination, la spécification sont des moments d'un développement et c'est ce développement qui est devenu le sujet même. Il n'y a pas d'originaire, de terme premier, c'est le devenir et la médiation qui sont à la fois le sujet du contenu et le sujet du savoir. La présentation philosophique ne sera pas une représentation subjective des choses, mais l'expression, le sens des choses elles-mêmes. La négation n'est pas isolable de ce qu'elle nie, comme si elle appartenait seulement au sujet du savoir, elle est dans les choses elles-mêmes sous l'aspect de leur détermination et de leur fixation, et du mouvement qui dépasse cette division. L'analyse des représentations, la décomposition qui est la puissance même de l'entendement, puissance qui paraît si étrange à la conscience qui s'était arrêtée aux représentations familières et soi-disant bien connues, est un moment essentiel, aussi bien que la médiation, du système qui reconstitue le Tout dans son mouvement. Ces caractères du discours philosophique en font la difficulté dont on se plaint toujours, car la référence, le de quoi on parle et le qui parle échappent sans cesse. C'est le devenir qui est sujet.

IV

Au terme de cette réflexion sur le discours philosophique, je voudrais seulement insister sur ce qui me paraît encore valable dans cette pensée hégélienne. Nous devons à Hegel ce double projet qu'il a tenté de réaliser dans la *Phénoménologie de l'esprit* et dans la *Logique* celui d'une science de l'expérience commune, du langage quotidien et celui d'un système des déterminations de pensée. Toutes les formes modernes de phénoménologie reprennent le premier projet. Les résultats des sciences et des langages techniques doivent pouvoir à leur tour se traduire dans le langage quotidien. Ils parlent de lui, et doivent y retrouver leur sens. Mais d'autre part la recherche de toutes les déterminations de pensée, de toutes les articulations du langage humain en général à travers lequel passe inconsciemment notre rapport fondamental au monde est aussi au centre des recherches contemporaines. Il nous faut bien reconnaître que ces deux projets ne sont pas envisagés aujourd'hui comme pouvait les envisager Hegel, mais nous devons pourtant nous référer à lui pour mieux évaluer leur portée et les limites de leurs réalisations possibles.

Enfin il me semble que s'il reste bien un domaine philosophique, dans lequel seront étudiés le rapport de la conscience commune aux sciences et le système du langage, le style philosophique dans ce qu'il a d'original devra être considéré pour lui-même. Il faudra voir comment il n'a ni le caractère dogmatique des sciences positives, ni le caractère subjectif des examens critiques. La présentation est quasi impersonnelle, elle n'est plus celle d'une confession ou d'un récit, et pourtant, elle est la présentation d'un sujet qui coïncide avec son devenir. Qui parle ? La réponse n'est ni le *on* ni le *çà*, ni tout à fait le *je* ou le *nous*. Ce nom de *dialectique* que Hegel a repris pour le caractériser et qui désigne une dialectique des choses elles-mêmes, et non un instrument du savoir, est lui-même au centre de ce problème. Qu'est-ce qu'une présentation philosophique et quelle est sa structure ? Il est remarquable que Hegel, en tentant de présenter le système des articulations et des déterminations de pensée, a vu à la fois leur objectivité — elles sont une conscience universelle de l'Etre — et ce qui les oppose à l'étant lui-même, à la Nature. Le *Logos* dit aussi la différence absolue, mais il n'est pas lui-même la différence absolue car cette différence appartient encore au *Logos*. Le Savoir universel sait donc aussi sa propre limite, il mesure les limites de la signification ou du sens, la part du non-sens qui investit encore la signification, ce que Hegel envisageait comme le rapport du *Logos* et de la nature le jeu de leur identité et de leur différence. Pour Hegel il ne s'agissait pas là d'une théologie négative, d'un sens si l'on peut dire au-delà du sens, mais d'une finitude irrémédiable, d'un sens perdu (comme on dit une cause perdue) et qui n'est jamais totalement récupérable. Le discours philosophique doit reconnaître cette finitude, peut-être plus encore que ne l'a fait Hegel, sans se replier pour autant dans un subjectivisme critique. Enfin n'y a-t-il pas entre la présentation génétique et la systématicité un antagonisme latent que Hegel n'a pu réussir à faire disparaître ? Genèse et structure s'accordent-elles dans la présentation philosophique ?

V

MARX

I

LA COMPRÉHENSION DE L'HISTOIRE VÉCUE CHEZ MARX (A PROPOS DU « 18 BRUMAIRE »)*

I

Nous devons à Marx une problématique de l'histoire, comme nous devons à Freud une problématique de l'inconscient. On pourrait la formuler ainsi : qu'est-ce que l'histoire vraie par rapport à l'histoire apparente, qu'est-ce qui se cache derrière le jeu superficiel des acteurs historiques, ceux qui occupent le devant de la scène ? Dans la Préface de la *Contribution à la Critique de l'Economie politique*, Marx dit précisément : de même qu'on ne juge pas un indi-

* Institut international de Philosophie, Rapport présenté aux entretiens de Jérusalem (Israël) sur la Compréhension de l'Histoire, 4-8 avril 1965.

vidu sur l'idée qu'il se fait de lui, de même on ne peut juger une époque — ou une société — sur sa conscience de soi (1). Sans doute Marx n'a pas inventé cette problématique : chercher l'essence derrière l'apparence est une idée banale et remonte aussi loin que l'apparition de la pensée; mais il a découvert une manière d'attaquer le problème qui est d'une grande originalité. La comparaison avec Freud peut nous éclairer. Freud n'a pas inventé l'inconscient ou la psychologie des profondeurs; mais il a dévoilé les structures originales de l'inconscient, la condensation, le déplacement, le langage du rêve, et les relations de sens entre la vie consciente et ces structures. Il suffit de lire quelques études politiques de Marx : *La lutte de classes en France, Le 18 Brumaire, La guerre civile en France* (c'est-à-dire la Commune), pour comprendre l'originalité de cette compréhension de l'histoire qui remonte les apparences, et dégage le sens social et fondamental d'une suite d'événements historiques. Il faut aussi insister sur ce fait que cette compréhension de l'histoire est contemporaine de l'histoire elle-même. Marx assiste d'Angleterre aux luttes de classes en France, il forme son interprétation au cours du déroulement des événements. Il ne s'agit donc pas d'une interprétation objective de l'histoire dans le sens ordinaire du terme, d'un observateur impartial. Celui qui interprète est lui-même engagé dans son interprétation. Il participe ou croit participer à une lutte qui produira la révolution prolétarienne. L'interprétation suggère la théorie marxiste, le matérialisme historique, la lutte des classes. Mais cette théorie n'est pas une doctrine toute faite élaborée par un philosophe en chambre; elle est elle-même le résultat d'une prise de conscience de l'histoire. Marx dirait : c'est la *conscience de soi vraie* de l'histoire. Il n'est pas possible de donner ou de refuser son accord : on peut seulement suivre l'exploration de l'histoire vivante engagée dans cette voie, pour en montrer la pénétration et l'originalité. Ajoutons

---

(1) Cf. Karl MARX, *Œuvres*, t. I, La Pléiade, p. 273.

que la lecture des textes cités *(18 Brumaire, Guerre civile en France)*
nous montre qu'il ne s'agit pas d'un système tout fait plaqué sur
des événements. La part de la contingence, le jeu des apparences,
le conflit des idéologies, tout le devant de la scène historique n'est
pas brutalement réduit à une explication par une classe sociale
(la bourgeoisie succédant à l'aristocratie, le prolétariat à la bourgeoisie), la classe sociale s'expliquant à son tour par des rapports de
production. Il y a à la fois, dans le texte de Marx, la recherche des
mouvements profonds qui commandent les développements, l'étude
spécifique et concrète des manières d'apparaître de ces mouvements,
de leur phénoménalité historique, il y a enfin la passion d'un homme
qui est engagé lui-même dans la bataille, qui, donc, en comprenant
l'histoire, veut se comprendre lui-même : conscience de soi de
l'histoire — l'histoire que je fais.

II

Avant de souligner la portée de cette compréhension historique
— et d'indiquer son échec relatif — nous insisterons sur cette
compréhension d'une histoire *vécue* en même temps qu'elle est *jugée*.
On sait que Marx est parti d'une réflexion sur la philosophie de
l'Etat de Hegel. Pour comprendre Hegel et Marx il faudra toujours
revenir à ce commentaire de la *Philosophie du Droit* de Berlin. Hegel
a représenté la Société et l'Etat de son époque, la société bourgeoise
et l'Etat bourgeois, et il a conservé quelques traits du régime aris-
tocratique et monarchique antérieur. Est-il en retard sur son temps,
comme le dit Marx, ou parfois en avant quand il dénonce le caractère formel de la démocratie, et la crise de la société bourgeoise ?
Marx peut exercer son ironie contre l'état bureaucratique moderne :
la société prolétarienne supprimera-t-elle cet Etat ou ne l'aggra-
vera-t-elle pas ?
Dans son introduction à la *Philosophie du Droit*, Hegel se refuse à

prophétiser, à donner une vision du futur, et il cite à ce propos un texte d'Esope :

Hic Rhodus, hic Salta.

C'est ici Rhodes, et c'est le moment pour le vantard de la fable de montrer ce qu'il sait faire. Il est au pied du mur, il faut sauter. Ainsi l'histoire vivante, celle qui se fait nous tient. Il faut sauter, mais le penseur n'a pas à imaginer l'histoire, il doit seulement la comprendre. Hegel, jouant sur les mots (Rhodes est la ville des roses, et le saut peut être aussi une danse), propose une autre traduction :

Ici la Rose, ici la Danse.

Et il donne comme prescription au penseur de l'histoire : découvrir la rose dans la croix du présent, comprendre l'Etat rationnel dans le mouvement de l'histoire. Quelle différence avec Marx qui refuse cette contemplation de l'histoire, pour qui on ne peut comprendre l'histoire que quand on participe à sa réalisation ! C'est bien pourquoi dans *Le Capital*, comme dans *Le 18 Brumaire*, Marx reprend la citation d'Esope, et il lui donne un autre sens. Dans la période qui va de février 1848 à décembre 1851, Marx, qui a étudié la lutte des classes en France et qui a aperçu, derrière les apparences des événements, l'arrivée au pouvoir de la classe bourgeoise, divisée encore en aristocratie foncière, et en puissance financière, prend conscience de ce que signifie le *parlementarisme*, la république bourgeoise — le gouvernement qui nous divise le moins. Il note le caractère formel de ce parlementarisme incapable d'agir. Il opposera quelques années plus tard la Commune comme « corps agissant à un organisme parlementaire ». C'est pourquoi il donne un sens actif à la citation « il faudra que soit créée enfin la situation qui rendra impossible tout retour en arrière ». Ce sont les circonstances elles-mêmes qui crient : *Hic Rhodus, hic Salta*. Et si Marx donne la traduction de Hegel qui est un jeu de mots : « C'est ici qu'est la rose, c'est ici qu'il faut danser », c'est tantôt pour critiquer la parodie d'action que représente l'impuissance du parlementarisme, tantôt pour réconcilier l'Etat rationnel qui jaillira de la révolution prolétarienne, avec les conditions de sa réalisation.

Ici Marx a découvert dans le 18 brumaire le caractère formel du parlementarisme et ce qui se dissimule derrière — la république bourgeoise, signifiant que « si jusque-là une partie restreinte de la bourgeoisie avait régné au nom du roi, c'est désormais l'ensemble de la bourgeoisie qui doit régner au nom du peuple ». Il est vrai qu'en Europe — contrairement à ce qui peut se passer dans une société neuve en état de production conquérante par exemple en Amérique — « la république n'est d'une façon générale que la forme de transformation politique de la société bourgeoise et non pas sa forme de conservation ». C'est pourquoi, pour se défendre contre le prolétariat plus ou moins allié à une petite bourgeoisie, la république doit renforcer son appareil étatique, son pouvoir exécutif agissant. Il y eut Cavaignac. il y eut Napoléon, le neveu de l'oncle qui joue en comédie ce qui s'était déjà joué en tragédie. Marx prend donc également conscience du pouvoir de l'Etat, comme ce qui assure et garantit la domination de la classe sociale. « Le pouvoir exécutif dispose d'une armée de fonctionnaires de plus d'un demi-million de personnes et tient par conséquent sous sa dépendance la plus absolue une quantité énorme d'intérêts et d'existences... L'Etat enserre, contrôle, réglemente, surveille et tient en tutelle la société civile depuis ses manifestations d'existence les plus vastes, jusqu'à la vie privée des individus... L'intérêt matériel de la bourgeoisie française est précisément lié de façon très intime au maintien de cette machine gouvernementale vaste et compliquée. » Caractère formel du parlementarisme, et comme contrepartie, hypertrophie d'un Etat qui maintient l'ordre bourgeois contre la révolte montante du prolétariat. Un dernier trait nous permettra de caractériser Marx révolutionnaire et si l'on ose dire existentialiste. On sait quelle fut son attitude à l'égard de la Commune de Paris. Il avait prévu l'échec de l'armée de Napoléon III, redouté les ambitions dangereuses de la Prusse, sources de guerres absurdes dans l'avenir, il avait aussi prévu l'échec d'un mouvement prolétarien dans la formation de la république, il le jugeait prématuré. Mais quand ce mouvement se produisit, il l'approuva, l'encouragea : c'est le sens de la troisième adresse de Marx à Londres intitulée *La guerre civile en France en 1871.* J'ai parlé de l'existentialisme de Marx, qui sacrifie ici la prudence scientifique à l'héroïsme de la cause. « Montant à l'assaut du ciel dans des conditions historiques exceptionnellement défavorables, abandonnée par ses alliés, entourée de tous les côtés par l'armée de Thiers et par celle de Bismarck qui s'étaient unis contre elle, la classe ouvrière de Paris défendit héroïquement une barricade après l'autre. » Sans doute la leçon — celle même des erreurs — n'était pas perdue, et on connaît le commentaire que Lénine a donné à ce texte de Marx.

III

La tâche qui serait encore la nôtre, et que nous ne pouvons qu'indiquer, est démesurée, bien qu'elle soit pour la problématique de l'histoire très importante.

Pourquoi en dépit d'une compréhension géniale non seulement des vagues de fond, mais encore du jeu des apparences (répétitions, traductions des intérêts dans des idéologies, signification des formes politiques), pourquoi Marx a-t-il échoué ? Il avait en effet décrit admirablement la substitution de la bourgeoisie — comme classe des producteurs — aux vieux ordres à l'abri desquels vivaient les sociétés, noblesse, armée, clergé, etc. Comme Hegel, il a perçu dans toute son ampleur la révolution bourgeoise; mieux que Hegel puisqu'il en a compris l'économie et l'universalité, l'extension au marché mondial. Mais il a cru que la révolution prolétarienne suivrait — et très rapidement — dans les pays évolués où la révolution bourgeoise s'était réalisée. La petite bourgeoisie, les radicaux, les sociaux-démocrates, devaient faire appel à un prolétariat grandissant. Par ailleurs les rapports de production ne pouvaient plus s'accommoder des limitations contingentes du capitalisme. Il suffisait donc de poursuivre l'élan de l'histoire. Quand on lit ces œuvres historiques remarquables, *Les classes sociales en France, Le 18 Brumaire, La guerre civile en France*, on a le sentiment de comprendre le mouvement d'un drame dont l'issue est proche. Or cette issue ne s'est pas produite, ou du moins elle s'est produite ailleurs et sous d'autres formes, en particulier, en maintenant, en renforçant le pouvoir d'un Etat planificateur de l'économie, et non plus protecteur d'une classe sociale.

Comment mesurer ce décalage entre la révolution bourgeoise et l'autre révolution qui était annoncée ? On peut remarquer d'abord que la révolution bourgeoise — si on l'entend au sens de Marx — est de beaucoup la plus importante, puisqu'elle substitue le problème de la production de la vie et de la survie humaine, au problème des hiérarchies et des ordres constitués. Marx le savait, et il ne pouvait considérer le communisme que comme une forme supérieure, plus pratique et sans doute nécessaire, de cette première transformation humaine. L'application du mouvement des classes au prolétariat ne s'est pas effectuée de la façon prévue, et c'est le problème des sous-développés dans le monde qui a pris sa place. Il n'en reste pas moins que l'histoire comprise comme histoire et comme histoire révolutionnaire a connu après Marx un point de rebroussement. Les mots de production, de classe sociale, de révolution, d'économie généralisée et peut-être même d'Histoire ont changé de signification, de sorte que la description de Marx, si profonde soit-elle, ouvre la voie à une interprétation d'elle-même susceptible de la reconduire dans la perspective de notre histoire à nous.

LE « SCIENTIFIQUE »
ET L' « IDÉOLOGIQUE »
DANS UNE PERSPECTIVE MARXISTE *

Il est de l'essence d'une œuvre comme celle de Marx de provo-
quer au cours de l'histoire des interprétations nouvelles. Cette
œuvre, en effet, est à la fois une œuvre de pensée et une action qui
vise à une transformation du monde social et humain. L'apparition
d'un monde communiste, sous des formes historiquement imprévues,
la coexistence de ce monde avec un monde capitaliste, devenu lui-
même très différent de ce qu'il était au XIXe siècle, enfin le rapport
entre des pays développés et d'autres en voie de développement,
autrefois colonies, cet état actuel de notre planète conduit à de
nouvelles interrogations sur le marxisme, à un retour aux ouvrages
et aux textes fondamentaux de Marx qu'on ne peut séparer des
interprétations de Lénine. Aujourd'hui on doit à Louis Althusser
et à ses élèves une lecture et une interprétation de Marx qui prennent
sans doute leur sens dans le contexte de l'histoire contemporaine.

* Extrait de *Diogène*, no 64, octobre-décembre 1968.
N.B. — Le lecteur trouvera ici avec émotion un texte posthume de Jean
Hyppolite dont la disparition au moment de la composition de ce numéro spécial
constitue une perte irréparable pour la philosophie contemporaine.

Ce n'est pas cependant sur ce sens actuel (encore imprévisible) que nous allons réfléchir, mais sur quelques thèmes majeurs de cette interprétation. Qu'est-ce que le *scientifique*, quelle est cette science nouvelle, le *matérialisme historique*, que Marx aurait commencé à constituer, que devient dans cette perspective la philosophie, c'est-à-dire chez Marx et Lénine le *matérialisme dialectique*, enfin quels rapports soutiennent les *idéologies*, en un sens dont Marx est l'instigateur, avec la science ou la philosophie ?

Une réflexion sur la science, ou plutôt sur la scientificité de la science, se nomme une *épistémologie*. Nous devons à Gaston Bachelard une remarquable initiation à cette épistémologie. C'est à travers une histoire des sciences, mais une histoire repensée, une histoire récurrente, que Gaston Bachelard a mis en lumière la construction des concepts et des théories scientifiques, leur réalisation dans le laboratoire sous la forme d'une *phénoménotechnique* qui crée ses propres phénomènes pour prolonger autant que confirmer ce qu'il faut bien nommer une *pratique théorique*. Cette pratique théorique (expression que L. Althusser applique à l'œuvre scientifique de Marx), ce nouvel esprit scientifique est aussi différent que possible d'un empirisme ou d'un positivisme, au sens usuel du terme. L'élaboration des concepts d'une science, ou même d'un domaine particulier de la physique, est le contraire d'une lecture ou d'une traduction immédiate de l'expérience vécue, de ce que dans la vie quotidienne nous nommons le réel. Tout l'effort de Bachelard a porté sur cette séparation entre la conception scientifique et l'empirisme. Ce n'est pourtant pas à un idéalisme, mais à un *matérialisme rationnel*, qu'il aboutit. En étudiant la formation des concepts scientifiques qui seule définit la rationalité, Bachelard, sans employer ces termes qui conviennent pleinement à son intention, a bien décrit cette *pratique théorique*, qui connaît les *obstacles* que rencontre toujours le « scientifique » dans ce qu'on prend pour une expérience immédiate.

Il y a ainsi des coupures, des ruptures dans l'histoire repensée d'une science. L'histoire du phlogistique est une histoire périmée, au contraire la théorie du calorique est du passé actuel. La notion de chaleur spécifique est une notion scientifique. Il n'y a pas de dialectique positive qui permette de passer de l'une à l'autre, l'une est de l'idéologique, *fragment* d'un système de représentations qui hante l'expérience vécue, l'autre est du scientifique, *moment* d'une élaboration théorique qui a, si l'on veut employer le mot que conserve G. Bachelard, sa dialectique propre. Il faut donc une véritable purification — une psychanalyse du feu — pour surmonter l'obstacle, passer d'un réel, inextricablement lié à nos rêves et nos rêveries, à un concept scientifique. Avant la chimie, il y a eu l'alchimie, avant la découverte de la vraie nature de la molécule d'ozone, il y a une étrange histoire de cette substance chez les savants eux-mêmes, avant la notion de résistance électrique, il y a eu le galvanisme. G. Bachelard n'a pas seulement développé cette conception du « scientifique », il a aussi exploré ce domaine de l'imaginaire; dans une vie double il a suivi tantôt le prolongement de l'expérience vécue dans les rêves et les rêveries poétiques, tantôt le surgissement du concept scientifique, normatif en lui-même, ouvrant des problématiques nouvelles et permettant de réaliser des phénomènes avec la puissante technique des laboratoires. Nous n'avons pas fini de méditer sur ce dualisme de G. Bachelard et sur ce que ce génie philosophique a apporté tant à l'épistémologie qu'à la poétique. Un domaine semble négligé dans cette double perspective, c'est celui de la *prose du monde*, et de l'*histoire vécue*, bref ce qu'on nomme le réel; mais nous commençons aussi à savoir que ce réel immédiat, tant cherché par les philosophes, bergsoniens ou phénoménologues, n'est peut-être qu'un objectif lui-même imaginaire, un objectif, non un objet; il est inséparable d'un ensemble de pratiques qui excluent précisément la pratique théorique. Il faudrait donc repenser ce dualisme de G. Bachelard et faire rentrer l'expérience vécue elle-même, soit dans des pratiques plus ou moins informées, soit dans des systèmes de représentations plus ou moins organisés qui déterminent notre action et nous permettent de jouer notre rôle dans un ensemble pratico-social, bref dans ce que Marx en 1845 avait nommé pour la première fois des *idéologies* et qui est, si l'on peut dire, l'inconscience de la conscience.

La problématique qui résulte de ce schéma trop bref est celle qui oppose la *scientificité* des sciences aux pratiques sociales et aux *idéologies*. Tout système de représentation qui ne serait pas théorie scientifique serait donc proprement idéologie; cela ne signifie pas qu'il faille dévaluer l'idéologie par rapport à la science, comme une mystification s'opposerait à la vérité; elle n'est pas du même ordre et elle existera toujours, même dans un monde communiste (nous le savons bien aujourd'hui). Cette coupure entre l' « idéologique » et le « scientifique » avec, comme conséquences, le refus de voir dans le marxisme un humanisme (bien entendu il n'est pas non plus le contraire, ce qui serait une autre idéologie), et la reconnaissance d'une permanence de l'idéologie est une des perspectives nouvelles sur le marxisme. En parlant de l'épistémologie contemporaine de G. Bachelard, nous ne faisons qu'un détour — à vrai dire essentiel — pour tenter de repenser l'épistémologie de Marx. Un certain marxisme — nommons-le, avec A. Badiou, totalitaire (1) — a bien insisté sur les sciences, en y ajoutant de soi-disant lois dialectiques, mais il n'est pas sorti vraiment de l'empirisme; cependant quand on se réfère à l'Introduction de Marx à la *Critique de l'économie politique*, de 1857, on découvre que pour Marx la science ne consiste pas à lire l'expérience, à partir du concret, mais à reconstituer à l'aide d'abstractions, de concepts, l'objet à connaître. Cette élaboration « est un produit du cerveau pensant qui s'approprie le monde de la

(1) Cf. l'article de A. BADIOU, Le (re)commencement du matérialisme dialectique, *Critique*, mai 1967.

seule façon qui lui soit possible d'une façon qui diffère de l'appropriation de ce monde par l'art, la religion, l'esprit pratique » (1).
Cette production de concepts laisse intact l'objet réel; elle ne se
confond pas — comme chez Hegel — avec la genèse même des
choses. La genèse du réel et la constitution de la science, en particulier celle de l'histoire, ne se confondent pas. Nous avons ici une
conception de la science que l'épistémologie contemporaine nous aide
à comprendre et que Marx a sans doute pressentie. Ce n'est pas
un empirisme et ce n'est pas non plus une dialectique hégélienne.
Dans celle-ci le pour-soi habite toujours l'en-soi. Comme le dit
Marx, pour Hegel, le réel est le résultat de la pensée « qui se concentre
en elle-même, s'approfondit en elle-même, se meut par elle-même,
alors que la méthode qui consiste à s'élever de l'abstrait au concret
n'est pour la pensée que la manière de s'approprier le concret (2),
de le reproduire sous la forme d'un concret pensé ».

Une remarque, cependant, et qui prolonge l'épistémologie de
G. Bachelard sans peut-être aller dans le sens de la perspective de
L. Althusser. S'il est vrai que la science est élaboration de concepts
(avec tout l'appareil mathématique pour les sciences physiques),
s'il est vrai qu'elle réalise ses phénomènes dans la phénoménotechnique des laboratoires, il faut bien noter qu'elle *trouve* encore
ces phénomènes dans la *nature* (mais faut-il employer ce terme,
appartient-il à la science ou à l'idéologie, et s'il ne faut pas l'employer
quel autre convient ?). Des éléments rares, et fondamentaux dans la
constitution de la matière, que le laboratoire réalise, se trouvent
aussi dans les espaces interstellaires. Il y a là comme un empirisme
à la seconde puissance; mais si des éléments de la construction
sont ainsi découverts dans le réel, après coup, ce n'est pas dans

---

(1) K. Marx, *Contribution à la Critique de l'économie politique*, Editions Sociales,
Paris, p. 166.
(2) Id., *ibid.*, p. 165.

l'ordre où la théorie les expose. De même pour Marx des notions abstraites — qui servent à comprendre des formes concrètes d'économie mais ne s'y présentent pas comme telles — se trouvent à l'état pur dans d'autres économies. Il y a ainsi un jeu de rencontres de l'abstrait et du concret qui feront des notions de nature et d'histoire des notions toujours ambiguës.

Les textes de Marx que nous avons cités montrent bien qu'il a eu pleinement conscience d'avoir élaboré une science nouvelle — distincte de l'économie politique — et qui sera le *matérialisme historique*, science de l'histoire conçue, et non lue directement dans l'expérience. « La vérité de l'histoire ne se lit pas dans son discours manifeste, parce que la vérité de l'histoire n'est pas un texte où parlerait la voix, le *logos*, mais l'inaudible et illisible notation d'une structure de structures » (1).

L'épistémologie marxiste doit être distinguée de cette science nouvelle, comme le *matérialisme dialectique* du *matérialisme historique*. Cette distinction est importante, en même temps qu'elle est difficile à préciser. Marx n'a pas eu le temps de faire la théorie de sa pratique théorique, il a découvert un nouveau domaine de rationalité, il a commencé à le constituer, mais son épistémologie, sa philosophie, c'est-à-dire le *matérialisme dialectique*, n'est encore qu'esquissée. Le *matérialisme historique* n'a pas toujours été interprété justement. On a vu en lui tantôt une explication platement économique de l'histoire, tantôt un historicisme qui ne serait pas à proprement parler science, mais, se confondant avec le matérialisme dialectique, manifesterait dans l'histoire la réalisation de l'essence humaine, et ferait ainsi du marxisme un *humanisme*. Cette interprétation que nous pouvons nommer, avec A. Badiou, le *marxisme fondamental*, méconnaît l'évolution de la pensée de Marx

(1) L. ALTHUSSER, *Lire le Capital*, chez Maspero, t. I, p. 16.

qui apparaît dans la *Critique de l'économie politique* de 1859. La découverte de ce domaine de rationalité peut être comparée à celle de l'inconscient par Freud; elle n'est pas encore reconnue, bien que beaucoup d'historiens depuis Marx s'en soient inspirés parfois à leur insu, et que Lénine, dans son analyse de la situation historique de la Russie, en ait développé et approfondi les concepts. Cette science détermine le champ de l'histoire à partir de l'implication des rapports de production et des formes ou modes de production. Dans les textes de 1857-1859, Marx montre que la distribution sociale — par exemple la rente, le profit, le salaire — est solidaire de ces formes. Ce ne sont pas des événements historiques singuliers qui déterminent l'histoire en profondeur; la causalité *déterminante* n'apparaît pas en clair sur le devant de la scène; elle n'est ni une causalité mécanique, ni un sujet qui s'exprimerait. Le champ de l'histoire, où règnent les diverses instances, c'est-à-dire les pratiques articulées les unes sur les autres, doit être repensé à l'aide d'une causalité structurale qui disparaît dans ses effets. Marx a tenté de donner une idée de cette causalité par ce qui n'est encore qu'une image. « Dans toutes les formes de société, c'est une production déterminée et les rapports engendrés par elle qui assignent à toutes les autres productions et aux rapports engendrés par celles-ci leur rang et leur importance, c'est comme un éclairage général où sont plongées toutes les couleurs et qui en modifie toutes les tonalités particulières. C'est comme un éther particulier qui détermine le poids spécifique de toutes les existences qui y font saillie » (1). Les diverses instances qui se manifestent ne sont pas des expressions directes d'une totalité sous-jacente comme chez Hegel. La conjoncture est caractérisée par la dominance de l'une d'entre elles qui peut être politique ou idéologique (comme dans le cas de la lutte antireligieuse au XVIIIe siècle, ou dans la recherche du maillon le plus

---

(1) *Contribution à l'économie politique, op. cit.*, p. 170.

faible par Lénine); il peut même arriver que l'instance économique, celle qui représente la causalité déterminante, mais ne fait que la *représenter*, soit comme effacée. « Si, comme le dit souvent Marx, ce qui est caché dans la société capitaliste est visible en clair dans la société féodale, ou dans la communauté primitive, c'est dans ces dernières sociétés que nous voyons en clair que l'économique n'est pas directement visible en clair » (1). Chacune de ces instances peut être le siège d'une sur-détermination. Des phénomènes de déplacement ou de condensation se produisent qui occupent le champ de l'histoire. La connaissance scientifique de ce champ suppose donc une élaboration de pensée, très différente de l'hégélianisme; il n'y a pas d'épopée de l'histoire, mais la connaissance scientifique est ce qui rend possible et la tactique et la stratégie d'une pratique politique. Pour éviter des méprises, il faut remarquer la nature de cette science, de sa pratique théorique, qui ne se confond pas avec les techniques modernes d'intervention dans les sociétés humaines. Dans notre monde technocrate, la reconnaissance de la scientificité de cette science peut soulever des difficultés, comme c'est aussi le cas pour la psychanalyse. S'il est relativement facile aujourd'hui, en faisant l'histoire des sciences, de découvrir pour toutes les sciences physiques ou mathématiques les coupures épistémologiques qui font sortir de l'imaginaire empirique pour accéder au concept proprement scientifique, il n'en est pas de même pour les sciences humaines. Le domaine de rationalité ouvert par Marx, sous le nom de matérialisme historique, n'est ni une économie politique, ni une histoire; il réunit conceptuellement les deux : l'appareil mathématique ne peut être pour lui que second; il n'est donc pas seulement une technique positive à partir d'un empirisme reconnu insurmontable. C'est pourquoi la tactique et la stratégie qui en résultent doivent être elles aussi d'un autre ordre.

(1) L. ALTHUSSER, *op. cit.*, t. II, p. 154.

Si le matérialisme historique est cette science de l'histoire humaine à côté des autres sciences, il ne subsiste, en face de cette pratique théorique, que des pratiques diverses, comme la pratique politique, économique, idéologique. Il apparaît alors que tout ce qui n'est pas science dans la représentation est idéologique, au sens où Marx a parlé de l'idéologie en 1845.

L'idéologie subsistera toujours, même dans une organisation sociale communiste. « Il n'est pas concevable que le communisme, nouveau mode de production, impliquant des forces de production et des rapports de production déterminés, puisse se passer d'une organisation sociale de la production et des formes idéologiques correspondantes » (1). L'idéologie exprime, à l'insu même de la conscience qui la vit, sa manière de se rapporter au réel et d'agir sur lui; mais dans son caractère pratico-social, on ne peut dissocier les conditions réelles et les conditions ou les objectifs imaginaires; l'idéologie, c'est le système des représentations vécues par la conscience. « Tout se passe comme si les sociétés humaines ne pouvaient subsister sans ces formations spécifiques, ces systèmes de représentation de niveaux divers que sont les idéologies. » Dans l'idéologie « le rapport réel est inévitablement investi dans le rapport imaginaire : rapport qui exprime plus une volonté (conservatrice, conformiste, réformiste ou révolutionnaire), voire une espérance ou une nostalgie, qu'il ne décrit une réalité » (2). Déjà Hegel avait opposé la religion au savoir effectif, mais pour lui la religion, en particulier le christianisme, est le pressentiment dans la représentation de ce que sera le savoir comme *sa* vérité. C'est Hegel qui a parlé de l'espérance et de la nostalgie que le savoir ne connaît plus. Dans le marxisme il y a une coupure au contraire entre la science et l'idéologie, entre la connaissance des conditions réelles et l'expérience vécue des

---

(1) L. ALTHUSSER, *Pour Marx*, Maspero, p. 239.
(2) ID., *ibid.*, p. 240.

hommes. C'est cette coupure que l'interprétation humaniste du marxisme méconnaît. Cette interprétation humaniste a pour elle les textes de jeunesse de Marx, on peut encore en trouver des traces dans *L'Idéologie allemande*, mais la *Critique de l'économie politique* et *Le Capital* indiquent une conception différente. Pourtant des difficultés surgissent, quand on envisage ce que devient la philosophie marxiste, le *matérialisme dialectique*, dans son rapport à cette science de l'histoire.

En un certain sens le matérialisme dialectique est la philosophie contemporaine de cette science de l'histoire, comme le platonisme est contemporain de l'avènement des mathématiques, le cartésianisme, d'une physique mécanique, le kantisme, de la mécanique céleste de Newton; mais en un autre, il cesse d'être une philosophie du *fondement*, il est une épistémologie qui n'est pas idéaliste et qui donc *dépend* à son tour de cette science de l'histoire, dont il enregistre et répète la scientificité. Déjà des hommes comme Fichte et Hegel avaient voulu substituer à la philosophie une épistémologie au sens étymologique du terme, une science de la science, mais ils restaient prisonniers d'une conception idéaliste. Il ne peut plus y avoir d'épistémologie indépendante de l'histoire des sciences, bien que cette histoire soit une histoire récurrente, une histoire repensée à la lumière non d'une idée de la science, encore moins d'un fondement transcendant ou transcendantal de la science, mais des sciences effectives.

La différence entre le matérialisme historique et sa philosophie, le matérialisme dialectique, est donc une différence qui reste toujours impure. S'il est vrai, d'autre part, que la philosophie antérieure a toujours été contaminée par des idéologies (on pensera à l'idéologie de la cité chez Platon, conjointe à sa réflexion sur les mathématiques), qu'en est-il du *matérialisme dialectique* ? « Toute l'histoire de la philosophie occidentale est dominée non par « le problème de la connais- « sance », mais par la solution idéologique, c'est-à-dire imposée d'avance par des intérêts pratiques, religieux, moraux et politiques étrangers à la connaissance, que ce problème devait recevoir. Le problème lui-même est formulé en des termes tels qu'il doit précisément recevoir ces solutions. C'est une *re*connaissance et non une connaissance. La pratique idéologique est ici bien différente de la pratique théorique. Mais la connaissance de cette différence incombe au *matérialisme dialectique*; il est le *non-idéologique* comme tel. Cependant c'est lui qui produit la théorie de toute pratique théorique, et donc la théorie de sa propre pratique. Il doit être en état de penser sa coupure, de réfléchir sa propre différence quand une science n'est que l'acte développé de cette différence. C'est pourquoi le marxisme n'est pas seulement science de l'histoire (matérialisme historique) « mais aussi et en même temps philosophie, capable de rendre compte de la nature des formations théoriques et de leur histoire, donc capable de rendre compte de soi, *en se prenant soi-même pour objet* » » (1). On voit bien ici que le statut de ce matérialisme dialectique est difficile à saisir et qu'il se rapproche d'une sorte de savoir absolu.

Un texte de L. Althusser évoque certaines possibilités d'une idéologie vraiment nouvelle dans une société communiste. Il n'est d'ailleurs pas douteux que Marx a toujours pensée la révolution comme une libération des idéologies antérieures par la transformation des conditions d'existence des hommes. Mais comment envisager cette idéologie, comment la relier à la science ? En citant ce texte nous laissons subsister la question, celle d'une idéologie *plus adéquate* que d'autres. « Cette coupure entre les anciennes religions ou idéologies, même « organiques », et le marxisme *qui, lui, est une science* et qui doit devenir l'idéologie « organique » de l'histoire humaine, en produisant dans les *masses une nouvelle* forme d'idéologie (une idéologie

(1) L. ALTHUSSER, *Pour Marx*, p. 31.

qui repose cette fois sur la science, ce qui ne s'était jamais vu), cette coupure n'est pas vraiment réfléchie par Gramsci... » (1).

Que deviendront enfin les autres idéologies quand les conditions sociales qui leur avaient donné naissance auront disparu, ou se seront profondément transformées ? Subsisteront-elles sous la forme même de l'art tel que le concevait Marx dans un texte contemporain de la *Critique de l'économie politique* de 1859 ? Il indique la difficulté « qui n'est pas de comprendre que l'art grec et l'épopée soient liés à certaines formes de développement social, mais réside dans le fait qu'ils nous procurent encore une jouissance artistique et qu'ils ont encore pour nous à certains égard une valeur de norme et de modèles inaccessibles » (2). Il ajoute que certaines formes de développement révolues à jamais pourraient exercer un charme, lié à une enfance historique de l'humanité. Nous avions évoqué la poétique de Bachelard, comme le double et l'envers de son épistémologie; nous en retrouvons ici, dans cette sublimation, des aspects possibles. L'essentiel reste de penser la problématique de ces rapports nouveaux dans une perspective marxiste de la *science*, de l'*idéologie* et de la *philosophie*. Dans cette perspective il y a à la fois une révolution théorique et une connaissance de l'idéologie « qui n'est ni une aberration, ni une excroissance de l'histoire », qui n'est pas seulement un *instrument* de mystification dont se servirait lucidement une classe dirigeante pour en exploiter une autre, car dans son idéologie la classe dirigeante constitue elle-même son rapport vécu au monde; mais l'idéologie est indispensable à toute société pour former les hommes, les transformer et les mettre en état de répondre aux exigences de leurs conditions d'existence. Enfin la philosophie reste au centre de ces différences qu'elle est capable de répéter et de concevoir, sans pourtant pouvoir purifier elle-même complètement sa propre différence.

(1) L. ALTHUSSER, *Lire le Capital, op. cit.,* t. II, p. 89.
(2) K. MARX, *op. cit.,* p. 175.

VI

FREUD

I

PSYCHANALYSE ET PHILOSOPHIE *

La psychanalyse de Freud, qui fut d'abord une méthode particulière pour soigner certains névrosés, a pris depuis 1895 une extension et un développement qui en font comme une révolution dans le domaine de l'anthropologie et des sciences humaines, révolution qui atteint même peut-être la philosophie tout entière. On parle d'une *psychanalyse existentielle*, il semble qu'il y ait des ressemblances entre la démarche psychanalytique et l'*analytique existentiale* de Heidegger. Tenter de mettre en lumière l'originalité et le sens de cette psychanalyse, pour expliciter son influence dans la psychanalyse existentielle et l'analytique existentiale, tel est le thème propre de cette conférence.

I. — LA PSYCHANALYSE DE FREUD

Rien n'est plus attachant que la lecture des œuvres de Freud. On a le sentiment d'une découverte perpétuelle, d'un travail en profondeur qui ne cesse jamais de mettre en question ses propres résul-

---

* Manuscrit non situé, non daté. Probablement de 1955.

tats pour ouvrir de nouvelles perspectives, une recherche intrépide
que jalonnent des œuvres maîtresses, depuis les *Etudes sur l'hystérie*,
en collaboration avec Breuer, jusqu'à la découverte d'un au-delà
du principe du plaisir en passant par la *Science des Rêves*, la *Traumdeutung*, qui est de 1900 (1). C'est ainsi que la psychanalyse qui a
commencé par être un traitement cathartique (se délivrer d'une
émotion ancienne (abréaction) remontant des symptômes de l'hystérie aux événements qui étaient à l'origine de ces symptômes), a pour-
suivi ses découvertes par une exploration de l'inconscient humain,
se traduisant presque directement dans nos rêves, comme dans les
symptômes des névroses, par une étude des résistances que le moi
oppose à cette exploration, puis du transfert à l'aide duquel un
sujet revit son passé, le répète sur la personne de son médecin, sans
en avoir un souvenir effectif. Ce n'est pas tout; au moment même
où le système freudien allait se fermer, Freud découvre avec l'*instinct de mort* intimement lié à l'instinct vital qu'était la libido, une
perspective absolument nouvelle. La psychanalyse freudienne telle
qu'elle apparaît dans l'étude concrète du cas de Dora, de l'homme
aux loups, du petit Hans, du procureur Schreiber, se montre une
méthode concrète et féconde qui est plus la découverte d'une problématique qu'un système achevé. Cependant, si la lecture des œuvres
de Freud nous donne cette impression, elle n'est pas aussi sans
nous causer une surprise et une déception. Il y a un contraste évident
entre le langage positiviste de Freud (la topologie du moi, du ça,
du surmoi par exemple) (2), et le caractère de la recherche et de la
découverte. Pour apprécier la signification philosophique de l'œuvre

(1) Les *Logische Untersuchungen* de Husserl sont de 1899. Double effort de
l'homme pour ressaisir ses significations et se ressaisir lui-même dans ses significations.
(2) La conception énergétique de Freud (énergie libre, énergie liée). Le
langage le plus objectif possible pour une découverte si surprenante, si bouleversante dans ses cadres objectifs-subjectifs.

freudienne il ne faut pas craindre d'aller au-delà de certaines formules du Maître, et d'expliciter un sens qu'il n'a pas lui-même nettement formulé. Ainsi se manifestera le caractère hautement philosophique de cette exploration et de cette œuvre.

Commençons par tenter de mettre en lumière certains traits de la psychanalyse freudienne qui nous paraissent avoir une haute portée philosophique, et que nous retrouvons dans ce qu'on nomme la psychanalyse existentielle.

C'est d'abord — et ceci dès le début de la psychanalyse — l'interprétation des phénomènes de conscience comme des phénomènes significatifs, dont il faut dévoiler, déceler le *sens*. Les symptômes de l'hystérie ne sont pas des troubles physiques quelconques sans rapport avec la totalité d'une vie et d'une histoire. Ils ont un sens; il faut remonter de ces significations au sens originaire qui est le leur dans une histoire particulière. C'est cette reconstitution du sens, cette lecture dans le symptôme d'une histoire inconnue qui fait l'originalité de la première découverte de Freud et de Breuer. Il faut voir dans le symptôme une manière symbolique de jouer, de réaliser un événement passé et, avec lui, un désir refoulé (1). C'est cette lecture dont la conscience malade est incapable, que la conscience du psychanalyste doit effectuer pour lui jusqu'à ce qu'il le reconnaisse.

Au début Breuer et Freud se contentaient de faire revivre l'événement traumatique dans l'hypnose, mais bientôt Freud substituera à cette méthode un peu grossière une exploration consciente menée de concert par le médecin et le malade jusqu'au moment où le malade reconnaît sa propre histoire, où il dit : « C'est bien ainsi que j'ai vécu ce passé, tel est bien son sens. »

---

(1) La femme qui a rompu avec son fiancé le retrouve auprès de son frère qui vient de se casser la jambe et fait elle-même une paralysie de la jambe. La toux de Dora, son aphonie.

Notons d'abord cette méthode d'exploration, cette exégèse qui prend la totalité de l'homme, ce *qu'il dit consciemment* aussi bien que ce qu'il dit inconsciemment, les symptômes, les rêves, les actes manqués, les actes symptomatiques, afin de reconstituer l'histoire de cet homme, le sens actuel de sa vie et de son existence (1).

Notons ensuite que cette exploration n'est possible que parce qu'elle met en jeu *deux interlocuteurs*, l'analyste et l'analysé, parce qu'elle implique ce dialogue humain, cette communication universelle dans laquelle le sens peut apparaître comme tel. Car le sens était bien là, déjà vécu dans une histoire, mais il n'était pas exprimé comme tel. C'est pourquoi ce sens peut apparaître à l'analyste sans être encore proprement conscient chez l'analysé (2).

Mais il faut que ce sens vécu, sans être explicitement conscient, dominant ce moi sans être dominé par lui (3), soit proprement reconnu par le moi lui-même. Il ne suffit pas que le psychanalyste sache, il faut encore que le psychanalysé se reconnaisse dans cette image qu'on lui présente, qu'on lui offre de lui-même. Cette reconnaissance est essentielle pour la guérison. « A la fin d'une analyse, on entend le patient dire : « Il me semble maintenant l'avoir toujours su ». » C'est par là que se trouve résolu le problème de l'analyse.

(1) Dans une des premières psychanalyses de Freud, celle de Dora, interprétation de la toux et de l'aphonie. Complaisance somatique. Mais quel est le lien entre le symptôme (ou l'image du rêve) et le sens, la signification ?

Husserl distingue l'*indice* et la *signification*, ce qu'on atteint par une sorte d'induction positive et par visée de signification.

La psychanalyse a confondu l'accomplissement des significations avec l'induction des indices.

(2) « Celui qui a des yeux pour voir et des oreilles pour entendre constate que les mortels ne peuvent cacher aucun secret. Celui dont les lèvres se taisent bavarde avec le bout des doigts. Il se trahit par tous les pores. C'est pourquoi la tâche de rendre conscientes les parties les plus dissimulées de l'âme est parfaitement réalisable. »

(3) Transcendant au moi, comme un sens qui s'impose dans le processus primaire du rêve.

Il ne s'agit pas de la *confession chrétienne* (bien que la confession ait souvent joué le rôle de la psychanalyse) ; car d'une part il faut pénétrer dans ce qui dépasse les intentions conscientes et le langage explicite, de là l'immense problème de l'exploration de la psychanalyse, la *Traumdeutung*, et d'autre part le médecin n'a pas à donner de conseil, à se faire un éducateur, mais à mettre ce moi en position de conduire lui-même sa propre vie. « Le médecin doit toujours se montrer tolérant à l'égard des faiblesses de son patient et se contenter de lui redonner certaines possibilités de travailler et de jouir de la vie même s'il s'agit d'un sujet médiocrement doué. L'orgueil éducatif est aussi peu souhaitable que l'orgueil thérapeutique » (1).

Ce sens primaire qui apparaît dans les symptômes, dans la manière d'être au monde d'un individu, aussi bien que dans les rêves, est antérieur à la logique ordinaire et réflexive du moi. A cet égard l'étude ou l'interprétation des rêves qui nous conduit jusqu'à l'exégèse des pensées primitives, à la *condensation* et au *déplacement*, sont un des monuments de Freud, jusque et y compris ce que la logique de la veille apporte de déformation secondaire aux premières élaborations des rêves (2).

On voit quel problème se pose au philosophe (3) quand Freud localise et dissocie si complètement (du moins dans l'exposé des résultats) l'inconscient et le conscient, le ça et le moi — avec le

(1) La tâche définie par Freud, c'est d'aider le moi qui succombe dans sa lutte contre ces deux ennemis-alliés : le ça et le surmoi. Dans un texte fondamental, Freud écrit : « Si tenté que puisse être l'analyste de devenir l'éducateur, le modèle et l'idéal de ses patients, quelque envie qu'il ait de les façonner à son image, il lui faut se rappeler que tel n'est pas le but qu'il cherche à atteindre dans l'analyse et même qu'il faillit à sa tâche en se laissant aller à ce penchant. »

(2) Si profonde que soit la *Traumdeutung*, avec la distinction du processus primaire (les méthodes mêmes de l'inconscient — envahir ce territoire ennemi sans en tenir compte) et du processus secondaire (tenir un peu compte de l'ennemi), elle n'est pas suffisante pour cette signification totale, spatiale et temporelle de l'existence qu'est l'expression primaire.

(3) Problème de la langue fondamentale, comme disait Schreiber.

surmoi qui représente l'intériorisation des éducations originaires. Ce problème c'est celui de la conscience ou de l'inconscience de soi. Le moi ne s'ignore pas autant qu'on pourrait le croire, il se méconnaît. Mais cette méconnaissance est encore une connaissance, et c'est ainsi qu'on peut s'expliquer la reconnaissance finale de soi dans l'image proposée par le psychanalyste. (Exemple de la projection cathartique : je le hais parce qu'il me hait — le mal n'est pas en moi, il est en lui. Alceste dénonçant la société. Voir le mal hors de soi parce qu'il est en soi.) Mais la découverte de Freud n'a cessé de s'approfondir dans l'étude des cas concrets, et des rapports de l'analyste et de l'analysé. Au début il semblait que redonner à l'analysé une conscience intellectuelle, une explication de ses troubles pouvait suffire. « Lors des tout premiers débuts de la psychanalyse, nous avions, il est vrai, en considérant les choses d'un point de vue intellectuel, attribué une grande valeur à faire connaître au patient ce qu'il avait oublié [...], le succès escompté ne se produit pas, le souvenir intellectuel ne suffit pas. Il faut vraiment aussi vaincre les *résistances* » (1).

C'est une remarque capitale. L'obstacle à la guérison, c'est la résistance du moi, contrepartie du refoulement, et cette résistance n'est pas vaincue par un souvenir. Cette résistance se manifeste dans le transfert par lequel le malade reporte sur son médecin ou sur son entourage les sentiments vécus jadis (2). La *répétition* devient l'objet d'une analyse propre, une répétition qui n'est pas elle-même encore un souvenir. Dès lors des questions plus profondes se posent. Quelle différence entre le transfert et l'amour ? Tout amour n'est-il pas lui-même un transfert ?

L'analysé ne se souvient pas de sa révolte et de son insolence à l'égard

---

(1) En quoi consistent les résistances, les découvertes des résistances ? Pourquoi tout le monde n'est-il pas raisonnable ? Approfondir la notion de résistance, c'est approfondir l'interruption de la communication, les difficultés du libéralisme dans l'histoire. Où sont les résistances ?

(2) Cas du procureur Schreiber.

de l'autorité parentale, mais il répète cette conduite ancienne (1). Il ne se souvient pas de s'être senti au cours de ses investigations infantiles d'ordre sexuel désespéré et déconcerté, privé d'appui, mais il apporte des idées et des rêves confus, se plaint de ne réussir en rien.

L'amour qui devient manifeste dans le transfert ne mérite-t-il pas d'être considéré comme un amour véritable ?

Il est exact que cet état amoureux n'est que la réédition de faits anciens, une répétition des réactions infantiles, mais c'est là le propre même de tout amour et il n'en existe pas qui n'ait son prototype dans l'enfance.

L'approfondissement de cette notion de répétition devait conduire Freud à cette notion d'instinct de mort par quoi nous pouvons répéter même des états pénibles, traumatisme et retour dans les rêves, échecs successifs dans une vie. Cet instinct de mort qui habite aussi bien le vivant que nous sommes que l'instinct de vie se mêle avec lui (l'agressivité de l'amour), mais peut aussi s'en dissocier jusqu'à habiter des malades qui refusent absolument de guérir et s'enfoncent dans la mort (2).

Retenons déjà dans cette description schématique de la psychanalyse le mouvement de la *démarche freudienne*, qui est une démarche historique de signifiant à signifié, d'exégèse — et cet approfondissement du désir humain (3) qui dans son ambivalence est Eros aussi bien que Mort.

---

(1) Le transfert qui est une répétition sans conscience propre du passé comme tel est un grand moyen d'action pour le médecin, mais aussi une grande manifestation de résistance.

(2) Comment s'explique cette nouvelle découverte de Freud, ce bouleversement de la psychanalyse ? Lecture difficile de *Au-delà du principe du plaisir*. Représentation énergétique et économique. Retrouver l'équilibre perdu par les tensions trop fortes. Mais des manifestations étranges (névroses traumatiques ou de guerre — jeu des enfants (disparition) — rêves pénibles avec angoisse — échecs successifs d'une vie — répétition obsédante — l'attirance de la mort par ses propres voies).

(3) Le rêve n'est plus uniquement la réalisation d'un désir refoulé. Où nous conduit-il ?

II. — LA PSYCHANALYSE EXISTENTIELLE

Freud, avons-nous dit, se sert d'un langage positiviste qui est inadéquat à sa propre démarche. Il recherche un rapport entre des symptômes, des rêves, des événements de la vie psychique et des sens cachés qui sont la source des événements. « Par exemple, le vol maladroit opéré par un obsédé sexuel n'est pas seulement vol maladroit. Il nous renvoie à autre chose que lui-même, dès le moment où nous le considérons avec les psychanalystes comme phénomène d'autopunition. Il renvoie au complexe premier dont le malade essaie de se justifier en se punissant. »

Mais le langage de Freud suppose une véritable coupure entre le signifiant (cette émotion, ce symptôme, ce vol maladroit) et le signifié (le désir refoulé, cet événement de l'enfance). La conscience serait coupée radicalement de son sens. La psychanalyse est pourtant une *exploration compréhensive* qu'on ne peut absolument pas assimiler à une *causalité physique*. Un fait de conscience n'est pas une chose par rapport à son sens. On ne peut pas dire non plus que le moi vit son émotion ou son symptôme en le comprenant du dedans. La psychanalyse nous introduit donc dans cette méconnaissance dont nous disions qu'elle était pourtant — en tant que méconnaissance — une forme de connaissance. Sartre parle d'une mauvaise foi congénitale et le mot mauvaise foi ne paraît pas non plus parfaitement convenir pour exprimer tout le poids de cette résistance à s'entendre soi-même. La lecture, l'exégèse d'un contexte psychologique impliquent une sorte d'oubli fondamental — et même d'oubli de l'oubli — qu'il faut pouvoir remonter. Mais l'oubli n'est pas la disparition pure et simple.

Disons donc que la psychanalyse nous a ouvert une dimension nouvelle dans l'exploration concrète des existences humaines; il s'agit de déchiffrer les symboles d'une conscience, les énigmes qui sont des énigmes pour ceux mêmes qui les vivent.

Je prendrai des exemples : celui où Freud nous parle du développement de la tragédie d'Œdipe comme d'une psychanalyse (1); celui où il étudie un souvenir d'enfance de Léonard de Vinci.

On se souvient du point de départ de l'analyse freudienne, ce souvenir d'enfance concernant le vautour : « Je semble avoir été destiné à m'occuper tout particulièrement du vautour. » Le vautour est le symbole d'une vierge mère (les vautours seraient fécondés par le vent), or il y a dans *Sainte Anne*, dans *La Vierge et l'Enfant*, ce manteau de la Vierge qui dessine un vautour et s'achève contre le visage de l'Enfant.

Léonard était le fils naturel d'un riche notaire qui épousa l'année même de sa naissance une noble dame, et reprit Léonard pour l'adopter à l'âge de 5 ans. Pendant quatre ans, Léonard vécut seul avec sa mère, sans père; il connut un premier et unique amour : celui de sa mère, mais il fut ensuite arraché à cet amour, au seul amour fondamental de sa vie.

Que fit-il de ce détachement, de ce déracinement, et comment la liberté de Vinci, liberté intellectuelle suprême, est-elle en rapport avec cette première expérience de l'enfance ? Nul doute qu'il n'y ait un prolongement de cette histoire dans le développement ultérieur de Léonard. Son histoire l'a marqué — et le symbole du vautour en est l'exemple caractéristique; mais elle ne l'a marqué que d'une façon ambiguë. D'autres développements eussent été possibles. Le lien qui existe entre cette vie et cette histoire d'enfance n'est pas un lien semblable à une causalité naturelle. Merleau-Ponty a raison d'écrire : « La psychanalyse nous a appris à percevoir d'un moment à l'autre d'une vie des échecs, des allusions, des reprises, un enchaî-

---

(1) Cf. la *Science des Rêves* : « Où découvrirons-nous cette piste difficile d'un crime ancien ? »
« La pièce, dit Freud, n'est autre chose qu'une révélation progressive et très adroitement mesurée — comparable à une psychanalyse — du fait qu'Œdipe lui-même est le meurtrier de Laïos, mais aussi le fils de la victime et de Jocaste. »

nement que nous ne songerions pas à mettre en doute si Freud en avait fait correctement la théorie » (il faudrait parler d'une motivation et non d'un déterminisme naturel).

Si l'objet de la psychanalyse est de décrire cet échange entre l'avenir et le passé, et de montrer comment chaque vie rêve sur des énigmes dont le sens final n'est d'avance inscrit nulle part, on n'a pas à exiger d'elle la rigueur inductive. La rêverie herméneutique du psychanalyste, qui multiplie les communications de nous à nous-même prend la sexualité pour symbole de l'existence, et l'existence pour symbole de la sexualité, cherche le sens de l'avenir dans le passé et le sens du passé dans l'avenir, est mieux qu'une induction rigoureuse adaptée au mouvement circulaire de notre vie qui oppose son avenir à son passé et son passé à son avenir, et où tout symbolise tout. La psychanalyse ne rend pas impossible la liberté, elle nous apprend à la concevoir concrètement comme une reprise créatrice de nous-même après coup, toujours fidèle à nous-même.

Mais quel est ce nous-même, surtout si l'on dépasse l'étude des cas individuels pour atteindre l'homme ? Sartre reproche à Freud de partir de tendances empiriques, d'un donné empirique — en particulier la sexualité. Mais Sartre y substitue une liberté radicale par quoi nous faisons nous-même notre être-au-monde.

Entre cet empirisme et cette liberté radicale, faut-il choisir ou faut-il reposer le problème d'une autre façon ? Faut-il étendre la démarche de la psychanalyse à la philosophie, à la métaphysique elle-même ? C'est là une façon de présenter l'analytique existentiale de Heidegger, telle qu'elle se montre dans l'analytique du *Dasein* dans *Sein und Zeit*.

L'ANALYTIQUE EXISTENTIALE ET LA PSYCHANALYSE

Pour Freud, la sexualité est une manière d'être au monde — et il est bien vrai qu'elle se prête admirablement à traduire les goûts et les dégoûts et les formes fondamentales des individualités — puis l'instinct de mort, le transfert et la répétition. Freud a cherché dans le ça, au-delà de la conscience (considérée comme superficielle) une explication empirique de l'homme. Qu'est-ce que l'homme ? (question même que posait Kant). On a pu même utiliser les interprétations des rêves de Freud pour remonter aux mythes et aux formes originaires de la vie humaine (Jung) (1).

Mais ne faut-il pas aller plus loin et reconnaître que l'anthropologie (étude des primitifs, sociologie, psychologie, psychanalyse empirique) est elle-même toujours insatisfaisante ? La sexualité est énigme, l'instinct de mort est une question, non une réponse, non une explication. La question : « qu'est-ce que l'homme ? », est-elle encore une question anthropologique ? Sartre lui-même écrit que si toute personne est bien surgissement concret au monde et ne vit qu'une situation unique, la sienne, cette manière d'être exprime concrètement et dans le monde, dans la situation unique qui investit la personne, une structure abstraite et signifiante qui est le désir d'être en général.

Mais qu'est-ce que le désir d'être, qu'est-ce que l'être ?

Pourtant la démarche psychanalytique, que nous voulons bien distinguer des résultats de la psychanalyse (de la psychanalyse telle qu'elle a fini par se pratiquer et se développer en Amérique par exemple : il s'agit de rendre tous les gens normaux), est une démarche qui ouvre des perspectives pour l'exploration de cette existence que nous sommes. Il y a là des analogies avec la démarche de l'analyse existentiale chez Heidegger (l'oubli et la compréhension préontologique de l'Etre. Nous vivons dans une compréhension de l'Etre sans laquelle aucun étant ne nous serait accessible, et pourtant cette compréhension de l'Etre nous échappe, nous fuyons devant

---

(1) BINSWANGER, *Le rêve et l'existence*. Le rêve met au jour la liberté la plus originaire de l'homme.

elle, préférant l'inauthenticité des relations quotidiennes à la compréhension explicite de l'être, à la saisie de notre existence comme telle, de notre rapport même à l'Etre). Pourquoi cette fuite, cet oubli, ce refoulement ? Et comment d'autre part vivons-nous dans une méconnaissance de l'Etre et de la vérité qui sont pourtant à la racine même de notre être-au-monde ? Il n'est pas jusqu'à la métaphysique qui ne recouvre progressivement un originaire qui toujours se dérobe.

Il y a donc des analogies entre l'analytique existentiale et la psychanalyse. L'une et l'autre partent de la vie quotidienne, d'un concret et d'un oubli qu'il faut remonter, d'un oubli qui s'oublie lui-même ; l'une et l'autre se définissent par une exégèse, une *Auslegung*.

La différence est sans doute aussi fondamentale que l'analogie. La psychanalyse s'enlise dans une base anthropologique, elle part de faits empiriques toujours contestables. Jusqu'où faut-il remonter ? Qu'est-ce que l'originaire ?

Ce qui fait l'originalité de Heidegger, c'est d'avoir défini le *Dasein*, l'être que nous sommes par la compréhension de l'Etre, par la question de l'Etre, c'est d'avoir donné une signification concrète à cette question abstraite en apparence, en l'élaborant — et ayant ainsi défini l'homme par ce qui n'est pas empirique, mais par la question même de la métaphysique, d'avoir fait l'exégèse de cette métaphysique dans son histoire, dans son originaire, dans son sens, et dans ses phénomènes de répétition (1), un peu comme Freud présente l'histoire d'une individualité dans ses rêves et ses symptômes.

Je ne voulais qu'indiquer cette analogie, pour orienter vers une démarche philosophique aussi concrète que peut l'être la psychanalyse, aussi transcendantale que peut l'être l'analytique kantienne.

---

(1) La notion de logos et la répétition. La répétition n'est plus l'inertie, mais *le pas encore* qui est un *déjà*.

La répétition est une répétition de l'originaire qui n'est pourtant que par cette répétition même. L'homme répète la mesure de la révélation primitive. Mais cette révélation n'est elle-même que par la répétition. D'où l'histoire.

2

COMMENTAIRE PARLÉ
SUR LA « VERNEINUNG » DE FREUD *

D'abord, je dois remercier le Dr Lacan de l'insistance qu'il a mise à ce que je vous présente cet article de Freud, parce que cela m'a procuré l'occasion d'une nuit de travail; et d'apporter l'enfant de cette nuit devant vous (1). J'espère qu'il trouvera grâce à vos yeux. Le Dr Lacan a bien voulu m'envoyer le texte allemand avec le texte français. Il a bien fait, car je crois que je n'aurais absolument rien compris dans le texte français, si je n'avais pas eu le texte allemand (2).

Je ne connaissais pas ce texte. Il est d'une structure absolument extraordinaire et au fond extraordinairement énigmatique. La construction n'en est pas du tout une construction de professeur. C'est une construction de texte que je ne veux pas dire dialectique, pour

---

* Extrait de *Ecrits*, par Jacques LACAN, Ed. du Seuil, 1966. Le « Commentaire parlé » est de 1955.

(1) « Je t'apporte l'enfant d'une nuit d'Idumée » *(J. L.)*.

(2) La traduction française de la *Verneinung* de FREUD est parue dans le t. VII, n° 2, de l'organe officiel de la Société psychanalytique de Paris, soit en 1934, sous le titre de *La négation*. Le texte allemand est paru d'abord dans *Imago*, IX, en 1925, et a été reproduit en plusieurs recueils d'œuvres de Freud. On le trouvera dans *G.W.*, XIV, dont il est le second article, p. 11-15.

ne pas abuser du mot, mais extrêmement subtile. Et elle m'a imposé de me livrer avec le texte allemand et avec le texte français (dont la traduction n'est pas très exacte, mais enfin, par rapport à d'autres, assez honnête) à une véritable interprétation. Et c'est cette interprétation que je vais vous donner. Je crois qu'elle est valable, mais elle n'est pas la seule possible et elle mérite certainement d'être discutée.

Freud commence par présenter le titre *Die Verneinung*. Et je me suis aperçu, le découvrant après le Dr Lacan, qu'il vaudrait mieux le traduire par « la dénégation ».

De même, vous verrez employé plus loin *etwas im Urteil verneinen*, qui est non pas la négation de quelque chose dans le jugement, mais une sorte de déjugement (1). Je crois que, tout au long de ce texte, il faudra distinguer entre la négation interne au jugement et l'attitude de la négation : car il ne me paraît pas autrement compréhensible.

Le texte français ne met pas en relief le style extrêmement concret, presque amusant, des exemples de dénégation d'où Freud prend son départ. Celui-ci d'abord, qui contient une projection dont vous pourrez situer aisément le rôle d'après les analyses poursuivies dans ce séminaire, et où le malade, disons le psychanalysé, dit à son analyste : « Vous allez sans doute penser que je veux vous dire quelque chose d'offensant, mais ce n'est réellement pas mon intention. » « Nous comprenons, dit Freud, qu'il s'agit là du rejet de l'idée qui vient précisément d'émerger par le moyen de la projection. »

« Je me suis aperçu dans la vie courante que lorsque, comme il arrive fréquemment, nous entendons dire « je ne veux certainement « pas vous offenser dans ce que je vais vous dire », il faut traduire par

---

(1) Sens qu'indique assez la phrase qui suit en enchaînant sur la *Verurteilung*, c'est-à-dire la condamnation qu'elle désigne comme équivalent *(Ersatz)* du refoulement, dont le *non* même doit être pris comme une marque, comme un certificat d'origine comparable au *made in Germany* imprimé sur un objet *(J. L.).*

« je veux vous offenser ». C'est une volonté qui ne manque pas. »

Mais cette remarque mène Freud à une généralisation pleine de hardiesse, et où il va poser le problème de la dénégation en tant qu'elle pourrait être l'origine même de l'intelligence. C'est ainsi que je comprends l'article dans toute sa densité philosophique.

De même, donne-t-il l'exemple de celui qui dit : « J'ai vu dans mon rêve telle personne. Vous vous demandez qui ça peut être. Ce n'était certainement pas ma mère. » Auquel cas, c'est réglé, on peut être sûr que c'est bien elle.

Il cite encore un procédé commode à l'usage du psychanalyste, mais aussi bien, dirons-nous, de quiconque, pour obtenir une clarté sur ce qui a été refoulé dans une situation donnée. « Dites-moi ce qui vous paraît, dans cette situation, devoir être tenu pour le plus invrai-semblable de tout, ce qui pour vous en est à cent mille lieues. » Et le patient, ou aussi bien à notre gré le consultant d'occasion, celui du salon ou de la table, s'il s'abandonne à votre piège et vous dit en effet ce qui lui semble le plus incroyable, c'est cela qu'il faudra croire.

Voilà donc une analyse de procédés concrets, généralisée jus-qu'à rencontrer son fondement dans un mode de présenter ce qu'on est sur le mode de ne l'être pas. Car c'est exactement cela qui le constitue : « Je vais vous dire ce que je ne suis pas; attention, c'est précisément ce que je suis. » C'est ainsi que Freud s'introduit dans la fonction de la dénégation et, pour ce faire, il emploie un mot auquel je n'ai pu faire autrement que de me sentir familier, le mot *Aufhebung*, qui, vous le savez, a eu des fortunes diverses. C'est le mot *dialectique* de Hegel, qui veut dire à la fois nier, supprimer et conserver, et foncièrement soulever. Dans la réalité, ce peut être l'*Aufhebung* d'une pierre, ou aussi bien la cessation de mon abonne-ment à un journal. Freud ici nous dit : « La dénégation est une *Aufhebung* du refoulement, mais non pour autant une acceptation du refoulé. »

Ici commence quelque chose de vraiment extraordinaire dans l'analyse de Freud, par quoi se dégage de ces anecdotes, que nous aurions pu prendre pour n'être rien de plus, une portée philosophique prodigieuse que je vais essayer de résumer tout à l'heure.

Présenter son être sur le mode de ne l'être pas, c'est vraiment de cela qu'il s'agit dans cette *Aufhebung* du refoulement qui n'est pas une acceptation du refoulé. Celui qui parle dit : « Voilà ce que je ne suis pas. » Il n'y aurait plus là de refoulement, si refoulement signifie inconscience, puisque c'est conscient. Mais le refoulement subsiste quant à l'essentiel (1), sous la forme de la non-acceptation.

Ici Freud va nous conduire dans un procès d'une extrême subtilité philosophique, auquel notre attention ferait grossièrement défaut à laisser passer dans l'irréflexion de son usage courant cette remarque à laquelle Freud va s'attacher qu' « ici l'intellectuel se sépare de l'affectif ».

Car il y a vraiment, dans la façon dont il va la traiter, une découverte profonde.

Je dirai, poussant mon hypothèse, que pour faire une analyse de l'intellectuel, il ne montre pas comment l'intellectuel se sépare de l'affectif mais comment il est, l'intellectuel, cette sorte de suspension du contenu auquel ne disconviendrait pas dans un langage un peu barbare le terme de sublimation. Peut-être ce qui naît ici est-il la pensée comme telle; mais ce n'est pas avant que le contenu ait été affecté d'une dénégation.

Pour rappeler un texte philosophique (ce dont encore une fois je m'excuse, mais le Dr Lacan m'est ici le garant d'une telle nécessité), à la fin d'un chapitre de Hegel, il s'agit de substituer la négativité véritable à cet appétit de destruction qui s'empare du désir et qui est conçu ici sous un mode profondément mythique bien plutôt que psychologique, substituer, dis-je, à cet appétit de destruction qui

---

(1) Bei Fortbestand des Wesentlichen an der Verdrängung (*G. W.*, XIV, p. 12).

s'empare du désir et qui est tel qu'à l'extrême issue de la lutte primordiale où les deux combattants s'affrontent, il n'y aura plus personne pour constater la victoire ou la défaite de l'un ou de l'autre, une négation idéale.

La dénégation dont parle Freud ici, pour autant qu'elle est différente de la négation idéale où se constitue ce qui est intellectuel, nous montre justement cette sorte de genèse dont Freud, au moment de conclure, désigne le vestige dans le négativisme qui caractérise certains psychotiques (1).

Et Freud va, de ce qui différencie ce moment de la négativité, nous rendre compte, toujours mythiquement parlant.

C'est à mon sens ce qu'il faut admettre pour comprendre ce dont il est proprement parlé dans cet article sous le nom de dénégation, encore que cela ne soit pas immédiatement visible. Semblablement faut-il reconnaître une dissymétrie exprimée par deux mots différents dans le texte de Freud, encore qu'on les ait traduits par le même mot en français, entre le passage à l'affirmation à partir de la tendance unifiante de l'amour, et la genèse, à partir de la tendance destructrice, de cette dénégation qui a la fonction véritable d'engendrer l'intelligence et la position même de la pensée.

Mais cheminons plus doucement.

Nous avons vu que Freud posait l'intellectuel comme séparé de l'affectif : que s'y ajoute néanmoins la modification désirée dans l'analyse, « l'acceptation du refoulé », le refoulement n'est pas pour autant supprimé. Essayons de nous représenter la situation.

Première étape : voilà ce que je ne suis pas. On en a conclu ce que je suis. Le refoulement subsiste toujours sous la forme de la dénégation.

---

(1) Die allgemeine Verneinungslust, der Negativismus mancher Psychotiker, ist wahrscheinlich als Anzeichen der Triebentmischung durch Abzug der libidinösen Komponenten zu verstehen (*G.W.*, XIV, p. 15).

Deuxième étape : le psychanalyste m'oblige à accepter dans mon intelligence ce que je niais tout à l'heure; et Freud ajoute, après un tiret et sans s'en expliquer autrement — : « Le procès du refoulement lui-même n'est pas encore par là levé *(aufgehoben).* »

Ce qui me paraît très profond; si le psychanalysé accepte, il revient sur sa dénégation, et pourtant le refoulement est encore là ! J'en conclus qu'il faut donner à ce qui s'est produit un nom philosophique, qui est un nom que Freud n'a pas énoncé; c'est la négation de la négation. Littéralement, ce qui apparaît ici, c'est l'affirmation intellectuelle, mais seulement intellectuelle, en tant que négation de la négation. Les termes ne s'en trouvent pas dans Freud, mais je crois qu'on ne fait que prolonger sa pensée à la formuler ainsi. C'est bien cela qu'elle veut dire.

Freud à ce moment (soyons attentif à un texte difficile !) se voit en mesure de montrer comment l'intellectuel se sépare [en acte] de l'affectif, de formuler une sorte de genèse du jugement, soit en somme une genèse de la pensée.

Je m'excuse auprès des psychologues qui sont ici, mais je n'aime pas beaucoup la psychologie positive en elle-même; on pourrait prendre cette genèse pour de la psychologie positive; elle me paraît plus profonde en sa portée, comme étant de l'ordre de l'histoire et du mythe. Et je pense, d'après le rôle que Freud fait jouer à cet affectif primordial, en tant qu'il va engendrer l'intelligence, qu'il faut l'entendre comme l'enseigne le Dr Lacan : c'est-à-dire que la forme primaire de relation que psychologiquement nous appelons affective est elle-même située dans le champ distinctif de la situation humaine, et que, si elle engendre l'intelligence, c'est qu'elle comporte déjà à son départ une historicité fondamentale; il n'y a pas l'affectif pur d'un côté, tout engagé dans le réel, et l'intellectuel pur de l'autre, qui s'en dégagerait pour le ressaisir. Dans la genèse ici décrite, je vois une sorte de grand mythe; et derrière l'apparence de la positivité chez Freud, il y a ce grand mythe qui la soutient.

Qu'est-ce à dire ? Derrière l'affirmation (1), qu'est-ce qu'il y a ? Il y a la *Vereinigung*, qui est Eros. Et derrière la dénégation (attention, la dénégation intellectuelle sera quelque chose de plus), qu'y a-t-il donc ? L'apparition ici d'un symbole fondamental dissymétrique. L'affirmation primordiale, ce n'est rien d'autre qu'affirmer; mais nier, c'est plus que de vouloir détruire.

Le procès qui y mène, qu'on a traduit par rejet, sans que Freud use ici du terme *Verwerfung*, est accentué plus fortement encore, puisqu'il y met *Ausstossung* (2), qui signifie expulsion.

On a en quelque sorte ici [le couple formel] de deux forces premières : la force d'attraction (3) et la force d'expulsion, toutes les deux, semble-t-il, sous la domination du principe du plaisir, ce qui ne laisse pas d'être frappant dans ce texte (4).

Le jugement a donc là sa première histoire. Et ici Freud y distingue deux types :

Conformément à ce que chacun apprend des éléments de la philosophie, il y a un jugement d'attribution et un jugement d'existence. « La fonction du jugement... doit d'une chose dire ou dédire une propriété, et elle doit d'une représentation confesser ou contester l'existence dans la réalité. »

Et Freud montre alors ce qu'il y a derrière le jugement d'attribution et derrière le jugement d'existence. Il me semble que pour comprendre son article, il faut considérer la négation du jugement attributif et la négation du jugement d'existence, comme en deçà de la négation au moment où elle apparaît dans sa fonction symbolique. Au fond, il n'y a pas encore jugement dans ce moment d'émergence, il y a un premier mythe du dehors et du dedans, et c'est là ce qu'il s'agit de comprendre.

(1) *Bejahung.*
(2) *G. W.*, XIV, p. 15.
(3) *Einbeziehung.*
(4) Le séminaire où J. L. a commenté l'article *Au-delà du principe du plaisir*, n'a eu lieu qu'en 1954-1955.

Vous sentez quelle portée a ce mythe de la formation du dehors et du dedans : c'est celle de l'aliénation qui se fonde en ces deux termes. Ce qui se traduit dans leur opposition formelle devient au-delà aliénation et hostilité entre les deux.

Ce qui rend si denses ces quatre ou cinq pages, c'est, comme vous le voyez, qu'elles mettent tout en cause, et qu'on y va de ces remarques concrètes, si menues en apparence et si profondes dans leur généralité, à quelque chose qui emporte toute une philosophie, entendons toute une structure de la pensée.

Derrière le jugement d'attribution, qu'est-ce qu'il y a ? Il y a le « je veux (m')approprier, introjecter » ou le « je veux expulser ».

Il y a au début, semble dire Freud, mais au début ne veut rien dire d'autre que dans le mythe « il était une fois »... Dans cette histoire il était une fois un moi (entendons ici un sujet) pour lequel il n'y avait encore rien d'étranger.

La distinction de l'étranger et de lui-même, c'est une opération, une expulsion. Ce qui rend compréhensible une proposition qui, de surgir assez abruptement, paraît un instant contradictoire :

« Das Schlechte, ce qui est mauvais, das dem Ich Fremde, ce qui est étranger au moi, das Aussenbefindliche, ce qui se trouve au dehors, ist ihm zunächst identisch, lui est d'abord identique. »

Or, juste avant, Freud vient de dire qu'on introjecte et qu'on expulse, qu'il y a donc une opération qui est l'opération d'expulsion et [sans laquelle] l'opération d'introjection [n'aurait pas de sens]. C'est là l'opération primordiale où ce qui sera le jugement d'attribution [se fonde].

Mais ce qui est à l'origine du jugement d'existence, c'est le rapport entre la représentation et la perception. Et il est ici très difficile de ne pas manquer le sens dans lequel Freud approfondit ce rapport. Ce qui est important, c'est qu' « au début » il est égal et neutre de savoir s'il y a ou s'il n'y a pas. Il y a. Le sujet reproduit sa représentation des choses de la perception primitive qu'il en a eue. Quand maintenant il dit que cela existe, la question est de savoir [non pas (1)] si cette représentation conserve encore son état dans la réalité, mais s'il pourra ou ne pourra pas la retrouver. Tel est le rapport où Freud met l'accent [de l'épreuve] de la représentation à la réalité, [il la fonde] dans la possibilité de retrouver à nouveau son objet. Ce ressort accentué de la répétition prouve que Freud se meut dans une dimension plus profonde que celle où Jung se situe, cette dernière étant une dimension qui est plus proprement de mémoire (2). C'est ici qu'il ne faut pas perdre le fil de son analyse. (Mais j'ai peur de vous le faire perdre, tellement c'est difficile et minutieux.)

Ce dont il s'agissait dans le jugement d'attribution, c'est d'expulser ou d'introjecter. Dans le jugement d'existence, il s'agit d'attribuer au moi, ou plutôt au sujet (c'est plus compréhensif) une représentation à laquelle ne correspond plus, mais a correspondu dans un retour en arrière, son objet. Ce qui est ici en cause, c'est la genèse « de l'extérieur et de l'intérieur ».

On a donc là, nous dit Freud, « une vue sur la naissance » du jugement, « à partir des pulsions primaires ». Il y a donc là une sorte d' « évolution finalisée de cette appropriation au moi et de cette expulsion hors du moi qui s'ensuivent du principe du plaisir ».

« *Die Bejahung*, l'affirmation, nous dit Freud, *als Ersatz der Vereinigung*, en tant qu'elle est simplement l'équivalent de l'unification, *gehört dem Eros an*, est le fait de l'Eros » : qui est-ce qu'il y a à la source de l'affirmation, par exemple, dans le jugement d'attribution ? c'est le fait d'introjecter, de nous approprier au lieu d'expulser au-dehors.

---

(1) Mots ajoutés par le rédacteur, conformément au texte de FREUD : Der erste und nichst Zweck der Realitätsprüfung ist also nicht ein dem Vorgestellten entsprechendes Objekt in der realen Wahrnehmung zu finden, sondern es wiederzufinden, sich au überzeugen, dass es noch vorhanden ist (G. W., XIV, p. 14).

(2) L'auteur veut-il indiquer ici la réminiscence platonicienne ? *(J. L.).*

Pour la négation, il n'emploie pas le mot *Ersatz*, mais le mot *Nachfolge*. Mais le traducteur français le traduit par le même mot qu'*Ersatz*. Le texte allemand donne : l'affirmation est l'*Ersatz* de la *Vereinigung*, et la négation le *Nachfolge* de l'expulsion, ou plus exactement de l'instinct de destruction *(Destruktionstrieb)*.

Cela devient donc tout à fait mythique : deux instincts qui sont pour ainsi dire entremêlés dans ce mythe qui porte le sujet : l'un celui de l'unification, l'autre celui de la destruction. Un grand mythe, vous le voyez, et qui en répète d'autres. Mais la petite nuance que l'affirmation ne fait en quelque sorte que se substituer purement et simplement à l'unification, tandis que la négation résulte par après de l'expulsion, me paraît seule capable d'expliquer la phrase qui suit, où il s'agit simplement de négativisme et d'instinct de destruction. C'est qu'en effet cela explique bien qu'il puisse y avoir un plaisir de dénier, un négativisme qui résulte simplement de la suppression (1) des composantes libidinales ; c'est-à-dire que ce qui a disparu dans ce plaisir de nier (disparu = refoulé), ce sont les composantes libidinales.

Par conséquent l'instinct de destruction dépend-il aussi du [principe du] plaisir ? Je crois ceci très important, capital pour la technique (2).

Seulement, nous dit Freud, « l'accomplissement de la fonction du jugement n'est rendu possible que par *la création du symbole de la négation* » (3).

(1) Allemand : *Abzug* : défalcation, décompte, retenue, « ce qui est défalqué dans le plaisir à nier, ce sont les composantes libidinales ». La possibilité en est référée à la *Triebentmischung* qui est une sorte de retour à l'état pur, de décantation des pulsions dont l'usage traduit très médiocrement le terme par : désintrication des instincts.

(2) La façon admirable dont l'exposé de M. Hyppolite serre ici la difficulté nous paraît d'autant plus significative que nous n'avions pas encore produit les thèses que nous devions développer l'année suivante dans notre commentaire de *Au-delà du principe du plaisir*, sur l'instinct de mort, à la fois si éludé et si présent dans ce texte. *(J. L.)*

(3) Souligné par Freud.

Pourquoi Freud ne nous dit-il pas : le fonctionnement du jugement est rendu possible par l'affirmation ? C'est que la négation va jouer un rôle non pas comme tendance à la destruction, non plus qu'à l'intérieur d'une forme du jugement, mais en tant qu'attitude fondamentale de symbolicité explicitée.

« Création du symbole de la négation qui a permis un premier degré d'indépendance à l'endroit du refoulement et de ses suites et par là aussi de la contrainte *(Zwang)* du principe du plaisir. »

Phrase dont le sens ne ferait pas pour moi problème, si je n'avais d'abord rattaché la tendance à la destruction au principe du plaisir.

Car il y a là une difficulté. Qu'est-ce que signifie dès lors cette dissymétrie entre l'affirmation et la négation ? Elle signifie que tout le refoulé peut à nouveau être repris et réutilisé dans une espèce de suspension, et qu'en quelque sorte au lieu d'être sous la domination des instincts d'attraction et d'expulsion, il peut se produire une marge de la pensée, une apparition de l'être sous la forme de ne l'être pas, qui se produit avec la dénégation, c'est-à-dire où le symbole de la négation est rattaché à l'attitude concrète de la dénégation.

Car c'est ainsi qu'il faut comprendre le texte, si l'on admet la conclusion qui m'a d'abord paru un peu étrange.

« A cette façon de comprendre la dénégation correspond très bien que l'on ne découvre dans l'analyse aucun « non » à partir de l'inconscient... »

Mais on y trouve bien de la destruction. Donc il faut absolument séparer l'instinct de destruction de la forme de destruction, car on ne comprendrait pas ce que veut dire Freud. Il faut voir dans la dénégation une attitude concrète à l'origine du symbole explicite de la négation, lequel symbole explicite rend seul possible quelque chose qui soit comme l'utilisation de l'inconscient, tout en maintenant le refoulement.

Tel me paraît être le sens de la fin de ladite phrase de conclusion : « ... et que la reconnaissance de l'inconscient du côté du moi s'exprime dans une formule négative. »

C'est là le résumé : on ne trouve dans l'analyse aucun « non » à partir de l'inconscient, mais la reconnaissance de l'inconscient du côté du moi montre que le moi est toujours méconnaissance; même dans la connaissance, on trouve toujours du côté du moi, dans une formule négative, la marque de la possibilité de détenir l'inconscient tout en le refusant.

« Aucune preuve plus forte qu'on est arrivé à découvrir l'inconscient, que si l'analysé réagit avec cette phrase : « Je n'ai pas pensé à ça », ou même : « Je suis loin d'avoir (jamais) songé à cela. »

Il y a donc dans ce texte de quatre ou cinq pages de Freud, dont je m'excuse si j'ai montré moi-même quelque peine à en trouver ce que je crois en être le fil, d'une part l'analyse de cette sorte d'attitude concrète, qui se dégage de l'observation même de la dénégation; d'autre part, la possibilité de voir l'intellectuel se dissocier en [acte] de l'affectif; enfin et surtout une genèse de tout ce qui précède au niveau du primaire, et par conséquent l'origine du jugement et de la pensée elle-même (sous la forme de la pensée comme telle, car la pensée est déjà bien avant, dans le primaire, mais elle n'y est pas comme pensée) saisie par l'intermédiaire de la dénégation.

3

L'EXISTENCE HUMAINE
ET LA PSYCHANALYSE *

INTRODUCTION

Notre époque a été profondément marquée par des hommes comme Freud ou Einstein (dont il est difficile de dire en quel sens ils sont, en quel sens ils ne sont pas des philosophes... encore pourrait-on rapprocher Einstein de Newton, mais Freud, parce qu'il touche à la psychologie, a une situation plus ambiguë) qui, dans des domaines différents, ont vraiment frayé une voie, ouvert à l'humanité des perspectives absolument nouvelles. Il en résulte que notre méditation philosophique doit aujourd'hui interpréter leur message, tenter de mesurer ce qu'ils nous ont apporté, ce sans quoi nous ne saurions penser.

Dans le cas de Freud, la difficulté paraît tenir à l'ambiguïté de sa réflexion. S'agit-il d'un savant, neurologue et psychiatre, qui a fait progresser la psychologie positive et conçu une thérapeutique nouvelle, susceptible d'une extension presque indéfinie ? S'agit-il d'un philosophe qui s'est haussé à une vision nouvelle et originale du monde et a permis ainsi à l'esprit humain d'éclairer le sens de son destin et de son existence ? En fait, Freud se situe aussi bien sur le plan d'une science positive — à laquelle il a toujours voulu rester fidèle — que sur celui d'une philosophie : ne déclarait-il pas lui-

---

* Conférence faite à Cologne (Université et Archives Husserl), le 2 février 1959.

même, dès sa jeunesse, qu'il tenait essentiellement à parvenir à comprendre quelque chose au monde ?

Nous ne voudrions pas choisir chez Freud le savant positiviste, ou le philosophe, écartant l'un pour retenir l'autre. Nous n'insisterons pas d'emblée sur la contradiction qu'il y a entre une science mécaniste et une philosophie de la signification. Nous voulons montrer : 1) que Freud nous présente un fonctionnement de l'esprit qui élabore du sens, une nature d'où jaillit de la signification; 2) que cette signification apparaît surtout dans un dialogue, celui du psychanalyste et du psychanalysé (langage et parole).

I. — Psychologie et métaphysique

Freud, d'abord neurologue, a consacré à l'aphasie un travail qui aurait suffi à assurer sa réputation. Il y critique la théorie des localisations cérébrales trop précises, et cherche à concevoir des centres d'associations, en même temps qu'il se réfère un des premiers à Jackson. C'est à la même époque qu'il publie avec Breuer ses *Etudes sur l'hystérie* et étudie le phénomène de conscience par lequel une idée inconsciente se convertit en un symptôme physique.

Tout au long de sa carrière Freud va tenter, comme à la même époque le faisait Bergson dans *Matière et Mémoire*, de se représenter le fonctionnement (et il faut insister sur cette idée) de l'esprit, comme on comprend le fonctionnement d'une machine : une machine simple, une machine énergétique, une machine à *feed-back*. On peut considérer *Matière et Mémoire*, d'un certain point de vue, comme une tentative de représentation du fonctionnement plus ou moins souple, plus ou moins tendu, de l'intelligence humaine aux prises avec la réalité. Du plan extrême du rêve, où l'esprit s'étend en se détendant, à la pointe de l'action, ce « cher point du monde », l'intelligence se concentre ou se détend, se rassemble ou se disperse. Dans tous les cas, et quel que soit l'étage occupé, l'association n'est jamais un phénomène purement mécanique, mais un phénomène intentionnel; nous associons de façon différente selon le degré même de notre intérêt au monde, de notre insertion dans la réalité, insertion assurée par le corps. Le point de départ de Bergson est celui d'un organisme vivant amené à réagir aux excitations du milieu, de façon de plus en plus confuse et imprévisible. On sait que Bergson symbolise toute cette activité de l'esprit par l'image d'un cône dont la pointe repose sur le plan du réel et dont la base se perd dans l'extrême dispersion du rêve. Bergson, enfin, a insisté plus tard sur les analogies entre sa conception du fonctionnement de l'esprit, et celle que proposait Pierre Janet dans ses études psychiatriques sur la psychasthénie et le sens du réel.

Il n'est sans doute pas inutile de comparer Freud et Bergson, d'autant plus que Bergson cite Freud dans son article sur le rêve (paru juste après *Die Traumdeutung*) et présente une conception analogue de la pathologie mentale dans l'étude du déjà-vu (la fausse reconnaissance) : la pathologie n'ajoute rien, elle libère ce que la vie restreint. Freud, lui aussi, a voulu décrire le fonctionnement de l'esprit et depuis ses études sur l'aphasie jusqu'aux articles de *Métapsychologie* (à la fin de sa carrière), en passant par la dernière partie de l'*Interprétation des Rêves (Die Traumdeutung)*, il n'a cessé de perfectionner et de compliquer une représentation topique et dynamique de l'esprit humain. Cette représentation est bien plus complexe que celle du cône bergsonien, elle en diffère notablement, surtout parce que Bergson croit à l'imprévisibilité, à la liberté de l'action humaine, et que Freud s'enferme de principe dans un rigoureux déterminisme; mais aussi parce que Freud, aux prises avec la thérapeutique psychanalytique, est amené sans cesse à remanier son schéma du fonctionnement spirituel. Freud, enfin, par son interprétation des rêves et de l'inconscient, s'éloigne de *l'axe unique* bergsonien (axe orienté du rêve à la réalité) et donne un sens au rêve et à l'inconscient, sens propre et fonctionnement originel.

Freud a donné le nom de Métapsychologie aux hypothèses diverses par lesquelles il a tenté de rendre compte du fonctionnement de l'esprit humain et qui le conduisent à distinguer des *instances* diverses (des systèmes différents en prise les uns sur les autres), allant de l'inconscient au conscient, par l'intermédiaire du préconscient.

La conception que Freud se fait du fonctionnement est à la fois *génétique* et *structurale*. La structure est un produit de la vie, une réalisation historique de la vie. La structure s'explique par la genèse (1).

La distinction radicale qui s'établit entre l'inconscient et le préconscient, entre le ça (où se déploient à leur façon les pulsions primaires et leurs représentants) et le moi, dont la pointe seule liée à la perception du monde est consciente, est elle-même un produit de l'adaptation. La conscience percevante est seulement la partie de nous-même qui a rapport avec le monde extérieur, s'engage dans l'épreuve de la réalité. L'extrême bord de la perception est conçue comme sans mémoire (2). La conscience refoule, grâce à l'introjection des parents,

---

(1) *Interpr. des Rêves*, p. 463 : « Cet appareil n'a pu atteindre sa perfection actuelle qu'au bout d'un long développement. Essayons de le ramener à un stade antérieur. L'enfant qui a faim criera désespérément ou bien s'agitera, mais la situation demeure la même, car l'excitation provenant d'un besoin intérieur répond à une action continue et non à un heurt momentané avec l'excitation externe. Il ne peut y avoir changement que quand d'une façon ou d'une autre (dans le cas de l'enfant, par suite d'une intervention étrangère), l'on acquiert l'expérience de la sorte d'apaisement qui met fin à l'excitation interne. Un élément essentiel de cette expérience, c'est l'apparition d'une certaine perception (l'aliment dans l'exemple choisi), dont l'image restera associée dans la mémoire au souvenir de l'excitation du besoin. »

(2) On distinguera le système ou les systèmes de la mémoire des systèmes de la perception. « Il est difficile qu'un seul et même système garde fidèlement des transformations de ses éléments et offre en même temps aux nouvelles possibilités de changement une réceptivité toujours fraîche ». « Nous supposons qu'un système externe (superficiel) de l'appareil reçoit les excitations perceptives, mais n'en retient rien, n'a donc pas de mémoire, et que derrière ce système il s'en trouve un autre qui transforme l'excitation momentanée du premier en traces durables. » Il y a donc deux systèmes fondamentalement différents, deux instances psychiques : le système qui critique et qui soumet à sa critique l'activité de l'autre. L'instance qui critique est le principe directeur de notre vie éveillée, le même qui décide de nos actes volontaires et conscients.

grâce au surmoi, tout ce qui, guidé par le seul principe du plaisir, ou de la décharge à tout prix de l'excitation trop forte, risquerait de détruire le moi.

Le ça (qui est l'inconscient authentique), le moi et le surmoi, qui peuvent être conscients ou inconscients, constituent les diverses instances entre lesquelles s'établissent des échanges énergétiques. Il y a, des uns aux autres, des barrières diverses, des censures mobiles. Ce schéma, qui peut, au premier abord, paraître arbitraire, résulte des expériences mêmes de Freud, de l'interprétation qu'il donne aussi bien des psychonévroses que des phénomènes normaux de la vie quotidienne, les lapsus, les jeux de mots et surtout, les rêves.

Nous n'insisterons ici que sur l'interprétation des rêves, telle que nous la trouvons dans la *Traumdeutung* de 1900 ou dans les articles postérieurs de métapsychologie. Le rêve est, pour Freud, une *régression* en un triple sens. C'est une régression topique, chronologique et formelle. Le moi est absorbé tout entier par le désir de dormir. Dormir, avait dit Bergson, c'est se désintéresser; on dort dans l'exacte mesure où l'on se désintéresse; et cette formule pourrait être, en un sens, mais en un sens seulement, celle de Freud. Le moi est donc livré au désir de dormir, au désir puissant de retour au sein maternel, ou au narcissisme primitif. Ce narcissisme n'est pas l'égoïsme de l'intérêt, mais est une nature première. Le moi retourne ainsi « dans le germe et la sombre innocence », mais ce retour qui fait perdre aux instances du moi leur force de refoulement — la censure — libère au contraire l'inconscient, le ça, qui est la proie du désir du rêve. Désir du rêve et désir de dormir se confondent peut-être dans ce retour au narcissisme primitif. « L'abandon de la direction volontaire de nos représentations est incontestables, mais la vie psychique n'en reste pas moins orientée car, dans ce cas, des représentations de but involontaire remplacent des représentations voulues. »

Le rêve est une régression topique, parce qu'il est un retour au stade de la satisfaction hallucinatoire du désir. Ici, la genèse explique la structure. L'enfant, qui est sous la domination de ses pulsions internes insatisfaites, apprend d'abord à les satisfaire par la représentation objectale de l'objet de ses désirs. Il imagine par hallucination le sein maternel qui lui manque, ou la personne désirée dont il a besoin. Cette hallucination caractérise le rêve qui est moins une montée du ça vers le moi, qu'une descente du moi vers le ça. L'épreuve de la réalité — qui subsiste encore plus ou moins dans la rêverie — a cessé. La censure a perdu de sa vigueur, et les soucis de la veille, qui mettraient obstacle au sommeil, sont comme attirés dans « l'enfer du profond souvenir », dans la partie indestructible, atavique et enfantine de nous-même. Nous percevons l'inconscient comme nous percevons la réalité, et c'est cette perception qui effleure le moi conscient dans le rêve. Le moi se livre alors à une élaboration secondaire, le travail de déplacement — qui déplace l'accent psychique — et de condensation — qui est un « langage abrégé » — étant l'élaboration primaire. Notre moi préconscient et conscient s'efforce, quand nous nous réveillons, d'introduire la logique, la cohérence, le principe de réalité enfin, celui qui revêt le souvenir quand il n'est plus que langage et syntaxe logique, dans le monde du rêve, incohérent pour la logique, mais qui a pourtant sa logique propre, son sens et son langage à lui (1).

Le rêve est régression chronologique, car il est un retour au passé et à l'originaire, archaïque, atavique (2) et enfantin. En effet, les soucis de la veille subsistant dans le moi sont toujours le commen-

---

(1) *Nouvelles Conférences sur la Psychanalyse*, p. 29 : « Seuls les matériaux bruts de la pensée peuvent encore s'exprimer, comme dans une langue primitive, sans grammaire. »

« Quand un grand nombre d'objets, de processus sont représentés par des symboles devenus étrangers à la pensée consciente, ce fait est attribuable autant à une régression archaïque dans l'appareil psychique qu'aux exigences de la censure. »

(2) Rêves typiques : α) le rêve de Nausicaa; β) le rêve de mort ou les frères ennemis; γ) les rêves d'examen.

cement du rêve, mais ils n'en sont pas l'essentiel, leur énergie est gênante pour le sommeil, insuffisante pour la manifestation, c'est pourquoi ils sont attirés vers les désirs enfantins et ataviques qui ont gardé dans l'inconscient leur puissance et leur force d'investissement. Le souci de la veille joue le rôle de l'entrepreneur, les désirs d'enfance, celui du capitaliste. C'est pourquoi le rêve nous fait toujours remonter plus loin dans le passé que l'incident de la veille qui est seulement une incitation et qui masque un désir plus ancien (1).

Le rêve n'est donc pas la montée de l'inconscient au conscient par l'intermédiaire de la censure qui le transforme, il est plutôt une façon de se dérober, de s'évader jusqu'à une perception de l'inconscient lui-même, bien que le souvenir ou l'émoi inconscient ait pourtant besoin de se transférer sur un détail ou un souci insignifiant de la veille. Par là, le rêve nous parle le langage de l'inconscient, un langage qui ne ressemble pas au langage plus ou moins logique de la veille, un langage narcissique où *on* me parle. Le rêve est le moyen de saisir l'inconscient qui effleure le moi, de pénétrer dans son travail, si éloigné du travail conscient, logique, rationnel, lié aux signes du langage vocal; travail qui s'effectue sur des images et qui ne connait ni la négation — une forme ultérieure de refoulement — ni la contradiction; un travail qui s'effectue par des déplacements et des condensations, que nous apprenons à reconnaître dans les phobies et les symptômes surdéterminés des névroses. Car le rêve — ce phénomène normal — est aussi le modèle de toutes les psycho-névroses. Il y avait longtemps qu'on avait perçu cette similitude entre le rêve et la folie; mais il y avait loin d'une analogie lointaine à

---

(1) *Nouvelles Conférences...*, p. 32 : « La contradiction qui subsiste au-dedans même des pensées du rêve entre la pulsion instinctuelle inconsciente et les restes diurnes [...], alors que ces derniers témoignent de toute la diversité de nos actes spirituels, l'autre, moteur véritable de l'élaboration du rêve, tend régulièrement vers la réalisation du désir. »

« L'élaboration du rêve, partout où elle se produit, transforme les rapports temporels en rapports spatiaux. »

une justification si pertinente de ce rapprochement, à la tentative de Freud pour l'exploiter complètement.

Le rêve est enfin une régression formelle, c'est-à-dire qu'il est régression par excellence, puisqu'il est un retour au narcissisme primitif, à un stade antérieur à l'épreuve de la réalité : celui de la satisfaction hallucinatoire des désirs. Notre enfance, notre atavisme est toujours là, indestructible, et nous tue de tout son poids, bien que la veille et le moi soient une sorte de triomphe rationnel sur lui ou, si l'on veut, soient le rationalisme même.

Nous avons insisté sur cette théorie du rêve-régression, car elle est trop souvent méconnue au profit d'une interprétation des rêves seule mise en avant. L'exploration de l'inconscient, la recherche du sens de ce qui, jusque-là, était considéré comme non-sens, caractérisent les études freudiennes, mais ce n'est là qu'une base de cette métapsychologie qui, par l'étude des névroses, et par une psychanalyse de la vie quotidienne, tente de comprendre comment, à partir de pulsions internes (pulsion de plaisir et pulsion de mort) s'est constituée une série d'instances, de systèmes qui mettent en communication l'inconscient et la réalité. Le refoulement est, en effet, à l'égard de l'inconscient, ce que la fuite est à l'égard de la réalité, car si on peut fuir une source d'excitation, on ne peut se fuir soi-même.

Le fonctionnement de l'esprit tel que le décrit Freud, avec ses admirables exemples concrets (par exemple, sur le deuil et la mélancolie), fait tout aussi bien penser au fonctionnement d'une machine électronique avec ses diverses réserves de mémoire, mémoire imagée objectale, mémoire des signes verbaux, qu'à une analyse de sens. Il y a là, certes, comme une contradiction qu'on ne pourrait lever sans trahir Freud lui-même. La vision du monde de Freud est d'abord certainement la vision d'un philosophe de la nature, qui fait surgir l'esprit de l'abime naturel. Ici encore, la comparaison avec Bergson s'impose, mais tandis que Bergson parle d'une évolution créatrice de la vie, il semble qu'il y ait chez Freud une vision infiniment plus pessimiste, peut-être inspirée par l'époque. L'instinct de mort l'emporte, la religion est une illusion, et derrière l'effort lucide de l'homme pour rationaliser, pour comprendre, se retrouve toujours une nature à laquelle, par des voies qui lui sont propres, la vie aspire à revenir.

Cependant, nous devons aussi bien à Freud un effort pour remonter sans cesse du signifiant au signifié, un signifié qui se dérobe toujours, de sorte que certains disciples français de Freud peuvent aujourd'hui situer toute la technique psychanalytique sur le plan du seul langage, un langage qui déborde le langage vocal et la parole et qui désigne toujours, sans atteindre jamais ce qu'il désigne, un signifiant qui ne connaît du signifié que la pure référence. Mais pour parler encore de sens, il faut envisager la psychanalyse comme un dialogue, il faut étudier l'intersubjectivité dans la psychanalyse.

[*La suite manque.*]

4

PHILOSOPHIE ET PSYCHANALYSE *

I. — *La formation de la psychanalyse et de ses concepts*

I

Quand j'ai accepté de venir vous parler de la *Psychanalyse et de la Philosophie*, je me rendais encore mal compte de l'énormité de la tâche et de la présomption dont je faisais preuve. Je partais de la conviction que la philosophie contemporaine était inséparable de la psychanalyse, que la phénoménologie et l'analytique existentielle s'en inspirent, et de la conviction égale que la psychanalyse était aussi toute une philosophie de l'existence et du destin humain. Cette conviction s'était ancrée en moi par la lecture attentive des œuvres de Freud et la méditation sur les œuvres des philosophes actuels. Autrement dit, je trouvais un climat commun, des problèmes communs. Mais comment les dégager ?

Et quand j'ai voulu reprendre, pour traiter ce sujet, la lecture de Freud, j'ai pris conscience de la dimension du sujet et de sa difficulté. Comment, d'une part, dégager l'essence de la pensée freudienne, et comment oser montrer, d'autre part, l'analogie de cette pensée avec la métaphysique contemporaine ? Je réclame donc votre

* Conférences faites au King's College de Londres, le 4 mars 1959.

indulgence si je suis obligé de ne donner que des indications trop générales et d'ouvrir une route, plutôt que de la suivre véritablement.

D'abord, dégager l'essence de la pensée freudienne, voilà l'énorme difficulté, peut-être insurmontable. Freud, en effet, n'est pas seulement un médecin qui a découvert une thérapeutique nouvelle applicable aux névroses, à la suite de Charcot, de Breuer et de Janet ; il n'est pas seulement un neurologue (dont les travaux sur l'aphasie en 1891 — cités par Bergson dans *Matière et Mémoire* — auraient suffi à le consacrer) et un psychologue de talent, il est un philosophe de première grandeur, ou plutôt un de ces hommes de génie (si rares) qui dévoilent, découvrent une voie nouvelle. Après coup et rétrospectivement, on peut bien dire que d'autres avaient déjà pressenti, ou indiqué ce qui est ainsi découvert, mais il a fallu quand même ce nouvel éclairage pour remarquer chez ses prédécesseurs ce que Freud a pour la première fois exprimé clairement. Dans *Mahomet*, de Voltaire, on trouve ce vers déjà freudien :

L'inceste était pour nous le fruit du parricide

ou encore, on relit, depuis Freud, d'une certaine façon la tragédie d'Œdipe ou le drame d'Hamlet, on étudie ces mythes types des grands hommes, qui ressemblent à des rêves types ; mais tout cela a été rendu possible par la pensée freudienne, par le courage d'un homme qui, parti des modestes travaux du médecin histologiste ou neurologue, a voulu s'élever à une compréhension du monde. Voilà pourquoi il est difficile de dégager l'essence de la pensée freudienne. C'est qu'en effet cette pensée n'a cessé d'évoluer, de se rectifier, obsédée par le seul souci de la vérité et le sentiment d'un dévoilement des racines humaines. Nous pouvons parfois nous indigner du langage positiviste du médecin Freud qui était celui de son époque, mais nous ne devons pas oublier l'évolution qui l'a conduit d'une physiologie dynamique à la psychologie. Sans cesse, Freud a remanié ses schémas, modifié son langage, comme à la quête d'une vérité pressentie, mais jamais définitivement élaborée. Freud a voulu atteindre un système de l'esprit humain, de son développement, et je crois que le trait essentiel de son caractère a été le courage d'aller jusqu'au dévoilement du vrai, même si ce dévoilement est pénible et décevant. Il s'agissait moins pour lui de guérir par l'illusion que de guérir par la vérité. Il voulait démystifier l'homme. Il a comparé lui-même la psychanalyse à la tragédie d'Œdipe, à cette découverte héroïque et progressive du vrai qui aboutit à une sorte de reconnaissance, à un « je l'avais toujours su ».

Mais de quelle découverte s'agit-il ? Une découverte qui, partant de l'étude des névroses, s'étend à toute la vie humaine et remonte jusqu'aux racines enfantines de cette vie, une psychanalyse qui permet de pénétrer dans les profondeurs oubliées de l'esprit et de son histoire, ce que Freud aime comparer à la « technique de défouissement d'une ville ensevelie », une archéologie ou une exégèse de l'esprit (1). Nous possédons heureusement l'admirable biographie que E. Jones a donnée de Freud et nous pouvons suivre le développement de son œuvre et la maturation de sa pensée; nous y voyons aussi bien comment Freud (à la manière d'un Montaigne) a entrepris courageusement sa propre auto-analyse, comment elle a pu lui servir pour l'édification de la *Science des Rêves*. Freud, enfin, n'est pas séparable de tout le drame de son temps, de notre drame, et il suffit, pour s'en rendre compte, de lire une de ses dernières œuvres, son *Moïse*, qu'il n'osa achever qu'après avoir quitté Vienne, occupée par les nazis, et trouvé un refuge dans la libérale Angleterre, en 1938.

(1) Dans *L'homme aux loups*, on trouve le texte suivant en conclusion de la recherche : « Aussi, sa vie psychologique produisait-elle une impression analogue à celle que fait la religion de l'Egypte, religion qui nous paraît si incompréhensible parce qu'elle a conservé côte à côte et ses stades évolutifs divers et ses produits terminaux, ses plus anciens dieux avec leurs significations auprès des plus récents, parce qu'elle étale, en quelque sorte en surface, ce que d'autres sortes d'évolutions n'ont conservé qu'en profondeur. »

Il faut donc d'abord se représenter Freud et son œuvre dans une tout autre perspective que celle qui fut la nôtre, par exemple en 1925, quand on parlait avec un sourire un peu ironique, chez les psychiatres, de l'obsession sexuelle chez Freud, et de ce roman fantaisiste qu'était la psychanalyse. Il est vrai que tout a bien changé depuis cette époque, et que la psychanalyse aujourd'hui s'est américanisée, et qu'elle est devenue une technique très répandue. Mais il y a là un nouveau danger. « Je redoute, disait Freud, le moment où on voudra pratiquer la psychanalyse d'une façon massive ou d'une façon sauvage. » Cette extension de la psychanalyse nous ferait tout aussi bien oublier le souci philosophique fondamental de Freud, qui se dissimule derrière une technique thérapeutique.

Entre ces deux dangers : la méconnaissance compète de la psychanalyse et son extension technique, il nous faut tenter de pénétrer son essence, en suivant, si vous le voulez bien, l'interprétation des symptômes névrotiques, la *Science des Rêves*, l'œuvre centrale, et les conséquences qui en résultent pour une compréhension de l'existence humaine.

Nous tenterons ensuite, en partant de Freud lui-même, de dégager une portée métaphysique de la psychanalyse, qui est, si l'on veut, une nouvelle façon de lire Freud lui-même.

2. — *Le symptôme névrotique, une recherche historique*

Il est bien certain qu'il y a un contraste entre la représentation énergétique (énergie liée et non liée, investissements et contre-investissements divers de cette énergie) que se fait Freud de tout l'appareil psychique, et la méthode de « recherche du sens » qu'il inaugure. Pourtant, jamais Freud n'abandonnera complètement cette représentation énergétique; et le contraste est assez fort entre ce matérialisme de l'énergie et cette analyse intentionnelle. Peut-être faut-il éviter de trahir Freud en choisissant une interprétation contre l'autre, car il a voulu lui-même une sorte de synthèse, à laquelle il n'a pu parvenir, et il y a une originalité dans ce mixte, dans ce refus de séparer une philosophie de la nature et une philosophie de l'esprit. On va toujours chez Freud d'une image naturaliste (1) à une compréhension, et *vice versa*. Pourtant, c'est le thème de la *compréhension* qui nous frappe d'abord dans la première étude des symptômes névrotiques, quand Freud, qui fut à Paris l'élève admiratif de Charcot en 1885, puis celui de Bernheim à Nancy en 1889, travaille à Vienne avec Breuer, découvre la méthode cathartique, et publie avec lui ces *Études sur l'hystérie* qui sont vraiment le germe de la psychanalyse.

Refoulement, résistance, compréhension génétique du symptôme par un développement historique, guérison par l'hypnotisme (2), mais surtout par la lumière apportée dans le moi du malade, tout cela se manifeste dans ces premières études sur l'hystérie; et si on compare les termes même de Freud à ceux de Janet, qui fut aussi un grand psychologue : le refoulement au lieu de la dissociation mentale, le conflit interne au lieu de la faiblesse de tension du moi, on voit ce que ces mots apportent de lumière, de compréhension.

La comparaison de Freud et de Janet s'impose justement pour mettre en lumière l'originalité de l'interprétation freudienne. Janet parlait, dans l'hystérie, d'une dissociation du moi, ou d'une impuissance du moi à se synthétiser, à s'unifier. Freud parle de *refoulement* (3). La description de Janet n'est précisément qu'une description, celle de Freud est une compréhension. Les symptômes (para-

---

(1) Il y a chez Freud une philosophie de la vie, comme chez Bergson, mais ce n'est pas une évolution créatrice comme chez Bergson; c'est une représentation de l'appareil mental.

(2) Pourquoi Freud a-t-il abandonné l'hypnose et la suggestion (de Bernheim) ? Parce que l'hypnose est valable pour un symptôme isolé, mais d'autres symptômes se manifestent, car dans l'hypnose et par la suggestion on guérit tel ou tel symptôme, mais on ne remonte pas les résistances.

(3) Le refoulement est l'équivalent, comme instance, de la fuite devant le danger extérieur. La menace peut venir du dehors, et on la fuit; ou du dedans : mais comment se fuir soi-même ? Il y a une sorte de permanence de la menace.

lysies, anesthésies, dégoût, troubles respiratoires ou somatiques en général) sont comme la réalisation d'une Idée, qui échappe au moi lui-même, qui se manifeste à son insu et n'est un langage que pour l'autre, le spectateur qui l'interprète. Le symptôme parle. Mais à l'insu du malade; il dit l'incident, le traumatisme dans une histoire concrète. Mais pourquoi échappe-t-il au névrosé ? Pourquoi son sens lui demeure-t-il étranger ? Pourquoi cette aliénation ? Le terme de *refoulement* est le trait de génie. Le sujet a fui devant une menace intérieure, comme on fuit devant une menace extérieure. Mais dans le premier cas, la fuite est beaucoup plus difficile (1), elle exige qu'on refuse d'accéder à un désir, à une pulsion, qu'on les méconnaisse. Mais ce qui est fui n'en continue pas moins de subsister et affleure dans le conscient sous la forme d'une sorte de compromis qui est précisément le symptôme.

Lire ainsi les symptômes, c'est les comprendre, c'est en reconstituer la genèse historique, comprendre aussi pourquoi le moi a dû les refouler, les refuser (2); c'est remonter au conflit interne qui a engendré la dissociation et la conversion d'une énergie pulsionnelle en une satisfaction symbolique dans un symptôme somatique (3). On voit l'intérêt puissant de cette interprétation, puisqu'elle permet la compréhension même des symptômes et nous renvoie à l'histoire du névrosé, au poids subsistant de cette histoire, en dépit du phénomène de l'oubli (4).

(1) Les analyses de Freud montrent comment se constituent les instances diverses dans l'appareil psychique : elles montrent pourquoi et comment on fuit un danger extérieur; mais comment se fuir ? Comment échapper à soi-même ?

(2) Encore faut-il faire une différence entre refouler et refuser.

(3) Le symptôme est une demi-satisfaction symbolique, et souvent un compromis. Un symptôme est une satisfaction substitutive qui représente surtout le désir refoulé (hystérie), ou surtout l'instance qui refoule ou préserve (névrose obsessionnelle).

(4) Interprétation comme d'une machine énergétique (mais avec l'idée d'inertie dans la fixation). Cf. *L'homme aux loups*, p. 415 : « De sorte que dans la conversion de l'énergie psychique, il convient de tenir compte du concept d'une entropie qui à des degrés divers s'oppose à l'annulation de ce qui est advenu. »

De même, Janet explique encore les obsessions et les phobies de la psychasthénie par la notion seulement quantitative d'une diminution de la fonction du réel. Le sujet n'a plus la puissance nécessaire pour s'adapter au monde et à la réalité. Freud parle au contraire de symptômes psychiques, qui se réfèrent à des conflits antérieurs; il aperçoit par exemple dans la phobie une sorte de projection au-dehors — de projection symbolique — d'une menace interne (1). Il est plus facile de fuir un animal redouté, mais extérieur, que de se fuir soi-même. Cette projection au-dehors de la menace interne est un phénome inverse de l'intériorisation de l'objet aimé par identification narcissique.

On remarquera, à cet égard, la remarquable comparaison entre le deuil (perte de l'objet aimé, perte dont il faut se libérer) et la mélancolie, dans laquelle le moi lui-même est devenu, par identification narcissique, l'objet même de l'amour ambivalent (2).

(1) De quoi a-t-on peur dans l'angoisse névrotique ? Ce qu'on redoute, c'est évidemment sa propre libido. La peur névrotique diffère donc par deux points de la peur réelle : d'abord parce que le danger est intérieur, et ensuite parce que la peur névrotique ne devient pas consciente.

On peut échapper par la fuite à la peur extérieure, mais c'est une entreprise malaisée que de chercher à fuir un danger intérieur.

Distinguer : frayeur (qui nous saisit sans préparation) — peur (danger précis) — angoisse (peur de la peur).

(2) Dans le deuil qui nous paraît un phénomène normal, le moi réagit progressivement à la perte de l'objet. Mais dans la mélancolie quel est l'objet perdu ? C'est dans le moi lui-même qu'il se trouve par identification et c'est la dépréciation de soi qui fait la différence entre le deuil et la mélancolie.

L'analyse du deuil et de la mélancolie dans les travaux de Métapsychologie. Parallèle entre les deux (d'après Abraham) : le deuil est toujours la réaction à la perte d'une personne aimée ou d'une abstraction substituée à cette personne (patrie, liberté, idéal). Le deuil n'apparaît pas comme morbide, il paraît normal : « Nous sommes persuadés qu'au bout d'un certain temps, l'affliction sera surmontée, et nous trouverons inopportune, voire nuisible, une interruption du deuil. » La mélancolie est une dépression profonde et douloureuse; cessation de tout intérêt pour le monde extérieur — perte de la faculté d'aimer. Diminution du sentiment de soi qui se traduit par des autoreproches — attente délirante du châtiment. Quel est l'objet perdu ? Perte objectale qui échappe à la conscience,

L'effort de compréhension de Freud conduisait sans cesse à de nouveaux problèmes : pourquoi le refoulement et pourquoi l'oubli ? D'où naît le conflit au sein du moi ? Et quelle est cette menace intérieure, parallèle à la menace extérieure, et tout aussi angoissante ? Pourquoi, enfin, la névrose chez les uns et la vie normale chez les autres ? N'y a-t-il pas des rapprochements possibles, des ponts entre la vie quotidienne des normaux, où se retrouvent les oublis, les actes manqués et les rêves, et le développement pathologique dans les névroses et dans les psychoses ?

Toutes ces questions en recouvrent une autre, la plus profonde de toutes et que seule une science des rêves pouvait envisager dans toute son ampleur. Pourquoi ce langage étrange, ce langage chiffré qui est celui des symptômes somatiques de l'hystérie et des symptômes psychiques des autres névroses, ce langage qui n'est tel que pour l'autre, et qui est méconnu par celui même qui s'exprime, une méconnaissance qui est l'inconscient lui-même ?

Que Freud ait traduit tout cela dans un système psychique contestable, nous l'avons déjà dit. Mais ce système (le ça, le moi, le surmoi, l'inconscient, le préconscient, le conscient — et surtout la représentation énergétique dans la métapsychologie) ne l'a jamais empêché de pousser son analyse compréhensive jusqu'au bout dans chaque cas concret. Le système (1) n'a jamais été qu'une manière provisoire de représenter cette compréhension même et il s'est modifié avec l'élargissement de la compréhension.

Dans les premières études sur l'hystérie, nous voyons Freud élaborer sa pensée, progresser dans sa propre découverte. C'est à

au lieu que, dans le deuil, rien de ce qui concerne la perte subie n'est inconscient. — Relation objectale, frustration, identification, introversion, autoreproche : « On tient ainsi en main la clé du tableau clinique en constatant que les autoreproches sont des reproches adressés à un objet d'amour, reproches qui sont, de celui-ci, rejetés en bloc sur le moi propre. »

(1) Une structure, une machine psychique. Structure qui s'explique par une genèse.

propos de cas concrets qu'il parle du refoulement. « L'idée refoulée se venge alors en devenant pathogène. » Il cite cette réponse d'une malade à la question posée : Pourquoi ne l'avez-vous pas dit ? : « Je l'ignorais, ou plutôt, je ne voulais pas le savoir, je voulais le chasser de mon esprit, ne plus jamais y penser, et je crois avoir réussi. » Et Freud ajoute en note : « Je n'ai jamais disposé d'une autre et meilleure description de cet état singulier où le sujet sais tout sans le savoir. »

Ces textes nous montrent sans doute comment le philosophe devra comprendre l'inconscient freudien. Il s'agit de ce que j'ai nommé, à propos de Hegel, la fonction inconsciente de la conscience. Il ne s'agit pas d'un domaine semblable à celui du monde extérieur, d'un domaine totalement étranger; il vaudrait mieux parler d'une méconnaissance dans la connaissance. Entre le ça et le moi, il n'y a pas le même fossé qu'entre le moi et la réalité, car si la conscience s'ignore fondamentalement elle-même, cette ignorance de soi n'est pas l'ignorance pure et simple, cet oubli n'est pas le vide abstrait (1).

On sait que, au cours de ces études sur l'hystérie, Freud est passé de la méthode de l'hypnose à celle des libres associations (2), à la reconstitution compréhensive d'une histoire par l'analyse directe du malade. Ecoutons Freud lui-même : « Cependant, la tâche que j'entrepris alors s'avéra une des plus ardues que j'eusse jamais réalisées [...] et parmi toutes les difficultés que je dus alors surmonter, celle-ci occupa une bonne place. Pendant longtemps je ne pus comprendre le rapport universel unissant cette histoire de maladie et le mal lui-même qui trouvait cependant dans la série des incidents vécus sa cause et sa détermination [...]. Je pus donc renoncer à

---

(1) « Par suite de son identité primitive, de son intimité avec l'adversaire, il a les plus grandes difficultés à échapper aux dangers intérieurs, et même lorsque ces derniers peuvent pendant un certain temps être tenus en échec, ils n'en restent pas moins menaçants » *(Abrégé de psychanalyse)*.

(2) Le caractère intentionnel de l'association.

l'hypnose en me réservant pourtant d'y recourir plus tard dans le cas où, au cours de la confession, la mémoire de la malade ne parviendrait pas à mettre en lumière certaines associations. Ce fut là ma première analyse complète d'une hystérie. Elle me permit de procéder pour la première fois, à l'aide d'une méthode, que j'érigeai plus tard en technique, à l'élimination par couches des matériaux psychiques, ce que nous aimions à comparer à la technique de défouissement d'une ville ensevelie. » Et voici encore un texte très important, puisqu'il manifeste le rôle propre du langage en général, du signifiant et du signifié : « Il nous était souvent arrivé de comparer la symptomatologie hystérique à des hiéroglyphes que la découverte de certains écrits bilingues nous avait permis de déchiffrer. »

C'est seulement au cours de ces études que Freud fut amené à découvrir la surdétermination de chaque symptôme, et la nécessité de remonter très loin, jusqu'à la petite enfance dans l'histoire du malade. L'étiologie sexuelle des névroses n'est pas une idée préconçue de Freud; elle s'imposa à lui par la découverte d'une préhistoire fondamentale dans l'histoire de l'homme, « parce que nous avons tous été enfants avant que d'être hommes »... C'est l'expérience aussi qui lui apprit la généralité d'une libido qui, d'abord indéterminée, s'organisera peu à peu jusqu'à la fonction normale de la reproduction, ou sexualité proprement dite, en passant par les phases de la première enfance, par une période de latence entre cinq ans et la puberté. Les études de Freud, si critiquées, se montrent pourtant d'une extraordinaire richesse; elles sont une sorte d'exégèse des textes adultes à partir de l'enfance. A ceux qui le critiquaient sur la généralité de l'Eros il répondit un jour que « c'était là déjà ce qu'avait fait Platon par la place qu'il donnait à l'Eros dans sa pensée ».

La méthode cathartique de Freud le conduisait à une thérapeutique, une guérison par la lumière. C'est en dévoilant le sens du symbole, du symptôme qu'on libère le malade; mais cette libération n'est pas possible du dehors, il faut que le sujet lui-même s'élève à la compréhension de soi, il faut qu'il puisse dire lui-même : « Cela, je l'avais toujours su », et non pas recevoir une explication du dehors.

C'est dans l'expérience même de cette thérapeutique que Freud devait découvrir et la puissance, parfois invincible, de la *résistance* (contrepartie du refoulement), et le transfert qui, à la fois positif et négatif, répétition de l'amour d'enfance pour les parents (archétype sans doute de tous les amours), est le moyen le plus puissant dont dispose le psychanalyste, et aussi la résistance la plus difficile qu'il y ait à vaincre.

On mesurera toute la pénétration de Freud et ses progrès par la comparaison entre les premières analyses (celles des *Etudes sur l'hystérie*) et l'étude concrète du cas de Dora, où progressivement Freud dévoile des couches successives dans une histoire, et des explications, de plus en plus profondes, chacune superficielle, et comme illusoire, par rapport à la suivante qu'elle annonce, qu'elle permet d'entrevoir. Cette analyse est un véritable dévoilement, une tragédie d'Œdipe.

Nous avons dû passer trop vite sur cette recherche du sens des symptômes, et aussi bien sur ce langage, qui doit être transformé en une parole vivante, un échange entre le psychanalyste et le psychanalysé. Freud nous conduisait ainsi à une réflexion nouvelle sur l'intersubjectivité.

Mais avant de nous hausser à ce plan plus philosophique, il faut nous arrêter sur l'œuvre centrale de Freud : la *Science des Rêves*.

3. — *La « Traumdeutung » ou la « Science des Rêves »*

L'œuvre magistrale de Freud, celle qui permet le mieux d'atteindre le centre de sa pensée, est incontestablement son œuvre sur les rêves. La *Traumdeutung* est de 1900; elle fait suite aux *Etudes sur l'hystérie*; elle manifeste le rude travail d'une auto-analyse personnelle et prélude à tous les développements ultérieurs de la psychanalyse.

La grande idée est celle de l'assimilation du rêve — phénomène pourtant normal et banal — aux psychonévroses. Certes, on avait souvent déjà comparé le rêve à la folie, mais pour la première fois, cette idée était approfondie, développée dans toutes ses conséquences, et une nouvelle lumière était projetée sur l'inconscient et sur une élaboration de la pensée qui ne fait qu'affleurer dans la vie consciente.

Cependant, si le rêve et la folie sont identiques, le thème d'une guérison de la folie devient concevable, puisqu'à la fin du sommeil nous sortons tous les jours de nos rêves. Freud, dans une œuvre de la fin de sa vie, exprime très nettement ce thème : « Ainsi, le rêve est une psychose, avec toutes les extravagances, toutes les formations délirantes, toutes les erreurs sensorielles inhérentes à celle-ci, une psychose de courte durée, il est vrai, inoffensive et même utile, acceptée par le sujet qui peut, à son gré, y mettre un point final, mais cependant, une psychose qui nous enseigne qu'une modification, même aussi poussée, de la vie psychique, peut disparaître et faire place à un fonctionnement normal. Pouvons-nous dès lors, sans trop de hardiesse, espérer agir sur les maladies spontanées et si redoutables du psychisme et les guérir ? Certains faits nous permettent de le supposer. »

La vie normale, telle qu'on peut se la représenter selon Freud, impliquerait un triomphe du moi, cette partie de la vie psychique qui s'adapte à la réalité. La partie inconsciente resterait enchaînée, et le surmoi, l'héritier des parents, leur substitut, serait harmonieusement en accord avec le moi.

Mais cette vie normale ne se présente jamais absolument, et ce qui nous intéresse, c'est le moment où la partie inconsciente envahit le moi lui-même et où, par là même, nous pouvons découvrir les procédés, les formes d'élaboration du ça. Tel est précisément le moment du rêve, autant que le moment des névroses.

Dans le rêve, le moi abandonne en partie son adaptation au réel. Dormir, avait dit Bergson, c'est se désintéresser. Mais cette perte du sens de la réalité n'est pas pour autant chez Freud une pure et simple dissociation mentale. Le rêve est sens — et non pas non-sens absolu : il y a une signification dans les rêves; il faut interpréter les rêves comme on interprète un texte, remonter de son contenu manifeste à sa pensée latente. Le rêve n'est pas incohérence ou absurdité, si non en ce sens qu'il n'est pas logique; il a par lui-même une signification; il faut chercher ce que le rêve veut dire et ce qu'il dit à sa façon, dans ce langage fondamental qui rejoint les symbolismes primitifs.

Le rêve, nous dit Freud, est régression en un triple sens : il est régression *topique*, car il ramène le désir à une satisfaction hallucinatoire (ce qui n'a pas lieu dans la rêverie); il est régression *temporelle*, car il reconduit le rêveur jusqu'à son enfance oubliée; il est, enfin, régression *formelle*, car il est une sorte de retour à un stade narcissique, à un moi qui ne s'est pas encore constitué dans sa référence à la réalité. Ces trois sortes de régression n'en font pourtant, au fond, qu'une, et se rejoignent dans la plupart des cas, car ce qui est plus ancien dans le temps est aussi primitif au point de vue formel et est situé, dans la topique psychique, le plus près de l'extrémité perceptive, là où la mémoire commençante est hallucination.

La régression formelle définit pour Freud le sommeil même : « Le moi rompt ses attaches avec le monde extérieur, et enlève aux organes sensoriels ses investissements. Nous sommes donc en droit de soutenir qu'un instinct qui pousse l'être à revenir à la vie intra-utérine se crée à la naissance, un instinct de sommeil. Le sommeil, en effet, est un retour au sein maternel, jamais complètement, d'ailleurs, car le moi ne se réveillerait pas.

« Dans le rêve, un émoi inconscient, une pulsion première, se réalise dans le moi, ou bien c'est seulement un conflit de la veille qui se résout en faisant appel aux puissances des pulsions; parfois, les deux ensembles. Le rêve est la réalisation d'un désir qui préserve ainsi le sommeil; l'enfant qui a faim rêve qu'il mange, ou celui qui doit se rendre à son travail, le matin, rêve qu'il y est déjà. Ce sont là des réalisations simples, transparentes, de désir. En général, les choses ne sont pas aussi simples. Le désir avoué, le conflit tranché seraient sources d'angoisse pour le moi qui les a refoulés. C'est pourquoi le rêve est une dissimulation, une exposition indirecte des pulsions inconscientes et des conflits préconscients. Quand l'angoisse survient dans le cauchemar, c'est que la transparence s'est trop manifestée et que le veilleur de nuit a dû lui-même donner l'alarme » (1).

Rechercher le sens du rêve, c'est tout à la fois remonter du contenu manifeste aux pensées latentes et comprendre les élaborations propres de l'inconscient, si différentes de celles du conscient. Il y a en effet une élaboration primaire dans le rêve qui est celle même de l'inconscient; il n'y a plus de pensée logique, cohérente; les pulsions les plus contradictoires peuvent coexister (2). Ces pul-

---

(1) L'un des résidus de la veille, avec des émois inconscients qui prêtent à ces résidus leur propre puissance, au lieu de monter vers l'action descend régressivement vers la perception. Le moi perçoit alors son inconscient. Le contenu latent, c'est l'émoi plus le résidu de la veille. Le contenu manifeste résulte du travail de l'inconscient plus l'élaboration secondaire (travail de l'inconscient : condensation plus déplacement).

(2) L'inconscient, nous dit Freud, ne connaît pas la logique (sans doute liée au moi de la réalité). Il ne connaît d'abord pas la *négation*. Dans une remarquable étude, Freud montre comment la négation s'introduit d'abord affectivement sous la forme de la dénégation *(Verneinung)*. La dénégation, c'est une façon de refouler, une sorte de mise entre parenthèses d'une affirmation, qui permet ainsi de l'introduire dans le champ de la conscience.

Cf. le rêve de l'homme aux loups, fait à quatre ans : cette fenêtre qui s'ouvre brusquement sur le noyer, avec six ou sept loups blancs qui regardent fixement le dormeur. Deux facteurs : 1) la parfaite tranquillité, l'immobilité des loups, et 2) l'attention tendue avec laquelle ils le fixaient tous. « Le sentiment durable de réalité que le rêve avait laissé après soi lui semblait encore digne d'être noté. » Ce sentiment intime de réalité renvoie, d'après Freud, à un événement réel (le « déjà vu » ?).

sions se manifestent dans le rêve par des processus de *condensation* (relation d'éléments qui, à l'état de veille, resteraient certainement séparés; il y a une sorte d'abrégé, dans le rêve; un même élément est surdéterminé, il fait allusion à des choses très différentes), et des processus de *déplacement* (l'élément qui paraît important et en pleine lumière signifie fort peu, tandis qu'une simple allusion, un terme en apparence indifférent renvoie à ce qu'il y a de plus profond, signifie l'essentiel) (1).

Enfin, il y a une élaboration secondaire dans le rêve. Le moi lui-même déforme le contenu inconscient qu'il perçoit et tente de l'assimiler. De toute façon, le rêve est un langage obscur qui ne dit pas directement les choses, mais qui les exprime indirectement et à sa façon (2). La grande découverte de Freud le conduit à surprendre le travail inconscient de la pensée, et à rejoindre par là (en particulier par le moyen des rêves typiques (3), qui sont comme les légendes types), les grandes formes d'expression symbolique, qui sont comme la langue fondamentale de l'humanité. Le rêve nous reconduit ainsi non seulement à cette préhistoire qu'est l'enfance, mais encore à la préhistoire humaine en général, aux sources des mythes et des légendes.

Toute l'œuvre de Freud sur la *Science des Rêves* — composée en partie avec l'étude de ses propres rêves et le résultat de son auto-analyse — nous incline à cette lecture du rêve, comme lecture et exégèse d'un texte :

« Les pensées du rêve et le contenu du rêve nous apparaissent

---

(1) *A la recherche du temps perdu* : « Après un long rêve, où il s'agit d'autre chose... ma mère était également là. »

(2) Comment le rêve peut-il être à la fois un langage et la réalisation d'un désir ?

(3) Rêve d'exhibitionnisme enfantin, qui devient le rêve de Nausicaa, ou rêves de mort, qui manifestent les sentiments ambivalents à l'égard des proches, ou rêves d'examens.

comme deux exposés des mêmes faits en deux langues différentes ; ou mieux, le contenu du rêve nous apparaît comme une traduction des pensées du rêve grâce à un autre mode d'expression, dont nous ne pourrons connaître les signes et les règles que quand nous aurons comparé la traduction à l'original [...]. Le contenu du rêve nous est donné sous forme d'hiéroglyphes dont les signes doivent être successivement traduits dans la langue des pensées du rêve [...]. Le rêve est un rébus... » (1).

On pourrait parfois croire, en lisant Freud superficiellement, littéralement, que le travail d'analyse, qui va du contenu manifeste aux pensées latentes, est l'inverse d'un travail qui s'est effectivement accompli, en allant d'un texte clair à un texte obscur. En fait, le texte original, c'est l'expression symbolique elle-même, la langue fondamentale, et c'est la réduction, l'interprétation qui viennent après coup et doivent simplement identifier le texte à lui-même, le conduire à la reconnaissance de soi.

C'est surtout par l'étude des rêves que Freud est remonté jusqu'aux complexes fondamentaux de la vie enfantine : ce complexe d'Œdipe qui nous marque tous, puisqu'il est l'histoire de la relation de l'enfant au père et à la mère, qui doit être sublimée dans la civilisation, et qu'il a été conduit à l'interprétation de grands textes littéraires — Hamlet, Macbeth — ou le *Souvenir d'enfance de Léonard de Vinci*.

De la symbolique ainsi découverte, Freud dit : « La plus grande partie de cette symbolique est d'ailleurs commune aux rêves, aux psychonévroses, aux légendes et aux traditions populaires. » Et encore : « Chaque fois que la névrose se dissimule sous ces symboles, elle suit à nouveau les voies qui furent celles de l'humanité primi-

---

(1) Là est la grande difficulté : l'analyse laisse-t-elle supposer une synthèse corrélative ? Analyse d'un rêve : retrouver les pensées latentes ; synthèse : partir de ces pensées et reconstituer le rêve.

tive et dont témoignent maintenant encore nos langues, nos superstitions et nos mœurs » (1).

On voit la généralisation à laquelle cette étude peut conduire; il ne s'agit plus seulement de tel ou tel accident d'une histoire individuelle, il s'agit de l'histoire humaine dans son historicité essentielle (2), de la recherche de notre préhistoire, enfantine ou archaïque, et de la survivance de cette préhistoire, dont témoignent les rêves et les névroses aussi bien sans doute que tant d'œuvres d'art. Freud, d'ailleurs, dans *Totem et Tabou*, comme dans son dernier livre sur Moïse, a tenté d'interpréter les racines inconscientes de notre civilisation.

Avant de tenter de prolonger l'analytique de Freud par une analytique philosophique, ne serait-il pas bon de rapprocher, comme on l'a fait avant nous, ces deux dates fondamentales de notre philosophie contemporaine : 1889, les *Recherches logiques*, de Husserl; 1900, la *Traumdeutung* de Freud, double effort de l'homme pour ressaisir ses significations et se ressaisir lui-même dans sa signification ? Le rêve était comme le non-sens de la conscience. Freud a renversé la proposition et en a fait le sens de l'inconscient. Mais a-t-il été jusqu'à saisir ce sens trahi qu'est le rêve comme tel ? N'a-t-il pas encore trop distingué le sens caché et l'expression ? Par quoi le sens s'insère-t-il, chez Freud, dans le destin plastique de l'image ? Qu'est-ce qu'un symbole ? (et ce même problème se pose à propos des symptômes de la névrose, à propos de tout acte expressif, quel qu'il soit).

---

(1) Cf. *L'homme aux loups* : l'enfant, traité passivement par sa sœur aînée, imagine l'inverse (rêve l'inverse) en vertu d'une protestation virile : « Ces fantasmes étaient ainsi la réplique exacte des légendes au moyen desquelles une nature, devenue grande et fière, cherche à masquer les petitesses et les vicissitudes de ses débuts. »

(2) Problème des symptômes typiques et des symptômes individuels. Histoire individuelle, histoire générale.

Les *Recherches logiques* sont contemporaines de l'herméneutique de la *Science des Rêves*; elles aussi cherchent à penser la vie intentionnelle comme visée des significations (1). Husserl distingue bien l'indice et la signification : tandis que les indices conduisent à leur objet par des voies inductives, comme des images qui renvoient à des événements, les significations impliquent une relation plus profonde entre le signifiant et le signifié; mais Husserl nous conduit à l'acte de signification par-delà l'image même. Comment comprendre le rêve comme tel, ni comme visée de sens seulement, ni comme indice (2) ? Il y a bien là un problème mais nous voulions seulement montrer la connexion paradoxale entre l'interprétation des rêves chez Freud et la théorie des significations chez Husserl. Dans les deux cas, nous sommes conduits au problème de l'existence même du sens et de la relation du signifiant au signifié (3).

II. — *Freud et la métaphysique*

Je voudrais vous indiquer maintenant le sens et l'esprit de ma recherche. Il ne s'agit pas de critiquer Freud, et, à la manière d'Adler, de Jung ou de Biswanger, de substituer une autre conception à la sienne. Mon dessein — peut-être irréalisable — est au moins celui-ci : à travers Freud, à travers sa propre problématique, suivie d'aussi près que possible, entrevoir une ouverture nouvelle et une sorte de promotion de la psychanalyse vers la métaphysique qu'elle porte peut-être en

---

(1) Transcendance de l'expression chez Freud : trop réaliser le sens. Transcendance de la signification sur l'expression chez Husserl.

(2) Rêve et existence. Liberté affrontant son destin. FOUCAULT : « Si dans le sommeil la conscience s'endort, dans le rêve l'existence s'éveille. »

(3) Comment la réalisation d'un désir peut-elle être en même temps signification ?

elle-même (1). Nous espérons montrer ainsi la parenté des recherches philosophiques contemporaines et de la psychanalyse, mais nous le montrerons en partant de Freud lui-même, et non pas du dehors, par une comparaison extérieure. Si nous ne craignions pas d'être trop ambitieux, nous oserions parler d'une nouvelle conscience de soi du Freudisme (2), comme s'exprime Hegel quand, dans la *Phénoménologie de l'esprit*, il s'élève d'une conscience à une autre qui en devient alors, dans l'histoire, la vérité (3), mais il effectue ce passage non en apportant du dehors cette vérité, mais en la dégageant seulement de l'expérience de la première conscience (4).

Nous avons déjà parlé du génie propre de Freud qui écrivait vouloir seulement, avant de mourir, comprendre quelque chose au monde. C'est cette volonté de comprendre, de dévoiler jusqu'au bout, que nous tentons d'intégrer à l'objet même de son enquête, car il a été cette volonté, mais il ne lui a pas donné sa place. Pour accéder à cette existence de la vérité, nous suivrons Freud dans son évolution, concernant les instincts fondamentaux, sa découverte de l'instinct de mort, à côté de la libido, dans sa conception de l'intersubjectivité (relations intersubjectives impliquées par la psychanalyse elle-même). Ceci nous permettra peut-être d'apercevoir ce que Freud n'a pas lui-même dit, mais qui est pour ainsi dire appelé par son propre développement, ce passage d'une analytique de l'existence humaine, porteuse de vérité, qui est ce que devient la psychanalyse quand on effectue sur elle une réduction transcendantale — qui est dépassement du psychologisme.

---

(1) Réintégrer un certain positivisme et une analyse nouvelle de la métaphysique, de son historicité.

(2) Elever à l'état de thème ce qui est d'abord vécu naïvement.

(3) Nous commençons par vivre, nous faisons de cette vie qui s'ignore le thème d'une seconde vie qui est promotion de la première.

(4) Il y a la psychanalyse qui est sens, mais non sens même de ce sens.

I. — *Libido et instinct de mort*

Dans une première partie de sa carrière, Freud s'est efforcé de réduire tous les instincts, qui poussent de l'intérieur le moi à agir sur le monde, à un seul : la *libido* (1). Il est arrivé à concevoir le moi lui-même comme la pointe extrême du ça, celle qui est en rapport avec le monde extérieur ou la réalité. Toute la partie vraiment inconsciente de nous-même, celle qui exprime en nous la puissance de la vie, doit se réaliser par l'intermédiaire d'un moi qui doit découvrir le moyen le plus favorable et le moins risqué d'obtenir une satisfaction, tout en tenant compte des exigences du monde extérieur (2). Le ça n'est guidé que par le principe de la décharge de l'excitation, ou principe du plaisir (3), le moi, par le principe de réalité qui met un frein aux pulsions internes. Ce frein est puissamment renforcé par le surmoi qui intériorise en nous la domination même des parents. Ainsi, le moi est comme écrasé entre les dangers extérieurs qui le menacent, la puissance interne qui risque de tout envahir et les exigences parfois tyranniques du surmoi. Comment ce pauvre moi peut-il se défendre ? Comment ne succomberait-il pas souvent dans les névroses et les psychoses, l'angoisse étant toujours son signal d'alarme.

La réduction de toute l'énergie interne à la libido n'est pas aussi paradoxale qu'elle peut le paraître. Il est bien vrai qu'il y a un amour de soi ou narcissisme, et un amour objectal, qui se fixe et se déplace sur d'autres êtres, et un passage de l'un à l'autre. Je considère aussi que les analyses freudiennes sur la formation même de la sexualité à partir d'une puissance indéterminée sont en général valables et suggestives. La réduction à la libido, le pansexualisme

---

(1) Il ne faut pas confondre la libido générale et non fixée encore avec la sexualité.

(2) Régulation par le réel.

(3) Une machine à tension qui veut maintenir son équilibre.

de Freud ne nous arrêtera donc pas particulièrement (1). Accordons-le-lui, mais c'est Freud lui-même qui va découvrir dans une deuxième partie de sa carrière un autre instinct fondamental, irréductible à la libido, et pourtant inextricablement mêlé à elle : l'instinct de mort.

Cette découverte paraît avoir bien des sources diverses. Nous avons déjà dit que Freud parlait une sorte de langage énergétique lié à une philosophie de la nature autant que de l'esprit, mais nous avons dit aussi qu'il s'ouvrait toujours aux expériences et se montrait pour ainsi dire docile à ce qu'elles lui apportaient.

Or Freud devait être amené à reconnaître, particulièrement dans les psychoses, des résistances presque invincibles à la guérison. C'est au besoin de guérir que le médecin fait appel dans le moi du malade; il se heurte souvent à un « bénéfice de la maladie » : le malade a fui dans la maladie parce qu'il a évité ainsi la solution d'un problème difficile; mais le remède a été pire que le mal, et il s'agit de redresser une fausse conception. Seulement, Freud a découvert que la résistance à la guérison allait parfois infiniment plus loin; que le psychanalyste se heurtait à un invincible refus. « On trouve, dit-il, parmi les névrosés certains individus chez qui, à en juger par toutes leurs réactions, l'instinct de conservation a subi un véritable retournement. Ils semblent n'avoir d'autre dessein que de se nuire à eux-mêmes et de se détruire. Peut-être les gens qui finissent par se suicider appartiennent-ils à cette catégorie [...]. Ces sortes de patients ne tolèrent pas l'idée d'une possible guérison par notre traitement et tous les moyens leur sont bons pour contrecarrer ses effets. »

D'une façon analogue, on peut parler de ces individus qui répètent indéfiniment dans leur vie un échec, comme s'ils étaient

---

(1) Je note, cependant, une sorte de paradoxe (pour moi) insoluble dans cette réduction de toutes les pulsions à la libido. Amour de soi (de son propre corps); amour et découverte de l'autre. Formation, dans une histoire, de la sexualité normale. Sens de cette histoire.

attirés invinciblement par lui. Freud a suivi chez l'enfant, dans le jeu de présent-absent, ou dans la disparition de soi-même devant un miroir, un phénomène analogue et cependant plus complexe, car il mélange une tendance à dominer l'absence, à s'en rendre maître, avec un besoin de répétition comme tel, qui échappe au principe du plaisir.

Enfin, le monde que nous vivons n'a pas été sans agir sur Freud : persécutions, tortures, camps de concentration, antisémitisme se manifestent au moment en apparence le plus haut de la civilisation et jusque dans les pays qui venaient de réaliser la révolution. Tout cela l'a frappé, jusque dans sa vie, comme des phénomènes qui ne sont pas seulement des accidents, dus à une mauvaise organisation économique, par exemple, ou à un mal extérieur. Il a donc été conduit à l'idée d'une agressivité fondamentale, d'un instinct de destruction aussi puissant que la *libido* et qui serait comme le péché originel de l'homme. Ce rationaliste courageux, cet homme de l'*Aufklärung* que fut Freud, a toujours cédé à la vérité, telle qu'elle se dévoilait à lui, et cette vérité n'est pas l'optimisme de l'*Aufklärung* du XVIIIe siècle.

Il avait rencontré, quand il parlait de la libido, une sorte de résistance collective. Ne devait-il pas rencontrer quelque chose de semblable, quand il découvrit en l'homme un instinct de destruction irréductible ? « Mais hélas, tout ce que l'histoire nous enseigne, tout ce que nous pouvons nous-même observer dément cette opinion [la bonté humaine] et nous montre plutôt que cette foi en la bonté de la nature humaine est une de ces déplorables illusions dont l'homme espère qu'elles embelliront et faciliteront sa vie [...] tandis qu'elles sont seulement nuisibles. »

Cette agressivité, en général mélangée à la libido, peut se tourner vers le dehors, elle donne lieu au sadisme, mais elle peut aussi se retourner vers le dedans, prendre le moi lui-même comme objet, de même que le narcissisme était un amour de soi; alors se montre ce masochisme qui se réfère aux expériences dont nous parlions plus haut, à ce besoin de se détruire soi-même. Faut-il enfin parler de ces rêves de mort, que Freud a toujours rencontrés et qu'il n'a pu complètement expliquer par sa conception première du rêve ?

Arrivé à ce point, nous rencontrons une des difficultés du Freudisme. Instinct de mort, agressivité, instinct de destruction sont-ils identiques ? Pourquoi en faire une catégorie unique ? Il nous semble que l'agressivité est une composante de l'action sur le monde et les autres, et que l'instinct de mort est au contraire un abandon, un refus de lutter (1), bien différent de l'agression. Mais si nous voulons être fidèles à Freud, il faut que nous le pensions dans son naturalisme. Il imagine donc que le ça, l'inconscient est une sorte de mélange encore indifférencié de libido et d'instinct de destruction, comme un philosophe de la nature ou du cosmos imaginerait l'univers fait d'attraction et de répulsion. Cette philosophie de la nature a existé au XVIIIe siècle. N'a-t-elle pas été aussi celle des Présocratiques ?

Dès lors, les deux instincts se combinent dans l'action du moi; il y a une part d'agressivité dans toute sexualité, comme en général de sexualité dans toute destruction des autres ou de soi-même. Ce que nous nommons l'abandon n'est parfois qu'une sexualité dépourvue d'agressivité; ce que nous nommons le sadisme peut être, à la limite, une puissance de destruction dont la sexualité se retire. leoici comment Freud exprime sa conception, qui est celle, répétons-V, d'un philosophe de la nature : « Le but de l'Eros est d'établir de toujours plus grandes unités afin de les conserver; le but de l'autre instinct, au contraire, est de briser tous les rapports, donc de détruire toute chose. Il nous est permis de penser de l'instinct de destruction que son but final est de ramener ce qui vit à l'état inorganique et c'est pourquoi nous l'appelons *instinct de mort*. Si nous admettons que l'être vivant n'est apparu qu'après les objets

---

(1) Pouvons-nous agir sur le monde sans une part d'agressivité, agressivité contre les choses et même contre nos semblables ? L'agressivité n'est-elle pas un ressort indispensable pour conduire une action dans le monde ? « Ecoute, n'attends plus, la renaissante année... »

inanimés dont il est issu, nous devons en conclure que l'instinct de mort se conforme à la formule donnée plus haut et suivant laquelle tout instinct tend à restaurer un état antérieur. Pour l'Eros, l'instinct d'amour, nous n'émettons pas la même opinion qui équivaudrait à postuler que la substance vivante ayant d'abord constitué une unité s'est plus tard morcelée et tend à se réunir à nouveau. »

Certaines conséquences paradoxales peuvent se tirer de ces méditations: l'une d'entre elles est que l'organisme, qui se défend de la mort silencieusement, face aux dangers extérieurs, se livre plus longuement, par un vaste détour, à la mort qu'il porte en lui-même : nous allons vers notre mort en résistant à une mort étrangère.

Mais laissons ces conséquences. Qui ne remarquera que ce qui manque ici à Freud, même du point de vue d'une philosophie de la nature, c'est une dialectique, une dialectique qu'on trouvait déjà chez les Présocratiques, et particulièrement chez Héraclite ?

On ne peut en effet imaginer une pure et simple juxtaposition de deux instincts dont la somme algébrique serait o. Plus essentiel est leur inextricable mélange, leur devenir dialectique. Ce n'est pas un hasard, a-t-on pu dire, si Freud fut arrêté, dans son interprétation du rêve, par la répétition des rêves de mort; ils marquent en effet une limite absolue au principe biologique de la satisfaction du désir; ils montrent, Freud l'a trop bien senti, l'exigence d'une dialectique.

N'allons pas plus loin dans cette voie; nous avons tenté de situer la découverte de l'instinct de mort, aussi bien sur le plan de l'expérience de Freud, que sur celui, fondamental, de la philosophie de la nature, qui est sans doute sous-jacente à la pensée freudienne. Cette philosophie de la nature, derrière le positivisme moderne, nous a paru rejoindre aussi bien les philosophes de la nature, comme Nietzsche ou Schelling, que les Présocratiques. Mais ce qui manque encore à Freud, ce qui est appelé par sa découverte, c'est une sorte de dialectique, car le dualisme par juxtaposition est inacceptable, et d'ailleurs toutes les analyses freudiennes le refusent.

Cette dialectique, nous allons précisément la retrouver dans la conception de l'intersubjectivité chez Freud. Libido, agressivité, destruction et amour de soi, tous ces thèmes maniés par Freud, sont des thèmes relationnels, ils situent l'individu humain dans sa relation à d'autres individus humains. Freud parle là encore un langage qui le trahit peut-être : il parle de relation objectale; la libido découvre l'autre à partir du sein maternel, ou se replie sur soi dans le narcissisme. Mais derrière ces termes, Freud situe la psychanalyse dans le milieu d'une intersubjectivité, d'un langage qui est aussi parole, qui s'adresse à quelqu'un et s'interprète par quelqu'un. La psychanalyse, comme l'a dit le Dr Lacan, a pour champ le langage; c'est dire qu'elle nous renvoie à l'intersubjectivité, et peut-être par-delà l'intersubjectivité, au développement humain de la vérité. On rejoindrait ici, par un certain côté, la philosophie impersonnelle de la nature.

2. — Le milieu de l'intersubjectivité

Vous me permettrez d'être bref sur ce thème pourtant essentiel. J'ai en effet déjà eu l'occasion de le traiter, dans une conférence sur la *Psychanalyse et la Phénoménologie* de Hegel, conférence qui a paru ensuite dans la *Revue de Psychanalyse* du Dr Lacan.

Je m'étais inspiré de la *Phénoménologie* hégélienne pour comprendre la psychanalyse (1), car je découvrais dans la *Phénoménologie* une idée centrale, celle du rapport des consciences dans le dévoilement de l'expérience, et ce rapport me paraissait aussi fondamental dans la psychanalyse. J'étais d'ailleurs parvenu à cette conception grâce aux efforts du Dr Lacan pour situer le champ de la psychanalyse dans celui du langage et de la parole.

Dans la *Phénoménologie de l'esprit*, Hegel n'envisage jamais la conscience de soi sans sa relation à d'autres consciences. Sa dialec-

---

(1) Chez Freud, relation de soi à l'autre, par contact, fixation sur l'autre-identification; ou retour à soi-narcissisme.

tique est une dialectique du dialogue, du perpétuel rapport du moi à l'autre moi. C'est ainsi que les formes les plus connues, et les plus plastiques, de cette *Phénoménologie* montrent l'affrontement des consciences de soi, au niveau de la lutte pour la vie et la mort, au niveau du maître et de l'esclave, de la conscience noble et de la conscience vile, de l'amant et de l'aimé, de l'offenseur et de l'offensé, et enfin, dans la dialectique finale, au niveau du coupable qui a agi et de celui qui le contemple et lui pardonne (1). Il semble que, pour Hegel, la vérité de l'expérience, la conscience de soi universelle ne se réalise que dans la relation des consciences, qu'elle est cette relation même, et qu'on ne saurait, sans la fausser irrémédiablement, l'enfermer dans la solitude d'une conscience repliée sur soi. Cette solitude, ou plutôt, cet échec dans le développement existe bien, à tous les stades du processus, mais elle existe comme le lieu de l'échec absolu, celui de la belle âme, du schizophrène qui périt de sa propre rupture. Langage encore, sans doute, langage pour les autres, mais langage qui n'est plus parole — signifiant qui renvoie à on ne sait quel signifié — puisqu'il ne s'adresse à personne et qu'il a lui-même rompu l'échange.

La *Phénoménologie* de Hegel tout entière est enfin le problème pédagogique d'une conscience de soi adulte qui voit à travers une autre conscience et lui permet de monter jusqu'à elle, tandis qu'elle-même, dans cette relation, s'enrichit de sa propre histoire, assimile son propre passé (2).

Je viens de vous parler de la *Phénoménologie*, mais c'est déjà de Freud que je vous ai parlé, car la psychanalyse est essentiellement un dialogue entre le psychanalysé et le psychanalyste, et ce dialogue toujours entretenu, parfois rompu, ou bouleversé par l'idée de sa

(1) Il faudrait ajouter aujourd'hui le prolétaire et le capitaliste de Marx et, enfin, les peuples sous-développés et les peuples développés.

(2) Il n'y a de sens que par le dialogue, mais ce dialogue dit-il autre chose que ce qui se communique de l'un à l'autre, ou plutôt que celle qui se communique ?

propre fin, est le milieu même de la psychanalyse et constitue sa problématique originale.

C'est ce dialogue que Freud a sans cesse interprété, et rien n'est peut-être plus saisissant dans son œuvre que ses psychanalyses concrètes, celles de Dora, du petit Hans, de l'homme aux loups ou de l'homme aux rats, qui nous permettent de surprendre la vie de ce dialogue. L'étude même du président Schreiber, faite sur un texte et non sur un homme, est comme une contre-épreuve de ce que nous venons de dire. Là où le dialogue est impossible, la psychose est à son terme ; il y a bien un langage chez le paranoïaque, et même une langue fondamentale, comme il le dit lui-même, mais la parole, c'est-à-dire l'échange possible, a cessé d'exister. Or, c'est cette parole qu'il faut réveiller pour guérir le malade, il faut qu'il consente à l'échange, il faut rétablir un contact rompu ici ou là par des symptômes ou des symboles, qui sont certes un langage monumental, mais ne s'adressent plus vraiment à personne.

Certes, ce dialogue, quand on en fait une philosophie, pose un étrange problème, puisqu'il est le dialogue du médecin et du malade, et que ce rapport tend à devenir le rapport suprême, comme était celui de l'éducateur et de l'éduqué dans l'*Emile*, du philosophe et de la conscience naïve dans la *Phénoménologie* de Hegel. On comprend l'effroi de Freud, qui fut un sage profond, en envisageant l'extension possible, la généralisation totale de la psychanalyse ; que serait l'univers humain, avec, d'un côté, les psychanalystes et, de l'autre, les psychanalysés ? Cette domination médicale — qui a des commencements de réalisation — irait à l'inverse des intentions les plus authentiques de Freud lui-même (1), qui a compris que, entre les

---

(1) « Ce n'est point chose facile que de jouer de l'instrument psychique. En pareille occasion, je ne puis m'empêcher de penser à un célèbre névrosé qui, il est vrai, n'a jamais été soigné par un médecin et n'a existé que dans l'imagination d'un poète : je veux parler d'Hamlet, prince de Danemark [...].

Le roi charge deux courtisans, Rosenkranz et Guldenstein, de suivre le prince

névroses et la vie quotidienne, il y avait un passage continu, que les psychoses n'étaient que le rêve lui-même de la vie quotidienne, se fermant sur soi et sans réveil, qui, enfin, a cherché à hausser la psychanalyse aux dimensions du problème humain tout entier, comprenant en son sein le problème des éducateurs et des éduqués, des grands hommes et des hommes moyens, des parents et des enfants, des philosophes et des consciences empiriques. Ce problème nous dépasse bien sûr dans toute son ampleur, puisqu'il est comme le substitut moderne du problème de Dieu.

Contentons-nous donc d'indiquer comment Freud a sans cesse approfondi cette question du dialogue, du langage et de la parole. Voici d'abord comment il conçoit le rôle même du psychanalyste, par rapport au malade : « Le moi est affaibli par des conflits internes et il convient de lui porter secours. Tout se passe comme dans certaines guerres civiles où c'est un allié du dehors qui emporte la décision. Le médecin analyste et le moi affaibli du malade, en s'appuyant sur le monde réel, s'unissent contre leurs ennemis, les exigences pulsionnelles du ça et les exigences morales du surmoi. Un pacte est conclu. Le moi malade du patient nous promet une franchise totale, c'est-à-dire la libre disposition de tout ce que son autoperception lui livre. De notre côté, nous lui assurons la plus grande discrétion et mettons à son service notre expérience dans l'interprétation du matériel soumis à l'inconscient. Notre savoir compense son ignorance et permet au moi de récupérer et de gouverner les domaines perdus de son psychisme. C'est ce pacte qui constitue toute la situation analytique. »

Mais cette situation est elle-même ambiguë; elle se révèle à l'expérience pleine de difficultés souvent imprévues. C'est ainsi que

et de découvrir le secret de sa mélancolie. Hamlet les invite à jouer de la flûte, et comme ils refusent, il s'écrie : « Sang dieu, croyez-vous qu'il soit plus facile de jouer de moi que d'une flûte ?... Prenez-moi pour l'instrument que vous voudrez, vous ne saurez jamais jouer de moi. »

Freud est amené à découvrir, avec les refoulements du malade, les *résistances* de divers ordres qu'il oppose. C'est l'épreuve de ces résistances qui est en question dans le dialogue — quand il peut y avoir dialogue — car précisément, toute la question est la possibilité même de l'échange, d'une parole qui ne soit pas à jamais perdue dans la sclérose d'un langage monumental, tel celui des rêves, retour au narcissisme primitif.

Toutes les découvertes de Freud se situent dans l'expérience de cette situation, en particulier la découverte essentielle du transfert, de la répétition, du contretransfert. Le malade est amené non à se souvenir, ce qui serait libération, mais à répéter des situations primitives; non à penser la situation, mais à la répéter, selon une répétition qui s'ignore elle-même. Il y a retour du refoulé. Le malade prend, vis-à-vis de son médecin — à son propre insu — l'attitude qu'il avait jadis à l'égard de ses parents, qu'il a répétée au cours de sa vie, dans ses amours et ses haines; et cette répétition, ce transfert est à la fois le moyen le plus puissant dont dispose le médecin ou l'éducateur pour agir, et aussi l'obstacle le plus difficile à surmonter, car le transfert est aussi bien positif que négatif. Le père a été aimé, mais il a été aussi haï. D'autre part, cet amour, ce besoin de présence, d'appui, qui répète les situations d'enfance, sont aussi bien dangereux. Le médecin doit prendre garde au contretransfert qu'il porte en lui-même; il ne doit ni céder, ni manœuvrer, car l'homme n'est pas un objet de manœuvre, et jamais Freud lui-même ne l'a pris ainsi.

On peut dire, en un certain sens, que la découverte du transfert, comme de la résistance, et de sa formidable puissance, a été aussi bien pour Freud la justification de ses thèses que la rencontre d'une objection fondamentale à son propre rationalisme. Le point de départ de Freud a certainement été la guérison par la raison seule. Il a cru qu'en apportant la lumière cela suffirait; il a découvert que cette explication, venue du dehors, était insuffisante, qu'il fallait que le malade lui-même fasse son propre voyage et parvienne lui-même au résultat. Mais pour ce faire, il a comme besoin d'une illusion, dont il faudra encore qu'il se débarrasse : il a besoin de la puissance irrationnelle du transfert (1).

Ajoutons que ces découvertes successives s'étendent et se généralisent à la vie humaine tout entière. La préhistoire de l'enfance, la détermination de l'autre et l'amour ou la haine pour l'autre, tout cela va se répéter dans la vie de l'adulte, et le transfert ne sera pas seulement un phénomène médical, mais un phénomène général de la vie humaine (2).

Ici, une dernière question se pose à nous : que signifie *guérir* ? Que signifie sortir l'humanité de la névrose, la mettre en accord avec la réalité ? Question ultime à laquelle Freud lui-même nous répond, mais peut-être sans avoir haussé à la prise de conscience cette réponse qui est dans sa recherche même.

Avant de laisser ce thème de l'intersubjectivité, pour tenter d'envisager cette question ultime, qui est la question de la vérité, citons ce texte de Freud qui nous paraît grandiose dans sa simplicité et qui nous dit bien l'exigence de la communication, de la parole (feinte ou effective), du dialogue essentiel à la pensée même :

« Mes premières conférences sur la psychanalyse ont été faites

(1) « Or, ce n'est pas l'ignorance en soi qui constitue le facteur pathogène ; cette ignorance a son fondement dans les résistances intérieures qui l'ont d'abord provoquée et qui continuent à la maintenir [...] La révélation au malade de ce qu'il ne sait pas, parce qu'il l'a refoulé, ne constitue que l'un des préliminaires indispensables du traitement [...]. Mais de pareilles mesures ont, sur les symptômes névrotiques, autant d'action qu'en aurait, par exemple, en période de famine, une distribution de menus aux affamés. »

(2) Freud a jeté les bases de toute une théorie de l'intersubjectivité : *identification* (quand les parents sont intériorisés et deviennent le surmoi), *projection* (quand le moi se voit dans l'autre), *transfert* (quand le moi répète sur l'autre un amour ou une haine primitifs).

Faut-il enfin dire que la libido n'est pas purement somatique, que le corps est certes de la partie, mais qu'il n'y a là qu'une architecture indispensable à l'appréhension de l'objet (l'autre sujet) ou à l'amour de soi.

en 1915-1916 et en 1916-1917, dans un amphithéâtre de la clinique psychiatrique de Vienne, devant des auditeurs venus de toutes les facultés [...] » « Par contre, ces nouvelles conférences n'ont jamais été faites — écrit-il en 1932 dans un avant-propos aux *Nouvelles Conférences sur la Psychanalyse*. Entre-temps, mon âge était venu me relever de mes obligations envers l'Université, obligations à la vérité peu serrées, mais qui m'obligeaient à faire quelques cours. De plus, une intervention chirurgicale m'avait rendu impossible de prendre la parole en public. Si donc je me replace, dans les conférences qui vont suivre, au milieu d'un auditoire, ce n'est que par un jeu de mon imagination; peut-être ce fantasme m'aidera-t-il, en approfondissant mon sujet, à ne pas omettre de tenir compte du lecteur. » Même la pensée solitaire, quand elle est authentique, est encore un dialogue virtuel.

3. — *Vérité et analytique de l'existence* *La psychanalyse et la dimension de l'avenir*

Que signifie *guérir*, disions-nous, sortir de sa névrose pour entrer dans la vie normale ? Un personnage de Simone de Beauvoir, dans *Les mandarins*, une femme jalouse et névrosée, insupportable sans doute, finit par se faire psychanalyser; elle guérit et devient une femme normale... mais alors, elle est pire qu'avant, elle devient insipide, aussi ennuyeuse qu'elle était irritante. S'agit-il d'une telle guérison qui adapterait si bien les hommes à la réalité que l'humanité deviendrait une sorte d'espèce animale où l'amour lui-même ne poserait plus de question, étant parfaitement fait, comme on dit ?

Tel ne paraît pas être le sens de toute la psychanalyse freudienne, avant qu'elle ne se soit réduite à une pure et simple technique. Il semble au contraire qu'il s'agit, en résolvant nos énigmes, en les surmontant, de nous ouvrir à une existence dont la rationalité ne soit pas une adaptation quasi mécanique à la réalité (1).

Il est vrai que Freud insiste sur le poids de passé qui pèse lourdement sur l'homme. C'est bien un passé que cette partie inconsciente de nous-même qui se nomme le ça (2), le passé de nos instincts, de notre enfance et peut-être de notre préhistoire; c'est encore un passé que ce surmoi qui tyrannise si douloureusement parfois notre moi, et qui a intériorisé en nous sous forme de conscience morale cette longue enfance dans laquelle il nous a fallu dépendre étroitement de nos parents et considérer les grands autour de nous comme des géants divins, passé qui remonte au-delà de notre enfance dans l'histoire humaine. Freud insiste sur ces légendes des grands hommes qui ont appartenu à deux familles : une famille royale qu'il leur a fallu quitter, une famille modeste qui les adopte; cette légende traduit la vision que tout homme a de sa famille, dans son enfance et plus tard. D'une façon générale, Freud interprète notre présent à la lumière de tout ce passé, passé d'instincts et passé d'histoire, et Sartre, qui veut reprendre la psychanalyse sous forme de psychanalyse existentielle, lui reproche d'avoir ainsi nié la liberté d'un projet fondamental et arbitraire, au profit d'une nature brute dont il part, à laquelle il nous réduit au lieu de nous en libérer. Il est vrai que Sartre lui-même, en abandonnant toute nature, nous suspend dans le vide d'une liberté d'existence qui n'est plus qu'arbitraire pur.

---

(1) Démystifier et mystifier la démystification (la religion positive de Comte) « Eviter la superstition thérapeutique, hygiénique. »

« Nous avons catégoriquement refusé de considérer comme notre bien propre le patient qui requiert notre aide et se remet entre nos mains; nous ne cherchons ni à édifier son sort, ni à lui inculquer nos idéaux, ni à le modeler à notre image avec l'orgueil d'un créateur, ce qui nous serait fort agréable. » Situation d'avenir... et elle est réalisée : « Tout porte aussi à croire que vu l'application massive de notre thérapeutique, nous serons obligés de mêler à la peur de l'analyse une quantité considérable du plaisir de la suggestion directe. »

(2) Le passé comme le ça et le surmoi. Le passé comme l'instinct de mort, comme l'instinct en général, en tant qu'il est répétition.

Il n'en reste pas moins que Freud se laisse prendre à une sorte de déterminisme mécanique qui ne correspond pas au sens, au processus du dialogue qu'il révèle au cœur de l'expérience humaine. Il est certain que nos symptômes, nos actes manqués, nos rêves renvoient à notre histoire et même à notre lointaine enfance ; il faut ainsi déchiffrer notre passé dans notre présent; mais cette lecture n'est-elle pas ambiguë ?, ou plutôt, est-elle déterminée d'une façon univoque ? N'ouvre-t-elle pas des perspectives autant qu'elle commence à décrire un destin ? Freud a lui-même insisté sur la surdétermination des symboles, sur leur ambiguïté, et quand il s'agit d'un langage qui se fait parole, n'est-il pas ouverture sur l'avenir autant que détermination par le passé ? C'est ainsi que, au cours de la psychanalyse, un rêve devient présage (1) parce qu'il est décision, tel le rêve de Dora dans lequel Freud apprend qu'elle va quitter son psychanalyste et choisir une certaine solitude. Ce rêve sort d'un langage pour être déjà dialogue. Il parle à quelqu'un d'un avenir.

Je voudrais, pour préciser ce que je viens de dire (qu'en somme, Freud a saisi la temporalité par le passé et le présent sans parler effectivement de l'avenir, bien que tout son dialogue psychanalytique le suppose), me référer à un très beau commentaire de Merleau-Ponty sur le texte de Freud : *Un souvenir d'enfance de Léonard de Vinci.*

On a l'habitude de considérer Léonard comme un pur intellectuel, détaché de tout, sans amour et sans passion, un héros de la

---

(1) « Le rêve, enfin, peut-il révéler l'avenir ? [...]. Il ne peut en être question. Sans doute, un savant modeste et dépourvu de préjugés accueille avec joie tout effort pour étudier scientifiquement les phénomènes occultes, mais il y a deux croyances qu'il ne peut accepter : la survie après la mort, la connaissance d'un avenir qu'on ne peut sonder. Il faudrait dire bien plutôt : le rêve révèle le passé, car c'est dans le passé qu'il a toutes ses racines.

« Certes, l'antique croyance aux rêves prophétiques n'est pas fausse en tous points. Le rêve nous mène dans l'avenir puisqu'il nous montre nos désirs réalisés; mais cet avenir, présent pour le rêveur, est modelé par le désir indestructible à l'image du passé. »

connaissance pure, dirait Valéry. En fait, Freud nous a dévoilé le sens de ce détachement qui est une fixation immuable à sa mère, en analysant un souvenir d'enfance de ce héros de la connaissance : « Il y a dans *Sainte Anne* (1) et dans *La Vierge et l'Enfant*, ce manteau de la Vierge qui dessine un vautour et s'achève contre le visage de l'enfant. Il y a ce fragment sur le vol des oiseaux où Vinci s'interrompt soudain pour suivre un souvenir d'enfance : « Je semble « avoir été destiné à m'occuper tout particulièrement du vautour, « car un de mes premiers souvenirs d'enfance (2) est que, comme « j'étais encore au berceau, un vautour vint à moi, m'ouvrit la « bouche avec sa queue et plusieurs fois me frappa avec cette queue « entre les lèvres. » Ce vautour n'est-il pas le symbole de la maternité, parce que, croyait-on chez les Egyptiens et les pères de l'Eglise, tous les vautours sont femelles et fécondés par le vent ? Or, que voyons-nous dans la vie de Vinci ? Il était le fils naturel d'un riche notaire qui épousa, l'année même de sa naissance, la noble Donna Albiera dont il n'eut pas d'enfant, et recueillit à son foyer Léonard, âgé de cinq ans (3). Ses quatre premières années, Léonard les a donc passées avec sa mère, la paysanne abandonnée. Il a été un enfant sans père et il a appris le monde dans la seule compagnie de cette grande maman malheureuse qui semblait l'avoir miraculeusement créé. »

Nous savons maintenant que Vinci n'eut pas de maîtresse, et que, comme dirait Freud, il avait investi dans cette première mère (4) toute sa puissance d'amour; il était donc détaché, mais ce qu'il fit de ce détachement n'appartient qu'à lui : il en fit le héros de la

(1) D'abord, les deux mères qu'eut Léonard : la vraie, Anne, et sa jeune belle-mère.

(2) Est-ce un fantasme ou un souvenir réel ?

(3) Les deux mères : Anne et Marie.

(4) La mère de Léonard, la pauvre paysanne de Vinci, était venue à Milan en 1493 afin de visiter son fils, alors âgé de 41 ans. Elle y tomba malade, fut mise par Léonard à l'hôpital et quand elle mourut, enterrée par lui avec toutes les marques de respect. Sourire de Monna Lisa, de la Joconde = sourire de sa mère.

connaissance et l'artiste que l'on sait. Ainsi, comme le remarque Merleau-Ponty : « Au comble de la liberté il est, en cela même, l'enfant qu'il a été; il n'est détaché d'un côté que parce qu'il est attaché ailleurs. » La motivation, telle que nous l'avons vue chez Freud, où la signification n'est pas un déterminisme naturel, se concilie avec une liberté, ou du moins, une ouverture sur l'avenir, autant qu'elle exclut le pur arbitraire sartrien.

C'est donc cette dimension d'avenir — déjà présente dans le dialogue — qu'il faut réintroduire dans la pensée freudienne. Mais cette réintroduction n'est pas sans conséquence : elle rend possible le passage d'une psychologie empiriste à un domaine transcendantal. La question posée : que signifie guérir, prend un autre sens; la perte de toutes nos illusions n'est pas la retombée dans une adaptation naturelle; l'ouverture de l'avenir est aussi une ouverture métaphysique.

Que pouvons-nous entendre par là, en restant autant que possible fidèle à Freud, à sa philosophie de la nature (1), dont nous avons vu qu'elle était une base essentielle de sa pensée ? Il me semble que, en prenant conscience de ce que fut la sagesse de Freud, de son rationalisme impénitent, qui n'excluait pas le courage de regarder la vérité en face, si dure soit-elle, nous pouvons entrevoir une sorte de réponse. C'est cette vérité même, ou plutôt le dévoilement de cette vérité qui devient le thème essentiel (2). L'existence humaine n'est plus seulement ce produit de la nature : elle est existence en tant qu'elle est dévoilement de la vérité, et l'analytique psychologique devient une analytique existentielle (3) — telle que

---

(1) L'appareil mental qu'a construit Freud n'est-il pas lui-même symbolique ? Une projection de soi dans la machine, comme la machine est une projection de nous-mêmes. Machine matérielle et sens, c'est le rapprochement des deux termes qui est le problème.

(2) L'ambiguïté du rationalisme freudien : comprendre et se comprendre.

(3) Rapport avec l'analytique existentielle :

1) Le passé n'est pas passé : il est l'ayant-été qui est (fixation de la névrose, énergie liée);

Heidegger nous l'a présentée dans *Sein und Zeit* — et dans cette analytique nous pouvons repenser les thèmes mêmes de l'anthropologie freudienne, la préhistoire (1) et l'originaire, l'oubli — et surtout, l'oubli de l'oubli, plus important encore que l'oubli lui-même — la répétition, le passé et l'avenir, le dialogue et l'intersubjectivité, condition du dévoilement, le logos et la matière, la causalité et la motivation. Il se trouve qu'une sorte de prise de conscience du freudisme nous hausse à une dimension nouvelle où peut-être même la philosophie de la nature peut trouver sa place. L'essentiel est ce thème d'une vérité qui est dévoilement, et qui donc recèle toujours sa propre obscurité, et ce dévoilement qui n'est pas sans l'homme, bien qu'il ne soit pas de l'homme, qui passe par le dialogue intersubjectif, est au-delà de tout message qui ne se proposerait que l'effectuation de la puissance, le gouvernement des hommes (2).

En disant cela — et surtout cela : cette défiance de la puissance — nous pensons rester obstinément fidèles à Freud qui n'a peut-être pas su inscrire dans son propre système ce qui était la motivation de toute sa vie de pensée (3).

2) L'oubli est de deux sortes : oubli de l'événement (hystérie), oubli du sens (névrose obsessionnelle);
3) L'oubli de l'oubli.
    (1) Cf. le caractère des rêves typiques et la préhistoire humaine :
α) Le rêve de Nausicaa (« et ils virent qu'ils étaient nus »);
β) Les rêves de mort :
    1) Conflit des frères;
    2) La tragédie d'Œdipe (différence entre le destin antique : (Œdipe) et notre destin : Hamlet) — Macbeth.
γ) Les rêves d'examen.
    (2) Il se peut que tous les idéaux soient des sublimations des instincts. Mais la vérité dans son dévoilement n'en est pas une.
    (3) « Ce n'est qu'en faisant usage de nos énergies psychiques les plus élevées, toujours liées à l'état de conscience, que nous pouvons maîtriser nos pulsions. »
    « Le traitement psychanalytique peut, *grosso modo*, être considéré comme une sorte de rééducation qui enseigne à vaincre les résistances intérieures. »
    « Quels que soient les sentiments et les intérêts humains, l'intellect est lui

Sans doute, je vous cause quelque déception, en achevant ces trop longues remarques sur une telle ouverture, sur un tel problème de la vérité-dévoilement (1), et en ne vous en disant presque rien. Permettez-moi alors une confidence dernière. Cette aventure m'arrive presque toujours : on achève par le problème (ici, le problème Existence et Vérité) et tout ce qu'on a dit ne fut qu'un chemin, une voie d'accès, une préparation, une propédeutique. Pour m'excuser, je dirai que je préfère les premières *Méditations* de Descartes aux dernières, la *Phénoménologie de l'esprit* à la science hégélienne de l'absolu, *Sein und Zeit* à ce que Heidegger peut dire aujourd'hui de l'Etre, et l'histoire de la métaphysique à sa fin — si elle doit en avoir une. Mais cela même signifie que la vérité dans son dévoilement est une recherche qu'il faut toujours reprendre, et qu'elle est phénoménologie, voyage de découverte, et jamais savoir absolu; ou plutôt cela signifie que le savoir absolu est seulement cette phénoménologie.

Car la philosophie ne consiste pas à savoir autre chose que l'expérience elle-même, mais à savoir ce qu'on sait déjà sans savoir qu'on le sait. La philosophie n'est pas l'au-delà de l'expérience mais la conscience de soi de l'expérience (2).

---

aussi une puissance. Celle-ci n'arrive pas immédiatement à prévaloir. Mais finalement ses effets sont d'autant plus certains. La vérité la plus blessante finit toujours par être perçue et par s'imposer, une fois que les intérêts qu'elle blesse et les émotions qu'elle soulève ont épuisé leur virulence. »

(1) Le problème actuel de la métaphysique et le positivisme, la démystification ou l'analyse infinie.

(2) Un intermédiaire entre la psychanalyse, trop psychologique, et l'analyse transcendantale, trop logique. Une analytique de l'existence humaine qui intègre en elle la vérité comme dévoilement — de soi et de la nature.

VII

BERGSON

I

DU BERGSONISME
A L'EXISTENTIALISME *

I

Un des grands événements philosophiques en France avant la guerre de 1914 a été sans aucun doute le développement, la croissance harmonieuse, de la philosophie bergsonienne. Le bergsonisme a renouvelé tous les problèmes, il a libéré une génération qui était prisonnière d'une fausse conception de la science. Après Bergson le rationalisme français ne pouvait plus être le même qu'avant. Tout en s'opposant d'abord à Bergson, l'idéalisme brunschvicgien présentait une conception de l'intelligence souple et vivante, que prolongent de nos jours les travaux épistémologiques de G. Bachelard, si attentif au devenir concret de la pensée scientifique. De même la philosophie de l'esprit, qui, avec R. Le Senne, avait commencé par s'inspirer du livre d'Hamelin (*Essai sur les éléments de*

---

* Extrait des *Actes du Ier Congrès international de Philosophie*, Mendoza, Argentine (avril 1949), et du *Mercure de France*, n° 1031, 1er juillet 1949.

la représentation), a élargi ses bases de départ. R. Le Senne et L. Lavelle, d'une façon différente d'ailleurs, ont su profiter du bergsonisme et de sa conception de la durée autant que du rationalisme d'Hamelin. Les notions d'existence, d'obstacle, de valeur ont été reprises dans une philosophie qui prétend rester fidèle à certaines traditions, mais qui, en même temps, s'ouvre à toutes les influences qui permettent de situer l'homme par rapport au monde et à la valeur.

Cependant, au lendemain de la guerre de 1939, un nouvel événement philosophique s'est produit dans la philosophie française, c'est l'apparition et le succès de ce qu'on a appelé l'*existentialisme*. Certes cet événement ne date pas exactement de la guerre. Les principaux travaux de Gabriel Marcel, en particulier le *Journal métaphysique*, et l'article dans la *Revue de Métaphysique* que lui a consacré Jean Wahl, sont bien antérieurs; de même les *Etudes kierkegaardiennes* de Jean Wahl qui ont fait connaître en même temps en France Kierkegaard, Heidegger et Jaspers; enfin le roman de J.-P. Sartre, *La nausée*, est de 1938. Nous ne parlons pas non plus du livre de J.-P. Sartre sur *L'imagination*, antérieur à la guerre, mais dont la signification véritable ne devait se révéler que plus tard, après *L'imaginaire* et surtout *L'Etre et le Néant* qui parut en 1943. Mais s'il est bien vrai que le mouvement existentialiste se prépare avant 1939, il est certain que son succès date de la guerre et que pour en apprécier la portée, l'influence, la signification, il faut en situer l'émergence dans le contexte historique de la guerre mondiale, de l'occupation et des menaces qui pèsent aujourd'hui sur le destin humain.

Du *bergsonisme à l'existentialisme*, il y a là un itinéraire de la pensée française qui nous paraît avoir une signification très importante. Il y a sans doute une part d'arbitraire à mettre en lumière ce seul itinéraire. Nous ne nous le dissimulons pas, mais il faut bien choisir, et adopter certaines références. Nous sommes nous-mêmes pris dans le devenir de l'histoire, et la philosophie ne peut se désintéresser du

devenir humain. Or il nous semble que le passage du bergsonisme à
l'existentialisme nous fait mieux prendre conscience de notre situation historique. Nous pensons même que la meilleure façon de
comprendre le succès de l'existentialisme (qui est plus une atmosphère
commune à des penseurs très différents, qu'une certaine philosophie
particulière), c'est de nous demander quelles insuffisances se révélaient
dans la pensée bergsonienne qui l'ont fait critiquer (souvent injus-
tement d'ailleurs) par nos modernes existentialistes. Nous essayerons
de montrer ces insuffisances, en tâchant d'éclairer par elles les
exigences auxquelles répond la pensée existentielle actuelle, et aussi
la crise de la philosophie que représentent ces exigences mêmes.
Notons en passant les influences de la philosophie allemande : Husserl, Heidegger, Jaspers et aussi la *Phénoménologie* de Hegel, qui se
sont exercées sur les existentialistes français.

Notre tâche est maintenant définie : dévoiler en creux pour ainsi
dire l'existentialisme dans le bergsonisme, montrer ce qui manque au
bergsonisme pour satisfaire certaines exigences contemporaines, et
cela sur quelques points nécessairement limités. On peut, dans la
gamme des existentialismes, distinguer deux pôles, l'*existentialisme
athée* et l'*existentialisme chrétien*, celui de Sartre et celui de Gabriel
Marcel si l'on veut donner des noms pour illustrer un peu plus précisément ces doctrines. Si la pensée bergsonienne a marqué un réveil
de la philosophie française, elle se développe toutefois dans une
atmosphère qui dépasse trop la condition humaine; sa philosophie
de la religion, d'autre part, n'arrive pas à être pour autant une philosophie religieuse, deux aspects qui vont nous retenir.

II

Dans sa première œuvre, l'*Essai sur les données immédiates*, Bergson oppose deux conceptions différentes du moi, sous le nom de *moi
profond* et de moi *superficiel*, qui conduisent à deux façons radicale-

ment différentes d'*exister* pour le moi lui-même. Dans la première, le moi se voit dans l'espace, et, se réfractant à travers le monde et la vie sociale, s'apparaît à lui-même comme dispersé dans une multiplicité de moments extérieurs les uns aux autres. Chacun de ces moments, adoptant le moule du langage, en acquiert la banalité, de sorte que le sujet en est un personnage anonyme qui aime, hait, ou agit, comme *on* aime, *on* hait, *on* agit en général. Ce moi ne vit pas dans la durée continue et pleine, mais dans le temps qui n'est que la durée réfractée dans l'espace. Dès lors ce moi est sans unité véritable et sans liberté; il ne se possède pas lui-même; il vit dans l'oubli de soi-même, et est, pourrait-on dire, *inauthentique*. Nous sommes ce que les autres sont et nous avons perdu le sens de l'unité et de l'originalité de notre vie. C'est au contraire en nous refusant à cette dispersion, en évitant cette chute dans le temps spatial que nous pouvons conquérir notre *authenticité*. Nous venons d'employer les termes d'*authenticité* et d'*inauthenticité* pour caractériser ce que Bergson nomme le *moi profond* et le *moi superficiel*, mais il est très remarquable que Bergson ne présente pas cette opposition comme une crise possible. Le philosophe se borne à élaborer sa conception de la durée qui suppose une critique du temps scientifique et du temps social, et pour cela il note la distinction entre le moi profond qui dure et le moi banal qui extériorise les phases de sa vie en leur donnant la consistance des choses. Il réfute un certain associationisme, à la mode à cette époque, mais sans insister sur le caractère tragique, existentiel dirions-nous aujourd'hui, de cette chute presque inévitable, contre laquelle il faut toujours lutter, en tout cas. Bergson a fait un livre sur le comique — du mécanique plaqué sur du vivant — mais non pas sur le tragique. Or il y avait pourtant dans cette distinction du moi superficiel et du moi profond une possibilité d'analyser l'existence humaine que le philosophe a laissé de côté. Un de ses disciples qui était aussi un grand poète, Charles Péguy, a su au contraire relier cette distinction de Bergson au *divertissement* de Pascal. Ce n'est pas seulement parce que nous avons

« l'habitude de vivre au milieu des choses », ou que « nous nous exprimons nécessairement par des mots et pensons le plus souvent dans l'espace » que nous risquons de nous oublier nous-mêmes, mais c'est parce que nous refusons la pensée de la mort, ou évitons de méditer sur la condition humaine que nous nous livrons à l'extériorité. Péguy a exprimé cette idée dans son *Eve* lorsqu'il a décrit le plus grand malheur de l'homme comme étant le glissement vers la médiocrité. Il avait dit ailleurs que c'était le même homme qui « mouillait au péché et à la grâce », de sorte que la chute est moins peut-être le péché, que ce qu'on pourrait appeler l'habitude du péché originel :

> « Et par là vous savez combien l'homme exagère
> Quand il dit qu'il déteste et quand il dit qu'il aime
> Et qu'il n'est point de lieu sur la terre étrangère
> Ni pour un grand amour, ni pour un grand blasphème. »

Mais laissons ce poète qui a su interpréter Bergson d'une façon si profonde, et souvent si étrangère à Bergson lui-même, parce que son interprétation du philosophe était en même temps une interprétation du christianisme, et parce qu'il a su, à la lumière du bergsonisme, apercevoir le caractère proprement existentiel de l'incarnation chrétienne. Considérons un philosophe allemand, Heidegger, qui a eu une grande influence sur l'existentialisme français, et qui a fait la même différence que Bergson entre l'*existence authentique* et l'*existence inauthentique*, et a lui aussi caractérisé ces deux formes d'existence par deux temporalisations différentes. Le temps de l'existence authentique n'est pas le temps mondain de l'existence inauthentique. A la question « Qui vit dans le monde ? Quel est le sujet de l'*In-der-Welt-Sein* ? », on peut répondre de deux façons différentes. L'une aboutit à l'existence inauthentique du *On* qui se perd dans le monde au point de se confondre presque complètement avec les choses qui sont dans ce monde et servent d'instruments à notre action, ou sont les objets de notre souci quotidien, l'autre aboutit au contraire à l'existence authentique qui nous permet de nous trouver nous-mêmes, non pas hors du monde, comme c'est un peu le cas chez Bergson, mais face au monde dont la transcendance est liée à notre existence même. Ces deux façons d'exister correspondent, semble-t-il, d'abord à la distinction bergsonienne. Dans l'une et l'autre philosophie l'inauthenticité et l'authenticité paraissent s'opposer de la même façon. Pourtant le ton est bien différent, et l'on peut à certains égards mesurer par cette différence le fossé qui sépare la *philosophie de la vie* de Bergson d'une *philosophie de l'existence*. Tandis que, pour Bergson, il ne semble s'agir que d'une interprétation différente du moi qui conduit à deux façons possibles d'exister, pour Heidegger la chute dans le *On* résulte d'une sorte de fuite devant soi-même, d'un oubli commandé par un recul devant l'angoisse de notre propre condition humaine, fuite devant l'angoisse d'assumer ma mort, ma possible impossibilité, la fin de tout projet ou l'horizon ultime qui fait ma finitude irrémédiable. D'autre part tandis que Bergson oppose la durée créatrice à la conception vulgaire et spatialisée du temps, Heidegger part d'une analyse de la temporalité dont la contexture exprime le drame propre de la vie humaine, incapable d'exister sans être à la fois *en avant de soi-même* (avenir du souci et horizon ultime de la mort), *en arrière de soi* puisqu'elle se trouve étant-là sans l'avoir elle-même voulu, et *face au monde* qu'elle se rend présent dans sa situation fondamentale.

Cette analyse de la réalité humaine est comme on le voit, en dépit de certaines analogies, très différente chez les deux philosophes. Mais c'est aussi que leurs visées ne sont pas les mêmes. Bergson ne parle de la durée du moi dans l'*Essai* que pour pouvoir rejoindre un jour l'élan vital de *L'Evolution créatrice* et replacer l'homme dans la nature universelle, la nature naturante, comme il le dit dans *Les deux sources* ; Heidegger part au contraire de la réalité humaine pour tenter à partir d'elle, mais à partir d'elle seulement, d'édifier une ontologie, et on est en droit de se demander s'il pourra jamais dépasser cette analyse du *Dasein* humain. La philosophie bergsonienne situe l'homme dans ce qui le dépasse, la philosophie existentielle ne parvient pas à dépasser vraiment le *Dasein* humain.

L'existentialisme français, celui de Sartre par exemple, s'est inspiré de Husserl et de Heidegger, autant que de Bergson (bien que Sartre, dans son premier essai philosophique sur *L'imagination*, ait particulièrement malmené Bergson). Sartre n'accepte plus la distinction que fait Heidegger entre l'existence inauthentique et l'existence authentique. Il semble toutefois retrouver cette distinction quand il parle de la lucidité possible de la conscience, sur le plan réflexif, et de l'angoisse « seulement comme de la saisie réflexive de la liberté par elle-même ». Sartre identifie le *pour-soi* à la liberté, *nous sommes condamnés à être libres*, de sorte que la conscience n'est jamais prisonnière que d'elle-même et qu'elle peut à tout instant (c'est même ce qui définit l'instant) rompre avec son projet fondamental qui constitue son être-au-monde. Mais si Sartre est un disciple très infidèle de Heidegger, il n'en fait pas moins lui aussi de l'existence humaine le centre de sa méditation et ce qui est indépassable. Tandis que Bergson explique l'homme par ce qui le précède et le dépasse, par l'élan vital et par le Dieu qui est la source de cet élan et que retrouvent les mystiques, Sartre, comme Heidegger, en reste à la réalité humaine, à l'analyse de cette existence de l'homme comme être-pour-soi, radicalement opposé à l'être-en-soi des choses, et cette opposition, si différente du dualisme bergsonien nuancé qui laisse la conscience se prolonger et s'étendre à tout l'univers, se trouve dès son premier essai sur *L'imagination* : « si les choses sont *pour* moi, elles ne sont pas *moi* »...; « en aucun cas ma conscience ne saurait être une chose, parce que sa façon d'être en soi est précisément un être-pour-soi. Exister pour elle c'est avoir conscience de son existence. Elle apparaît comme une *pure* spontanéité en face du monde des choses qui est *pure inertie* ». Cependant Sartre distingue le *cogito* préréflexif du *cogito* réflexif. Il ne saurait y avoir une conscience latente, virtuelle, comme chez Bergson; pourtant nos intentions sont vécues avant d'être pensées et connues. Notre but n'est pas cependant de développer ici la philosophie de Sartre pour elle-même, nous voulons l'opposer à Bergson sur un point fondamental : c'est donc de l'*athéisme* de Sartre que nous allons parler et de ses caractères.

Heidegger a pu être considéré comme un philosophe athée mais cette thèse n'est pas explicite chez lui. Il n'en est pas de même de Sartre qui définit l'existence humaine, dans *L'Etre et le Néant*, par l'impossible *projet de se faire Dieu*, d'élever son être-pour-soi à l'en-soi. Il faut présenter quelques remarques à propos de cet athéisme de Sartre. Il a existé dans l'histoire des idées un athéisme qui consistait simplement à affirmer que « Dieu était une hypothèse inutile », que l'ensemble de l'univers pouvait s'expliquer sans avoir recours à cette hypothèse; la religion était une illusion qui devait disparaître avec les progrès de la science, mais pour Sartre c'est au cœur même de l'existence humaine qu'est inscrit le besoin de se dépasser et de se réaliser en restant pour soi. Ce projet qu'a l'homme de se faire Dieu est donc essentiel à l'existence humaine. L'athéisme est ici lié à la critique du *projet humain fondamental*. Il pourrait aboutir à une philosophie du désespoir. On connaît les expressions de Sartre : « Cette totalité dont l'être est l'absence absolue est hypostasiée comme transcendance par-delà le monde; par un mouvement ultérieur de la méditation elle prend le nom de Dieu. La réalité humaine est désir d'être-en-soi... l'être qui fait l'objet du désir du pour-soi est donc un en-soi qui serait à lui-même son propre fondement... c'est en tant que conscience qu'il veut avoir l'imperméabilité et la densité infinie de l'en-soi. » Et pour exprimer les choses sous une forme moins technique, Sartre écrit : « Ainsi peut-on dire que ce qui exprime le mieux le projet fondamental de la réalité humaine c'est que l'homme est l'être qui projette d'être Dieu. Quels que puissent être les mythes et les rites de la religion considérée, Dieu est d'abord « sensible au « cœur de l'homme » comme ce qui l'annonce et le définit dans son projet ultime et fondamental... Etre homme c'est tendre à être Dieu, ou, si l'on préfère, l'homme est fondamentalement *désir* d'être Dieu »; et qu'on ne compare pas ces formules de Sartre avec celles de Bergson : « l'univers est une machine à faire des Dieux », ou « le Créateur a voulu créer des créateurs », car la notion de Dieu est corrélative chez Sartre de sa conception du pour-soi et de la néantisation qui fait que ce pour-soi ne coïncide jamais avec lui-même, est toujours de « mauvaise foi » en dépit d'une nostalgie de la bonne foi, tandis que cette notion résulte chez Bergson d'une conception de la durée créatrice qui est plénitude, et qui enveloppe l'homme. La durée bergsonienne paraît à Sartre contraire à l'analyse heideggerienne de la temporalité qui fait que l'homme est « l'être qui est toujours ce qu'il n'est pas et n'est jamais ce qu'il est ». L'homme, qui est désir d'être Dieu, est donc une passion inutile, et pourtant la philosophie de Sartre ne s'achève pas, ne veut pas s'achever dans le désespoir. Simone de Beauvoir, interprète d'un Sartre qui prépare une morale, et qui dans le 3e tome des *Chemins de la liberté* va nous parler de l'héroïsme humain, écrit : « Il est vrai que dans *L'Etre et le Néant* Sartre a surtout insisté sur le côté manqué de l'aventure humaine, dans les dernières pages seulement il ouvre les perspectives d'une morale. » Attendons donc cette morale que Sartre ne nous a pas donnée, mais notons le caractère de cette description de l'existence humaine, si différente de celle de Bergson, et qui évoque parfois la formule tragique de Nietzsche : « Dieu est mort ». Mais en prenant au sérieux cette expression « *la mort de Dieu* », Sartre fait de l'existence humaine ce qui précède toute essence, toute nature : « l'homme existe d'abord, se rencontre, surgit dans le monde et se définit après » — « l'homme... est tel qu'il se veut, l'homme n'est rien d'autre que ce qu'il se fait. Tel est le premier principe de l'existentialisme ». On voit que, chez Sartre, l'homme prend la place de Dieu sans pouvoir être Dieu et s'angoisse devant sa liberté. Le succès de l'existentialisme sartrien, si on laisse de côté un snobisme indigne du philosophe, mais qu'a connu aussi Bergson sous une autre forme, tient à la rencontre de cette philosophie de l'angoisse avec les malheurs d'une époque telle que jamais sans doute dans l'histoire le destin humain n'a paru aussi menacé et aussi précaire (l'existentialisme sartrien paraît d'ailleurs s'orienter vers un effort héroïque de l'homme pour surmonter tout destin), mais on aurait tort de croire que la philosophie de Sartre se situe elle-même dans le contexte d'une histoire dont elle se ferait un moment. Bien que très inspiré par Hegel, Sartre reste assez cartésien pour faire une description du pour-soi et de l'en-soi, de la conscience et de la chose, qui ait une valeur indépendante d'un temps historique. Il n'y a pas de philosophie véritable de l'histoire chez Sartre, et c'est ce qui l'oppose le plus aux marxistes orthodoxes.

Ainsi l'existentialisme sartrien, comme celui de Heidegger, s'oppose à la philosophie bergsonienne, tout en lui empruntant peut-être un « sois ce que tu deviens », distinct du « deviens ce que tu es » des philosophes allemands. Il n'y a pas en effet place chez Bergson pour l'angoisse humaine; ou cette place est si minime qu'elle disparaît immédiatement quand on envisage les choses de plus haut. Mais c'est précisément cette possibilité de voir les choses de plus haut que se refusent et les existentialistes athées et les existentialistes chrétiens. Par là même d'ailleurs l'existentialisme implique un certain renoncement au système philosophique.

Reconnaissons, avant de pousser plus en avant, toute la difficulté de notre tâche. La comparaison que nous voulons instituer entre le bergsonisme et l'existentialisme, symbolique pour nous d'un itinéraire spirituel, supposerait des analyses techniques que nous ne pouvons songer à développer ici. N'oublions pas non plus que nous voulons comparer le bergsonisme aussi bien à l'existentialisme athée de Sartre qu'à l'existentialisme chrétien sous les diverses formes qu'il a pu revêtir. Il nous faut alors aller à l'essentiel. Le bergsonisme a méconnu l'angoisse, il a dépassé l'existence humaine, et c'est au contraire de cette angoisse, de cette existence humaine que partent tous les existentialistes, *les uns* pour montrer que la réalité humaine en dépit de son projet fondamental d'être Dieu ne saurait parvenir à cette impossible transcendance (Sartre s'inspire ici des analyses hégéliennes de la *Phénoménologie* : « La réalité humaine est souffrante dans son être parce qu'elle surgit à l'être comme perpétuellement hantée par une totalité qu'elle est sans pouvoir l'être, puisque justement elle ne pourrait atteindre l'être-en-soi sans se perdre comme pour-soi. Elle est donc par nature *conscience malheureuse*, sans dépassement possible de l'état de malheur »), les autres pour découvrir derrière l'échec de l'aventure humaine une espérance transcendante, révélable seulement dans un chiffre (Jaspers), ou dans un mystère au seuil duquel peut nous conduire une réflexion sur la réflexion (G. Marcel). Dans les deux cas la philosophie ne peut aller au-delà de l'existence humaine, elle disparaît dans une action, ou s'achève dans une foi. Mais ces conséquences qui manifestent une crise de la spéculation philosophique elle-même, crise déjà entrevue, au lendemain de l'hégélianisme, par un Kierkegaard, un Marx ou un Nietzsche, ne nous intéressent pas spécialement ici; nous voulons seulement reprendre une fois de plus notre comparaison entre le bergsonisme et l'existentialisme pour cerner de plus près cette absence d'inquiétude et d'angoisse dans le bergsonisme, ou, si l'on veut, pour montrer la *sérénité finale* de cette philosophie qui ne satisfait ni l'athée contemporain, ni le chrétien.

Si l'on voulait pousser dans le détail la comparaison que nous instituons, on découvrirait bien dans le bergsonisme des équivalents de ce que Heidegger et Sartre nomment la temporalisation. L'action humaine, pour être efficace, suppose bien un certain déchirement de la continuité de la durée; le passé s'oppose bien au moi agissant pour qu'il puisse s'élancer vers l'avenir, mais cette séparation des moments du temps est aussitôt dépassée. Cette faille dans la durée créatrice est décrite selon les exigences d'une action, comme la distinction du moi superficiel et du moi profond était le résultat d'une certaine interprétation de la durée et du temps. Bergson n'en fait pas la structure même de l'existence humaine et du pour-soi. Il l'étudie en philosophe spéculatif qui reconnaît la nécessité de cette séparation (dont Sartre fait l'essence du pour-soi), mais qui sait par ailleurs qu'elle n'est *qu'un moment dans la vie universelle.* Avant elle il y a la vie organique, l'élan vital, après elle il y a la joie du mystique. La sérénité finale recouvre le tragique humain et l'inquiétude, qui n'ont fait qu'apparaître un instant. Par là Bergson est sans doute assez proche du spinozisme, en dépit de son théisme affirmé dans sa dernière œuvre.

Mais ce n'est pas seulement nous qui parlons ici de cette sérénité bergsonienne. C'est le philosophe qui a employé lui-même cette expression dans *Les deux sources de la morale et de la religion.* C'est dans cette œuvre qu'apparaît l'inquiétude qu'une intelligence consciente peut introduire dans la vie universelle. C'est comme contrepartie de cette inquiétude que la religion y est étudiée. Revenons donc à ces textes. Bergson avait déjà souvent insisté sur les faux problèmes spéculatifs que peut se poser l'intelligence lorsqu'elle passe de l'action (pour laquelle elle est d'abord constituée) à la spéculation. Les problèmes du néant (la hantise du vide et de l'absence), du désordre, sont de faux problèmes spéculatifs qui tiennent à une transposition sur le plan de la spéculation, de certaines exigences pratiques limitées. *L'intuition authentique de la durée* permet de dissiper ces mirages. Mais si dans *L'Evolution créatrice* Bergson dénonce ces faux problèmes, il va plus loin encore dans *Les deux sources,* il montre comment l'intelligence consciente de l'homme, faite d'abord pour prolonger le mouvement de la vie et participer à l'élan créateur, tend à se retourner contre la vie. Cette idée d'une *conscience de la vie* qui va *contre la vie* était à l'origine de ce que Hegel nommait *conscience malheureuse :* « La conscience de la vie, écrivait-il, est la conscience du malheur de la vie. » Bergson reprend ce thème romantique. L'intelligence d'abord faite pour l'action esquisse dans l'ouverture du créable l'horizon des possibles, elle perçoit l'avenir comme projet, mais alors elle se mani-

feste comme pouvoir dissolvant, elle découvre le risque, avec lui
l'échec possible de toute entreprise particulière et peut-être, par un
passage à la limite, de toute l'entreprise humaine; allant du passé à
l'avenir elle prend conscience de la mort. Cette conscience de sa mort
isole l'individu du mouvement convergent du groupe. De même que,
dans la société close, la contrainte instinctive des habitudes peut être
rompue par une réflexion partielle de l'intelligence, de même ici la
réflexion universelle de l'intelligence peut aller jusqu'au sentiment de
la vanité de tout effort. Transposée sur le plan de la spéculation, cette
réflexion peut engendrer l'angoisse et le désespoir. C'est alors que la
religion, comme fonction fabulatrice, intervient. Ces mythes redon-
nent à l'homme qui va se décourager le courage d'entreprendre et de
continuer à vivre. Et ces mythes ne sont pas pure illusion, car la religion statique n'est elle-même qu'un moment de la religion dynamique
dans laquelle le mystique, prenant contact avec la source de l'élan
créateur, retrouve la joie divine de l'amour.

Ainsi le moment de l'inquiétude, cette crampe de la vie, est
seulement un moment dépassable. Bergson nous présente l'angoisse
engendrée par l'intelligence consciente comme un faux problème
qui doit nécessairement se dissoudre. Ce n'est pas que cette inquiétude ou cette angoisse soient toujours inutiles, elles peuvent être
la condition d'une vie plus haute, le terme intermédiaire entre ce
qu'on pourrait appeler l'infra-humain et le supra-humain. L'intelligence ici finit par répondre elle-même à ces faux problèmes, mais
non pas, en dépit de l'apparence, avec ses seules ressources. Dans
un texte de *La Pensée et le Mouvant*, Bergson se sert d'un exemple
banal pour manifester, dans ce que nous prenons pour un *plus*, une
simple *déficience* du vouloir : « Rappelons-nous le douteur qui ferme
une fenêtre, puis retourne vérifier la fermeture, puis vérifie sa véri-
fication, et ainsi de suite. Si nous lui demandons ses motifs il nous
répondra qu'il a pu chaque fois réouvrir la fenêtre en tâchant de la
mieux fermer. Et s'il est philosophe il transposera immédiatement

l'hésitation de sa conduite en cet énoncé du problème : comment être sûr, définitivement sûr, qu'on a fait ce qu'on voulait faire ? Mais la vérité est que sa puissance d'agir est lésée et que là est le mal dont il souffre, il n'avait qu'une demi-volonté d'accomplir l'acte, et c'est pourquoi l'acte accompli ne lui laisse qu'une demi-certitude. Maintenant le problème que cet homme se pose, le résolvons-nous ? Evidemment non, mais nous ne le posons pas. »

Gardons-nous cependant de croire que Bergson en reste là, dénonçant simplement cette transposition d'une déficience morbide sur le plan spéculatif. Cette crampe du vouloir peut saisir toute l'humanité en marche, et si l'intelligence peut répondre à l'intelligence dans cette crise, c'est parce que l'appel créateur inspire l'intelligence dans sa réponse comme la poussée vitale évite même la question dans le vouloir quotidien sain. « Autre chose est la condition quasi animale d'un être qui ne se pose aucune question, autre chose l'état semi-divin d'un esprit qui ne connaît pas la tentation d'évoquer par un effet de l'infirmité humaine des problèmes artificiels. Pour cette pensée privilégiée, le problème est toujours sur le point de surgir, mais toujours arrêté dans ce qu'il a de proprement intellectuel par la contrepartie intellectuelle que lui suscite l'intuition. L'illusion n'est pas analysée, n'est pas dissipée parce qu'elle ne se déclare pas, mais elle le serait si elle se déclarait, et ces deux possibilités antagonistes qui sont d'ordre intellectuel s'annulent intellectuellement pour ne plus laisser de place qu'à l'intuition du réel. » En présence de ces textes qui opposent au désespoir possible, toujours sur le point de surgir, une métaphysique de l'espérance dont la source est aussi bien infra-humaine que supra-humaine, on ne peut s'empêcher d'évoquer les intuitions poétiques de Péguy sur l'espérance, ou les réflexions existentielles de G. Marcel. Mais il faut aussi bien insister sur les différences qui sont celles du bergsonisme et de l'existentialisme chrétien. L'espérance chrétienne, même si, comme chez Péguy, elle sauve le temporel, est une espérance en dépit de *l'échec*, de la chute qui menace tout le temporel, du *péché* enfin. Cette espérance est un au-delà de l'échec. Elle suppose une foi et n'est pas seulement l'intuition du réel que Bergson nous présente dans la joie du mystique.

L'existentialisme chrétien, chez un G. Marcel ou chez un Jaspers, n'ignore pas l'échec ou le péché. C'est au contraire en approfondissant cette notion d'échec que Jaspers s'élève au rapport de l'existence à la transcendance. C'est par l'angoisse devant le péché que G. Marcel nous conduit *du refus à l'invocation*. Mais Bergson ne connaît ni l'angoisse de l'existentialiste athée, ni le péché de l'existentialiste chrétien. Il a fait dans *Les deux sources* une philosophie de la religion sans parler de ce sentiment du péché qui hantait Kierkegaard, sans reconnaître l'abîme qui sépare l'existence humaine de la transcendance. Sa philosophie s'achève sans doute par une *philosophie de la religion* dans laquelle l'intuition mystique vient alimenter l'intuition philosophique, mais il n'est pas pour autant un *philosophe religieux*. Charles Péguy, interprète chrétien de Bergson, avait su développer sur ce point la pensée de son maître dans une tout autre direction. Il insistait sur le vieillissement irrémédiable, le mouvement de chute de tout le temporel abandonné à lui-même; et la découverte du *mystère* de l'espérance, en dépit de cette chute, avait un sens infiniment plus religieux et plus chrétien que la sérénité bergsonienne.

Cette sérénité nous la retrouvons dans ce texte des *Deux sources*, qui nous servira à la fois à montrer la grandeur du bergsonisme et ses insuffisances : « Ainsi les inquiétudes de l'homme jeté sur la terre et les tentations que l'individu peut avoir de se préférer lui-même à la communauté, inquiétudes et tentations qui sont le propre d'un être intelligent, se prêteraient à une énumération sans fin. Mais cette complication s'évanouit si l'on replace l'homme dans l'ensemble de la nature, si l'on considère que l'intelligence serait un obstacle à la *sérénité* qu'on trouve partout ailleurs et que l'obstacle doit être surmonté, l'équilibre rétabli. Envisagé de ce point de vue, qui est celui de la genèse et non plus de l'analyse, tout ce que l'intelligence appliquée à la vie comportait d'agitation et de défaillance avec tout ce que les religions y apportent d'apaisement devient une chose simple. Perturbation et fabulation se compensent et s'annulent. A un Dieu qui regarderait d'en haut, le tout paraîtrait indivisible comme la confiance des fleurs qui s'ouvrent au printemps. »

C'est cette sérénité d'une nature étrangère à l'homme que nous ne sommes plus aujourd'hui capables de comprendre, de même que nous ne pouvons parvenir à occuper cette position d'un « Dieu qui regarderait d'en haut » et se mettrait ainsi en marge du risque humain. Du bergsonisme à l'existentialisme nous pouvons maintenant apercevoir toute une évolution spirituelle. Si Bergson définit la philosophie dans cette formule : « la philosophie devrait être un effort pour dépasser la condition humaine », nous devons dire au contraire que l'existentialisme se montre impuissant à dépasser cette condition même, autrement que par une foi que la philosophie ne saurait justifier par elle seule. C'est pourquoi l'existentialisme lié à une analyse indéfinie de la réalité humaine (et sur ce point cette analyse rejoint sans cesse une littérature qui semble être partie intégrante de la philosophie existentielle) implique une crise de la philosophie même. Nous ne pouvons plus que chercher à devenir plus lucides sur cette réalité humaine que nous sommes nous-mêmes et que nous faisons nous-mêmes ; un système philosophique qui nous permettrait de dépasser cette existence, de la référer à autre chose qu'elle-même, paraît impossible. La transcendance verticale, comme on dit, n'est accessible qu'à la foi. Restent il est vrai le sens de l'historicité de cette existence, et l'élargissement de cette historicité en histoire. Comment comprendre le lien des existants humains, le devenir historique, comment envisager le problème du *sens* de cette histoire qui à certains égards nous est donné, mais qu'il faut aussi que nous constituions ? Le problème ultime où s'affrontent aujourd'hui existentialistes, marxistes, chrétiens nous paraît bien être celui de ce « *sens* de l'histoire ».

2

VIE ET PHILOSOPHIE
DE L'HISTOIRE CHEZ BERGSON *

La philosophie de Bergson est une philosophie de la vie avant d'être une philosophie de l'histoire humaine. Les concepts bergsoniens, élan vital, évolution créatrice, dichotomie et double frénésie, conviennent à la vie et ne sont pas spécialement taillés sur l'histoire des hommes, comme le sont par exemple dans la *Phénoménologie de l'esprit* ceux de Hegel. Par contre Bergson nous montre les rapports entre l'histoire humaine et l'évolution générale de la vie, entre la civilisation et la nature. C'est dans *L'Evolution créatrice*, puis dans *Les deux sources de la morale et de la religion,* qu'il étudie le rapport de l'humanité à la vie universelle sur notre planète. Dans *L'Evolution créatrice* l'homme apparaît comme le sens de toute l'évolution. « Tout se passe comme si un être indécis et flou qu'on pourra appeler, comme on voudra, homme ou surhomme, avait cherché à se réaliser et n'y était parvenu qu'en abandonnant en route une partie de lui-même. » Cette évolution est d'ailleurs contingente dans ses détails sinon dans l'essentiel. Il y a un aspect historique de l'évolution qui ne réalise pas un plan tout fait, mais n'est pas non plus une suite de

* Extrait des *Actes du I*er *Congrès international de Philosophie*, Mendoza, Argentine (avril 1949).

hasards indépendants, une évolution dont l'avenir reste indéterminé, et qui pourtant dans sa création apporte avec elle la signification rétrospective de son propre passé, de sorte que cette histoire se justifie rétrospectivement. « On conçoit donc que la vie eût pu revêtir un tout autre aspect extérieur et dessiner des formes très différentes de celles que nous lui connaissons. » La philosophie qui cherche à comprendre la vie doit tenir compte de cette *donnée historique* et à travers elle découvrir le sens de l'élan vital. C'est une « histoire naturelle » et non une histoire de l'humanité qu'a écrite Bergson en philosophe.

Nous allons essayer maintenant de relever les traits marquants de l'introduction à la philosophie de l'histoire humaine que nous trouvons dans *Les deux sources de la morale et de la religion*.

I. L'humanité apparaît dans *L'Evolution créatrice* comme une certaine *espèce*, mieux douée certes que les autres; c'est cependant d'abord une *espèce vivante* comme les autres. Il y a donc une *nature humaine spécifique*, et par nature « il faut entendre l'ensemble des complaisances et des résistances que la vie rencontre dans la matière brute; un corps qui comportait l'intelligence fabricatrice avec autour d'elle une frange d'intuition était ce que la nature avait pu faire de plus complet ». La vie a réalisé dans l'homme l'espèce la plus haute, mais le dessin de cette espèce, qui constitue une certaine structure, un ensemble naturel et délimité, défini, donc clos à certains égards, s'oppose à l'effort de cette espèce pour se dépasser elle-même. Il y a un conflit entre la *nature* de l'espèce-homme et l'existence que l'homme s'est donnée, se donne à lui-même. Ce conflit entre la *nature* et l'*existence* fait tout le drame de l'histoire humaine. C'est un mérite de Bergson d'avoir opposé à une philosophie du progrès automatique de l'humanité une philosophie qui insiste sur ce conflit permanent, sur les retombées incessantes de l'homme dans une nature donnée, et sur l'effort pour transcender cette nature et *ouvrir ce qui est clos*. Ce conflit ne fait d'ailleurs que reproduire au niveau humain ce qui se passe dans l'élan vital en général, où le *risque créateur* s'oppose sans cesse à la *conservation de soi*, où le mouvement en avant est contrarié par la stagnation et le tournoiement sur place des espèces et des individus. « Et il faut se rappeler surtout que chaque espèce se comporte comme si le mouvement général de la vie s'arrêtait à elle au lieu de la traverser. Elle ne pense qu'à elle, elle ne vit que pour elle. » Toutefois chez l'homme ce qui s'oppose, c'est l'*effort conscient* de l'intelligence et la *nature donnée* de l'espèce. Bergson fait bien une critique de l'intelligence, mais il voit aussi en elle le grand instrument de libération de la conscience, de sorte qu'avec l'intelligence l'élan devient conscient de lui-même, il devient effectivement effort pour se dépasser toujours. Dans les chapitres de *L'Evolution créatrice* où Bergson montre les limites de l'intelligence, il montre en même temps qu'elle seule rend possible l'ouverture de ce qui est clos, et assure cette marche à la réflexion qui paraît être le sens même de l'élan. Elle fait éclater les conditions naturelles de l'espèce-homme parce qu'en tant qu'intelligence fabricatrice elle crée sans cesse des instruments nouveaux qui dépassent tout ce que la vie avait pu entrevoir dans son dessein primitif, et parce que, dans cette marche à la réflexion, il arrive que l'intelligence, caractérisée d'abord par une incapacité naturelle à comprendre la vie, réveille l'intuition virtuelle et rejoigne l'élan dans son mouvent purement créateur. *Mécanisme et mystique* sont les deux grandes réussites de la vie dans l'homme, opposées en apparence, complémentaires en réalité.

2. On sait que dans *L'Evolution créatrice* Bergson définit cette nature humaine précisément par l'intelligence fabricatrice : « Si nous pouvions nous dépouiller de tout orgueil, si pour définir notre espèce nous nous en tenions strictement à ce que l'histoire et la préhistoire nous présentent comme la caractéristique constante de l'homme et de l'intelligence, nous ne dirions peut-être pas *homo sapiens*, mais *homo faber*. » Cette faculté de fabriquer des objets artificiels, en particulier des outils à faire des outils, est la démarche

originelle de l'intelligence. Elle conduit de l'outil à la machine proprement dite, de la machine aux moteurs dans lesquels, par une sorte de ruse, l'homme détourne de sa fin propre et capte l'énergie naturelle pour l'utiliser à son profit. Cette ruse continue celle de la vie, qui s'empare de l'énergie solaire pour pouvoir la dépenser librement après l'avoir accumulée. Mais dans ce progrès formidable, dû précisément à l'intelligence fabricatrice, progrès qui, écrit Bergson en 1932, ira jusqu'à « la libération de la force que représente condensée la moindre parcelle de matière pondérable », *l'espèce humaine se transcende elle-même*. La nature, en nous dotant d'une intelligence essentiellement fabricatrice, avait bien préparé pour nous un certain agrandissement, mais le résultat dépasse tout ce qui avait pu être prévu, et qui, répétons-le, formait un *certain système défini et relativement clos*. Ce fut une chance unique, la plus grande réussite matérielle de l'homme sur la planète. L'homme s'est ainsi créé une *existence ouverte*; en lui la vie a pu devenir ce qu'elle est par essence, conscience, c'est-à-dire liberté, exigence de création. La conscience disparaît en effet chaque fois que l'horizon est bouché par l'action immédiate, chaque fois que la vie s'est enfoncée dans la pure conservation de soi-même, mais réapparaît quand s'ouvrent des perspectives de plus en plus lointaines, quand l'horizon s'éloigne. La conscience pure serait l'*ouvert*, et l'intelligence, comme le montre *L'Evolution créatrice*, est seule capable, par ce progrès indéfini de la fabrication, par le langage qui crée une nouvelle matière à la pensée, par la société où se déposent les progrès réalisés pour être à la disposition des générations futures, de desserrer l'étau et d'assurer cette ouverture. Elle en est capable, mais, posant tous les problèmes sans avoir seule les moyens de les résoudre, elle met aussi en péril la vie humaine. Si elle s'élève au-dessus de l'instinct de l'espèce, ou de ce qui en est l'équivalent humain, et si elle ne rejoint pas l'intuition qui est la vie absolue consciente de soi, elle est dans son effort et dans son entreprise suspendue dans le vide, sans cesse sur le point de retomber dans l'instinct, profond mais borné, et cette retombée, étant donnée l'immensité, la monstruosité du corps artificiel créé par nos machines, ne peut plus être qu'un instinct perverti, capable d'anéantir l'espèce qu'il avait pour fonction de préserver. Ainsi la guerre, liée à la société close, aux conditions de la nature humaine apparaît aujourd'hui comme une menace de destruction complète. « Au train dont va la science, le jour approche où l'un des adversaires possesseur d'un secret qu'il tenait en réserve, aura le moyen de supprimer l'autre : il ne restera peut-être plus trace du vaincu sur terre. »

3. L'existence historique de l'homme nous apparaît donc entre l'instinct et l'intuition, comme un effort toujours à reprendre, jamais garanti complètement. La grande illusion serait de croire à un progrès continu, à un abandon définitif des conditions naturelles. Il y a bien sans doute une accumulation, un progrès constant de l'outillage, du savoir déposé dans le langage, des institutions mêmes pourrait-on dire, mais tout cela est l'acquis social, a besoin d'être reconquis par chaque génération. « Chassez le naturel, dit Bergson, il revient au galop. » Ce naturel nous est dissimulé par le milieu humain dans lequel nous vivons, il n'en existe pas moins, et pour pouvoir le transcender, il faut en reconnaître la puissance et les caractères distinctifs. Ces caractères qui forment un ensemble organique, une totalité formée de termes complémentaires les uns des autres, sont décrits par Bergson à partir de la notion de *société close*, parallèle à la société animale, mais où l'intelligence apporte ses variations, et où l'obligation stricte compense les hésitations possibles de cette même intelligence. La sociologie bergsonienne est enveloppée par la biologie, elle relie la société humaine primitive d'abord aux exigences vitales et à une finalité immanente de l'instinct ou de ce qui en tient lieu chez un être intelligent; cette *société close* comporte la *guerre*, liée à la propriété (outils et matière première). Cette guerre, toujours possible, exige une discipline sociale qui aboutit à la distinction des *maîtres et des esclaves*. Cette distinction, cette dualité

virtuelle en chaque homme particulier, correspond au polymorphisme des sociétés animales. Cette société naturelle qui tend toujours à se reformer, même quand la guerre aboutit à des empires immenses, aurait pour devise « *Autorité, hiérarchie, fixité* », le contraire de la devise démocratique « *Liberté, égalité, fraternité* », car la démocratie va en sens inverse de cette nature. En dépit de ses imperfections, surtout quand elle n'est qu'une démocratie formelle, la démocratie correspond à un effort, toujours à reprendre, toujours menacé dans ses résultats par la pesée de la nature, un effort vers la libération de l'homme. Le vieil homme risque toujours de réapparaître. Ne devons-nous pas approuver ici Bergson quand nous voyons l'homme le plus civilisé capable de participer à la guerre, d'adhérer à la fausse mystique qui la *rend possible* ? Freud faisait jadis à Vienne les mêmes remarques. Les instincts ont été seulement refoulés par la civilisation, mais ils se donnent libre cours dans certains cas, et la guerre est un de ces cas, la fausse mystique aussi, caricature de la vraie, qui fait croire à toute une nation qu'elle est chargée de dominer le monde, que Dieu est avec elle, ou est un Dieu national. La volonté de puissance de l'impérialisme n'est pas la vraie mystique, n'exprime pas selon Bergson le sens profond de la vie que les vrais mystiques découvrent seuls. Ainsi on peut retrouver dans notre monde, si différent pourtant de la société primitive, un retour des instincts de la nature, pervertis par le progrès déjà accompli.

4. C'est en méditant sur les rapports de la *mécanique et de la mystique* — la vraie — leur complémentarité et leur opposition apparente, qui résultent jusque dans l'histoire humaine d'un développement analogue au développement biologique — dichotomie, double frénésie — que Bergson envisage la possibilité pour l'homme de tourner les obstacles suscités par son propre progrès, et de reprendre sa marche en avant. Il est d'ailleurs évident pour Bergson que cette marche n'est jamais garantie, que l'histoire, en dépit d'un sens qui se découvre en se créant, comporte des contingences, des données

à partir desquelles la pensée historique doit s'orienter. Toute la
conception du *temps-invention* chez Bergson va contre l'idée d'une
fatalité historique.

Mécanique et mystique sont les deux grands moyens de libération
de l'homme. Elles s'exigent l'une l'autre, mais ont dû se développer
séparément dans l'histoire en dépit de la tendance primitive qui les
enveloppait toutes les deux. D'abord la *mystique appelle la mécanique*,
car « l'homme ne se soulèvera au-dessus de la terre que si un outillage puissant lui fournit le point d'appui. Il devra peser sur la
matière s'il veut se détacher d'elle ». Quand a paru le livre de Bergson
sur *Les deux sources*, on a été tenté de mal comprendre et de rattacher
la thèse du philosophe à une « grande pénitence » prêchée par
quelques politiques. En fait il ne s'agit pas de renoncer à « cette
domination de la nature » que nous assure le machinisme, mais
d'éviter que cet instrument de libération puisse devenir un moyen
d'asservissement. Personne ne niera les *problèmes humains* que pose
le machinisme et qu'une suppression des classes sociales ne résou-
drait pas immédiatement. La machine peut nous asservir alors qu'elle
est faite pour nous libérer. Mais il ne s'agit pas de revenir en arrière,
comme une nostalgie de l'instinct clos le fait désirer à certains
artistes ou à certains penseurs, car le vrai mysticisme a besoin de se
répandre et de s'étendre à toute l'humanité, au lieu d'être l'apanage
d'une élite restreinte. « Comment se propagerait-il même dilué et
atténué, comme il le sera nécessairement, dans une humanité absorbée
par la crainte de ne pas manger à sa faim ? » Le vrai mysticisme exige
donc un empire sur les choses pour que l'homme n'en ait plus tant
sur l'homme. Mais d'autre part *la mécanique appelle la mystique aussi
bien*, car, par une sorte d'erreur d'aiguillage, le développement du
machinisme aboutit à un luxe exagéré pour un petit nombre au lieu
de conduire à la libération pour tous. Allons plus loin, cette libération elle-même n'en serait pas une si l'homme restait prisonnier
de ce bien-être et de ce confort qui peuvent lui procurer cette domi-

nation sur les choses. Qui sait si une humanité organisée seulement pour la production et la consommation ne deviendrait pas une immense fourmilière ! La *domination sur les choses* doit être au service de l'homme pour qu'il puisse *se dominer lui-même*. L'organisation de la production et de la consommation n'a de sens que si elle est rattachée à cette libération effective. « Cette mécanique ne rendra des services proportionnés à sa puissance que si l'humanité qu'elle a courbée encore davantage vers la terre arrive par elle à se redresser, et à regarder le ciel. » Il faut que l'humanité prenne conscience de sa vocation. Son avenir dépend d'elle. « A elle de savoir si elle veut vivre », « à elle de se demander ensuite si elle veut vivre seulement, ou fournir en outre l'effort nécessaire pour que s'accomplisse, jusque sur notre planète réfractaire, la fonction essentielle de l'univers qui est une machine à faire des Dieux ». Ici la vocation de l'homme qui est « *d'être ce qu'il devient* » et non pas seulement de « *devenir ce qu'il est* » est mise en pleine lumière. Il s'agit de dépasser les conditions closes de l'espèce-homme ou, mieux encore, de dépasser toute espèce. « Le génie mystique voudra faire de l'humanité une espèce nouvelle, ou plutôt la délivrer de la nécessité d'être une espèce. Qui dit espèce, dit stationnement collectif et l'existence complète est mobilité dans l'individualité », ce texte des *Deux sources* rejoint celui de *L'Evolution créatrice* où est affirmée l'ouverture indéfinie de l'Existence qui n'apparaît qu'avec l'homme. Avec l'homme la vie s'est élevée sur les hauteurs « d'où elle voit un horizon se rouvrir devant elle », conscience étant synonyme d'invention et de liberté. Ainsi l'ouvert des *Deux sources* est déjà annoncé comme le sens de toute l'évolution vitale dans *L'Evolution créatrice*.

Nous n'avons voulu qu'indiquer les perspectives d'une philosophie de l'histoire chez Bergson, insistant particulièrement sur cette opposition de la *Nature* (close) à l'*Existence* (ouverte), qui nous a paru essentielle, et qui nous a paru aussi annoncer quelques aspects de la philosophie existentielle actuelle. L'existence en effet, opposée à la nature, l'existence s'ouvrant, par un risque, sur des perspectives indéfinies nous a paru une notion particulièrement importante à l'heure présente. Nous ne nous dissimulons pas, par ailleurs, que Bergson n'a donné que des indications sur une philosophie de l'histoire possible. Préoccupé de rapporter l'existence humaine à la vie en général, montrant même le vertige qui peut s'emparer de cette existence quand, commençant à s'ouvrir, elle découvre la mort et se laisse prendre à l'idée d'une vanité de tout effort non garanti, et la riposte à ce vertige qu'apporte l'instinct sous la forme de la fonction fabulatrice, Bergson a sans cesse amorcé une philosophie de l'histoire humaine, sans la traiter effectivement. Peut-être a-t-il trop cédé à cette orientation fondamentale de sa pensée : « La philosophie devrait être un effort pour dépasser la condition humaine », allant de l'homme biologique au surhomme sans s'arrêter assez longuement aux caractères de cette existence historique humaine qui se situe entre les deux. Mais il ne serait pas impossible de prolonger ici Bergson en appliquant au devenir social ses réflexions antérieures sur la mémoire. Quoi qu'il en soit de ces perspectives, nous avons voulu ici nous limiter à l'étude de ce rapport de l'existence humaine et de la vie dans sa philosophie.

3

ASPECTS DIVERS DE LA MÉMOIRE
CHEZ BERGSON *

I

Bergson a répété plusieurs fois que toute sa philosophie prenait sa source dans l'intuition de la durée pure, telle qu'elle est décrite dans sa première œuvre originale, l'*Essai sur les données immédiates de la conscience*. Cette durée qui est succession pure, prolongement du passé dans le présent, donc déjà *mémoire*, n'est pas une suite de termes distincts extérieurs les uns aux autres, ni une coexistence du passé avec le présent, mais elle manifeste l'indivisibilité d'un changement, un changement qui, comme le remarque Bergson dans le quatrième chapitre de *Matière et Mémoire*, dure sans doute, c'est-à-dire n'est pas donné d'un seul coup, mais reste pourtant indivisible. Il y a bien là si l'on y réfléchit une intuition originale de la conscience, intraduisible exactement dans le langage des concepts, et que certaines images, au sens où Bergson parle d'images médiatrices de l'intuition philosophique, peuvent tenter de communiquer afin de nous conduire vers cette expérience première : *Je dure donc j'existe*. Le *cogito* bergso-

* Extrait de la *Revue internationale de Philosophie*, 3ᵉ année, nᵒ 10, octobre 1949.

nien implique cette synthèse originale du passé et du présent en vue de l'avenir qui est le sens nouveau que Bergson donne au mot mémoire. La mémoire ici n'est pas une faculté particulière chargée de répéter ou de reproduire le passé dans le présent, elle est la conscience même, en tant que cette conscience est durée créatrice. On notera déjà cette signification vraiment nouvelle du mot mémoire. Ordinairement la mémoire est seulement conçue comme une faculté de répétition ou de reproduction, et s'oppose par là à l'invention et à la création, mais Bergson réunit l'élan vers l'avenir et la poussée du passé en une intuition unique qu'il nomme mémoire. Il parle de « la force intérieure qui permet à l'être de se dégager du rythme d'écoulement des choses, de retenir de mieux en mieux le passé pour influencer de plus en plus profondément l'avenir, c'est-à-dire enfin, au sens spécial que nous donnons à ce mot, sa mémoire » (1), de « toutes les intensités possibles de la mémoire, ou ce qui revient au même, tous les degrés de la liberté ». L'esprit se distingue déjà de la matière dans la perception en ce qu'il est, « même alors, mémoire c'est-à-dire synthèse du passé et du présent en vue de l'avenir » (2). Cette mémoire identique à la durée nous permet de comprendre que Bergson concilie dans son intuition première les philosophies du devenir et celles de l'être. Le devenir ne se réduit pas à une poussière d'instants successifs, mais évanouissants, comme dans les philosophies héraclitéennes, et l'être n'est pas non plus rejeté hors du temps, comme dans les philosophies éléatiques. Par la mémoire la durée est aussi substantielle qu'elle est changement. Le passé fait corps avec le présent sans cependant se juxtaposer à lui, il se prolonge en lui pour créer du nouveau et de l'imprévisible.

Dans ces conditions la conservation de notre passé, comme Bergson y a souvent insisté, ne constitue pas un problème particulier,

(1) *Matière et Mémoire*, 17e éd., p. 248.
(2) *Ibid.*, p. 246.

« une attention qui serait indéfiniment extensible tiendrait sous son regard avec la phrase précédente toutes les phrases antérieures de la leçon et les événements qui ont précédé la leçon et une portion aussi grande qu'on voudra de ce que nous appelons notre passé. La distinction que nous faisons entre notre présent et notre passé est donc, sinon arbitraire, du moins relative à l'étendue du champ que peut embrasser notre attention à la vie. » Mais c'est précisément *cette distinction entre le passé et le présent* qui constitue pour nous un problème particulièrement important dans le bergsonisme, problème qui se pose en même temps que celui des limites de notre attention à la vie, des conditions déterminées de l'efficacité de notre action dans le monde. Bergson nous dit que la mémoire n'a pas besoin d'explication puisqu'elle est la durée même, ou l'élan de la conscience, et il en conclut : « Nous n'aurons plus à rendre compte du souvenir, mais de l'oubli. » Or nous croyons que le problème bergsonien de la mémoire — aux sens divers que Bergson donne à ce terme et non pas uniquement « au sens spécial » qui est le sien — n'est pas seulement : pourquoi l'oubli ?, mais aussi : pourquoi la distinction du passé et du présent ?, distinction que nous ne faisons pas dans l'intuition de l'indivisibilité de notre durée. Certes les deux questions sont solidaires, c'est sur le fond de l'oubli que le passé peut émerger comme passé, mais il faut d'abord comprendre comment notre durée indivisible, pleine, peut se briser et donner naissance à cette opposition d'un passé reconnu comme tel et d'un présent axé vers l'avenir. Les philosophies modernes de la temporalisation ont reproché à Bergson de s'en tenir à la *cohésion* de la durée, sans avoir reconnu les *séparations* et les réunions des extases du passé, du présent et de l'avenir. En fait on peut dire que la deuxième œuvre philosophique de Bergson *Matière et Mémoire* est une tentative pour poser ce problème et le résoudre. « La nature, écrit Bergson, a inventé un mécanisme pour canaliser notre attention dans la direction de l'avenir, pour la détourner du passé, je veux dire de cette partie de notre histoire qui n'intéresse pas notre action présente » (1) et dans l'article que nous citions plus haut, après avoir montré comment en droit une attention assez vaste tiendrait avec soi tout son passé, non pas comme une représentation distincte du présent, mais comme « du continuellement présent qui serait aussi du continuellement mouvant », Bergson ajoute cette remarque qui nous permet d'envisager comment se présente chez lui cette séparation du présent et du passé : « Dès que cette attention particulière lâche quelque chose de ce qu'elle tenait sous son regard, aussitôt ce qu'elle abandonne du présent devient *ipso facto* du passé. En un mot notre présent tombe dans le passé quand nous cessons de lui attribuer un intérêt actuel. Il en est du présent des individus comme de celui des nations, un événement appartient au passé, et il entre dans l'histoire quand il n'intéresse plus directement la politique du jour et peut être négligé sans que les affaires s'en ressentent. Tant que son action se fait sentir, il adhère à la vie de la nation et lui demeure présent. » Il y aurait beaucoup à dire sur cette comparaison qui pose la question de la durée historique, du passé de l'histoire, c'est-à-dire de ce qui dans notre histoire actuelle fait corps avec le présent ou s'en sépare comme n'étant plus maintenant qu'historique. Mais Bergson n'a pas développé ce thème, et n'a pas proprement étudié la durée historique, la durée humaine en général. Il n'y a, dans son œuvre, à cet égard que des indications. Par contre *Matière et Mémoire* est consacré au problème du passé de la personnalité humaine, de sa distinction d'avec le présent, et de son lien avec lui. C'est dans cette œuvre que se manifestent les diverses significations du mot mémoire, comme *durée créatrice*, comme *connaissance (ou mieux savoir) du passé*, comme *image* ou souvenir concret et actualisé d'un événement de ma vie ancienne. Toutes ces significations se relient les unes aux autres, mais elles présupposent toutes la première, la mémoire au sens spécial que

(1) *La Pensée et le Mouvant*, 12e éd., p. 171.

Bergson lui confère, c'est-à-dire la durée créatrice. Il faut seulement comprendre comment une certaine rupture est possible au sein de cette durée. Or le passage de l'*Essai sur les données immédiates* à *Matière et Mémoire*, la différence de point de vue auquel se place Bergson dans ces deux œuvres, peuvent déjà nous éclairer. Dans l'*Essai*, Bergson découvre la durée par un effort d'abstraction semblable à celui de Descartes dans les premières *Méditations*, isolant l'âme du corps : « Je fermerai maintenant les yeux, je boucherai mes oreilles... j'effacerai même de ma pensée toutes les images des choses corporelles. » Ainsi il tente d'isoler la durée pure de l'espace et des choses matérielles avec lesquelles elle est ordinairement mélangée : « Dans notre moi il y a succession sans extériorité réciproque, en dehors du moi extériorité réciproque sans succession. » Mais ce dualisme est aussi intenable que le dualisme de l'âme et du corps. Après avoir séparé aussi brutalement la durée et l'espace, la vie intérieure et le monde, il faut bien tenter de les relier à nouveau, car nous vivons dans le monde, et notre liberté même n'est un pouvoir efficace que dans la mesure où nous pouvons faire passer quelque chose de nous-même dans l'extériorité de la matière. La plupart des critiques qu'on pouvait faire à l'*Essai* de Bergson portaient sur cette séparation de la durée et du monde, sur la difficulté de concevoir une pure vie intérieure dont la liberté ressemble à celle d'une belle âme, parce que précisément les conditions de la réalisation de cette liberté dans le monde n'y paraissent pas envisagées. Mais c'est au contraire ce problème de l'*insertion de notre liberté dans l'être matériel* que traite *Matière et Mémoire*. On y parle beaucoup plus d'un *choix* que dans l'*Essai sur les données immédiates*, parce que les conditions matérielles de notre réalisation dans le monde exigent certaines éliminations, certaines options qui nous permettent d'expliciter notre moi profond, mais nous condamnent en même temps à maintenir toujours un certain écart entre nous-même et nous-même. C'est au contraire par la totalité indivisée de nous-même que se définissait la liberté de l'*Essai*.

Matière et Mémoire pose dans toute son ampleur la question de l'*incarnation*, nous n'y considérons plus seulement la durée pure et indivisée, mais la relation de cette durée aux choses ; c'est pourquoi le rôle du corps y est central. Les exigences de l'action, la finitude de l'élan spirituel que nous sommes, mais qui ne parvient à s'exprimer qu'en renonçant à une partie de lui-même, conduisent à ce corps, centre d'action, organe de *ma présence au monde*. L'action, avait dit Rimbaud, *ce cher point du monde*. Ainsi c'est par rapport à ce point du monde que notre durée est envisagée. C'est pourquoi *Matière et Mémoire* part du monde, puis du corps, et non plus de la durée intérieure. « Je vois très bien comment mon corps finit par occuper dans cet ensemble une situation privilégiée. Et je comprends aussi comment naît alors la notion de l'intérieur et de l'extérieur qui n'est au début que la distinction de mon corps et des autres corps (1). » Tandis que l'*Essai* dégageait par un vigoureux effort d'abstraction l'essence d'une durée créatrice, *Matière et Mémoire* se réfère d'abord au corps comme symbolisant par la complexité de son système nerveux une indétermination croissante dans nos réactions aux sollicitations du monde extérieur. « Et dès lors la richesse croissante de cette perception elle-même ne doit-elle pas symboliser simplement la part croissante d'indétermination laissée au choix de l'être vivant dans sa conduite vis-à-vis des choses ? Partons donc de cette indétermination comme du principe véritable (2). » On voit bien comment cette liberté, loin du monde dans l'*Essai*, est devenue ici une *certaine* indétermination liée à la *complexité* d'un système organique. Et quand Bergson suit le progrès de cette complexité « depuis la monère jusqu'aux vertébrés supérieurs » (3), ne voit-on pas déjà s'esquisser la thèse de *L'Evolution créatrice* qui montrera comment la vie a pu obtenir de la matière inerte un instrument de liberté ? « Il s'agissait de créer avec la matière

(1) *Matière et Mémoire*, 17ᵉ éd., p. 36.
(2) *Matière et Mémoire*, p. 17.
(3) *Ibid.*, p. 14.

qui est la nécessité même, un instrument de liberté, de fabriquer une mécanique qui triomphât du mécanisme et d'employer le déterminisme de la nature à passer à travers les mailles du filet qu'il avait tendu » (1). Le corps humain est cet ensemble de complaisances utilisées, d'obstacles tournés, qui caractérisent une certaine espèce; et comme le dit aussi Valéry : « Il a trop de propriétés, il résout trop de problèmes, il possède trop de fonctions et de ressources pour ne pas répondre à quelque exigence transcendante assez puissante pour le construire, pas assez puissante pour se passer de sa complication. »

Cette finitude de notre élan spirituel, la nécessité de passer par les mécanismes du corps pour donner un pouvoir efficace à notre liberté, s'expriment par cette *attention à la vie*, qui n'est pas d'ailleurs chez Bergson la seule attention accessible à l'homme, puisque d'autres sont possibles jusqu'à l'attention de l'esprit à lui-même, « l'intuition qui est réflexion ». Mais avant de nous conduire à cette intuition qui suppose un effort douloureux de l'esprit pour se saisir lui-même, Bergson étudie dans *Matière et Mémoire* le fonctionnement spontané de notre mémoire adhérente aux mécanismes du corps et limitée par eux. C'est d'abord en considérant ce fonctionnement que nous pouvons comprendre la séparation nécessaire du passé et du présent, et poser alors le problème de l'*être en soi et pour nous du passé.*

II

Dans *Matière et Mémoire*, Bergson étudie donc l'esprit comme orienté par son attention à la vie ou au contraire (cette orientation supposant l'orientation inverse) comme se dérobant à cette attention et s'évadant dans le rêve; mais c'est l'esprit avant sa réflexion sur lui-même — dans un stade préréflexif — qui est premièrement l'objet de son étude. La réflexion n'apparaît qu'ensuite, comme pro-

(1) *Evolution créatrice*, 25ᵉ éd., p. 286.

longement de l'opération spontanée, la reproduisant pour la pousser jusqu'à son terme extrême, ou enfin comme retour de l'esprit sur soi. (Cette attention de l'esprit à soi-même que Bergson, dans *La Pensée et le Mouvant*, nomme intuition ne doit être confondue ni avec l'attention à la vie dans ses formes supérieures qui donne l'intelligence scientifique, ni avec cet abandon de l'esprit au passé, qui suppose bien un détachement, mais ne conduit qu'au rêve, ou à une contemplation encore stérile.) Dans ce fonctionnement spontané de l'esprit guidé par son attention à la vie et au monde, la mémoire joue un rôle primordial. Elle est chez Bergson l'esprit même, elle n'est pas seulement reproduction machinale du passé, mais *sens*. C'est bien là ce que nous révèle l'étude que fait Bergson des idées générales en tant que schèmes vitaux oscillant entre une habitude motrice, une réponse identique à des situations diverses, et une discrimination des nuances individuelles. C'est une mémoire *souple* qui spontanément se contracte ou se développe selon les exigences de l'adaptation au monde; mais là déjà la première forme de réflexion apparaît, celle qui, reprenant l'opération spontanée, la pousse à son terme extrême pour en fixer les résultats. L'*idée*, spontanément formée comme schème vital, devient alors l'*idée d'idée*, et l'esprit devient capable de refaire pour lui-même l'opération spontanée. « Mais des genres ainsi esquissés mécaniquement par l'habitude, nous avons passé par un effort de réflexion accompli sur cette opération même, à l'idée générale du genre, et une fois cette idée constituée nous avons construit, cette fois volontairement, un nombre illimité de notions générales » (1). Dans *L'Evolution créatrice* Bergson montrera comment cet effort de l'intelligence, appuyé sur le langage, conduira à une réflexion plus profonde, celle même qui implique un véritable retour de l'esprit sur soi-même, que l'intelligence seule ne peut achever, mais l'intuition « qui est réflexion ».

(1) *Matière et Mémoire*, p. 175.

La mémoire dont parle Bergson, saisie dans son travail d'adaptation au réel, est, avons-nous dit, sens, aussi bien que savoir. Elle se porte toujours intégralement vers le présent, pour s'expliciter ensuite, à un certain niveau correspondant aux exigences de l'action et de la question posée, en images effectives qui recouvrent plus ou moins la situation donnée dans la perception. Mais ces images *sont activement créées ou reproduites*, il ne faut pas comparer le travail de mémoire à une adjonction mécanique d'images, de souvenirs tout faits, qui, disposés quelque part dans le cerveau, ou dans l'inconscient, viendraient compléter la situation donnée. Dans ce dernier cas le fonctionnement de l'esprit serait comparable à celui d'une machine, si complexe qu'on puisse l'imaginer; dans le premier au contraire la mémoire porte le sens, et c'est elle qui *devance* la situation, se moule sur elle, l'informe de son propre savoir, de sa propre expérience, se faisant confirmer par elle la validité de ses hypothèses qui sont, au sens étymologique du mot, des *projets*. Peut-être est-il important de décrire ce travail d'une mémoire souple, qui est intelligence spontanée, avant de distinguer avec Bergson la *mémoire image* (qui nous donne une représentation originale du passé) et la *mémoire habitude* (qui présente, en un mécanisme corporel présent, le résultat accumulé des efforts passés). Cette célèbre distinction, dont on part toujours, a peut-être un peu faussé l'étude de Bergson, car en partant d'elle on néglige trop le mouvement de cette mémoire qui est *reconnaissance* à tous les étages, c'est-à-dire sens du présent par le savoir du passé, découverte du sens des situations données; on est alors conduit à interpréter le passé chez Bergson comme un ensemble d'images données toutes faites dans un inconscient — ce qui, en dépit de certaines expressions de Bergson, ne nous paraît absolument pas correspondre à sa conception de la mémoire vivante, tendue vers la situation à interpréter et dont la souplesse, la capacité de dilatation et de contraction, contraste avec la rigidité de tout mécanisme. C'est par contre en partant de cette mémoire qu'on peut comprendre la dissociation exigée par l'action d'un savoir du passé comme tel et d'une adaptation précise au présent qui aboutit à une opération effective, un geste du corps. « C'est le tout de la mémoire, écrit Bergson, qui entre dans chacun de ces circuits, puisque la mémoire est toujours présente » (1), et encore : « Dans l'effort d'attention l'esprit se donne toujours tout entier, mais se simplifie ou se complique selon le niveau qu'il choisit pour accomplir ses évolutions. » La célèbre image du cône ne fait donc que symboliser le double mouvement possible de l'esprit, sa contraction jusqu'au point de l'action, ou sa dilatation indéfinie jusqu'au rêve, mais à chaque ton mental, à chaque niveau, la mémoire est donnée *dans son intégralité*, et la double direction, celle qui reconduit à l'extase du passé, et celle qui conduit à l'extase du geste, est comme indiquée. Ce qu'il faut alors expliquer à partir de l'attention à la vie, c'est *cette distinction immanente* par laquelle le moi du passé s'oppose à celui du présent, en même temps qu'il collabore avec lui, *cette distinction de soi avec soi*, qui se traduit par l'opposition du passé et du présent, et qu'expriment *ensuite* le souvenir devenu effectif dans une image et l'habitude du corps. Notons, avant de considérer ce savoir du passé comme tel et sa signification, la double opération dont parle Bergson à propos du cône. Il y a d'une part la contraction ou l'expansion par laquelle la conscience resserre ou élargit le développement de son contenu, mais il y a aussi, à chaque étage possible, une explicitation de telle ou telle situation passée qui sert à interpréter le présent ; en fait il n'y a pas *des* souvenirs, mais *un seul* passé personnel que nous pouvons diviser, expliciter plus ou moins arbitrairement selon les exigences d'une situation présente. Cette explicitation peut se faire à chaque niveau mental, d'où ce texte de Bergson : « En d'autres termes la mémoire intégrale répond à l'appel d'un état présent par deux mouvements simultanés, l'un

_____

(1) *Matière et Mémoire*, p. 108.

de translation par lequel elle se porte tout entière au-devant de l'expérience et se contracte ainsi plus ou moins *sans se diviser* en vue de l'action, l'autre de *rotation* sur elle-même par lequel elle s'oriente vers la situation du moment pour lui présenter la face la plus utile. » Ne soyons d'ailleurs pas dupe des métaphores mécaniques et géométriques dont se sert ici Bergson; ce ne sont, comme il le dit lui-même, que des métaphores pour nous faire retrouver l'opération de cette mémoire qui est esprit, et qui répond à la situation présente aussi bien en occupant un certain niveau mental sans se diviser, qu'en distinguant en soi-même, dans la totalité donnée à ce niveau, une situation comparable à la situation présente. Nous passons alors d'une *multiplicité virtuelle*, celle du savoir, à une *multiplicité effective*, celle de l'image. Nous allons maintenant considérer la double direction dont nous avons parlé, l'extase du passé et celle du présent, *entre lesquelles* se situe toujours le moi concret. Par là nous essayerons de comprendre le passé comme tel chez Bergson.

III

Partons d'abord de ce texte qui nous paraît essentiel et qui nous montre pourquoi l'esprit se *représente* le passé tandis que la matière ne fait que le *répéter*. « Si la matière ne se souvient pas du passé, c'est parce qu'elle répète le passé sans cesse, parce que, soumise à la nécessité, elle déroule une série de moments dont chacun équivaut au précédent et peut s'en déduire. Mais un être qui évolue plus ou moins librement crée à chaque moment quelque chose de nouveau, c'est donc en vain qu'on chercherait à lire son passé dans son présent si le passé ne se déposait pas en lui à l'état de souvenir. Ainsi pour reprendre une métaphore qui a déjà paru plusieurs fois dans ce livre, il faut pour des raisons semblables que le passé soit *joué* par la matière, *imaginé* par l'esprit » (1). Dans la mesure donc où l'esprit

(1) *Matière et Mémoire*, p. 249.

est invention, création d'une nouveauté imprévisible, la distinction doit pouvoir se faire en lui entre un passé dont il *se détache* et un présent auquel il *s'attache*. L'esprit, en tant que son élan est fini, que son attention à la vie est limitée, doit pouvoir opposer son passé à son présent comme ce qu'on *contemple* à ce qu'on *fait*. Sans doute il nous faut considérer toujours l'esprit, la mémoire vivante, comme unissant en elle les deux mouvements possibles, le mouvement vers le passé qui aboutit à l'extase d'un savoir pur, où nous nous confondons avec notre passé, le mouvement vers le présent, ou mieux encore vers l'avenir (dont le monde de notre perception actuelle esquisse les réalisations possibles) et qui aboutit, à la limite, au geste en train de se faire. Dans les deux cas l'esprit est hors de soi et se perd dans une inconscience; dans le premier cas, selon la direction du passé, l'esprit ne se donne plus à l'action, il est tout entier contemplation, mais contemplation muette, car le souvenir pur n'est pas image, il ne devient image que dans l'effort par lequel nous le réalisons ou pour ainsi dire le recréons; dans le second il n'est plus qu'un mouvement ou une série de mouvements corporels. C'est donc bien entre ces deux directions, s'efforçant de se rassembler, en dépit d'une double sollicitation, qu'il faut situer l'esprit créateur, celui qui n'a de prise sur son avenir que parce qu'il est capable de se donner une certaine perspective sur son passé, sans s'abandonner à la contemplation désintéressée du passé qui le détacherait complètement de la vie et de la réalité. Ainsi la représentation du passé est en général conditionnée par notre élan vers l'avenir; et cette rupture dont nous parlions plus haut entre le passé et le présent doit apparaître au sein même de notre durée créatrice. Notre passé, c'est ce que nous devons laisser derrière nous pour pouvoir agir, c'est pourtant encore nous-mêmes, car nous sommes notre passé autant que nous sommes notre corps, mais le Soi véritable, l'esprit, ne saurait se définir ni par l'un, ni par l'autre puisqu'il est l'*élan* créateur, et que cette création *chez un être fini comme nous* suppose précisément ces deux limites extrêmes de la pure contemplation, « du songe qui est savoir », et du pur mouvement. L'esprit fini que nous sommes n'est même que l'effort pour s'unifier en dépit de cette dualité, toujours présente en lui.

Contemplation et action, le problème ultime de la philosophie bergsonienne, tel qu'il se posera encore dans sa dernière œuvre, *Les deux sources*, est sans doute contenu dans l'opposition de ces deux termes sur laquelle nous reviendrons. Contentons-nous ici d'indiquer que l'attention à la vie n'est pas la seule attention possible, que la pure contemplation qui nous abîme toujours dans le passé et nous éloigne de l'action créatrice, n'est que le refuge d'une intelligence qui, s'étant détachée du présent, ne peut plus saisir l'esprit en tant que créateur. Ce qu'il faudrait, c'est par un effort douloureux unir les deux exigences, et l'intuition philosophique est bien en effet définie par Bergson comme cette vision de l'action créatrice : « Il faudrait que, se retournant et se tordant sur elle-même, la faculté de *voir* ne fît plus qu'un avec l'acte de *vouloir*. Effort douloureux que nous pouvons donner brusquement en violentant la nature, mais non pas soutenir au-delà de quelques instants » (1). Il faudrait que la pure contemplation par laquelle nous définissons le passé ne fût pas seulement le résultat d'une *interruption* ou d'une *détente* de l'élan créateur.

Cependant, si notre analyse est exacte, nous sommes maintenant en mesure de mieux comprendre ce que Bergson nomme le passé, et le genre d'existence — en soi et pour nous — qu'il lui attribue. C'est dans le troisième chapitre de *Matière et Mémoire* que cette existence de notre passé est envisagée. On a souvent formulé des critiques injustes contre la conception que Bergson se fait de l'existence de notre passé. « Sa théorie réaliste de la mémoire, écrit par exemple J.-P. Sartre dans *L'imagination*, l'oblige à donner aux objets inconscients exactement la discontinuité et la multiplicité

_____

(1) *L'Evolution créatrice*, 25ᵉ éd., p. 258.

des objets du monde matériel. » Mais cette critique néglige la distinction *du virtuel et de l'actuel*, des *deux multiplicités* déjà opposées dans l'*Essai*. Notre passé qui est donné dans sa totalité indivisée à la conscience contient les détails et les événements de notre vie passée comme une multiplicité virtuelle. On ne saurait confondre chez Malebranche l'étendue intelligible et l'extension locale des choses, l'étendue créée, ni, chez Bergson, la multiplicité virtuelle de tous les aspects de notre vie passée avec les objets distincts étalés dans l'espace, bien qu'il soit vrai que dans le rêve, par une sorte de parallélisme entre la détente du corps qui n'est plus qu'une multiplicité de sensations et d'affections et la détente de l'esprit qui s'égare dans le savoir de son passé, une correspondance s'établisse entre les deux qui aboutit à la diversité des images du rêve, le savoir pur s'actualisant dans les affections du corps, ces affections renvoyant à leur tour à ce savoir.

Mais « imaginer n'est pas se souvenir », il importe toujours de se reporter à ce texte de Bergson qui refuse de faire du souvenir pur, du passé, une image, ou une multiplicité d'images. « Sans doute un souvenir, à mesure qu'il s'actualise, tend à vivre dans une image, mais l'image pure et simple ne me représente du passé que si c'est en effet dans le passé que je suis allé la chercher, suivant ainsi le progrès continu qui l'a amenée de l'obscurité à la lumière » (1). Comment faut-il donc comprendre ce passé, et qu'est-ce que l'esprit en tant qu'il est seulement souvenir pur ? Bergson insiste nettement sur les caractères de ce pur savoir — non imaginé — qui constitue notre passé. « Le souvenir pur, nous dit-il, est *sans objet* », il est purement spéculatif et par là il tranche sur le présent qui est action. « On ne veut voir dans la perception qu'un enseignement s'adressant à un pur esprit et d'un intérêt tout spéculatif. Alors comme le souvenir pur est lui-même par essence une connaissance de ce genre,

(1) *Matière et Mémoire*, p. 146.

puisqu'il n'a plus d'objet, on ne peut trouver entre la perception et le souvenir qu'une différence de degré » (1). La langue allemande nous permet de rapprocher le *passé* de l'*essence (gewesen* et *Wesen)* ; c'est bien ainsi, semble-t-il, qu'il faut comprendre le passé, le souvenir pur chez Bergson, à condition de ne pas confondre l'essence avec le général et l'abstrait. Mon passé n'est que savoir, en lui l'objet n'est plus distinct du sujet, c'est dans la dimension du savoir que la connaissance du monde s'est transposée quand elle est devenue mon passé ; le passé présente ce caractère qu'en lui le savoir de l'objet est devenu un savoir de soi. Il serait intéressant de comparer cette conception du passé chez Bergson avec la réminiscence platonicienne. Mais le passé dont il s'agit chez Bergson est mon passé, l'*intériorisation* de toute mon expérience vécue qui, sans perdre son individualité et son originalité, s'est haussée à l'essence. C'est pourquoi le passé n'est pas image, il contient sans doute la multiplicité virtuelle des images que je suis capable d'en extraire selon les exigences de l'action, ou les caprices du rêve, mais en son fond le passé n'est que savoir, et quand je me confonds avec mon passé, je ne puis plus que me perdre dans une pure contemplation, sans distinction de l'objet contemplé et du soi qui contemple, limite extrême où la conscience tend à disparaître.

Ce souvenir pur est *inextensif*, précisément parce qu'il est savoir et non pas action. En lui, comme nous le notions déjà, la multiplicité des souvenirs, les aspects divers, ne sont que virtuellement indiqués ; il y a bien un problème difficile, c'est celui du rapport chez Bergson entre cette multiplicité *virtuelle* et la multiplicité *réelle* du monde étendu et du corps. Il semble qu'il y ait une certaine correspondance entre la détente de mon esprit qui, renonçant à agir, ne devient plus que savoir du passé et la détente du pur élan créateur qui s'exprime par l'extension et la matérialité. Mais cette correspondance sur laquelle insiste Bergson dans l'*Evolution créatrice* à propos de « la

---

(1) *Ibid.*, p. 148, c'est nous qui soulignons.

genèse idéale de la matière » nous montre que nous portons en nous, *a priori*, dans notre propre détente l'*essence* de la multiplicité et de la spatialité, précisément parce que cette détente n'est pas l'esprit en tant que créateur, mais l'esprit en tant qu'il n'est plus que contemplation. Cette correspondance entre l'esprit qui se réduit à son passé et renonce à l'action, et la matérialité qui est une interruption de l'élan créateur absolu est au centre de la métaphysique bergsonienne.

Enfin le passé, en tant qu'il n'est pas envisagé dans son rapport à l'action présente, mais en tant qu'il est pur *passé* ou, si on se permet de jouer sur les mots, *dépassé*, est inutile et impuissant; nous ne pouvons que le contempler et non le faire. Mon passé est désintéressé, mon présent est sensori-moteur. C'est pourquoi il y a une esthétique du souvenir, et même peut-être serait-il vrai de dire que toute esthétique, étant contemplation, nous conduit au passé. Il est cependant un autre aspect de l'art, sur lequel Bergson a aussi insisté, c'est l'aspect de la création, de l'œuvre, par quoi la *contemplation muette* se réalise en une *image* ou un *objet présent*.

Ces divers caractères du passé, absence d'objet, inextension, impuissance, nous permettent sans doute de comprendre ce que signifie *l'existence du passé*. Mon passé, dit Bergson, ne cesse pas plus d'exister quand je cesse de le réaliser que les objets du monde quand ils ne sont pas présents à ma conscience. « Il n'y a pas plus de raison pour dire que le passé, une fois perçu, s'efface qu'il n'y en a pour supposer que les objets matériels cessent d'exister quand je cesse de les percevoir » (1). Le passé n'a pas cessé d'être, il a, à certains égards, mais *non complètement*, cessé d'agir; puisqu'il ne peut intégralement se répéter dans mon action, puisqu'il est dépassé par mon action en tant qu'elle est novatrice, mon passé, considéré de ce point de vue, est ce que je suis *en soi*, il s'oppose au devenir d'un moi qui ajoute toujours un *sens* nouveau à ce qui était déjà,

(1) *Matière et Mémoire*, p. 153.

mais ne le peut cependant qu'à partir de ce passé, qui alors redevient *pour nous*. La difficulté paraît bien être la nécessité où nous sommes d'envisager ce double rapport; mon passé, en tant qu'il n'est que passé, que je ne puis rien y changer et seulement le contempler en moi, mon passé en tant qu'il est encore pour moi et attend son sens ultime de mon action. Mais ce double rapport, qui correspond aux deux directions possibles de l'esprit, vers le passé et vers l'avenir, est *la vie* même de l'esprit comme nous l'avons vu.

Le passé en soi n'a donc pas cessé d'être, « mais le même instinct en vertu duquel nous ouvrons indéfiniment devant nous l'espace fait que nous refermons derrière nous le temps à mesure qu'il s'écoule ». C'est que le monde dessine au-delà de la partie présente à la conscience l'horizon de notre action possible dans l'avenir, et que tout notre intérêt porte sur la découverte progressive de ce monde qui représente notre avenir ou se relie à lui; le passé, au contraire, ne nous intéresse plus, puisque nous n'y pouvons rien changer, il est donc considéré, en tant qu'inutile, comme inexistant, mais c'est là une illusion due aux exigences de l'attention à la vie. Si l'on réfléchit en effet sur les conditions de l'existence que Bergson réduit à deux conditions fondamentales : 1° la présentation à la conscience; 2° la connexion logique ou causale de ce qui est ainsi présenté avec ce qui précède et ce qui suit, on s'aperçoit, en dénonçant l'illusion pratique dont nous parlions plus haut, que ces conditions sont réalisées, *mais d'une façon différente*, aussi bien pour les objets du monde que pour notre passé. Les objets du monde sont partiellement donnés à notre conscience, c'est là notre perception actuelle, et l'ordre rigoureux des lois de la nature fait que ce monde *ne se distingue pas de son passé*, mais le *répète* inlassablement. « Si la matière ne se souvient pas du passé, c'est parce qu'elle *répète* le passé sans cesse; ainsi son passé est véritablement *donné* dans son présent (1). Mais notre passé nous

(1) *Matière et Mémoire*, p. 249.

est aussi donné d'une certaine façon, il est ce savoir total qui nous suit toujours. « Notre vie psychologique tout entière se révèle dans notre caractère, quoique aucun des états passés ne se manifeste dans le caractère explicitement. » Enfin notre passé aussi conditionne notre présent, « mais sans le déterminer d'une manière nécessaire » (1). La différence entre l'existence des objets du monde et l'existence intégrale de notre passé tient donc à ce que d'une part notre découverte du monde va de la partie au tout, car notre perception dispose de l'espace dans l'exacte mesure où notre action dispose du temps, tandis que notre passé qui est savoir de soi, n'est donné d'abord que comme une totalité indivisée. Il n'y a pas de souvenirs qui soient « des êtres indépendants et figés », mais il faut constater « la solidarité des faits psychologiques toujours donnés ensemble à la conscience immédiate comme un tout indivisé que la réflexion seule morcelle en fragments distincts » ; elle tient d'autre part à ce que la poussée du passé, qui constitue notre durée, ne détermine pas complètement notre avenir. Notre avenir dépend bien à certains égards de notre passé, et quand on rejoint l'*élan total* (la première signification du mot mémoire, synonyme de durée créatrice, dont nous sommes partis) on comprend comment cet *élan créateur* diffère de cette *répétition* et de cette *identité* vers laquelle tend la matière, mais c'est précisément pourquoi au sein de cet élan créateur les exigences de l'action opposent le passé, en tant que *dépassé*, au présent en tant que *créateur* par rapport à ce passé. Nous en revenons au texte fondamental qui a inspiré toute notre analyse : « Mais un être qui évolue plus ou moins librement crée à chaque moment quelque chose de nouveau ; c'est donc en vain qu'on chercherait à lire son passé dans son présent si ce passé ne se déposait pas en lui à l'état de souvenir » (2). La séparation du passé et du présent, du contemplé et du

(1) *Ibid.*, p. 249.
(2) *Ibid.*, p. 249.

fait, résulte à la fois des exigences de l'attention à la vie et de l'élan
créateur qui caractérise la durée. L'*effort* de l'esprit suppose cette
dualité, cette opposition de son passé et de son présent, mais n'a
de sens que par l'unité qui l'enveloppe, et par la tension qui réunit
les deux moments. Ainsi l'on comprend les difficultés de la conception du passé chez Bergson qui, envisagé dans sa poussée et son
élan, n'est pas sans puissance mais qui, envisagé par contre comme
distinct du présent et de l'avenir, ne peut plus être qu'impuissant,
et seulement contemplé.

IV

Contemplation et action, nous en revenons à cette opposition qui
pour nous est fondamentale dans toute la philosophie bergsonienne
depuis l'*Essai* jusqu'aux *Deux sources de la morale et de la religion*. Certes,
la distinction du passé et du présent dans une individualité humaine
est relative à la tension de sa mémoire, au rythme propre de sa durée,
elle est donc plus ou moins *arbitraire*, je nomme passé ce que je ne
puis plus que contempler sans l'utiliser ou sans l'englober dans la
richesse de mon présent vécu, de ma durée actuelle indivisible, et
par là il semble qu'on pourrait concevoir — Bergson y a plusieurs
fois insisté — une durée intégralement indivisible du Moi. Dans ce
cas il n'y aurait plus à proprement parler de passé, bien que la durée,
la mémoire vivante, soient toujours constitutives de ce Moi. Il est vrai
qu'on concevrait mal, du moins chez un être fini comme nous, la
création d'un avenir nouveau sans une certaine séparation. C'est
pourquoi si, chez l'homme, il y a une part d'arbitraire dans la distinction du passé et du présent, la nécessité d'une rétrospection et
d'une prospection, d'un mouvement de détente vers le passé et de
tension vers l'avenir ne s'en impose pas moins.

Il semble qu'il faille aller plus loin encore en interprétant l'article
que Bergson a consacré à la *fausse reconnaissance*, au souvenir du
présent. Le passé, le *pur savoir*, accompagnerait toujours *en droit* le

présent vécu, comme l'*ombre accompagne l'homme qui se déplace*. Ainsi la contemplation serait toujours possible, elle serait l'*envers* de l'élan créateur, mais cette *inversion* de l'élan qui aboutirait à contempler le présent au lieu de le projeter vers l'avenir ne se manifesterait à la conscience qu'à l'occasion d'une *interruption* de l'attention à la vie. C'est ainsi que parfois nous reconnaissons le présent, contemplant en lui son propre passé, mais à ce moment-là nous cessons d'agir vraiment, suspendant dans cette réflexion du présent dans son passé la durée en tant que créatrice. Nous nous voyons alors nous-même dans les gestes que nous faisons, mais ces gestes nous apparaissent avec un caractère de fatalité. *Tout est donné*, semble-t-il, nous reconnaissons ou allons reconnaître le présent comme s'il avait déjà été vécu « dans un passé indéterminé ». L'action créatrice aurait toujours son ombre, la contemplation de soi, mais l'attraction de l'avenir nous empêcherait de la voir. Le passé, *dans son essence*, trouverait ainsi sa source dans cet *envers* de l'action. Seulement, contempler ainsi le présent comme passé, c'est cesser d'agir, interrompre l'élan même de la vie, de sorte que nous ne pouvons pas à la fois contempler et faire, à moins d'un effort douloureux et rare qui, sans interrompre l'élan, nous permettrait de *réfléchir la création même comme création*, ce qui serait l'*intuition*.

Nous ne voulons qu'indiquer ces perspectives de la métaphysique bergsonienne, de même que nous n'avons pu traiter ici le problème difficile de l'*image* chez Bergson qui exigerait de reprendre toute sa philosophie sous cet aspect. Ce qui nous paraîtrait condenser la position philosophique qu'a voulu prendre Bergson, ce serait une formule qui inverserait les termes d'une proposition de Plotin citée par Bergson : « L'action, disait Plotin, est une ombre de la contemplation », et pour une intelligence qui se détacherait de la vie, des conditions d'attention à la vie exigées de l'espèce humaine, cette contemplation apparaîtrait comme un sommet. Mais pour Bergson il faudrait dire au contraire, et cela même vaudrait pour les mystiques qui au-delà de l'attention à la vie participent à la source de toute création et créent à leur tour, que « la contemplation est l'ombre de l'action ». Ainsi avons-nous vu le passé qui ne peut être que contemplé, qui exprime peut-être l'essence de toute contemplation, se profiler toujours comme l'*envers* du présent *orienté* vers l'avenir.

La contemplation même de notre passé personnel est sans image, elle est muette, et quand on veut la réaliser, l'exprimer en images ou en œuvres, il y faut un *effort intellectuel* qui tire *de nous plus qu'il n'y avait d'abord*. Ainsi se justifie peut-être la matérialité, comme le manifeste ce beau texte de Bergson : « Une pensée laissée à elle-même offre une implication réciproque d'éléments dont on ne peut dire qu'ils soient un ou plusieurs; c'est une continuité, et dans toute continuité il y a confusion. Pour que la pensée devienne distincte, il faut bien qu'elle s'éparpille en mots; nous ne nous rendons bien compte de ce que nous avons dans l'esprit que lorsque nous avons pris une feuille de papier, et aligné les uns à côté des autres les termes qui s'entrepénétraient. Ainsi la matière distingue, sépare, résout en individualités et finalement en personnalités des tendances jadis confondues dans l'élan originel de la vie. D'autre part la matière provoque et rend possible l'effort. La pensée qui n'est que pensée, l'œuvre d'art qui n'est que conçue, le poème qui n'est que rêvé, ne coûtent pas encore de la peine, c'est la réalisation matérielle du poème en mots, ou de la conception artistique en statues ou en tableaux qui demande un effort. L'effort est pénible, mais il est aussi précieux, plus précieux encore que l'œuvre où il aboutit, parce que grâce à lui, on a tiré de soi plus qu'il n'y avait, on s'est haussé au-dessus de soi-même. Or cet effort n'eût pas été possible sans la matière, par la résistance qu'elle oppose et par la docilité où nous pouvons l'amener elle est à la fois l'obstacle, l'instrument et le stimulant, elle éprouve notre force, en garde l'empreinte, et en appelle l'intensification. » (1).

---

(1) *Energie spirituelle*, 42e éd., p. 22.

4

VIE ET EXISTENCE D'APRÈS BERGSON *
(Faiblesse et grandeur de l'intelligence)

La pensée de Bergson s'est développée dans la période qui précède la première guerre mondiale. Les trois œuvres : *Essai sur les données immédiates de la conscience*, *Matière et Mémoire*, *L'Evolution créatrice*, sont antérieures à 1914. Seules *Les deux sources de la morale et de la religion* sont postérieures à 1919.

Après la deuxième guerre mondiale, en 1944, nous avons connu le mouvement existentialiste qui s'est montré très — trop — sévère à l'égard de Bergson auquel il devait peut-être plus qu'il ne croyait. Bergsonisme et existentialisme s'opposaient au rationalisme classique, aux constructions de l'intelligence métaphysique. Mais Bergson était plus sensible au *thème de la vie*, au thème d'une histoire de la vie (*L'Evolution créatrice* de 1907), qu'à l'histoire humaine. L'existentialisme est une philosophie de l'homme; le mot existence convient seulement à l'homme, c'est une philosophie qui se relie volontiers au marxisme, à la lutte pour la désaliénation, la libération de l'homme. Pourtant ce qu'il y a de commun au bergsonisme et à l'existentialisme, c'est une philosophie de la liberté créatrice, du temps créa-

* Conférence faite à Leyde en 1950.

teur : *le temps est invention ou il n'est rien du tout,* mon avenir jusqu'à ma mort est en mon pouvoir, dit Sartre, seule la mort transforme ma vie en destin.

Bergson a donc été un peu négligé chez les universitaires classiques; on a parfois méconnu l'originalité et la vigueur de sa pensée. Son succès, auprès d'un certain public, ce succès qu'il n'a pas cherché, lui a plutôt nui. Enfin sa philosophie, à une période tragique de l'histoire, a paru trop empreinte de sérénité. Comme Spinoza, Bergson veut dépasser la condition humaine. Les existentialistes sont des philosophes tragiques, la philosophie de Bergson est une philosophie de la sérénité.

Par exemple, ce texte célèbre, à la fin du chapitre III de l'*Evolution créatrice* : « Tous les vivants se tiennent [...] dans une charge entraînante capable de culbuter toutes les résistances et de franchir bien des obstacles, même peut-être la mort. » Et aussi cet autre texte qui manifeste la sérénité de la vie, par rapport à l'inquiétude de l'intelligence, une inquiétude qui est la nôtre et dont nous ne pouvons pas facilement nous exclure : « Mais cette complication s'évanouit, si l'on replace l'homme dans l'ensemble de la *nature*, si l'on considère que l'intelligence serait un obstacle à la sérénité que l'on trouve partout ailleurs, et que l'obstacle doit être surmonté, l'équilibre rétabli. Envisagé de ce point de vue qui est celui de la genèse et non plus de l'analyse, tout ce que l'intelligence appliquée à la vie comportait d'agitation et de défaillance, avec tout ce que les religions y apportaient d'apaisement, devient une chose simple. Perturbation et fabulation se compensent et s'annulent : à un Dieu qui regarderait d'en haut, le tout paraîtrait indivisible, comme la confiance des fleurs qui s'ouvrent au printemps. »

C'est cette sérénité qui heurte notre mentalité, elle correspond à une pensée spéculative qui ne coïncide pas avec celle qui est la nôtre, comme le point de notre action. Pourtant Bergson a beaucoup fait pour renouveler la pensée philosophique. On a été très sensible à sa *critique de l'intelligence* ; on a prétendu qu'en faisant l'éloge de l'instinct devenu intuition, il nous livrait à l'irrationnel. Rien pourtant de plus lucide, de plus mesuré, qu'une étude de Bergson ; les images mêmes sont assez rares. Cette critique de l'intelligence nous paraît certes au centre du bergsonisme, mais non comme une critique négative qui tendrait à substituer autre chose à l'intelligence, elle nous paraît plutôt comme un effort pour que l'intelligence *se dépasse elle-même*, en découvrant son origine, son histoire, pour que, à partir de là, elle dénonce les illusions d'une pensée, une métaphysique naturelle de l'esprit humain (quatrième chapitre de *L'Evolution créatrice*), qui nous empêche de voir et d'aller aux choses elles-mêmes. C'est à cette critique et à ce dépassement de l'intelligence par elle-même que nous allons consacrer cette conférence, en étudiant :

1) L'histoire de la vie pour Bergson ;
2) La place qui revient à l'intelligence (faiblesse et grandeur de l'intelligence).

I. — L'HISTOIRE DE LA VIE

La grande découverte de Bergson se condense sans doute dans cette expression : « Le temps est *invention* ou il n'est rien du tout. » Il est difficile de penser que la durée qui est une attente, un « pas d'un seul coup », soit pour cela création, et création irréversible. On n'a peut-être pas fini de penser sur cette durée créatrice, car précisément l'intelligence ne peut pas la *penser* et Bergson va jusqu'à dire « que l'intelligence est caractérisée par une incompréhension naturelle de la vie ».

Pour Bergson, la critique de l'intelligence n'est pas une critique *a priori*, elle résulte d'une situation de l'intelligence dans l'ensemble de la vie. Il y aura, chez Bergson, une *genèse réelle* (l'histoire de la vie reconstituée) et une *genèse idéale* (l'explication de la matérialité comme de l'intelligence, comme l'envers nécessaire de la création).

La genèse réelle doit déjà nous éclairer. Bergson part de la vie et non pas du *cogito*. Le « je dure » de l'*Essai* n'est pas une réduction de l'univers au cogito, comme chez Descartes, mais un effort pour retrouver la vie, dont nous sommes un produit, un moment. En se situant dans la vie, en se donnant le spectacle de l'histoire de la vie, l'intelligence apprendra à reconnaître sa fonction, son rôle, ses limites ; c'est en les oubliant, au contraire, que l'intelligence se pose de faux problèmes et traite des problèmes spéculatifs avec des moyens qui ont servi seulement au progrès de l'activité (1).

Pourquoi Bergson est-il parti de la vie, de l'évolution créatrice, plutôt que de l'histoire humaine, comme par exemple Hegel ou Marx ? Là est précisément l'originalité de cette philosophie, qui est une cosmologie, une philosophie de la nature.

L'intelligence doit se pencher sur son passé, sur son histoire, pour en entrevoir le sens, l'élan, le mouvement, la courbe. Ainsi l'intelligence apparaîtra comme un moyen de la vie pour agir (2), mais non pas comme la vie tout entière (3) ; c'est seulement en considérant cette vie tout entière que nous pourrons dépasser l'intelligence, en nous servant d'ailleurs de l'intelligence elle-même.

Se donner ce spectacle de la vie, le phénomène de l'évolution, c'est ce qu'a tenté depuis Bergson le P. Teilhard de Chardin ; il faut voir cette évolution (on peut condenser une histoire, selon le procédé qui consiste à rassembler dans un seul regard ce qui s'est déjà écoulé). Il serait intéressant de comparer l'*histoire de la vie* que nous présente Bergson dans le deuxième chapitre de *L'Évolu-*

---

(1) « Du même coup s'éclairera pour toute philosophie le mystère de l'obligation suprême : un voyage avait été commencé, il avait fallu l'interrompre ; en reprenant sa route on ne fait que vouloir encore ce qu'on voulait déjà. C'est toujours l'arrêt qui demande une explication, et non pas le mouvement. »

(2) La vie ne procède pas comme l'intelligence aurait procédé. Il faut la rejoindre par une subtilité qui ne lui correspond peut-être pas adéquatement.

(3) « Le corps est bien pour nous un moyen d'agir, mais c'est aussi un empêchement de percevoir. »

tion créatrice, et les résultats de la biologie actuelle. C'est un travail que nous avons commencé, mais qui ne paraît pas mettre en cause le thème général de Bergson (son dualisme, vie et matière, que la chimie biologique pourrait mettre en cause, n'est pas un dualisme au sens scientifique (1), il est plus originaire et plus profond, et même si les molécules sont déjà des formes sur la voie de la vie, je ne crois pas que le thème bergsonien de l'évolution et de l'obstacle, toujours lié à cette évolution, puisse être mis en question).

Bergson *reconstruit*, dans son mouvement général, l'histoire de la vie. C'est le *roman de la vie*, un roman qui repose sur la science et qui est toujours guidé par la norme de vérité, un roman quand même. C'est seulement l'intelligence qui peut réfléchir cette histoire, la re-penser, cette histoire elle-même ne s'est pas pensée quand elle se faisait. Il y a là une opposition de l'irréfléchi et du réfléchi qui est fondamentale. La vie a précédé sa propre réflexion (2).

Bergson insiste sur le caractère de la vie qui *transcende à la fois le mécanisme et la finalité*. La vie n'est pas la réalisation d'un plan; c'est l'homme qui fait des projets conscients et ajuste les moyens aux fins conçues. La vie apparaît comme un élan qui a dû se *diviser* (3) en face des obstacles qu'il rencontrait. *La vie végétative*, la torpeur de la plante, répond à l'exigence d'accumuler l'énergie que la vie animale dépensera en devenant une machine à agir. Cette vie animale à son tour se divisera, dans ses formes les plus hautes, les insectes, les arthropodes qui disposeront de moyens naturels d'adaptation et les vertébrés qui seront des machines à faire des machines, qui transformeront la matière inerte en un vaste organe d'action... (4).

---

(1) Il n'y a pas la matière *et* la vie, comme deux choses; il y a, inextricablement liées, l'organisation (peut-être en action dans un amas de molécules) et la fixation, la matière (hylomorphisme).
(2) Nul doute que, quand on analyse le mot vie, on a déjà la pensée.
(3) La vie aurait pu prendre d'autres formes.
(4) « Au cours de cette évolution, tandis que les uns s'endormaient de plus

C'est Bergson lui-même qui définit ainsi ce rôle prodigieux de l'intelligence : transformer la matérialité (le courant inverse de la vie) en un organe : « Ainsi toutes les forces élémentaires de l'intelligence tendent à transformer la matière en instrument d'action, c'est-à-dire au sens étymologique du mot, en *organe*. La vie, non contente de produire des organismes, voudrait leur donner comme appendice la matière inorganique elle-même convertie en un immense *organe* par l'industrie de l'être vivant. » C'est Bergson, et non Hegel, qui parle ici d'aliénation : « L'intelligence est la vie regardant au-dehors, s'extériorisant par rapport à elle-même. »

L'intelligence apparaît ainsi comme un des moyens de la vie, mais non le seul : la plante, c'est la vie *endormie* pour accumuler l'énergie; l'animal, c'est le déplacement et l'action (l'utilisation de l'explosif) et sous ces deux formes, l'instinct précis, défini, mais limité, l'intelligence, errante, mais ouverte indéfiniment (1). La vie en face de la matérialité n'était pas toute-puissante. L'harmonie du départ a disparu dans la diversité des développements, qui restent cependant complémentaires. L'animal a oublié la torpeur de la plante, il y retombe parfois dans la vie parasitaire. « Et d'autre part l'évolution du règne animal a été sans cesse retardée ou arrêtée; ou ramenée en arrière par la tendance qu'il a conservée à la vie végétative » (2).

---

en plus profondément, les autres se réveillaient de plus en plus complètement, et la torpeur des uns servait l'activité des autres. Mais le réveil pouvait se faire de deux façons différentes.

« Du côté de l'intuition, la conscience s'est trouvée à tel point comprimée par son enveloppe qu'elle a dû rétrécir l'intuition en instinct, c'est-à-dire n'embrasser que la très petite fonction de vie qui l'intéressait — encore l'embrasse-t-elle dans l'ombre, en la touchant sans presque la voir. »

(1) Information limitée de l'instinct — errance de l'intelligence.

(2) « Le développement divergent des deux règnes correspond à ce qu'on pourrait appeler métaphoriquement l'oubli, par chaque règne, d'une des deux moitiés du programme » (fixer l'énergie — la dépasser librement).

C'est que l'élan est sans cesse arrêté, entravé; une espèce elle-même est une fixation, un *arrêt* de la vie (1).

« Il ne faut pas oublier que la force qui évolue à travers le monde organisé est une force limitée, qui toujours cherche à se dépasser elle-même, et toujours reste inadéquate à l'œuvre qu'elle tend à produire. La cause profonde de ces dissonances gît dans une irrémédiable différence de rythme. La vie en général est la mobilité même, les manifestations particulières de la vie n'acceptent cette mobilité qu'à regret et retardent constamment sur elle. »

Ce que veut Bergson, c'est précisément retrouver le *sens* de la vie : il est déjà dans le germe, et ne s'explique pas par les accidents de la route (2); et pourtant, ces accidents ne sont pas sans influence, puisqu'ils contraignent la vie à se diviser et à contourner les obstacles. Mais la vie créatrice en général porte l'obstacle en elle-même (3) (fixation du mouvement, interruption et inversion). C'est la *genèse idéale* (4).

II. — FAIBLESSE ET GRANDEUR DE L'INTELLIGENCE

Nous disions plus haut que la pensée de Bergson avait été caractérisée par une *critique de l'intelligence*, mais il ne faut pas mal comprendre cette critique. En faisant l'histoire de la vie comme une genèse véritable (et non pas comme Spencer en découpant et assemblant des morceaux), on entrevoit que la création crée elle-même son

(1) C'est cette limitation, cette finitude, qui est fondamentale chez Bergson. Et d'ailleurs, elle est elle-même inexplicable ou du moins inexpliquée.

(2) L'histoire, développement accidentel ?

(3) L'erreur de Nietzsche fut de croire à un dimorphisme effectif.

(4) « L'humanité gémit, à demi écrasée sous le poids des progrès qu'elle a faits. Elle ne sent pas assez que son avenir dépend d'elle. A elle de voir d'abord si elle veut continuer à vivre, ou fournir en outre l'effort nécessaire pour que s'accomplisse, jusque sur notre planète réfractaire, la fonction essentielle de l'univers qui est une machine à faire des dieux. »

intelligibilité, sa *compréhension rétrospective*, une des idées les plus profondes de Bergson. « Au contraire, si l'évolution est une création sans cesse renouvelée, elle crée au fur et à mesure non seulement les *formes de la vie*, mais les idées qui permettraient à une intelligence de la comprendre, les termes qui serviraient à l'exprimer. »

Si, dans le grand mouvement de la vie, l'homme seul a franchi l'obstacle, il le doit à l'intelligence, c'est-à-dire à cette utilisation de la matière pour en faire un moyen. Il faut relire à cet égard l'opposition de l'intelligence et de l'instinct dans le deuxième chapitre de *L'Evolution créatrice*. On comprendra alors la *faiblesse* et la *grandeur* de l'intelligence (1).

Faiblesse : la plante et l'animal sont adaptés, en relation avec leur milieu, seules des mutations les transforment. L'intelligence est la faculté de fabriquer des outils à faire des outils, elle voit donc le dehors, la matérialité, et par là elle est une *incompréhension naturelle* de la vie (une métaphysique, une ontologie, qui n'est que la transposition de sa manière d'agir en pensée, en réflexion) (2).

Enfin l'intelligence peut décomposer et recomposer, elle peut saisir des cadres, non le fond même de la chose; elle est formelle.

Mais on peut aussi parler de *grandeur*, car l'instinct est spécifique, particulier, profond, mais *borné*, et si l'intelligence (qui correspond sans doute à un aspect fondamental de la vie même), n'était pas apparue, la *réflexion* (3) sur la vie elle-même n'aurait pas été possible. « Il y a des choses que l'intelligence seule est capable de cher-

---

(1) « Un plan est un terme assigné à un travail : il clôt l'avenir dont il dessine la forme. Devant l'évolution de la vie, au contraire, les portes de l'avenir restent grandes ouvertes. C'est une création qui se poursuit sans fin en vertu d'un mouvement initial. Ce mouvement fait l'unité du monde organisé, unité féconde, d'une richesse infinie, supérieure à ce qu'aucune intelligence pourrait rêver, puisque l'intelligence n'est qu'un de ses aspects ou de ses produits. »

(2) On pourrait dire non que l'ontogenèse reproduit la phylogenèse, mais que la phylogenèse est une ontogenèse.

(3) Bergson distingue réflexion et intelligence. L'intuition est réflexion.

cher, mais que par elle-même elle ne trouvera jamais. Ces choses l'instinct seul les trouverait, mais il ne les cherchera jamais. » De même le langage animal s'il existe est fait de signes adhérents, le signe intelligent est un signe mobile, et cette mobilité, ce déplacement le conduit à un retour sur soi : « Il est présumable que sans le langage, l'intelligence aurait été rivée aux objets matériels. C'est par le mot qu'on ira de la chose aux idées. »

Seule l'intelligence (forme) a rendu possible la conquête matérielle et en même temps le réflexif. L'instinct serait resté figé, et inconscient, si la conscience n'apparaît que dans l'indétermination qui existe entre la représentation et l'action.

C'est cette reconquête par son histoire de la vie intégrale que va tenter l'intelligence (1). Il ne s'agit pas de revenir à l'instinct, mais d'élargir l'intelligence par l'histoire de la vie : « C'est seulement en regardant la conscience courir à travers la matière, s'y perdre et s'y retrouver, se diviser et se reconstituer, que nous formerons une idée de l'opposition des deux termes entre eux, comme aussi peut-être de *leur origine commune* » (2).

Par cette réflexion on dépasse l'intelligence, mais si par là l'intuition dépasse l'intelligence, c'est de l'intelligence que sera venue la secousse qui l'aura fait monter au point où elle est. Sans l'intelligence elle serait restée, sous forme d'instinct, rivée à l'objet spécial qui l'intéresse pratiquement et extériorisée par lui en mouvements de locomotion.

CONCLUSION

Même si l'on tient compte des différences entre la science moderne (de la nature et de l'homme) et la science sur laquelle Bergson a

---

(1) Reconquérir la vie et ainsi la reprendre.
(2) Il faut dilater l'intelligence pour rejoindre la vie, sans se perdre dans le rêve. Cette dilatation est possible. Elle montrera même que l'intelligence est impliquée dans le mouvement créateur, comme son envers.

étayé sa réflexion, on trouve chez Bergson le problème humain replacé au-delà de l'histoire humaine, car peut-être l'histoire humaine est une évolution qui s'est substituée à celle de l'organisme, un lamarckisme où les individus déposent dans la nature et dans le social un progrès immense mais qu'il faut récupérer, reconquérir à chaque génération (1).

Cet effort pour resituer l'intelligence et le problème humain dans la vie, cette réflexion qui s'enrichit au lieu de se fixer sur elle-même par l'histoire de la vie, nous devons cela à Bergson. En ce sens, la vie est préalable à l'existence humaine qui ne peut que s'y référer, dans une réflexion qui se dépasse pour reconquérir son irréfléchi.

---

(1) « Nous savons ce qu'il faut penser de la transmissibilité des caractères acquis. Il est peu probable qu'une habitude se transmette jamais [...]. C'est dans les mœurs, dans les institutions, dans le langage même que se déposent les acquisitions [...] ; elles se communiquent ensuite par une acquisition de tous les instants. Ainsi passent de génération en génération des habitudes qu'on finit par croire héréditaires. »

VIII

HUSSERL

L'INTERSUBJECTIVITÉ CHEZ HUSSERL *

Quand notre maître Léon Brunschvicg nous annonça en 1929 les conférences de Husserl à la Sorbonne sur l'*Introduction à la Phénoménologie transcendantale*, et nous avertit qu'il s'agissait là d'un événement comme il s'en produit rarement dans l'histoire de la philosophie, nous lûmes avec toute l'attention requise le programme de ces leçons. Je dois avouer pour ma part mon étonnement et mon incompréhension devant ce langage nouveau et cette manière de philosopher qui évoquait certes parfois la philosophie classique, et en différait pourtant si notablement.

Le temps a passé et la phénoménologie transcendantale de Husserl nous est devenue plus familière. Il nous semble même qu'on ne peut plus philosopher aujourd'hui sans se référer à elle. Sans doute l'interprétation même de cette phénoménologie n'a pas été univoque, et a donné naissance à des courants divers. L'ambition de Husserl, qui fut celle de tout grand philosophe, d'ouvrir la voie et de découvrir une méthode définitive, ne s'est peut-être pas accomplie. Cependant nous reconnaissons aujourd'hui dans la phénoménologie husser-

---

* Manuscrit non daté, non situé.

lienne la double exigence requise à l'égard de toute recherche philosophique : la rigueur et le sens du concret. Nous nous défions des constructions métaphysiques et nous attendons une philosophie concrète qui ne quitte pas l'expérience, qui nous dévoile ce que nous vivons dans l'existence quotidienne aussi bien que dans l'existence scientifique, mais ce que pourtant, tout en le vivant, nous ignorons, ce qu'il faut faire passer du plan non thématique au plan thématique. Il s'agit bien de refaire l'expérience, et même de nous rendre explicite cette expérience elle-même, ce que signifie, ce que veut dire l'expérience ; il s'agit aussi de ne pas s'égarer ou se dissoudre pour le plaisir dans des descriptions sans fin, qui ne s'imposent pas avec nécessité ; nous voulons, en revenant aux choses elles-mêmes, conserver la rigueur des déductions mathématiques. L'idéal du concret, et l'idéal mathématique se trouvent conciliés dans cette phénoménologie de Husserl, depuis les *Recherches logiques*, jusqu'à la *Krisis* et l'*Origine de la Géométrie*.

En France, où l'influence de Hegel ne s'était pas vraiment exercée comme dans la plupart des pays occidentaux du xixe siècle, nous avons découvert l'œuvre la plus concrète et la plus riche de Hegel, la *Phénoménologie*, en un temps où l'hégélianisme était délaissé ; mais ce que nous avons apprécié dans ce voyage de découverte du philosophe allemand, ce fut précisément cette réflexion sur l'expérience concrète, une réflexion qui bien que pratiquée par le philosophe, n'en rejoint pas moins l'expérience naturelle de la conscience, une expérience de l'expérience, pourrait-on dire (1). En un sens

---

(1) Il faut bien, en effet, que ces deux expressions s'ajustent, que la possibilité de l'expérience devienne à son tour une expérience de sa possibilité. C'est ainsi que, dans le caractère originaire de l'effectuation, l'expérience se découvre elle-même. L'intentionnalité n'est que cette possibilité en tant qu'elle s'actualise, et éprouve toujours qu'elle est la possibilité de s'actualiser. Mais il faut sonder cette intention.

« Expliciter cette intentionnalité elle-même, c'est rendre compréhensible le sens lui-même à partir du caractère original de l'effectuation constituant le sens. »

très général, en voyant les choses d'un peu haut, on peut dire que l'influence de Husserl s'est exercée en France en même temps que celle de la *Phénoménologie* de Hegel. Ce que nous avons refusé dans Hegel, c'était la dialectique en tant que procédé constructif; ce que nous avons admiré dans la *Phénoménologie* de 1807, c'était la dialectique « en tant qu'expérience de la conscience elle-même ». Nous avons vu dans la *Phénoménologie* une tentative philosophique pour élever la conscience plongée dans l'expérience à la conscience de soi; que la conscience elle-même, qui vit l'expérience, se retourne, pour ainsi dire, sur soi-même et s'oblige à se comprendre elle-même, qu'elle thématise sa naïveté, c'est là la tâche la plus difficile, aussi difficile que celle de marcher sur la tête. Pourtant ce passage de la conscience naturelle à la conscience de soi est la démarche nécessaire pour commencer à philosopher : c'est sans doute ce que Husserl nomme « la réduction phénoménologique », cette mise entre parenthèses des certitudes mondaines, qui permet non de les supprimer, mais de les faire apparaître, comme elles se montrent, et telles qu'elles se montrent; de là le nouveau sens authentique du phénomène. Ainsi en partant de l'*ego*, mais de l'*ego* qui n'est pas un résidu du monde, ou une portion du monde qu'on aurait préservée du doute universel, on peut voir se constituer à titre de sens les différents objets de la conscience. Le problème de l'Etre ne se présente plus alors comme un problème insoluble, exigeant la compréhension impossible d'une pénétration de l'Etre dans une conscience qui serait à son tour un milieu fermé. Les êtres et les diverses régions de l'être se montrent à la conscience à titre d'objets intentionnels; ce qu'il faut expérimenter ce n'est pas seulement l'*ego cogito*, mais le *cogito cogitatum qua cogitatum*; il faut voir ce que signifie pour la conscience qui le vise cet objet qui est là-bas et qui s'offre à elle dans des séries diverses de perspectives; il faut élucider ces potentialités de la conscience intentionnelle, ces horizons de l'objet visé, qui s'ouvrent indéfiniment devant la conscience. La conscience est ouverture sur l'être, et le monde visé par elle est un problème infini, une suite de confirmations successives qui conduisent toujours à des confirmations nouvelles. La transcendance est constituée dans l'immanence de la conscience. C'est pourquoi cette phénoménologie — cette explication des phénomènes — est une phénoménologie transcendantale, elle permet de dévoiler le sens de cette transcendance du monde qui est une transcendance pour la conscience; il s'agit donc de réduire cette certitude naturelle qui nous empêche de remonter au sens, pour nous libérer, et nous rendre accessible ce que signifie le monde, l'être, les idéalités de la logique. Rien ne doit être présupposé; la conscience doit pouvoir revenir intégralement sur elle-même, et assister à la propre genèse de ce qui tout d'abord l'investit. Mais cette constitution n'est pas une opération ou une action au sens mondain ou dialectique du terme. Ce n'est pas la conscience qui crée ou fabrique l'être; il s'agit seulement pour elle de se comprendre, de se reprendre elle-même et d'élucider comme conscience de soi ce qui lui est d'abord donné comme conscience. Le texte des *Méditations* est particulièrement clair sur ce point : « L'explication phénoménologique n'est véritablement pas du tout quelque chose comme une « construction métaphysique », elle n'est pas une théorie mettant en jeu — ouvertement ou en les dissimulant — les concepts et les préjugés de la métaphysique traditionnelle. Elle s'en distingue de la manière la plus décisive, puisqu'elle ne fait que mettre en œuvre les données de la pure intuition, et n'est qu'une pure explication du sens que l'intuition remplit d'une façon originale. En particulier, pour ce qui concerne le monde objectif des réalités (tout comme les multiples mondes objectifs, champs des sciences a prioriques pures), l'explication phénoménologique ne fait rien d'autre — et on ne saurait jamais le mettre trop en relief — qu'expliciter le sens que ce monde a pour nous tous, antérieurement à toute philosophie, et que manifestement lui confère notre expérience. Ce sens peut bien être dégagé par la philosophie, mais ne peut jamais être modifié par elle. Et, dans chaque expérience actuelle, il est entouré — pour des raisons essentielles et non pas à cause de notre faiblesse — d'horizons qui ont besoin d'élucidation. »

La constitution n'est donc qu'une répétition (en un sens proprement philosophique) d'une expérience qui se donne sans critique et un retour à l'évidence qui s'élucide elle-même pour elle-même, avec ses degrés et ses intentions encore non remplies. La constitution est une genèse qui répète parfois, mais sur un plan transcendantal, ce que les psychologues ont souvent décrit; beaucoup des analyses empiriques de Hume sont ainsi reprises dans une dimension nouvelle. Le danger est certainement de retomber dans le psychologisme ou le solipsisme, mais ce danger il faut précisément savoir l'affronter pour l'écarter définitivement. « Le *Je suis* est pour moi qui le dis, et le dis en le comprenant comme il faut, le fondement primitif intentionnel pour mon monde : là il ne peut m'échapper que même le monde « objectif », le « monde pour nous tous », en tant que monde valant pour moi avec ce sens est « mon monde ». Mais le fondement primitif intentionnel est le « Je suis », non seulement pour « le » monde que je considère comme le monde réel, mais aussi pour n'importe quel monde idéal qui vaut pour moi, et de même en général, pour tout ce que, sans exception, en un sens quelconque qui soit compréhensible ou valable pour moi, j'ai présent à la conscience comme existant — et cela tantôt légitimement, tantôt illégitimement —, y compris moi-même, ma vie, mon activité de pensée, tout cet avoir conscience [...]. Pour les enfants philosophes cela peut bien être la cour sombre où reviennent les fantômes du solipsisme, ou aussi du psychologisme, du relativisme. Le véritable philosophe préférera, au lieu de s'enfuir devant ces fantômes, éclairer la cour sombre. »

Mais comment éviter alors le solipsisme puisque tout se constitue pour moi, les autres, le monde même, et que cette constitution est toujours référée à une conscience de soi ? On comprend dès lors l'importance que Husserl a attachée à la constitution d'autrui, au problème de l'*alter-ego*. Sans parler des textes encore inédits, on trouve l'explication de cette constitution dans des textes de *Logique formelle et logique transcendantale* : § 95. Nécessité de partir de la subjectivité, propre à chacun ; § 96. La problématique transcendantale de l'intersubjectivité et du monde intersubjectif, aussi bien que dans la *Cinquième Méditation* qui lui est tout entière consacrée, ou dans les *Ideen* II.

Il faut insister sur cette importance du problème de l'*alter-ego*, chez Husserl; elle tient d'une part à des exigences de toute la philosophie contemporaine, et d'autre part à des exigences propres à la pensée husserlienne. Chez les philosophes classiques, de Descartes à Kant, ce problème n'est pas au premier plan, parce que le *cogito* conduit d'abord à Dieu, comme garantie suprême de l'objectivité; mais quand ce passage ontologique est refusé par la pensée critique, le problème de la constitution de l'expérience vient nécessairement achopper au problème d'autrui. Comment établir l'objectivité de l'expérience sans rencontrer la pluralité des sujets qui vivent l'expérience ? Comment passer de ma conscience de soi à une conscience de soi étrangère qui a un droit égal au mien ? Comment engager un dialogue avec elle, dialogue qui puisse justement garantir ce monde, comme notre monde, le monde de tous et de chacun ? Mais cette rencontre pour la conscience de soi d'une autre conscience de soi est justement l'énigme; car cette conscience de soi étrangère que je trouve ne peut précisément être un moment de moi-même; elle est véritablement un non-moi, un terme étranger (1). Il n'en est pas de

(1) Cf. Q. Lauer, *Essai sur la genèse de l'intentionnalité*, p. 384 : « Un monde apodictiquement évident, en tant que corrélat d'une pluralité de sujets, doit être pour les autres le même que pour moi [...]. — Par conséquent l'expérience du monde qu'a l'autre est « apprésentée » dans mon expérience, et l'autre *ego* (en tant que corrélat subjectif de ce monde) est « apprésenté » dans l'évidence de mon propre *ego*. »
N.B. — Apprésentation (pour autrui). Jamais présentation.

même de l'objet de l'expérience qui n'est donné certes que partiellement, mais qui est susceptible d'être indéfiniment expérimenté,
présenté dans une succession continue. Les horizons de l'objet sont
élucidables, ils conduisent à des expériences nouvelles qui seront
des présentations. Il n'en est pas de même d'autrui, qui ne peut jamais
être réduit à ma conscience de moi-même, puisque, par hypothèse,
il est une autre conscience de soi. Autrui vit l'expérience comme je
la vis moi-même; si je le rencontre, il faut qu'il me rencontre également, qu'il y ait réciprocité complète. La rencontre d'autrui est donc
une transcendance d'un autre ordre que la transcendance première
de l'objet; celle-ci, comme le dit Husserl, est une transcendance immanente; celle-là est d'un degré supérieur. Pourtant il n'est pas douteux
que je vis immédiatement aussi bien ce monde qui est là et constitue
mon ambiance, que tous ces autres qui sont également spectateurs
et acteurs dans ce monde. Cette certitude qui m'est donnée, je dois
donc pouvoir l'élever à la conscience d'elle-même; je dois pouvoir
résoudre l'énigme.

Le même problème s'était posé à Hegel dans la *Phénoménologie*,
aussi bien comme problème de la rencontre d'autrui que comme
problème de la constitution de l'histoire et de l'esprit objectif. La
solution de Husserl n'est pas si différente qu'on pourrait le croire de
celle de Hegel; elle n'échappe pas à une certaine dialectique, car le
moi d'autrui est aussi bien ce que je constitue, ce que j'inclus en moi,
que ce que j'exclus. La notion même d'*alter-ego* renferme cette dialectique. Ce moi étranger est à la fois ce que je ne peux comprendre que
par moi-même, ce qui en un sens est moi, et ce que pourtant je dois
rejeter de ma propre sphère, ce qu'il me faut exclure effectivement.
Il s'agit ici d'une *médiation*, mais d'une médiation qui n'est pas un
raisonnement, qui a elle-même un caractère d'immédiateté. Il faut
se rendre compréhensible cette double évidence qu'autrui est là
présent en chair et en os devant moi, et que pourtant son expérience
ne peut jamais m'être donnée en original, qu'elle est un revers qui ne

pourra jamais être présenté. Ce n'est pas un raisonnement par analogie qui donne autrui, ce n'est pas non plus une intentionnalité directe, susceptible d'être intégralement remplie, c'est une intentionnalité médiate. Toutefois, il y a bien rencontre et la constitution d'autrui pour moi dévoile en même temps une couche du monde qui en fait non plus seulement le monde pour moi, mais un monde objectif, un monde qui est le seul et même monde pour tous et chacun. C'est la constitution d'autrui qui doit révéler cette unité du monde pour nous, sans qu'on doive avoir recours à une harmonie préétablie des monades. L'élucidation de cette constitution dévoilera en même temps cette objectivité du monde. Hegel, comme le fera Husserl, reconnaît ce problème dans la *Phénoménologie*. On peut même dire que la Phénoménologie est l'autoconstitution du *nous*. Tout d'abord la conscience de soi de l'expérience ne se trouve elle-même que parce qu'elle rencontre une autre conscience de soi ; il y a à la fois identité et exclusion, attraction et répulsion. Les deux consciences de soi doivent se reconnaître comme se reconnaissant mutuellement ; et cette reconnaissance devient l'élément du *nous*, le terrain de l'esprit objectif et de l'histoire. C'est ici que se montre la différence entre Husserl et Hegel. Hegel fait se constituer l'intersubjectivité ; elle transcende effectivement chacune des consciences de soi en lesquelles elle se constitue. On dirait que le philosophe s'élève ici au-dessus des consciences de soi, qu'il s'identifie à l'histoire elle-même ou à l'esprit objectif. Ce n'est pas l'*ego* qui constitue, c'est en lui que se constitue la réciprocité des consciences et l'histoire. Husserl reste fidèle à une philosophie du *cogito*, même quand dans *Ideen* II, il s'efforcera de constituer à son tour les diverses communautés de culture et l'histoire elle-même, il aura soin de revenir toujours à un « ego cogito » ; il saisira cette constitution pour le moi lui-même et l'intersubjectivité sera subordonnée à l'*ego méditans*. Comme l'écrit justement Ricœur :

« Il est à remarquer que dans ces pages (250-260), Husserl va très loin dans le sens de la « conscience collective » au sens de Durkheim, ou de l'esprit objectif au sens de Hegel. C'est pourtant le thème de l'individu et de l'individuation primordiale de l'esprit qui sera le dernier mot de ce livre; dès maintenant cette ultime inflexion de l'analyse est préfigurée dans l'exégèse de la subjectivité sociale : ce même monde que nous percevons en commun n'est finalement perçu de manière *originaire* que par moi : le monde vu par l'autre n'est qu'imaginé sympathiquement *(eingefühlt)* autour de la conscience de l'autre; si bien que la subjectivité sociale n'est pas et ne peut être une réalité dernière ou première, mais une manière de conscience dérivée que le phénoménologue aura toujours la tâche de constituer dans les échanges très complexes de l'intersubjectivité et de subordonner finalement à l'unique conscience originaire, la mienne » (1).

Ce texte montre bien — en dépit de certaines affirmations de Husserl — que l'intersubjectivité n'est pas première; elle est elle-même constituée, mais alors comment éviter le solipsisme ? Il faut nous en tenir à cette constitution décrite dans la *Cinquième Méditation* et qui nous montre comment s'effectue la rencontre de l'*alter-ego*, comment il peut apparaître, à partir de ma conscience originaire de moi-même, sans que cette apparition en fasse un moment de moi-même. Le problème de la constitution d'autrui devra aboutir à ce résultat : « Il s'agit de comprendre comment mon *ego* transcendantal, fondement primitif de tout ce qui est valable pour moi du point de vue de l'être, peut constituer en soi un autre *ego* transcendantal et donc aussi une pluralité illimitée de tels *ego*... *ego* étrangers à moi, absolument inaccessibles à mon *ego* dans leur être original et cependant reconnaissables, pour moi, comme existant et existant de telle façon. » Le problème ainsi posé présente une espèce de contradiction; il décrit une conscience de soi de la conscience de soi étrangère, une conscience de soi de ce qui n'est pas ma conscience

_____

(1) Ricœur, Analyses et problèmes, dans *Ideen* II (*Revue de Métaphysique et de Morale*, janvier-mars 1952, p. 5).

de soi. Or c'est précisément cette altérité qui constitue la véritable transcendance du monde. Pour moi — en tant qu'*ego* transcendantal — le monde a le sens de monde objectif, de monde valable pour tout être *(für Jedermann)*, mais cela suppose que se dégage le sens de ce « tout être » — il faut donc que je puisse constituer *autrui*, autrui en général, avant de pouvoir constituer le monde objectif, puisque l'objectivité du monde renvoie elle-même à cette signification de l'Autre. L'Autre cependant ne saurait être alors un homme dans le monde objectif, il renvoie pourtant à moi-même, en tant que je suis moi psychophysique ; c'est donc que mon moi psychophysique appartient à une nature première en soi qui n'est pas encore nature objective. C'est là le vrai point de départ. Dans la *Cinquième Méditation*, Husserl explique comment dans une genèse statique (qui n'a rien de chronologique) il faut par une deuxième *épochè*, par une abstraction, à l'intérieur même de l'expérience transcendantale, me réduire à ma sphère transcendantale propre ; je fais abstraction de tout ce qui dans l'expérience concerne autrui ; il reste « une couche cohérente du phénomène du monde », une couche qui a une unité concrète. « Nous pouvons, malgré l'abstraction qui élimine du phénomène « monde » tout ce qui n'est pas une propriété exclusive du moi, *avancer d'une manière continue dans l'expérience intuitive*, en nous tenant exclusivement à cette couche d' « appartenance » [du moi]. Du phénomène du monde, se présentant avec un sens objectif, se détache un plan que l'on peut désigner par les termes « *nature qui m'appartient* ». »

C'est en se fondant sur cette sphère de mon appartenance, où je me constitue moi-même comme moi psychophysique, et me trouve donc moi-même avec une certaine extériorité, qu'on peut parvenir à constituer l'expérience de l'Autre. « Il est clair que c'est dans cette sphère de ce qui appartient en propre de façon primordiale à mon *ego* transcendantal que doit résider le fondement de la motivation pour la constitution de ces transcendances authentiques qui dépassent ce qui appartient ainsi en propre à l'*ego*, qui surgissent en tant qu'autres (en tant qu'êtres psychophysiques autres et *ego* transcendantaux autres) et moyennant cela rendent possible la constitution d'un monde objectif au sens courant : un monde du non-moi, de ce qui est étranger au moi. Toute objectivité prise en ce sens est ramenée d'une manière constitutive au premier élément étranger au moi, sous la forme d'autrui, c'est-à-dire du non-moi sous la forme moi d'autrui. »

Quand cette abstraction est accomplie, il reste un monde réduit à mon monde propre, à mon ambiance vitale, et dans ce monde, qui n'a plus le sens de l'objectivité, je trouve encore mon corps, comme corps extérieur, et comme corps propre, comme corps psychophysique que je gouverne et dont je suis l'âme; je suis la main qui touche et l'œil qui voit. Cette réduction à mon ambiance, à mon monde de vie, est une couche première, à partir de laquelle on peut voir se constituer l'Autre et le monde de l'Autre, car « en éliminant ce qui nous est étranger nous ne portons pas atteinte à l'ensemble de ma vie psychique, à la vie de ce moi psychophysique; ma vie reste expérience du monde, et donc expérience possible et réelle de ce qui nous est étranger. L'intentionnalité résiste même à cette seconde *épochè* effectuée à l'intérieur de l'expérience transcendantale » (1).

Le monde réduit à ce qui m'appartient se révèle comme une transcendance immanente; il faut s'élever cependant de cette transcendance primordiale à la constitution d'une transcendance qui est seconde et qui prend son sens par la rencontre d'autrui.

Dans la rencontre d'autrui, je trouve un autre corps, qui s'associe,

---

(1) Cette réduction révèle l'importance du problème du corps propre; c'est la constitution de mon corps et de mon âme qui l'anime quand ce corps et cette âme ne sont pas encore considérés comme une partie du monde objectif; il y a ici une genèse transcendantale de moi-même dans mon incarnation, parallèle à la genèse psychologique, mais qui seule peut la justifier, en retrouver le sens que la psychologie est incapable de restituer par elle seule. Il est déjà certain que c'est par le moyen de ce corps propre que s'effectuera la découverte d'autrui.

s'apparie, au mien. C'est grâce à mon corps propre que je peux effectuer dans ma sphère d'appartenance ce transfert aperceptif; je le fais non par une présentation d'autrui, mais par une apprésentation. Il y a apprésentation quand nous sommes en présence d'objets dont nous comprenons le sens de manière immédiate, parce que nous avons vu des objets ayant un sens analogue, ou nous sommes trouvés dans une situation analogue. C'est là une synthèse passive, une association immédiate et non un raisonnement, comme l'avait vu Hume (1).

Mais l'aperception d'autrui, comme celle du passé, se distingue d'une façon remarquable de toute autre apprésentation. Dans le cas de l'expérience du monde extérieur, l'objet nouveau aurait pu par le hasard de la rencontre être l'objet premier, mais dans le cas de l'apprésentation d'autrui, autrui ne peut jamais être donné d'une façon primitive. Autrui ne pourra être saisi que d'une façon analogue à ce qui m'appartient. Son corps psychophysique est apprésenté, avec un sens analogue au sens de mon propre corps, mais tandis que mon corps est dans le mode de l'ici, le corps d'autrui est dans le mode du là, c'est ce que serait mon corps si au lieu d'être ici, il était là-bas; il y a donc entre mon être et l'être d'autrui une assimilation et une adaptation continues, un ajustement mutuel, à la fois fusion et exclusion. C'est bien un moi que je saisis, par doublement de mon corps, mais ce n'est pas mon moi, de même que le passé est saisi comme ayant été un présent qui n'est pas le présent vécu. Grâce à cette adaptation, à ce transfert, je puis identifier la nature constituée par moi avec la nature constituée par autrui,

---

(1) On peut comprendre ici Husserl en réfléchissant sur la signification nouvelle qu'il donne aux admirables descriptions de Hume. Hume, en effet, nous dévoile ces liaisons immédiates qui se constituent dans une genèse passive, sans qu'il y ait proprement raisonnement; mais parce qu'il est incapable de s'élever au transcendantal, Hume considère ces liaisons, pourtant intentionnelles, comme des illusions possibles; il y découvre la source de la réalité pour nous autant que la source de l'erreur et manque de ce qui permet une nouvelle position du problème.

(ou pour parler avec toute la précision nécessaire avec une nature constituée en moi, en qualité de constituée par autrui). Cette identification synthétique ne présente pas plus de mystère que toute autre identification ayant lieu à l'intérieur de ma sphère originale propre, grâce à laquelle l'unité de l'objet peut en général acquérir pour moi un sens et une existence par l'intermédiaire des représentations.

Il importe de bien comprendre que cette genèse de l'objectivité, découvrant ma sphère propre, mon monde réduit, puis passant de là à autrui, et enfin à la communauté intersubjective constituant l'objectivité, la transcendance du monde, n'est pas un raisonnement; il s'agit toujours d'élucider, d'expliciter un sens qui est présupposé dans la position naturelle, mais qui est là, qu'il faut seulement rejeter ou revivre, pour en éclaircir l'évidence avec le sens qui lui appartient, ce sens d'*alter-ego*, qui implique tout à la fois qu'autrui est lui aussi un moi, capable de réduire le monde à son *ego* transcendantal, comme je peux le faire, mais un moi qui ne se confond pas avec moi-même, qui s'exclut de moi, en s'opposant à moi (1). C'est donc là un phénomène original, comme celui des objets symétriques dans l'espace, égaux et pourtant non superposables. Mon expérience qui est mienne, découvre une autre expérience qui n'est pas mienne, qui n'est pas susceptible d'être vécue par moi et qui pourtant s'organise avec la mienne dans la constitution d'un seul et unique monde. C'est ce phénomène original qu'il s'agit seulement de mettre en évidence tel qu'il se donne, et comme il se donne.

On remarquera que cette association de moi et d'autrui, identité et différence en même temps, s'explicite par des phénomènes qui ont leur répondant dans la psychologie la plus concrète (2). Cette

(1) Il ne s'agit ni de l'identité d'un même objet, ni de l'égalité de deux objets, il s'agit d'une relation originale d'identification dans la différence.
(2) MOCHWART : « La psychologie positive ne perd pas sa teneur légitime, mais n'est que libérée de la positivité naïve, de sorte qu'elle devient une discipline appartenant à la philosophie transcendantale universelle elle-même. »

relation de deux « moi » qui se constitue par le corps psychophysique et se retient à travers leur corps, donne lieu aussi bien à un phénomène de projection qu'à un phénomène d'identification; je me transfère dans l'autre, et je me redécouvre moi-même par l'autre en m'identifiant à lui. Projection et identification sont des phénomènes primitifs de cette genèse de l'intersubjectivité.

Certes beaucoup de questions restent encore sans réponses : comment s'explicite cette intersubjectivité, non seulement dans le monde objectif, mais encore dans le monde de la culture et de l'histoire ? Comment se rencontrent à leur tour des cultures différentes ? Enfin peut-on dire que le solipsisme est vraiment réfuté ? Qu'est le moi transcendantal, s'il faut parler de lui au pluriel, quand son seul texte est le *Je suis* ? Cette question même doit-elle être posée ? Et puis, que signifie cette autoconstitution, cette constitution d'autrui, et cette constitution du monde, si elle n'est pas une opération du moi, mais si elle permet la prise de conscience progressive et sans cesse reprise d'une certitude par où la nature devient pensée ? Mais peut-être dépassons-nous ici ce que Husserl nous a livré.

Le champ transcendantal est unité et multiplicité — il est multiple et pourtant il est un. Cette subjectivité devient alors une intersubjectivité, un nous constituant.

TABLE DES MATIÈRES

IV

HEGEL

V

MARX

VI

FREUD

VII

BERGSON

VIII

HUSSERL

1971. — Imprimerie des Presses Universitaires de France. — Vendôme (France)

ÉDIT. N° 31 688   IMPRIMÉ EN FRANCE   IMP. N° 22 637